QUATRE MILLIARDS DE JOURNAUX

FRANÇOIS ARCHAMBAULT
JEAN-FRANÇOIS LEMOINE

QUATRE MILLIARDS DE JOURNAUX

la presse de province

Collection dirigée par Jean C. Texier

Editions Alain Moreau
3 bis, Quai aux Fleurs - 75004 Paris - Tél. : 325.85.44

Maquette de couverture : Jean-Michel Folon

A nos parents,
qui nous ont donné le goût
de la province et de l'écrit.

PREFACE

LE TEMPS DU MEPRIS

Les magazines et la télévision ne parlent pas de nous, ni à la rubrique mondaine, ni à la chronique judiciaire, ni en pages sportives : nous appartenons à la bourgeoisie provinciale. Ceux qui se demanderaient (voire avec une légitime inquiétude) ce que nous allons pouvoir révéler peuvent se rassurer : nous ne sommes pas de ces petits-bourgeois sadiques comme le fils de famille du *Petit Matin* (1) de Christine de Rivoyre. Pour nous présenter, nous préférons reprendre cette apostrophe, amicale et complice, que Louis Gabriel-Robinet, l'ancien directeur du *Figaro,* avait lancée à l'un de nous : « *Vous êtes un enfant de la balle.* »

Il y a trente ans, au moment de notre enfance, la presse provinciale était ignorée, voire méprisée. Aujourd'hui, elle l'est moins, parce que l'on entrevoit sa puissance. Ce résultat est le fruit, parfois amer, du combat incessant de nos pères depuis la Libération.

Combien de remarques, d'interjections, de préjugés nous ont choqués ou blessés pendant notre adolescence ! Tel intellectuel, qui prétendait que nous n'avions pas à nous soucier de notre avenir avec les « magots » de nos familles, ne contredisait pas tel publicitaire qui affirmait que faire des études supérieures ne nous servirait à rien...

---

(1) Grasset, 1968.

Inversement, tel P.-D.G. de quotidien parisien, aujourd'hui en difficultés financières, confondait sans vergogne le tirage de *La Nouvelle République du Centre-Ouest* (300 000 exemplaires) avec celui d'un hebdomadaire politique plutôt confidentiel. De même, tel ami, député méridional, s'inquiétait, non sans ironie, de savoir pourquoi l'un d'entre nous perdait son temps dans une « feuille de chou » de province. Devenu secrétaire d'Etat, il se fait le champion du régionalisme et s'incline habilement devant les dirigeants et journalistes des journaux diffusés dans sa circonscription électorale.

Il est vrai qu'actuellement le mépris a quelque peu changé de camp. Ce sont plutôt les gauchistes ou, simplement, les beaux esprits qui s'étonnent du succès des grands journaux de province : les peuples méritent-ils de telles feuilles...? D'autres s'offusquent que des cadres de presse puissent se battre pour défendre le « profit » de leurs entreprises, alors qu'ils ne perçoivent que des salaires. Malgré nos parents et à cause d'eux, nous nous sommes assimilés à ces cadres qui, il faut le dire, nous le rendent avec beaucoup d'amitié et d'abnégation. Mais cette « collaboration de classes » n'est pas tout à fait ce que d'autres croient, sans doute sincèrement.

Le père de l'un d'entre nous est mort il y a neuf ans. Jacques Lemoîne, de famille parisienne, « descendit » en Aquitaine pour se consacrer au journalisme. Il gravit les échelons de la carrière jusqu'à devenir rédacteur en chef de *La Petite Gironde*, qu'il dut quitter, en 1942, sous la pression des Allemands. A la Libération, il devint P.-D.G. de *Sud-Ouest* et en fit un des plus prestigieux quotidiens français, en sachant équilibrer les rigueurs d'une gestion dynamique et les devoirs d'une rédaction indépendante.

Après sa mort en 1968, sa veuve assuma la présidence du journal, tandis qu'Henri Amouroux, journaliste à *Sud-Ouest* depuis l'origine et historien réputé, reprenait la direction générale du quotidien (2). Six ans plus tard, Hen-

---

(2) Né en 1920, Henri Amouroux a commencé sa carrière, en 1939, à l'Agence Opera Mundi. En 1941, il entre à *La Petite Gironde*. Tout en étant journaliste à *Sud-Ouest*, il dirige de 1946 à 1949 un quotidien vespéral, de tendance M.R.P., imprimé rue de Cheverus : *Le Soir de Bordeaux*. En 1959, il est nommé secrétaire général de la rédaction de *Sud-Ouest* et, en 1963, il devient rédacteur en chef adjoint du jour-

ri Amouroux quittait Bordeaux pour devenir directeur du premier quotidien français d'alors : *France-Soir*. Son départ amena à la tête de *Sud-Ouest* un directeur de trente ans. Celui-ci était, en 1974, le plus jeune responsable de quotidiens français, ce qui renouait avec une tradition de la presse de l'immédiate après-guerre.

Le père de l'autre, Pierre Archambault, n'avait que trente-deux ans, en 1944, lorsqu'il prit la direction de *La Nouvelle République du Centre-Ouest*. A trente-neuf ans, le jeune directeur tourangeau fut porté par ses pairs à la présidence du Syndicat National de la Presse Quotidienne Régionale (S.N.P.Q.R.), où il resta deux décennies. Aujourd'hui, malgré certaines transformations de sa société, il demeure toujours de plein droit le directeur de la publication.

Etre directeur de journal provincial amène à avoir des amis dont il faut parfois se méfier et des ennemis dont on n'a pas toujours le temps de se charger. C'est être disponible en permanence pour toutes sortes de tâches : apprendre à dire non cent fois pour une fois oui, défendre l'honneur de son titre, arbitrer des conflits sans complaisance ni lâcheté. Dans le temps qui reste, il ne faut pas oublier de veiller à ce que le journal tourne comme une bonne usine, en évitant de parler aussi bien de rendement que de licenciements. En fin de compte, il s'agit de faire un bon journal qui n'ignore personne, au risque même d'être traité de marchand de soupe par le « parti intellectuel » que peint Georges Suffert (3).

---

nal. De février 1974 à mai 1975, Henri Amouroux est directeur de *France-Soir*. Parmi ses principaux ouvrages, on peut retenir *La vie des Français sous l'Occupation* (Fayard, 1961) et *Le Peuple du désastre* (Laffont, 1976). Cf. Jean-C. Texier : « Entretien avec Henri Amouroux », *Presse-Actualité*, n° 90, mars 1974.

(3) *Les Intellectuels en chaise longue*, par Georges Suffert, Plon, 1974. L'auteur, directeur adjoint de la rédaction du *Point*, est éditorialiste politique au *Républicain Lorrain* depuis le printemps 1972.

L'autorisation de nos parents...

Pourquoi avons-nous accepté de consacrer nos loisirs à écrire un livre sur la presse de province, alors que cette tentative se heurtait au scepticisme de nos confrères ? Ainsi, Jacques Fauvet, le directeur du *Monde* (4), nous confia, à l'occasion d'une rencontre, qu'il doutait qu'on puisse publier quelque chose d'original sur ce sujet. Et lorsqu'il nous reçut pour répondre à nos questions, le président de la Fédération des Sociétés de Rédacteurs, Jean Schwoebel (5), nous demanda si nous avions l'autorisation de nos parents pour nous lancer dans une aventure aussi périlleuse.

Depuis un demi-siècle environ, rien de spécifique n'a été écrit sur la presse provinciale dans son ensemble. Habituellement, on ne parle d'elle que par incidence ou par comparaison. Est-ce du mépris pour une mal-aimée ? Cela procède-t-il, à l'inverse, de ce goût du secret si prononcé dans les bourgades provinciales aux volets souvent clos ? Seuls, une quinzaine d'éditeurs ont pris la peine de répondre au questionnaire très court adressé à la plupart d'entre eux. Tel P.-D.G. a déclaré qu'il souhaitait qu'on ne fît pas de publicité à des « maîtres chanteurs ». Telle personnalité a déploré que le Conseil Economique et Social se fût permis de produire un rapport (6), au demeurant très pondéré, sur l'équilibre éco-

---

(4) Né à Paris en 1914, Jacques Fauvet commença sa carrière journalistique à *L'Est Républicain*, où il travailla de 1937 à 1939, notamment comme chef du bureau d'Epinal. Entré au *Monde* en 1945, il continua néanmoins de donner des articles au journal de Nancy jusqu'en 1958 sous le pseudonyme de Jacques Chavigny. Aujourd'hui, il est encore actionnaire de *L'Est Républicain*, où il possède 74 actions sur 240 000.

(5) Né en 1912 à Mordelles, près de Rennes, Jean Schwœbel, journaliste au *Monde*, où il est spécialisé dans les questions européennes, est l'apôtre de la lutte des journalistes français contre le pouvoir et l'argent. La Fédération des Sociétés de Rédacteurs, qu'il a fondée, défend le principe des journaux aux journalistes. Sa famille fut un des principaux actionnaires d'*Ouest-Eclair* à Rennes, remplacé aujourd'hui par *Ouest-France*. Son grand-père, Emile Cary, était, en effet, l'un des fondateurs de ce quotidien breton.

(6) Michel Drancourt, *L'équilibre économique des entreprises de Presse*, C.E.S., 1974.

nomique des entreprises de presse. La fameuse Ordonnance de 1944, obligeant les journaux à publier annuellement leurs comptes d'exploitation, est devenue quasiment caduque. Sur 15 000 publications, une dizaine seulement l'appliquent (7).

Par suite de son souci de discrétion, peu de gens prennent l'exacte mesure de l'importance de la presse de province. Si l'ensemble des quotidiens de Paris tirait, en 1975, à 3,30 millions d'exemplaires par jour, la totalité des journaux provinciaux dépassait le double de ce chiffre : 7,39 millions d'exemplaires. Et, depuis 1976, le premier quotidien français, par la diffusion, est *Ouest-France*. Avec une vente moyenne de 639 000 exemplaires, le journal de Rennes dépasse *France-Soir* (633 000). C'est la première fois dans l'histoire qu'un régional détient le ruban bleu de la diffusion. Entre *Ouest-France* et *France-Soir*, l'écart vient encore de se creuser : pour la période allant du 1er juillet 1975 au 30 juin 1976, la moyenne de diffusion du premier s'est élevée à 646 000 exemplaires, alors que celle du second tombait à 580 000 exemplaires. Certes, pour beaucoup d' « intellectuels en chaise longue », il n'est pas de salut hors du *Monde*. Mais ce journal ne diffuse que 160 000 exemplaires en province (8). Or, il existe 50 millions de provinciaux en France. Pourquoi n'auraient-ils pas droit à une presse spécifique ?

Chaque année sont vendus plus de trois milliards de quotidiens de province. On trouve assurément toujours des réfractaires aux quotidiens régionaux. Par exemple, un tiers des lecteurs provinciaux du *Monde* ne lirait pas d'autre journal. Une enquête effectuée par les grands quotidiens régionaux a permis de découvrir les raisons de ceux qui s'abstiennent d'acheter un quotidien régional. Ce sont généralement des personnes mal intégrées dans la province. Pour la plupart, elles souffrent d'un complexe « parisianiste ». Avec pertinence, le journaliste Jean Sa-

---

(7) Citons notamment *Le Monde*, *La Croix*, *Minute*, *Valeurs Actuelles*, *L'Express* et *Le Point*.

(8) En 1975, selon l'O.J.D., le tirage du *Monde* s'élevait à 538 513 exemplaires et la diffusion à 425 619 exemplaires : 45,6 % des numéros étaient vendus dans la région parisienne, 37 % en province et 17,4 % à l'étranger.

vard note : « *Il y a deux types de Parisiens aux champs. Le premier part à la recherche du* Figaro *et de* France-Soir *et sombre dans la mélancolie si sa quête est vaine. Le second ne s'estime libéré de la capitale que si les journaux de celle-ci ne peuvent l'atteindre. Ce type est peu répandu.*

« *Et comme il faut bien lire quelque chose, ce Parisien du deuxième type achète un quotidien régional. Il va alors de découverte en découverte* (...) *Le Parisien aux champs du premier type — celui qui est perdu sans son* Figaro *et son* France-Soir *— estime qu'il n'y a rien à lire dans la presse régionale parce qu'elle consacre presque toutes ses colonnes aux nouvelles locales. Cela prouve que ce Parisien se prend pour le sel de la France, alors qu'il n'est trop souvent que le profiteur involontaire ou politique de la vie de nos provinces.* (...)

« *Si la presse régionale commettait la faute de négliger les incidents humains de son environnement, la France ne serait plus « éternelle ». Elle serait atteinte de leucémie* » (9).

Ainsi, la presse de province a moins besoin d'être justifiée auprès de ses détracteurs que d'être décrite pour tous ceux qui l'ignorent. Nous avons l'ambition, à travers cet ouvrage, de mettre en lumière la vie d'une grande presse qui n'a pas lieu de rester dans l'ombre. Il nous plairait de contribuer à redresser l'erreur si fréquente à Paris qui consiste à placer au second plan les organes régionaux. Ne peut-on pas regretter que même *L'Index,* la revue quotidienne de toute la presse française (10), n'ait cité, en mai 1974, que quatre fois *Sud-Ouest,* trois fois *Le Provençal* et *La Nouvelle République du Centre-Ouest,* une fois *Les Dernières Nouvelles d'Alsace, Ouest-France* et *La Dépêche* de Saint-Etienne, alors qu'étaient mentionnés 346 fois *Le Figaro,* 161 fois *Les Echos,* 156 fois *L'Aurore,* 147 fois *Le Monde,* 99 fois *L'Humanité,*

---

(9) *Combat,* 21 juin 1974.

(10) Quotidien édité par la Société Générale de Presse que préside Georges Bérard-Quélin (13, avenue de l'Opéra, Paris 1er). Il est vrai qu'il est matériellement difficile pour une publication parisienne du matin de se procurer à temps tous les quotidiens de province.

75 fois *La Nation,* 60 fois *Le Quotidien de Paris,* 46 fois *France-Soir* et *Le Parisien Libéré* ?

La France ne vit plus seulement « à l'heure de son clocher », selon la formule du sociologue suisse Herbert Luthy. Elle s'est mise à l'heure internationale, y compris en province. Mais Paris manque singulièrement de clochers, alors qu'ils animent encore villages et petites villes. Cela ne veut pas dire que les provinciaux s'intéressent uniquement à ces « chiens écrasés », qui hantent la mémoire défaillante des parisianistes frustrés. Si le découpage des pouvoirs conserve sa valeur dans la démocratie héritée de Montesquieu, la place de la presse provinciale, quotidienne ou périodique, générale ou spécialisée, payante ou gratuite, n'y est pas négligeable : quatre milliards d'exemplaires par an ! (11). Ceux que le « parti intellectuel » considère comme des « journaleux » pour paysans et petits-bourgeois ont parfois bâti des empires. Certes, de temps à autre, certaines forteresses mystérieuses donnent l'impression de n'être que des châteaux de cartes. Mais ces cartes sont souvent de puissants atouts à l'échelle locale. Le gigantisme n'apparaît pas forcément comme une nécessité. Parmi les milliards d'exemplaires tirés chaque année en province, depuis la « semaine religieuse » jusqu'au grand groupe de presse régionale, en passant par le mensuel agricole ou la banale publication d'annonces légales, que d'hommes compétents mais discrets ressentent le simple honneur d'écrire pour autrui !

Des luttes interminables

Le temps du mépris s'estompe pour cette partie méconnue, bien que la plus importante, de la presse française. Que de luttes interminables pour y parvenir ! Sans prétendre faire œuvre d'historien, c'est l'histoire de ces combats que nous souhaitons narrer. Nous l'ordonnerons autour de quatre thèmes.

La presse de province, cette forme d'expression écrite surgie de la France profonde, repose d'abord sur la « *li-*

---

(11) Voir la justification de ce chiffre dans le chapitre sur la radioscopie d'une industrie.

berté de posséder », sans laquelle il n'y a sans doute pas de création ni de progrès. Mais cette vertu essentielle ne va pas sans poser des problèmes historiques, juridiques et pratiques.

Informer, même et surtout en province, implique le « *pouvoir de gérer* ». Ce second thème complètera évidemment le premier, afin de poursuivre la démythification de ceux qui croient au caractère immatériel et éthéré de l'information et de la communication. Hélas, les lois des marchés et les rapports de forces sont implacables, même dans la douce France.

Que sort-il de la confrontation des propriétaires, des gestionnaires et des journalistes ? Comment dire tout sur tout ou à l'inverse peu sur peu ? Quelles sont les limites aux « *moyens de dire* » : tel est le troisième thème.

Alors le personnage clé intervient, celui que les acteurs et même les spectateurs oublient parfois : nous voulons parler de celui qui a le « *droit de savoir* ». Il s'agit du lecteur et pourquoi pas du « non-lecteur ». A une époque où l'on a tendance à prendre systématiquement la défense du consommateur, il semble bien naturel de constater que ni l'éditeur, ni le journaliste, ni les ouvriers du Livre n'existeraient, si un nombre minimum de nos contemporains n'usaient de ce droit de savoir (12).

---

(12) Au moment de publier ce livre, nous tenons à exprimer notre gratitude à tous ceux qui ont bien voulu nous fournir des informations sur l'histoire de la presse de province.

Nous souhaitons remercier tout particulièrement quatre confrères qui ont pris la peine de relire, la plume à la main, notre manuscrit : Georges Bérard-Quélin, P.-D.G. de la Société Générale de Presse ; Roger Bouzinac, directeur du S.N.P.Q.R. ; Christian Chavanon, administrateur délégué de *R.T.L.* et Louis Estrangin, P.-D.G. d'*Ouest-France*.

Première partie

LA LIBERTE DE POSSEDER

« *La liberté existe pour et par ceux qui l'ont conquise* ». Cette phrase d'André Malraux, alors ministre de l'Information du général De Gaulle (1), les historiens et les politiciens n'ont pas fini de la commenter, voire de l'adapter. Elle fut prononcée le 29 décembre 1945, à la tribune du Palais-Bourbon, au cours d'un débat sur l'épuration de la presse. Selon Raymond Aron, directeur à l'époque du cabinet du ministre, ce dernier voulait insister sur la priorité due aux conquérants de la liberté et non légitimer une exclusivité à leur profit (2). « *Dans la distribution des journaux de province, nous n'avons joué aucun rôle,* précise le sociologue, *car fin* 1945 *tous les titres étaient déjà attribués.* » Il y eut donc très peu d'autorisations de paraître signées par Malraux. La petite histoire retiendra néanmoins que c'est le grand écrivain qui a accordé celle du *Figaro Littéraire.* Au Ministère de l'Information, un brillant trio assistait alors la nouvelle presse dans ses premiers pas : André Malraux le héros, Raymond Aron le penseur, Jean Mottin le technicien (3).

---

(1) André Malraux fut ministre de l'Information du 21 novembre 1945 au 25 janvier 1946. Il occupera à nouveau ce poste du 2 juin au 6 juillet 1958.

(2) Dans la même intervention, Malraux déclara : « *Notre presse est au service privilégié de ceux qui lui ont permis d'exister. Elle n'est pas encore complètement une presse de justice parce qu'elle est une presse de combat.* »

(3) Jean Mottin, aujourd'hui Conseiller d'Etat, est l'auteur d'une *His-*

Albert Gazier, qui fut secrétaire d'Etat à la présidence du Conseil, chargé de l'Information, sous Léon Blum, et ministre de l'Information du Cabinet Pleven (4), se rappelle que sous le président Blum il n'y eut que 8 décrets et 22 arrêtés de transferts. L'ancien ministre socialiste évoque parmi d'autres une « grosse affaire de conciliation », quelque temps après la Libération, entre Vincent Delpuech, ancien patron du *Petit Provençal*, plus tard sénateur radical des Bouches-du-Rhône, et Francis Leenhardt (5), nouveau directeur du *Provençal*, élu en 1973 député du Vaucluse. Chacun ne se prévalait-il pas de « la liberté de posséder » ?

Trente ans après

« Il y a 30 ans... » : cette phrase qui s'écrit et se dit beaucoup au moment où ce livre est conçu, on peut la lire dans le numéro du 23 août 1974 du grand quotidien marseillais, qui ajoute : « *Issu des glorieux combats de la Résistance,* Le Provençal *entamait sa longue marche (en* 1944)... *La plupart des fondateurs du journal continuent (en* 1974) *de l'animer et de travailler pour que la marche en avant du* Provençal *se poursuive. Leur souci : assurer la continuité dans le progrès.* »

Son concurrent communiste local, *La Marseillaise*, écrit à son propre sujet, le 24 août 1974 : « *Avant-hier, déjà quotidienne, on la réclamait sous la mitraille* (...), *elle se distribuait grâce aux femmes, malgré les balles et la peur du boche... Certains s'interrogent pour savoir comment* La Marseillaise *a pu et peut continuer de faire face. Il n'est pas de miracle. L'explication se trouve dans le*

---

toire politique de la Presse : 1944-1949, parue aux Editions Bilans Hebdomadaires, 13, avenue de l'Opéra, Paris 1er. Ancien Conseiller technique de Malraux, il fut Président-Directeur-Général de la S.N.E.P. (Société Nationale des Entreprises de Presse) de 1955 à 1973.
En décembre 1976, il fut chargé d'une médiation dans le conflit du *Parisien Libéré*.

(4) De décembre 1946 à janvier 1947, puis de juillet 1950 à mars 1951.

(5) Né en 1908, Francis Leenhardt est P.-D.G. de *République* depuis 1962. Représentant les Bouches-du-Rhône à l'Assemblée Nationale de 1946 à 1962, il est depuis 1973 député socialiste du Vaucluse. Sa fille, Anne-Marie Laffont, est directeur adjoint de *République*.

phénomène spécifique qu'est l'attachement des amis et des lecteurs à notre journal. »

Pour sa part, Jean Meunier, es qualités de président du Comité Départemental de Libération clandestin, écrivait dans l'édition d'Indre-et-Loire de *La Nouvelle République du Centre-Ouest* du 1er septembre 1974 : « *Au nord de la Loire, dans la zone libérée, Pierre Archambault a été chargé de fonctions préfectorales par Michel Debré, commissaire de la République.* » Les éditions des autres départements de diffusion de ce quotidien ne reprennent pas cet article. Il faut lire le petit David de la presse tourangelle pour en savoir plus sur les origines du Goliath local. Dans son numéro du 7 septembre 1974, l'hebdomadaire *L'Espoir,* animé par l'ancien ministre Jean Royer et son fils Gérard, précise : « *Le dernier numéro de* La Dépêche du Centre *est daté du* 11 *août* 1944. *Le premier et le seul journal qui reparaîtra sera* La Nouvelle République du Centre-Ouest *le vendredi* 1er *et le samedi* 2 *septembre. Il annonce un certain nombre de mesures, à commencer par la suppression des journaux* La Dépêche du Centre, Tours-Soir, Le Chinonais, Le Républicain de Chinon, L'Echo de Chinon, Le Petit Courrier d'Angers. (...) *Le Comité Départemental de la Résistance, dont M. Meunier est le président, prend en main la mairie et M. Vivier, ancien inspecteur d'Académie, est désigné comme préfet. Depuis le* 24 *août, Pierre Archambault assurait les fonctions de préfet par intérim et prenait la direction politique de* La Nouvelle République du Centre-Ouest... »

Ainsi, 30 ans après son lancement, le seul quotidien tourangeau oublie de rappeler quelques faits. Il a fallu lire un confrère local pour en savoir un petit peu plus. N'en va-t-il pas de même pour beaucoup d'autres journaux, qui n'aiment pas s'étendre sur leurs origines : goût du secret ou fausse pudeur, qui peut savoir... ?

Un Normand à Paris

Les étés 1975 et 1976 illustrent par un autre exemple l'évolution parfois affligeante du petit monde de la presse française. Le rachat du prestigieux *Figaro,* puis de *France-Soir,* par l'inquiétant Robert Hersant n'a pas fini de faire couler de l'encre, de la sueur et peut-être des larmes. En effet, cet événement politico-financier témoigne à la fois de l'érosion de l'histoire, de la fin du parisianisme et de la liberté de posséder.

L'histoire désormais prescrit que la conquête de la liberté appartient aussi à ceux qui n'y avaient pas accès voici trente ans. La phrase de Malraux qui introduit notre texte, ira peut-être échouer, si ce n'est déjà fait, dans « *la fosse commune des oublis nationaux* ».

Un Rastignac normand a pu accéder aux empires jusque-là réservés aux académiciens, ambassadeurs ou industriels internationaux. *Le Figaro,* comme porte-drapeau du parisianisme de bon aloi, n'est plus tabou. Tant mieux pour les provinciaux : c'est le juste retour des choses ! Tant pis pour ceux qui auraient pu rêver que la presse provinciale issue de la Résistance fît un jour cette conquête méritoire !

Enfin, nous revenons au premier thème de ce livre que nous ne faisons qu'effleurer : la liberté de la presse à laquelle nous tenons tous profondément implique plus que jamais la liberté de posséder. Mais, dans ce domaine, la liberté n'interdit pas la rapidité. Le libéralisme n'est pas toujours synonyme d'angélisme. Telles sont à mots à peine voilés pour respecter chacun — les gagnants et les perdants, les futuristes et les passéistes, les activistes et les contemplatifs — trois leçons parmi d'autres que les gazettes de province, respectables et méprisées, peuvent retenir de l'arrivée de Robert Hersant au rond-point des Champs-Elysées puis rue Réaumur. Pourquoi le propriétaire de *Paris-Normandie* et de tant d'autres titres provinciaux n'aurait-il pas eu le droit d'acquérir un quotidien parisien ? Néanmoins, la nécessité du pluralisme de l'information, en régime démocratique, oblige à se méfier de l'insatiable appétit du « papivore ».

Le passé de la presse provinciale s'écrit avec des points de suspension ou ne s'écrit plus vraiment, sauf en termes généraux par prudence... Nous essaierons maintenant de l'évoquer, en empruntant à la fois à l'économie et au poker les mots de « new deal » que nous traduirons par « *nouvelle donne* »...

Le présent, lui, est marqué par un point d'exclamation.

La presse elle-même, parisienne ou provinciale, écrite ou audiovisuelle, générale ou spécialisée, en relate actuellement, comme périodiquement, les péripéties. Ce sera le second chapitre : « *A l'heure des successions* ».

L'avenir, enfin, nécessite un point d'interrogation. Ce n'est plus au jargon américain que nous emprunterons le titre de ce troisième chapitre, mais au droit romain. S'agissant de « la liberté de posséder », on ne s'en étonnera pas. Il s'intitulera donc : « *User, jouir, abuser* ».

Pour compléter et clore cette première partie « juridico-historique », nous étudierons trois cas, comme nous le ferons d'ailleurs après chaque autre partie.

Chapitre I

LA « NOUVELLE DONNE » DE 1944

Un journaliste provincial « monté » à Paris disait un jour : « *Ne perdez pas votre temps à vouloir fermer le passage à mes gazettes, vu que c'est une marchandise dont le commerce ne s'est jamais pu défendre et qui tient cela de la nature des torrents qui se grossissent par la résistance.* » Le style trahit évidemment son auteur : un médecin originaire de Loudun, dans le Haut-Poitou, Théophraste Renaudot. C'était il y a trois siècles, mais déjà presque toutes les préoccupations surgies voici trois décennies s'y trouvent : « passage », « marchandise », « commerce », « résistance » même... Il suffit de remplacer « gazettes » par « journaux » et « nature des torrents » par « nature des choses », et nous voilà transportés en 1940 ! Cette année-là et la plupart des suivantes resteront à jamais dominées par la haute carrure d'un homme, qui n'était certes pas « complaisant » pour la presse provinciale et surtout pour la presse tout court, un peu comme le Richelieu de Renaudot. Mais ce géant se faisait « une certaine idée de la France » que la plus grande partie de la presse a fait sienne en 1944.

Ethnologie des nouveaux chefs

L'ethnologie peut se définir — en simplifiant — la science des ethnies. On pourrait aussi parler d'une sorte de « théorie des ensembles », appliquée à l'humanité. Or, en 1944, apparaissent de nouveaux groupes humains à la tête de la presse provinciale. La redistribution des « cartes » au sommet des entreprises est tellement large qu'on n'a pas fini d'en analyser les mécanismes, même et surtout 32 ans après. Toutefois, il ne faut pas exagérer l'étendue de la « nouvelle donne ». De nombreux titres surgissent avec de nouveaux responsables. Mais quelques anciens reparaissent avec des directions peu modifiées. Cela représente déjà au moins deux catégories de nouveaux « chefs ». Ce dernier mot convient mieux aux circonstances que ceux de patrons, de P.-D.G. ou de directeurs, tant est grand le vide institutionnel.

A la Libération, des «jeunes hommes en colère» s'installent dans les fauteuils directoriaux. Roland Mevel, rédacteur en chef de *L'Est-Républicain,* raconte dans une conférence (1) : « *La libération du territoire va marquer, sous l'angle de la presse, un bouleversement quasi total. Les ordonnances, préparées à Alger par le gouvernement provisoire dirigé par De Gaulle, ont interdit à jamais la reparution des journaux qui avaient continué à exister quinze jours après l'armistice en zone nord, et quinze jours après le* 11 *novembre* 1942 (*date de l'entrée des troupes allemandes et italiennes*) *en zone sud. Ce qui a permis de sauver* Le Figaro *mais de condamner* Le Temps.

A la Libération, des équipes de maquisards et de journalistes résistants s'emparent, mitraillette au poing, des entreprises de presse et y font paraître tout de suite de nouveaux journaux. Leur situation est immédiatement régularisée par les pouvoirs publics. On n'accorde en principe des autorisations de paraître qu'aux équipes ayant publié durant l'occupation des journaux clandes-

---

(1) Tenue au C.P.J. (Centre de Perfectionnement des Journalistes) en avril 1974.

tins. Tout cela se produit aussi bien à Paris qu'en province. Mais du fait des destructions de la guerre et de la poursuite des opérations militaires, les communications se rétablissent difficilement entre Paris et la province. Si bien qu'en province les lecteurs gardent leurs habitudes de la guerre : ils continuent de lire les journaux régionaux et non ceux de Paris dont les titres agressifs — Combat, Libération, Franc-Tireur — *et la formule nouvelle les déconcertent quelque peu. En province, au contraire, la plupart des journaux ont bien changé de titre, mais les nouvelles publications imitent souvent la formule des anciens. Elles sont donc moins déroutantes.* »

Pour compléter ce texte de notre confrère nancéien, il est indispensable de souligner les difficultés des historiens, même non polémistes et, a fortiori, des simples observateurs. Un problème tout « bête » se pose d'entrée de jeu : celui de la date d'apparition ou de consécration des « nouveaux chefs ». Celle de l'édition du premier numéro dans la clandestinité repose sur des fondements juridiques quasi nuls et des bases pratiques très floues : tirage par définition confidentiel, diffusion approximative, responsabilités diffuses... La parution au grand jour n'est guère plus fondée juridiquement, car elle est souvent très en avance sur l' « autorisation de paraître ». Cette dernière a une incontestable valeur historique et juridique, mais semble parfois oubliée pour mille raisons... La création de la société éditrice se révèle souvent lente, compte tenu des lourdeurs juridiques françaises et par surcroît des novations juridiques de cette époque révolutionnaire. Quant à la nomination des « dirigeants sociaux », elle est, hélas, parfois sans coïncidence parfaite avec la réalité des fondateurs de fait ou de droit. Bref, l'ethnologue improvisé a naturellement du mal à choisir ses personnages et ces derniers sont souvent en quête de leurs auteurs...

Il est au demeurant très difficile de tracer le portrait d'hommes vivants, en pleine activité, entrés dans l'histoire de la presse sans même s'en apercevoir sur le coup. Evoquons quelques-uns de ces hommes qui prirent le pouvoir en 1944.

« *Les meilleurs ont gagné...* »

Michel Bavastro, président du Syndicat National de la Presse Quotidienne Régionale, déclarait en 1974 : « *Nous étions modestes. Si nous sommes devenus quelque chose, c'est que — il faut bien le dire — les meilleurs ont gagné* » (2). Né en 1906, journaliste sportif avant-guerre, résistant sous l'occupation, puis membre du Comité Départemental de Libération des Alpes-Maritimes, Michel Bavastro est depuis 1948 P.-D.G. de *Nice-Matin*. Cet industriel de presse est d'abord doté d'un calme olympien. Son visage impassible et secret, aux yeux légèrement bridés, et son comportement aux gestes mesurés inspirent le respect. C'est ainsi que dans le brouhaha de la libération niçoise, il impose sereinement et diplomatiquement son autorité à ceux qui veulent réellement éditer un journal et non pas simplement s'amuser avec des machines et l'opinion. L'histoire mérite d'ête contée.

En 1944, beaucoup de journaux meurent, certains à peine nés. Ainsi, le 27 août, *L'Eclaireur de Nice* et *Le Petit Niçois*, lancés quelques mois auparavant, sortent leur dernier numéro. Michel Bavastro, qui joue alors un rôle discret, achètera quelques années plus tard les actions du premier. Le lendemain 28 août, paraît *Combat* dans les locaux du second, en même temps que *L'Etincelle* (C.G.T.) et *L'Espoir* (socialiste). Ailleurs, avec le même personnel technique, dans les locaux de feu *L'Eclaireur*, sont imprimés *Le Patriote* (Front National, organisation proche du P.C.F.) et *Le Cri des Travailleurs* (P.C.). Ce dernier, devenu *L'Aurore du Sud-Est*, va disparaître en novembre 1946. Les autres auront également de courtes vies. Pendant ce temps, Michel Bavastro observe, réfléchit, travaille sans impatience ni doctrine préconçue. Aux dires de Nicolas Langlois (3), « L'Etincelle *ne termine pas l'année* 1944 ». Il méritait bien son titre ! Quant à *Combat*, il cessera faute de... combattants à l'occasion d'une grève

---

(2) Phrase prononcée le 9 janvier 1974 lors d'un déjeuner organisé par le Groupement des Grands Régionaux (G.G.R.) en l'honneur d'Alexandre Sanguinetti, alors Secrétaire général de l'U.D.R.

(3) *Presse Actualité*, n° 84, été 1973.

de 45 jours déclenchée en mai 1945. Ses dirigeants voulaient pourtant relancer le journal sans les grévistes... *Le Patriote* deviendra communiste, puis déclinera et se transformera en hebdomadaire en 1967. Quelques benjamins se succèdent : *La Liberté* (M.R.P.) vit à peine plus d'un an, de 1945 à 1947, et *L'Eclair* (organe de la municipalité) survit six mois, de 1948 à 1949. Cette année-là, *L'Espoir* est absorbé et deviendra l'édition du soir de *Nice-Matin*, avant de passer hebdomadaire en 1973.

Dans cette conjoncture complexe et troublée, Michel Bavastro, négociant avec les uns et les autres, réussit à créer une Société Anonyme à Participation Ouvrière (S.A.P.O.) qui édite *Nice-Matin* en 1946, après la disparition de quelques titres. En 1976, son journal est le seul quotidien de Nice et des Alpes-Maritimes. Il est également le premier dans la Principauté de Monaco et la Région de la Corse. C'est un succès envié par beaucoup, à commencer par ses voisins, *Le Provençal* à l'ouest et *Le Dauphiné Libéré* au nord.

Mais, avant de dépeindre les P.-D.G. de ces derniers quotidiens, un autre nom doit être évoqué parmi les « nouveaux chefs » de la presse libre. Il s'agit, comme Michel Bavastro, d'un homme modeste et discret.

Claude Berneide-Raynal, aujourd'hui septuagénaire, est en effet membre du Conseil d'Administration de *Nice-Matin*, ainsi que de son confrère méditerranéen *Midi-Libre*, à Montpellier. Mais la fonction principale de cet administrateur méconnu est la présidence de *Presse-Océan* à Nantes, sur une autre mer. Industriel de formation et de vocation, Claude Berneide-Raynal se définit ainsi dans une lettre qu'il nous a adressée : « *Je suis et j'ai toujours été essentiellement un gestionnaire beaucoup plus qu'un écrivain.* » C'est à la Résistance et au fameux groupe *Combat* qu'il doit d'être associé à trois « régionaux » depuis la Libération. « *J'ai été à cette époque,* nous précise-t-il, *en effet, chargé au Mouvement de la Libération Nationale, en tant que secrétaire général adjoint, de tous les problèmes de mise en place de la nouvelle presse...* ». Il n'est pas devenu une « vedette ». Mais ses affaires sont bien gérées et son quotidien, *Presse-Océan*, s'est imposé comme le grand journal nantais, malgré la concurrence du géant *Ouest-France* et du groupe Hersant, qui lui a d'ailleurs confié l'édition de *L'Eclair* de Nantes, tout en en conservant la propriété.

Le principal concurrent de *Nice-Matin,* pour revenir sur les rives de la Méditerranée, est présidé par ce que l'on peut appeler une « vedette » de la presse et de bien d'autres scènes encore. Faut-il en effet présenter Gaston Defferre ? Qui ignore qu'il est P.-D.G. du *Provençal* depuis un quart de siècle ? Député-maire de Marseille, ancien ministre de l'Information, il aurait pu être en 1974 le Premier Ministre de François Mitterrand, si celui-ci était devenu Président de la République ? Il a tenté lui-même de l'être à deux reprises, d'abord comme « Monsieur X », poussé par *Horizon* 80, en 1965, mais sans aller jusqu'aux élections elles-mêmes, ensuite contre Georges Pompidou en 1969. Ce sexagénaire aime les défis. Il pratique activement les courses de voiliers et passe pour un excellent marin. Ancien Nîmois, devenu avocat marseillais en 1931, aujourd'hui marié à la romancière Edmonde Charles-Roux, il a conservé le style austère de ses ancêtres protestants. Son adhésion à la S.F.I.O. en 1933 avait probablement surpris quelques-uns de ses proches, mais il est toujours resté fidèle à son socialisme comme à ses amis. C'est en 1944 qu'il devint maire de Marseille et en 1946 député socialiste des Bouches-du-Rhône. Cinq ans plus tard, il renonça au barreau pour assumer pleinement la direction du *Provençal,* où l'appelaient des résistants socialistes. Immédiatement, il n'hésita pas à s'opposer aux exigences des ouvriers C.G.T., en employant des typographes de tendance Force Ouvrière. Aujourd'hui, il possède 30 % des actions du *Provençal.* Selon *Le Nouvel Observateur* du 18 octobre 1976, « *ces actions ne lui rapportent aucun dividende, mais en tant que P.-D.G., il touche un important salaire* ».

Trois lois portent le nom de ce bouillant parlementaire, éditeur, journaliste et maire. La plus connue est la fameuse loi-cadre sur la décolonisation de 1956. La moins célèbre touche la construction navale. Celle qui nous intéresse directement organise « la dévolution des biens de presse » en 1946.

Gaston Defferre est assisté à la présidence du groupe

du *Provençal* par deux directeur généraux : Francis Leenhardt, par ailleurs président-directeur général de *République* à Toulon et André Poitevin, également président de l'Agence Centrale de Presse à Paris. Ce Méridional, à l'éloquence débridée, ne ménage aucun de ses efforts pour le groupe où il est entré en 1947 comme secrétaire général. Auparavant, il avait assumé des responsabilités dans la Résistance puis à la tête du cabinet du préfet des Bouches-du-Rhône. Sous son impulsion, *Le Provençal* a innové en maints domaines, qu'il s'agisse de marketing, d'informatique, de publicité et plus récemment de technique. Peintre et cavalier pendant ses loisirs, son tempérament imaginatif et agressif l'a conduit à la tête de la Commission Intersyndicale de la Publicité. C'est lui qui mena les négociations tant avec les anciens propriétaires qu'avec les syndicats de salariés du *Méridional - La France.* (Le groupe marseillais gère depuis 1971, en effet, *Le Méridional*, longtemps animé par le député indépendant Jean Fraissinet.) Le frère de Gaston Defferre, Jacques, ancien administrateur de la France d'Outre-Mer, dirige depuis 1955 *République* à Toulon où il a mis en œuvre une modernisation exemplaire, une des premières à utiliser l'offset.

Plus au nord, vers la région Rhône-Alpes, *Le Dauphiné Libéré* freine la montée du *Provençal* et de *Nice-Matin.* Son P.-D.G., Louis Richerot, exhale une truculence qui compense tout à la fois la rigueur de Gaston Defferre, le laconisme de Michel Bavastro et la discrétion de Claude Berneide-Raynal. Tous ces hommes sont liés par la Résistance, la presse, la province et, à dix ans près, la génération. La politique les sépare un peu, mais c'est surtout le comportement qui les distingue.

Louis Richerot est un fonceur. Hôtelier avant-guerre, on dit qu'il savait fort bien manier la mitraillette dans le maquis. Plutôt « socialisant » à la Libération, il compta parmi les supporters de la République pompidolienne. On le dit sourd et il parle fort. Mais il peut très bien entendre quand il le faut. En toute hypothèse, il sait parfaitement se faire entendre. Son journal, associé à son vieil ennemi, *Le Progrès* de Lyon, dans de multiples sociétés commerciales, techniques et journalistiques, est devenu un des plus grands et des plus modernes de France, après avoir éliminé tous ses concurrents grenoblois et bien des dauphinois (4). Il a été notamment un des premiers quotidiens à réaliser dans les années soixante des impressions typographiques en quadrichromie. Le style coloré constitue donc un des charmes réels de ce « nouveau chef ».

Son directeur général depuis 1949, Jean Gallois, 62 ans, ingénieur et expert-comptable, est une des personnalités les plus dynamiques et les plus solides de la presse régionale. Cet ancien champion de saut à ski prône pour la presse une gestion d'une scrupuleuse orthodoxie. Ce sexagénaire, qui a pratiqué le management bien avant la lettre, est l'un des rares dirigeants de journaux à pouvoir s'imposer dans les domaines technique et financier. Il est d'ailleurs président de l'Association Nationale des Sociétés par Actions.

Un jeune loup

Tous ces P.-D.G. appartiennent au plus important « groupe de pression », au sens noble du mot, qu'est le Syndicat National de la Presse Quotidienne Régionale. Ce syndicat, « directorial » plus que « patronal », n'existait pas lors de la « nouvelle donne ». Il en fut plutôt une des conséquences. Son fondateur en 1951, puis président jusqu'en 1971, fut l'un des « jeunes loups » de l'époque. Ancien correspondant de journaux parisiens à Tours et collaborateur de diverses publications régionales avant la guerre, Pierre Archambault prit part à la Résistance dans le groupe « C.N.D.-Castille » et fut nommé le 1er septembre 1944, à 32 ans, directeur de *La Nouvelle République du Centre-Ouest* par le Comité Départemental de Libération d'Indre-et-Loire. Plein de fougue et d'enthousiasme, issu de l'Association Catholique de la Jeunesse Française, sans avoir la majorité du capital fort dispersé de la société, Pierre Archambault assuma quasiment seul la direction de *La Nouvelle République*,

---

(4) Bernard Montergnole, *La Presse quotidienne grenobloise*, P.U.G., 1974.

jusque dans les années soixante-dix. A soixante-quatre ans, il affiche une rondeur bonhomme qui recèle une générosité profonde et un réalisme inspiré par le bon sens. Sa puissance de travail, alliée à une connaissance minutieuse des arcanes de la presse, lui a permis de mener de front la bataille pour le développement de son journal et les combats nécessaires à la profession. Bien qu'il préside toujours la Confédération de la Presse Française, il fréquente désormais les allées du pouvoir avec un peu de désenchantement.

La Nouvelle République du Centre-Ouest a parmi ses concurrents, dans le Maine-et-Loire et les Deux-Sèvres, *Le Courrier de l'Ouest* dont le président est Emilien Amaury. Issu comme Pierre Archambault du christianisme social, il est plus parisien que provincial par ses intérêts, bien que son groupe se veuille provincial. Lutteur acharné, il fait partie des nouveaux chefs sortis de la Résistance, où il animait le groupe de la rue de Lille. Un visage de boxeur, une carrure d'athlète sont entretenus par la pratique matinale et quotidienne de l'équitation dans sa propriété de l'Ile-de-France. (Il succombera d'ailleurs à une chute de cheval, le 2 janvier 1977.) Son caractère ne dément pas son physique. Ses décisions, une fois mûries, deviennent irrévocables. Il préfère les conquêtes aux contacts. Mais il est aussi intransigeant en amitié qu'en affaires.

Un autre homme fort doit être cité, parce qu'il a su demeurer indépendant de tout groupe. Pour un pays de mineurs, de marins et de cultivateurs, dominé par une agglomération sans fin, il fallait une... voix puissante. Le réseau de Résistance « La Voix du Nord » créa dans la clandestinité un journal sous ce titre. Trente ans après la Libération, *La Voix,* comme on dit dans le Nord, a acquis une force considérable. Son président, René Decock, a la taille haute, le geste robuste et la... voix également forte. Il préside avec autorité et effacement aux destinées du quotidien nordique depuis sa fondation. Son accent « chtimi » témoigne de ses attaches avec ce pays, pour lequel il se passionne tant qu'il le quitte très peu. Il voyage rarement. Ses concurrents lui posent moins de problèmes que ses camarades, anciens membres du réseau à la base de l'entreprise, comme en témoignent leurs actions judiciaires diverses (5). Un homme de confiance assiste René Decock depuis près de trente ans, Jules Talpaert. Ancien responsable local de la Société Nationale des Entreprises de Presse (S.N.E.P.), il passe pour un des meilleurs spécialistes de comptabilité industrielle dans la presse.

Des revenants sans chaînes...

Les hommes neufs n'occupèrent pas toute la scène. Ce furent surtout les responsables qui changèrent. Mais, aux échelons immédiatement au-dessous de la direction, presque tous les acteurs de la presse provinciale réapparurent aux lendemains de la guerre, y compris certains rédacteurs en chef. De nouveaux actionnaires et quelques dirigeants avaient remplacé les anciens propriétaires. Mais tout le personnel restait le même.

Ce fut, a fortiori, le cas des journaux qui reparurent soit dès la Libération, soit quelques années plus tard, après maintes tergiversations. Le cas dijonnais est exemplaire (6) : « *Le* 15 *juin* 1940, *les Allemands entrent à Dijon. Le journal du baron Louis Thénard, important actionnaire de la Compagnie de Saint-Gobain* (Le Bien Public), *et celui du député socialiste Jean Bouhey* (La Bourgogne Républicaine) *se « sabordent » de concert, tandis que* Le Progrès de la Côte-d'Or, *le vieil organe radical, poursuit sa parution. Cette attitude lui est fatale à la Libération, cependant que, le* 12 *septembre* 1944, *les deux journaux mis en sommeil réapparaissent,* Le Bien Public *imprimant même son confrère en panne de rotative pendant quelques jours.* » Ainsi, d'anciens propriétaires purent rentrer dans leurs meubles.

Et, trente ans après, c'est donc Arnauld Thénard, petit-fils du baron Louis Thénard, qui dirige *Le Bien Public* en compagnie de François Bacot. Ces deux hommes, tout en assurant la continuité des traditions de ce journal plus que centenaire, ont signé en mars 1974 un accord

---

(5) Cf. André Diligent, *Un cheminot sans importance*, France Empire, 1975.
(6) *Presse Actualité*, n° 91, avril 1974.

d'exploitation avec *L'Est Républicain.* Le groupe nancéien avait, en janvier 1973, racheté la majorité des *Presses Nouvelles de l'Est.* Celles-ci, alors présidées par Pierre Brantus, le successeur de Jean Bouhey en 1957, éditent *Les Dépêches du Centre-Est,* nouveau titre de *La Bourgogne Républicaine,* traditionnel concurrent du *Bien Public.* La « nouvelle donne », qui ne s'était pas réalisée en 1944 dans cette région, a semblé s'esquisser pendant un temps sous les contraintes économiques. Toutefois, en 1976, Le *Bien Public* et *Les Dépêches du Centre-Est* ont repris leur indépendance.

La redistribution provinciale a été moins forte que l'épuration parisienne. La permanence de quelques directeurs des grands journaux de la Troisième République l'atteste : à Clermont-Ferrand, Alexandre Varenne récupère le contrôle de *La Montagne ;* à Metz, Victor Demange reprend son poste à la tête du *Républicain Lorrain ;* à Lyon, Emile Brémond retrouve son fauteuil directorial au *Progrès* et, à Nancy, René Mercier aurait pu retrouver le sien s'il n'était décédé fin 1944.

En bonne justice, il faudrait aussi évoquer les noms de nombreuses autres personnalités ; parmi celles-ci quelques figures se détachent encore, dont trois verts septuagénaires.

Francisque Fabre n'a pas fini de défrayer la chronique. Après avoir succédé, en 1947, à Alexandre Varenne à la direction de *La Montagne,* il mena une politique astucieuse, digne des vertus auvergnates. Sous une apparente simplicité, il dissimule une habileté tenace que la constitution silencieuse de son groupe a largement révélée. Ainsi, après avoir absorbé, en décembre 1968, *Centre-Matin* à Montluçon, il racheta, en janvier 1972, *Le Populaire du Centre* à Limoges et *Le Journal du Centre* à Nevers. Bien qu'à demi retraité, il est omniprésent dans son journal. Personnage mythique aux vies multiples, il a commencé à travailler à seize ans comme watman alors que sa formation le destinait à la gravure sur métaux. Il occupa encore bien d'autres emplois : metteur en bouteilles de grenadine, fabricant de viandox, représentant en huiles. C'est en 1926 qu'il fut recruté par Alexandre Varenne pour préparer ses tournées électorales.

A Orléans, deux contemporains de Francisque Fabre ont bâti lentement mais sûrement une citadelle des plus futuristes. Roger Secrétain, P.-D.G. de *La République du Centre* depuis 1944, se présente sous de multiples facettes. Autodidacte, il se fait, dans des ouvrages appréciés, le chantre de Jeanne d'Arc et de Péguy. Ce mélomane fit une brillante carrière politique : secrétaire d'Etat en puissance, il fut député U.D.S.R. du Loiret de 1951 à 1955 et maire d'Orléans de 1959 à 1971. Son beau-frère, Pierre Carré, occupe la présidence de la Société montargoise d'édition et la direction générale de *La République du Centre.* Cet ancien professeur de lettres, formé à l'Ecole libre des Sciences Politiques, jadis attiré (mais seulement jadis !) par l'extrême gauche, a eu le premier pour un régional l'audace de franchir le pas de la fabrication offset.

Le directeur d'un quotidien d'une importance similaire, avec un tirage de 80 000 exemplaires, *L'Indépendant* de Perpignan, a reconquis, à la force du poignet, un poste détenu avant-guerre par sa famille. *L'Indépendant du Midi* avait, en effet, été remplacé, en août 1944, par *Le Républicain des Pyrénées Orientales,* qui deviendra, en avril 1950, *L'Indépendant du Matin,* alors même que son ancien patron, M. Brousse, était mort en déportation. Après de longs débats, Paul Chichet réalisa, à vingt-neuf ans, un véritable coup de force, avec la complicité notamment d'un jeune socialiste, Arthur Conte, le futur P.-D.G. de l'O.R.T.F., qui allait devenir l'éditorialiste de politique internationale de *L'Indépendant* pendant les dix années suivantes. Un beau soir de 1950, Paul Chichet convainquit — au besoin par la contrainte — les ouvriers de l'imprimerie de cesser la fabrication du titre issu de la Résistance pour reprendre la composition du journal d'avant-guerre. Une seule concession : *L'Indépendant du Matin* se muait en *Indépendant* tout court.

Travelling arrière...

C'est d'histoire lointaine plus que d'ethnologie hâtive qu'il faudrait traiter maintenant. Après avoir esquissé le portrait de quelques-uns des dirigeants encore en place de la presse provinciale d'après-guerre, voyons comment on en est arrivé là, en opérant, comme disent les cinéastes, un « travelling arrière ».

L'avant-guerre — il faudrait préciser aussi bien avant celle de 1914 que celle de 1940 — fut la belle époque de la presse française et singulièrement de la presse locale. Les statistiques ne sont pas rares, mais elles ne se recoupent pas toutes, notamment du fait des variations sur la notion de « journal ». Pour Jacques Kayser (7), en 1881, quatre-vingt-neuf villes de province publiaient des quotidiens ; 18,5 % d'entre elles en publiaient deux, 18,5 % trois, 12 % quatre... En 1889, à Nancy, cinq quotidiens existaient déjà au moment de la fondation de *L'Est Républicain.* D'après Pierre Albert (8), en 1938, il y avait 185 quotidiens en province et 1 160 tri-, bi- ou hebdomadaires.

D'ores et déjà, on peut noter, en quatre-vingts ans, une diminution des trois quarts des quotidiens provinciaux. « *Alors qu'en* 1939 *un grand nombre de quotidiens avaient déjà passé la cinquantaine* (*d'âge*), *que le doyen d'entre eux,* Le Journal du Havre, *avait* 189 *ans, aujourd'hui, en* 1962, *il n'y a plus que seize quotidiens qui dépassent les vingt années d'existence, la très grande majorité des journaux étant nés à la Libération ou après, issus de la clandestinité ou créés par des hommes qui avaient été des animateurs de la Résistance intérieure ou extérieure* » (9). De son côté, Bernard Voyenne écrit : « *La Libération du territoire, c'est, vu sous l'angle de la presse, un bouleversement quasi total* » (10). Les historiens précisent : « *Les quotidiens vont, en province, voir le jour au fur et à mesure de l'avance alliée. Parfois, c'est un journal sabordé en* 1940 *qui retrouve ses lecteurs, ou bien tel autre, tout en continuant de paraître, a indiscutablement servi la Résistance ; ils garderont leur titre. La plupart naissent des comités départementaux de Libération et leurs titres sont tout neufs. A Caen, ville très éprouvée,* Liberté de Normandie *date son premier*

(7) *La Presse de province sous la 3e République*, A. Colin, 1962.
(8) *Histoire Générale de la Presse Française*, Tome 3, P.U.F., 1972.
(9) *Textes et Documents*, décembre 1962, n° 12.
(10) *Presse Actualité*, février 1966, n° 24.

numéro des 9-13 *juillet* 1944. Ouest-France, *à Rennes, sort le 7 août, au lendemain de l'entrée des troupes américaines libératrices. Même date, le 23 août, pour* Les Allobroges *à Grenoble — « provisoirement organe commun du Front national et du Mouvement de Libération nationale », et qui n'hésite pas à déclarer qu'ancien journal clandestin, il « remplace* Le Petit Dauphinois » — *et pour* Le Provençal *à Marseille. Celui-ci est « un journal entièrement nouveau », précise l'éditorial. « Les patriotes qui font naître* Le Provençal *luttent en ce moment dans les rues de Marseille et dans nos villages de Provence, l'arme à la main. » A Montpellier, voici, le 27 août,* Midi-Libre. *Et, à Bordeaux, le 29 août,* Sud-Ouest. *Enfin,* La Voix du Nord, *à Lille, le 5 septembre, souligne qu'elle sort de l'ombre « après quatre ans de clandestinité... »* (11).

Les « Cahiers Bleus » d'Alger

Il suffit de relire les fameux « Cahiers Bleus » d'Alger pour saisir l'ampleur de la « nouvelle donne ». Cet ensemble de « directives » promulguées à Alger en 1944, après avoir été élaborées par la Résistance métropolitaine et mises en forme par Pierre-Henri Teitgen, alors chargé de l'Information, comportait une disposition essentielle, claire et nette : « *L'interdiction immédiate de paraître est prévue :*

a) *Pour les journaux et périodiques qui ont commencé à paraître après le* 25 *juin* 1940 ;
b) *Pour les journaux et périodiques qui, existant le* 25 *juin* 1940, *ont continué à paraître :*
   — *Plus de* 15 *jours après l'Armistice en zone Nord ;*
   — *Plus de* 15 *jours après le* 11 *novembre* 1942 *en zone Sud.* »

Redevenu professeur de Droit à l'Université de Paris, Pierre-Henri Teitgen nous commenta ce texte (12) en sou-

(11) Claude Bellanger et al., *Histoire générale de la presse française*, Tome 4, P.U.F., 1975.
(12) Entrevue du 24 septembre 1973.

lignant que « *le fait nouveau en droit français était la responsabilité pénale des personnes morales* ». Effectivement, il est unique de décapiter les entreprises pour des délits de droit commun ! Nos traditions latines nous ont rendu plus coutumières les responsabilités individuelles. Mais, comme le rappellent à juste titre bien des témoins, les sanctions étaient demandées pour les « traîtres » et les « profiteurs ». Pierre-Henri Teitgen, alors ministre de l'Information, n'avait-il pas déclaré, au premier congrès de la Fédération Nationale de la Presse Française (F.N.P.F.), le 26 octobre 1944 : « *Les journaux de la trahison resteront enfouis à jamais dans la fosse commune de nos déshonneurs nationaux.* » Le problème, dans ces périodes de justice immanente et implacable, est toujours celui de « *fixer la hauteur de la barre* », selon la justification de Pierre-Henri Teitgen dans le film *Français, si vous saviez,* d'André Harris et Alain de Sédouy.

Les « Cahiers Bleus » à l'intention des commissaires de la République et des préfets, chargés de prendre les arrêtés nécessaires à l'épuration de la presse, indiquent « *qu'il y avait le nombre suivant de journaux compromis : Lille* 13, *Rouen* 33, *Rennes* 26, *Angers* 29, *Poitiers* 45, *Bordeaux* 15, *Châlons-sur-Marne* 9, *Saint-Quentin* 16, *Nancy* 7, *Dijon* 26, *Orléans* 15, *Limoges* 40, *Clermont* 36, *Lyon* 84, *Marseille* 58, *Toulouse* 70, *Montpellier* 34, *soit, au total,* 660 *organes compromis :* 280 *en zone occupée* (*dont* 56 *quotidiens*) *et* 380 *en zone non occupée* (*dont* 51 *quotidiens*). *Notons que cette statistique ne comprend pas les organes repliés.* »

Plus loin, les « Cahiers Bleus » précisent « *les chiffres par région des journaux supprimés depuis* 1939 » : Lille 61, Rouen 74, Rennes 36, Angers 40, Poitiers 25, Bordeaux 17, Châlons-sur-Marne 16, Saint-Quentin 56, Nancy 20, Dijon 55, Orléans 32, Limoges 18, Clermont 18, Lyon 78, Marseille 66, Toulouse 26, Montpellier 24.

« *On voit,* poursuivent les « Cahiers », *que, au total, sur* 1 282 *journaux paraissant en* 1939, 674 *ont été supprimés ou se sont sabordés. La proportion des journaux ayant cessé leur parution est beaucoup plus forte en zone occupée* (230 *sur* 554), *environ les deux tiers dans le premier cas contre les deux cinquièmes dans le second.* »

Les journaux disparus, périodiques ou quotidiens, sabordés ou interdits, ne reparaîtront pas tous. Bien sûr, le foisonnement de la Libération laissera croire à une Renaissance. Mais un journal — comme toute industrie ou toute institution, selon que l'on choisit l'angle économique ou le politique — ne s'improvise pas, même dans la foi et dans la joie. De 1945 à 1976, le nombre de quotidiens de province a diminué de moitié... comme il avait déjà diminué presque de moitié de la fin du XIXe siècle à 1940. Les disparitions se sont accélérées au lendemain de la Libération. La guerre n'aura sans doute été qu'une étape, certes importante et même tragique, mais une étape parmi d'autres dans l'évolution séculaire du nombre de journaux français. Après coup, les grandes victimes avérées sont sans conteste les journaux parisiens et les titres locaux.

En revanche, la « nouvelle donne » fait apparaître une autre forme de presse française : les quotidiens régionaux. Ce phénomène de régionalisation n'est pas sans importance ni fondement dans notre pays de centralisme pluriséculaire. Du *Journal du Loiret,* premier quotidien français au XVIIIe siècle, à *La République du Centre,* qui rayonne sur la Beauce, le Gâtinais et la Sologne, que de chemin parcouru à travers les révolutions, les guerres, les coups d'Etat ! La vraie « révolution », dont rêvait le Conseil National de la Résistance pour la presse, se trouve peut-être là, dans cet aspect concret de sa transformation après la guerre. D'ailleurs les titres abstraits sont morts, tels que *Mémorial* ou *Nouvelliste.* Certes demeurent des appellations, comme *République* ou *Liberté,* mais elles recouvrent et expriment des symboles permanents et des aspirations profondes. Parallèlement, des termes comme *Ouest-France* ou *Sud-Ouest, Provençal* ou *Méridional,* sont clairs et simples. C'est le souffle régional, pour ne pas dire régionaliste, qui s'impose.

Mais les quotidiens régionaux ne sont pas seuls à se développer à partir de 1944. Les périodiques locaux, parfois régionaux, en toute hypothèse plutôt apolitiques, spécialisés et répondant à des motivations précises, se diversifient. Le cas du *Courrier Français* de Bordeaux est à cet égard significatif. D'abord quotidien en 1944, il se transforme rapidement en hebdomadaire à éditions départementales et devient, avec ses cent mille exemplaires, le premier périodique régional d'information français. Son directeur général, Albert Garrigues, en est le principal artisan. Ce quinquagénaire catholique devait être placé à ce poste par la S.N.E.P. en 1947.

Cette dernière société, un peu trop oubliée aujourd'hui, a joué un rôle considérable dans l'histoire de la presse. Elle était née, après de longs débats publics ou non, de la loi Defferre du 16 mai 1946 sur « la dévolution des biens de presse ». A la suite des « Cahiers Bleus » d'Alger et des ordonnances de 1944, il fallait bien, en effet, gérer l'immense « cheptel » d'imprimeries de presse mises sous séquestre en attente d'être rendues à leurs propriétaires, vendues à de nouvelles équipes de journalistes résistants ou simplement prises en charge par l'Etat.

Bien des affaires se réglèrent directement entre anciens et nouveaux : ce fut le cas à *La Nouvelle République du Centre-Ouest*. D'autres furent arbitrées par la justice, pour *La Dépêche du Midi* par exemple. Quelques imprimeries, comme celle de *L'Humanité,* restèrent administrées par la S.N.E.P. durant plusieurs années. Depuis une décennie, le vieux rêve socialiste d'un « pool » d'imprimeries, mises à la disposition d'équipes de journalistes de toutes tendances politiques, a pratiquement disparu. Mais les problèmes concrets, tant techniques et sociaux qu'économiques et politiques, ne se montrèrent pas si faciles à résoudre. Un quotidien est-il toujours séparable de son imprimerie, notamment en province ? Comment rentabiliser « démocratiquement » et « socialement » un pool national d'imprimeries à la disposition de tout un chacun ? Comment ordonnancer chaque jour les fabrications dans le temps et dans l'espace sans mécontenter ceux qui ne sont pas servis les premiers dans les ateliers les plus proches ? Autant de questions qui demeurent parfois sans réponse et qui amenèrent les nouvelles sociétés de presse à acheter ou équiper leurs propres imprimeries.

Aujourd'hui, la S.N.E.P. possède encore quatre imprimeries en France, dont trois en province, à Clermont-Ferrand, au Bugey et à Tours : elles n'impriment aucun quotidien, mais plusieurs magazines. Le problème des périodiques est, toutes proportions gardées, techniquement et politiquement moins complexe. La S.N.E.P., dont le Conseil d'Administration et les diverses instances comptent des représentants de la presse régionale, a également diversifié ses activités dans les domaines de l'édition industrielle, de la régie publicitaire spécialisée, des agences d'information internationales, de l'assistance technique à la presse du Tiers Monde. Depuis 1973, elle est présidée par Guy Sabatier, successeur de Jean Pierre-Bloch, Christian Chavanon et Jean Mottin.

Cette aventure de la presse française et plus particulièrement provinciale, où l'Etat joua naguère un rôle considérable, pourrait être décrite de façon plus détaillée, voire spectaculaire. En tout cas, son caractère insolite amène à se demander si de tels événements, une telle redistribution des cartes, se sont produits ailleurs.

Et ailleurs, dans le monde ?...

Cette régionalisation apparemment surprenante de la presse française après la guerre se retrouve dans les structures des presses de pays très différents, aussi bien « libéraux » qu' « autoritaires ». Seul le « tiers monde » fait exception, comme dans beaucoup d'autres domaines.

Dans le camp libéral, il va de soi que les Etats fédéraux disposent d'une presse particulièrement localisée. Géographiquement, les plus caractéristiques sont les journaux nord-américains et ceux d'influence germanique et scandinave.

Avec ses 1 750 quotidiens — le quart des journaux du globe, ses milliers de périodiques, la presse américaine reste, sans aucun doute, la plus importante du monde. Mais elle est à l'image du pays, aussi contrastée et aussi diverse que ses paysages, ses Etats et ses habitants. Ainsi la presse quotidienne américaine est très localisée, sensible aux déplacements de populations urbaines vers les banlieues. Le nombre des quotidiens américains atteint vingt fois celui des journaux français, pour une population seulement quatre fois supérieure. Pierre Albert précisait (13) qu' « *en* 1970, 1 258 *quotidiens américains tiraient à moins de* 25 000 *exemplaires,* 248 *de* 25 *à* 50 000, 127 *de* 50 *à* 100 000, 17 *de* 100 *à* 500 000 *et* 11 *seulement à plus de* 500 000. *Le phénomène de localisation est tout particulièrement net dans la banlieue des grandes villes où se sont développés des quotidiens de nouvelles et d'annonces locales dont la réussite a été très vite éclatante, comme celle de Newsday à Long Island* » (14).

Selon *Business Week* (n° du 26 janvier 1976), en 1974, les dix premières chaînes de quotidiens régionaux aux Etats-Unis sont : Knight-Ridder (33 journaux diffusant 3,6 millions d'exemplaires), Tribune (7 journaux diffusant 3,1 millions d'exemplaires), Newhouse (22 journaux diffusant 2,9 millions d'exemplaires), Gannet (50 journaux diffusant 2,1 millions d'exemplaires), Scripps-Howard (17 journaux diffusant 1,9 million d'exemplaires), Dow Jones (13 journaux diffusant 1,7 million d'exemplaires), Times Mirror (4 journaux diffusant 1,7 million d'exemplaires), Hearst (8 journaux diffusant 1,5 milion d'exemplaires), New York Times (10 journaux diffusant 900 000 exemplaires) et Field Enterprise (2 journaux diffusant 900 000 exemplaires).

Philip M. Wagner, directeur du *Sun* de Baltimore, écrivait dans *Harper's Magazine* de New York, en 1962 : « *Il y a dans le pays des milliers de reporters municipaux qui connaissent la réglementation locale mieux que le maire. Négligés et mal rémunérés, ils constituent des forces individuelles qui tiennent en respect les rapaces, les cambrioleurs et les pickpockets politiques.* » C'est encore vrai quatorze ans après : la preuve magistrale en est administrée avec le cas des deux jeunes localiers du *Washington Post* qui ont déterré l'affaire du Watergate.

Au Canada, on recensait en 1968 cent cinq quotidiens de langue anglaise et douze francophones. Depuis lors, d'importantes concentrations se sont opérées, mais la

---

(13) Dans la revue *Dirigeant* de mai 1972.

(14) Les journalistes de *Newsday* ont obtenu en 1974 le prix Pulitzer pour le livre qu'ils ont consacré à *The Heroin Trial*, New American Library.

presse demeure largement répartie sur l'immense territoire canadien. Ainsi, outre deux quotidiens publiés hors du Québec, l'un à Ottawa, l'autre à Moncton, la presse francophone comptait, en 1971, quatre quotidiens à Montréal, trois à Québec, un à Sherbrooke, Trois Rivières et Grassby.

Quant à la vieille Europe libérale d'influence germanique, le cas de l'Allemagne Fédérale est naturellement exemplaire : 1 200 titres locaux et régionaux y prospèrent, à cela près qu'il faut savoir qu'on appelle « quotidien », en Allemagne, même un journal paraissant deux ou trois fois par semaine et qu'on inclut dans le total les titres variés des nombreuses éditions locales de quotidiens régionaux. Néanmoins, si l'on ne tient compte que des titres principaux, on dénombre plus de 450 véritables quotidiens en Allemagne, soit cinq fois plus qu'en France. Il s'agit surtout de petites feuilles : 440 tirent à moins de 50 000 exemplaires. Dans la République Fédérale, seuls cinq quotidiens bénéficient d'une diffusion nationale. Toutefois beaucoup de ces journaux sont organisés en chaînes ou réseaux disposant de rédactions communes et d'infrastructures ultra-modernes.

La Confédération Helvétique offre une diversité moins grande. D'après Maurice Denuzière (15) : « *Sur* 497 *publications appelées justement ou improprement « journaux », il existe* 144 *quotidiens véritables, c'est-à-dire des journaux paraissant six ou sept jours par semaine* (...). 86 % *des journaux tirent à moins de* 15 000 *exemplaires et* 3 % *seulement à plus de* 50 000. *Certaines feuilles locales rédigées par leurs propriétaires — généralement un imprimeur assisté d'un ou deux pigistes — tirent à moins de* 1 000 *exemplaires ! Dans le seul canton du Tessin* (245 458 *habitants*) *on compte* 23 *journaux quotidiens.* »

Mais cette localisation de la presse n'est pas liée seulement au fédéralisme. L'Europe occidentale compte presque partout de multiples titres provinciaux. Maurice Denuzière a poursuivi son enquête au Royaume-Uni où « *l'on comptait, en février* 1974, 136 *quotidiens et journaux du dimanche,* 700 *hebdomadaires locaux et* 4 338

---

(15) *Le Monde*, 7 novembre 1974.

périodiques, dont 672 magazines d'entreprises. C'est dire que l'Anglais lit souvent deux quotidiens, un du matin, un du soir, qu'en province il achète fréquemment en plus un journal régional (on en compte 15 du matin et 72 du soir) et, à coup sûr, quantité de publications spécialisées. Or, si la presse provinciale et spécialisée est dans l'ensemble prospère, ayant su bien souvent moderniser ses moyens de production et retirant de la publicité locale ou régionale des profits substantiels, la presse quotidienne nationale apparaît depuis quelques années d'une grande fragilité » (16).

Pierre Albert précise (17) : « *Alors que les quotidiens régionaux voient leur tirage monter régulièrement* (*de* 8,5 *à* 9,5 *millions de* 1957 *à* 1970), *les quotidiens populaires nationaux du matin perdent régulièrement des lecteurs* (*de* 15,2 *millions à* 12,2) *malgré les remarquables progrès du* Sun ». Et *La Correspondance de la Presse* du 8 mars 1974 soulignait : « *Si, depuis* 1945, *plusieurs quotidiens ont été lancés avec succès en province, aucun nouveau journal n'est parvenu à s'implanter à Londres.* »

Au Japon, où les quotidiens métropolitains sont pourtant les plus grands du monde, la dispersion des îles nécessite une localisation journalistique : celle-ci prend soit la forme d'éditions locales des quotidiens nationaux, soit celle de journaux purement locaux, dont certains sont importants et modernes. Par exemple, le *Kobe Shimbun*, créé en février 1898, diffusait, en juin 1974, 460 000 exemplaires le matin et 277 000 le soir.

Ainsi, en Orient, où les autres pays sont généralement plutôt autoritaires, la décentralisation de la presse est prononcée. En Chine Populaire, 2 000 quotidiens et périodiques diffusent, d'après *La Correspondance de la Presse* du 2 décembre 1973, 35 millions d'exemplaires, ce qui semble globalement peu par rapport à la population, mais signifie qu'il s'agit en moyenne de petits journaux. L'Agence « Chine Nouvelle », sur 62 000 mots par jour, en consacre 32 000 à l'information locale. C'est, ne l'ou-

---

(16) Sur la presse régionale britannique, on lira l'enquête de Brian Knox-Peeble, publiée par *Admap*, dans ses numéros de novembre 1974, décembre 1974 et janvier 1975.

(17) *Dirigeant*, mai 1972.

blions pas, le journal de Changhaï, *Wenhui-Paö,* qui, le 10 novembre 1965, donna le signal de la « révolution culturelle » en attaquant une pièce déguisant une satire de la politique de Mao Tsé-Toung. Alain Peyrefitte écrit : « Le Quotidien du Peuple (18) *joue le même rôle que* la Pravda *à Moscou ; il donne le ton au reste de la presse. Les journaux de province, qui ne paraissent pas tous les jours, reprennent les mêmes thèmes, en y ajoutant quelques nouvelles locales, surtout consacrées aux progrès accomplis par telle ou telle équipe de travailleurs* » (19).

En U.R.S.S., il existe, parallèlement à la presse centrale, aux tirages impressionnants, une presse « régionale », celle des Républiques fédérales, et une presse locale subdivisée en presse de « ville » (quotidiens du soir) et presse de « base » (journaux d'entreprises ou de kolkhozes). Les journaux régionaux, édités en commun par le P.C. et le soviet du département ou de la ville, représentent quelque 3 000 titres au tirage annuel de 13 millions d'exemplaires. Au total, ce nombre n'est pas très élevé, compte tenu de la population. La presse locale soviétique comprend surtout des journaux du soir, publiés dans les grandes villes, comme *Moscou-Soir* (fondé en 1925 et vendu à 500 000 exemplaires) ou *Leningrad-Soir* (350 000 exemplaires). *Les Izvestia* viennent de s'équiper d'appareils de transmission par fac-similé pour être imprimés simultanément dans cinq villes différentes.

Un dernier exemple d'Etat autoritaire sera la République Démocratique Allemande. Celle-ci, d'après un journaliste de l'Allemagne de l'Ouest qui la qualifie de « zone soviétique », comptait, en 1964, 40 quotidiens, dont 16 seulement dépendaient officiellement du parti socialiste unifié (c'est-à-dire le Parti Communiste) et trois officieusement. Une vingtaine d'autres dépendaient d'autres partis ou syndicats. Les 16 quotidiens officiels avaient en tout 208 éditions secondaires, tandis que tous les autres, groupés, n'en comptaient que 66.

Si l'on se tourne vers le « tiers-monde », il va de soi

---

(18) Entre 2 et 4 millions d'exemplaires diffusés selon les estimations...
(19) *Quand la Chine s'éveillera,* A. Fayard, 1973.

que la presse provinciale n'est pas plus développée que l'économie.

La force de l'âge

La presse provinciale apparaît comme un phénomène de pays avancés, plutôt libéraux. Mais une redistribution des cartes aussi complète qu'en France demeure un cas unique dans les pays industrialisés.

De cette « révolution », comme l'ont définie certains, parlant de 1944, il est sorti de « nouveaux chefs », souvent solitaires face à des journalistes soit improvisés et fougueux, soit vieillis et aigris, et à des typographes, eux, toujours présents et « bien là »... La puissance de ces derniers n'avait d'égale que la dispersion des premiers. Que dire des Conseils hétéroclites, nés des circonstances, qu'ils fussent d'Administration, de Gérance ou de Surveillance ? Que penser de l'inexistence des états-majors de presse face aux problèmes d'autorité, de réorganisation, de reconstruction, d'adaptation à la France nouvelle : inflation, rajeunissement, automation... ? Pourtant cela dure depuis 32 ans. Ces nouveaux chefs ont pour la plupart su concilier les rêves démocratiques et la hantise de l'efficacité ; ils ont réussi en gros à satisfaire les uns, clients ou salariés, et à contenir les autres, actionnaires et doctrinaires. Ils ont surtout réussi à durer, ce qui est énorme ! Mais déjà, pour beaucoup, a sonné ou va sonner l'heure des successions...

Chapitre II

A L'HEURE DES SUCCESSIONS

En 1969 et 1970, la jeune presse sortie de la « nouvelle donne » fête ses vingt-cinq ans. De fiers numéros commémorent l'anniversaire. On y rappelle, bien sûr, les grandes heures de la Libération, mais surtout, on magnifie l'œuvre accomplie en un quart de siècle. La nouvelle presse n'a pas seulement pris racine ; elle a fait souche.

Pourtant, les acteurs de la « nouvelle donne » commencent à quitter le devant de la scène. Pour nombre d'entre eux, cet anniversaire constitue l'apothéose finale. Quelques-uns même n'ont pas pu vivre ces moments de célébration — la jeune presse de province possède déjà sa galerie d'ancêtres. Et le temps des successions, souvent difficiles, ne fait que s'ouvrir.

Dans l'euphorie de la Libération, la redistribution des cartes s'est effectuée au profit d'équipes composites consacrées par les vertus de la Résistance. Une mise en forme des idéaux s'imposait. La presse libre appelait un statut, elle n'a connu qu'une loi de dévolution des biens. « *La révolution aura donc abouti,* estiment ceux qui partagent le sévère jugement de Pierre-Henri Teitgen, *à un simple changement de propriétaires* ». Comment, dans ces conditions, faire jouer sereinement le droit à l'héritage ? La passation des pouvoirs risque donc de susciter des remous.

Beaucoup des premiers actionnaires découvrent que leurs titres — au double sens du mot — ont pris une valeur considérable. Quelques anciens membres des réseaux de résistance, dépositaires de l'autorisation de paraître, s'aperçoivent qu'ils n'ont pas reçu leur part du gâteau. Certaines catégories de personnel des entreprises de presse jouent de la satisfaction des uns et du mécontentement des autres pour tenter de faire valoir aussi leurs droits spécifiques. Intérêts moraux et profits financiers s'entrechoquent et s'entremêlent étrangement. Un nouveau Molière pourrait tirer de ces querelles une plaisante « tartufferie ».

Toutefois, fidèle à ses traditions, la presse persiste à fonctionner en circuit fermé. Même si les années de l'après-guerre l'ont obligée à procéder à une « nouvelle donne », qui changea radicalement les titres et les chefs, elle a néanmoins conservé navires et équipages, en recasant souvent bien des anciens responsables à des postes divers. Dans les années soixante-dix, les successions se règlent toujours dans le sérail. Très peu de nouvelles figures sont apparues, si ce n'est quelques nobles arbitres et une poignée d'hommes habiles prêts à tirer les marrons du feu.

La galerie des ancêtres

Un vieux dicton affirme que ce sont toujours les meilleurs qui partent les premiers. En fait, ici, ce fut plutôt la nature qui commanda et les très bons qui disparurent étaient aussi les plus anciens. Ils avaient pour la plupart commencé leur carrière avant-guerre, et certains d'entre eux ont fait peu ou prou le pont entre l'ancienne et la nouvelle presse : Jean Baylet, Jacques Lemoîne, Victor Demange, Paul Hutin-Desgrées, Vincent Delpuech, Emile Brémond.

Jetons un regard sur ces grandes figures de la presse

de province, dans l'ordre où elles quittèrent la scène pour rejoindre le théâtre des ombres.

Le premier sur lequel le sort tomba, le 29 mai 1959, fut Jean Baylet, l'un des plus puissants ténors de cette presse d'après 1944, à la tête de *La Dépêche* qu'il contrôlait déjà, avant-guerre, grâce à l'héritage de son oncle, Jean-Baptiste Chaumeil, entrepreneur de travaux publics et ancien député radical de Moissac.

Jean Baylet appartenait aux deux époques : il eut beaucoup de mal à faire reparaître sa *Dépêche*. Il n'y parvint qu'en 1947 (1) en dépit de sa déportation qui lui faisait plaisamment dire : « *Je suis un mort en sursis, ma vie maintenant, c'est du rabiot* », malgré aussi l'assassinat par la Milice du directeur de *La Dépêche,* Maurice Sarraut. A la mort de Jean Baylet, son journal résuma ainsi le personnage : « *On ne ferait pas un portrait véridique si on ne disait pas de lui qu'il fut* « *un homme* » *dans la pleine acception du terme. On sait ce que cela veut dire au pays du rugby et de la course de toros...* » De son côté, Noël Jacquemart décrit ainsi ce tempérament exceptionnel : « *Vif, énergique, astucieux, intelligent, bagarreur, et d'une prodigieuse activité, il situait l'objectif avec précision et discernement, fixait la stratégie et la tactique, ne s'embarrassant ni de mots inutiles ni de formules creuses, et fonçait tête baissée et yeux ouverts vers l'objectif assigné* » (2). C'est ainsi que, parallèlement à son activité dans la presse, il poursuivit une carrière politique : député du Tarn en 1945 et du Tarn-et-Garonne en 1951 et 1956, il fut l'un des « pontes » du Parti Radical et acquit la réputation d'avoir la haute main sur la désignation des ministres de l'Information ; par la suite, on le dit même, malicieusement, président du Conseil sous le nom de Bourgès-Maunoury (3). Boutade, bien sûr, mais qui donne la mesure de la puissance de ce personnage truculent dont la disparition causa un vide dans la profession.

---

(1) Dans le volume 2 du tome 3 de son *Histoire de l'Epuration* (A. Fayard, 1975), Robert Aron a retracé avec minutie les péripéties qui retardèrent la reparution de *La Dépêche*.

(2) Jean-André Faucher et Noël Jacquemart, *Le Quatrième Pouvoir, la presse française de* 1830 *à* 1960, Ed. Jacquemart, 1968.

(3) Maurice Bourgès-Maunoury est aujourd'hui notamment administrateur de *La Dépêche*.

En 1966, disparaissent, à six mois d'intervalle, Gaston Chatelain et Léon Bancal.

Le premier, peut-être plus connu sous le pseudonyme de G. Cez, était directeur-rédacteur en chef de *La Liberté de l'Est* depuis mars 1945, poste pour lequel il avait abandonné son métier initial de directeur d'école. A sa mort, il assurait depuis plusieurs années, avec autorité, la présidence du Syndicat des Quotidiens de Province.

Léon Bancal, quant à lui, avait déjà goûté de la presse avant-guerre, en tant que rédacteur en chef du *Petit Marseillais,* lorsqu'il participa à la fondation du *Provençal,* le 24 août 1944. Il devait en devenir le directeur - rédacteur en chef jusqu'en 1961 et assuma, de 1948 à 1951, la présidence du Syndicat des Quotidiens Régionaux.

En 1968, mouraient, à leur tour, Jacques Lemoîne et Albert Blanchoin.

Avec le premier, non seulement président-directeur général de la Société Anonyme de Presse et d'Edition du Sud-Ouest (S.A.P.E.S.O.), mais aussi rédacteur en chef du quotidien *Sud-Ouest,* la presse de province perdit un de ses piliers les plus solides et les plus respectés. A soixante-douze ans, Jacques Lemoîne figurait parmi les doyens de la profession, ce qui lui valait quelques présidences qu'il refusait délibérément. Cet aîné, qui avait été habitué à être le plus jeune partout, éprouvait une certaine amertume à voir passer les années. Mort en pleine activité, dans une rue de son Paris natal, il laissa le souvenir d'un homme sachant écouter autrui sans pour autant renoncer à ses propres opinions.

Sa carrière journalistique commença tardivement, en 1924, au *Rappel Girondin,* créé par le patron de *La Petite Gironde,* Marcel Gounouilhou, pour les besoins de sa propre campagne électorale. Peu de temps après, il passait à *La Petite Gironde* dont le nouveau propriétaire, Richard Chapon, ne tardait pas à lui confier la rédaction en chef. Expulsé de son poste par les Allemands en 1942, il devint à la Libération vice-président du C.D.L. de Bordeaux, assistant Gabriel Delaunay qui en avait la présidence. Le commissaire de la République, Gaston Cusin, le chargea de lancer un nouveau journal qu'il baptisa *Sud-Ouest.*

Dès le départ, il eut le souci de trouver la formule susceptible d'associer à l'entreprise les propriétaires de *La Petite Gironde,* qui furent, par la suite, lavés des accusations portées contre eux à la Libération. Sa scrupuleuse moralité, sa culture étendue, sa compétence, sa franchise souriante, donnaient à ses éditoriaux relief et autorité. D'une légendaire courtoisie, il fut l'un des sages de la profession qu'il représenta longtemps au Conseil d'Administration de l'Agence France-Presse, au sein duquel il avait contribué à imposer un statut libéral qui garantisse l'indépendance de l'agence.

Quant au second, Albert Blanchoin, qui écrivait avec talent sous le pseudonyme de Pierre Langevin, il dirigeait *Le Courrier de l'Ouest,* fondé au sortir de la Résistance. Ancien fonctionnaire au Ministère de l'Agriculture, il avait été élu, en 1936, député du Maine-et-Loire sur la liste de gauche « Jeune République ». Très longtemps cet érudit nourri de culture gréco-latine, au maintien précieux, occupa les fonctions de syndic du Syndicat des Quotidiens Régionaux.

Trois ans plus tard, en 1971, la mort emporta un des hommes ponts entre la presse de l'avant et celle de l'après-guerre, Victor Demange, qui avait sabordé, le 14 juin 1940, le *Républicain Lorrain,* fondé le 19 juin 1919, les trois 19, aimait-il à rappeler.

Cet étonnant personnage était né en 1888 à Lelling (près de Sarrebourg) à quelques kilomètres seulement de celui qui deviendra, à la tête de *L'Est Républicain,* son plus acharné concurrent, Léon Chadé. Victor Demange, au terme de la « Grande Guerre », avait profité de la fin de l'occupation allemande pour lancer, paradoxalement, en allemand, le *Metzer freies Journal* ou *Journal Libre de Metz.* Cependant, son père, maréchal-ferrant, né sous le Second Empire, qui avait connu la Lorraine française, avait fait promettre à son fils de créer un journal de langue française. C'est ainsi que, le 13 septembre 1936, il lui adjoignit une édition française et que *Le Républicain Lorrain* y vit le jour, baptisé à grande eau par le Front populaire. En 1944, découvrant son imprimerie sans rotatives — elles avaient été démontées et emportées par l'occupant —, il partit derechef en réquisitionner en Allemagne et put reparaître le 1er février 1945.

Victor Demange était un homme de caractère et d'initiative. Antoine Nicolaï le décrit en 1922 dans *Le Cri de Metz* : « *Lorsqu'on voit V.D., l'on voit qu'on a devant soi un de ces hommes qui prennent leurs responsabilités... Fidèle aux traditions immémoriales de sa famille, son cœur a toujours battu pour notre pays.* »

La même année que lui disparut un directeur de journal bien pittoresque, en la personne du chanoine Lanusse Cazalès, directeur de *L'Eclair des Pyrénées*. Il s'inscrit à coup sûr dans la lignée des abbés animateurs de journaux d'avant-guerre, illustrée notamment par l'abbé Trochu, d'*Ouest-Eclair* ou par l'abbé Bergey de *La Liberté du Sud-Ouest*. Le chanoine palois ne la déparait pas. Homme vif, passionné, il avait toutefois un sens très relatif des affaires et, au nom du Seigneur, frôlait à tout instant la faillite.

En 1973, un grand cœur de journaliste s'arrêta de battre. Il habitait une familière petite silhouette courbée en deux par la maladie.

Le courageux Pierre-René Wolf venait de signer son dernier éditorial dans *Paris-Normandie*, dont il avait assuré depuis 1945 la direction. Seul parmi les directeurs de journaux, il s'était imposé l'écrasante discipline d'écrire chaque jour dans son quotidien. Il cultivait un désir inassouvi de carrière littéraire, qui l'amenait de temps à autre à composer des romans d'une grande sensibilité. Pourtant ce poète amateur était arrivé, comme tant d'autres, par accident à la presse, après avoir tâté dans sa jeunesse de la médecine et des beaux-arts et participé à la rédaction de revues littéraires dans un petit cercle rouennais que fréquentaient notamment Marc Sangnier et André Maurois ; mais il avait surtout repris l'imprimerie que son père, d'origine juive alsacienne, avait créée à Rouen après avoir fui les provinces occupées en 1871.

Pierre-René Wolf, malade, rata tristement sa sortie, laissant son journal en proie à la guerre intérieure et, en fait, aux mains du groupe Hersant. Il n'en aura pas moins profondément marqué la profession qu'il avait longtemps représentée à la présidence du Syndicat des Quotidiens Régionaux.

C'était un homme de grand scrupule et, comme l'ajoute Noël Jacquemart, « *de grand savoir, torturé et tortueux, poursuivant ses buts par des labyrinthes compliqués* » (4). Cet être frêle a laissé derrière lui l'ombre d'un grand personnage.

En 1973, deux noms viennent grossir la liste des disparus : Pierre Corval, directeur du *Maine Libre* et Jean Perrier, directeur général adjoint du *Provençal.*

Pierre Corval avait commencé sa carrière au *Progrès de Lyon* puis l'avait poursuivie à *L'Aube* en tant que rédacteur en chef adjoint. Il fit à la R.T.F., un long passage, perturbé par la guerre d'Algérie, sous le gouvernement Guy Mollet (1956), avant de prendre la direction du *Maine Libre* en 1969. Ce démocrate chrétien, qui fut un temps conseiller municipal de Paris, avait été nommé par Emilien Amaury qui l'avait connu auprès de Marc Sangnier.

Jean Perrier, d'obédience socialiste, était un des plus éminents spécialistes de la presse en matière technique et sociale. Diplômé des Arts et Métiers, il aura été un des tout premiers ingénieurs à exercer la fonction de directeur technique dans un journal de province, avec le centralien Alain de Kerhor à *Sud-Ouest* et le polytechnicien Pierre Jaume au *Progrès de Lyon.* La fonction, depuis, s'est largement répandue. Jean Perrier fut l'un des plus solides piliers de l'équipe de Gaston Defferre au *Provençal.*

L'année 1975 s'ouvrit avec la mort de Paul Fieschi, directeur du *Journal de la Corse* et du *Petit Bastiais.* De corpulence mince et à l'accent rocailleux, tout pétillant de malice et de vie en dépit de ses soixante-douze ans, il entretenait une flamme journalistique à la tête du doyen des quotidiens français, créé en 1815. Ce charmant bonapartiste, consul honoraire du Vénézuéla, prétendait « *être depuis* 1942 *le responsable de la presse corse sur le plan continental* » (5). En fait, les journaux du continent avaient largement devancé les siens dans l'Ile de Beauté, mais il équilibrait ses affaires en s'occupant aussi de publicité à Paris.

La presse de l'Hexagone connut, quant à elle, un grand

(4) En collaboration avec Jean-André Faucher, *Le quatrième Pouvoir, la presse française de* 1830 *à* 1960, Editions Jacquemart, 1968.

(5) Déclaration aux auteurs en 1974.

deuil en la personne de Paul Hutin-Desgrées, directeur général d'*Ouest-France* de 1944 à 1965. Il était, depuis cette époque, cloué dans un fauteuil et réduit à une direction honoraire du grand quotidien de l'Ouest. C'était un drame pour cette robuste nature qui aimait tant la chasse à courre. Ce plébéien était un véritable aristocrate qui « *jouait les ténors dans un univers de basses et de barytons* ». Sa dignité apparaissait imposante, accentuée par un physique auguste sous une belle houppelande blanche. Comme le note encore Noël Jacquemart, il avait « *un masque et un embonpoint d'empereur romain* » (6).

Profondément influencé par son idéalisme chrétien, il avait néanmoins hérité de ses ascendances franc-comtoises et fermières un sens pratique considérable. Ses études classiques chez les Jésuites en avaient fait un helléniste et latiniste distingué, fort apprécié du fameux Albert Bayet. Par son mariage avec Magdelaine Desgrées du Lou, étroitement liée à l'ancien *Ouest-Eclair*, il devint aussi un homme pont entre l'ancienne et la nouvelle presse. Député du Morbihan de 1946 à 1955, il joua un rôle prépondérant au sein du groupe M.R.P.

Durant l'été 1975, deux présidents de grands régionaux disparurent à quelques semaines d'intervalle : Jean Meunier à *La Nouvelle République du Centre-Ouest* (Tours) et Jean Rocaut aux *Dernières Nouvelles d'Alsace* (Strasbourg) (7).

Maladie, fatigue ou contestation

A la longue liste des directeurs morts à leur poste, doit être ajoutée celle des retraités. En fait, peu de patrons de presse envisagent avec sérénité de quitter les commandes de leurs exceptionnelles tours de contrôle. Mais la maladie, la fatigue, le poids des affaires ou... de la contestation, les y ont parfois contraints.

Décédé en février 1976, Emile Brémond avait laissé

---

(6) Jean-André Faucher et Noël Jacquemart, *op. cit.*

(7) La biographie de Jean Meunier sera évoquée dans le cas sur *La Nouvelle République.*

en 1971 *Le Progrès* de Lyon aux mains de son fils. Ce « grand Monsieur » de la presse de province avait lui-même succédé, en 1939, à son beau-père Léon Delaroche, peu avant la mort de ce dernier, qui avait assuré la succession de son grand-oncle, fondateur du *Progrès* en 1859. En 1942, Emile Brémond, Hélène Delaroche, sa femme, Louise Lignel, sa belle-sœur, décidèrent de saborder *Le Progrès* en payant au personnel ses indemnités. Cela permit au titre de reparaître normalement en 1944, avec tous les honneurs de la guerre et ceux d'une exceptionnelle morale d'entreprise.

Emile Brémond, normalien, agrégé de Lettres, avait débuté comme professeur au lycée du Havre. Très soucieux du rôle pédagogique imparti à la presse, il s'était déjà familiarisé avec la profession comme secrétaire général, dès 1932, puis directeur des émissions radiophoniques du réseau d'Etat et rédacteur en chef de *La Revue des vivants*. Albert Bayet avait dit de lui qu'il était dans sa jeunesse le plus gai et le plus franc luron qu'on pût rencontrer ; le poids des responsabilités en fit un homme d'apparence austère, au visage de lettré à la Valéry, dont le style raffiné s'harmonisait pleinement avec son magnifique bureau néo-gothique, tout de cuir brun et de bois noir, mais illuminé par d'admirables Dufy, au premier étage de l'ancien théâtre qui abritait *Le Progrès*, rue de la République à Lyon. Une page d'histoire a été tournée avec le départ d'Emile Brémond, qui coïncida avec le transfert du *Progrès* à Chassieu, dans la banlieue lyonnaise.

La même année, Jean Lhospied, sénateur socialiste de la Nièvre, quitte la présidence du *Journal du Centre* qui passe aux mains de Jean-Louis Servan-Schreiber. Après une carrière d'instituteur, Jean Lhospied avait fondé, dans la clandestinité, en 1942, le journal *La Nièvre Libre*. Son fils unique avait été tué par les Allemands, marquant cet homme scrupuleux d'une permanente tristesse. Sa retraite est désormais totale puisqu'il ne s'est pas représenté au Sénat, en 1974. Cette année-là encore, dans une région voisine, Jean Clavaud, directeur du *Populaire du Centre*, quitte la vie active. Solide militant socialiste au parler rustique, il avait effectué une durable carrière de responsable de presse puisqu'il était déjà, en 1927, chef de service administratif au *Populaire du Centre.*

Puis vient le tour du compère le plus haut en couleurs de cette presse de la Libération : Charles Guggiari, directeur gérant de *L'Union* de Reims, maçon de son ancien état et secrétaire fédéral, avant-guerre, des ouvriers du bâtiment. Il était l'exemple type de ces personnages de toutes provenances dont Jacques Fauvet souligne dans son *Histoire de la Quatrième République* (8) l'arrivée brutale dans la presse. Noël Jacquemart le « croque » avec sympathie : « *Sans instruction, mais doté d'un don exceptionnel des affaires et d'un bon sens rarement en défaut, même s'il s'exprime en un langage imagé, populaire et fort peu en accord avec la syntaxe et les liaisons correctes* » (9). Il avait des formules uniques et mémorables. Christian Chavanon conserve un souvenir inoubliable de sa réception à *L'Union,* alors qu'il venait d'être nommé président d'Havas en 1960. « *Monseigneur,* lui dit Guggiari, *vous m'autorisez à te tutoyer... Tes ancêtres les Rois de France venaient à Reims pour se faire sacrer. Tu ne perds pas la tradition, c'est bien.* » Tel était cet homme au francparler légendaire.

En 1973, un homme bien différent prend lui aussi ses distances avec la presse quotidienne. Jules-A. Catala, disparu en janvier 1976, abandonne la direction de *La Charente Libre* au bouillant mousquetaire Louis-Guy Gayan, pour n'en conserver que la présidence jusqu'en 1975. Très fin lettré, chantre de Vigny, J.-A. Catala, après une longue carrière à *La Petite Gironde,* puis à *Sud-Ouest,* incarnait les vertus de « l'honnête homme » de la presse, comme le rappela Jean Marin, alors président de l'A.F.P., en le décorant de la rosette de la Légion d'honneur, en 1974.

Enfin, cette année-là — la presse est un petit monde —, celui qui fut son concurrent palois de l'avant-guerre à *La Dépêche,* Georges Naychent, quitta la direction de *La République des Pyrénées* à Pau, dont il avait assuré une magistrale gérance depuis l'origine, en août 1944. Il n'en

(8) A. Fayard, 1959.
(9) *Op. cit.*

conserva pas moins, durant sa retraite, une plume alerte et mordante dans les éditoriaux du journal béarnais.

Le rôle des femmes

Cette longue litanie, nous venons de la réciter avec beaucoup de ferveur car il est bon qu'il reste une trace durable de ces hommes qui ont tous consacré leur vie à l'écrit quotidien — conçu, rédigé, fabriqué et vendu, lu et jeté le jour même. Hommes de l'actualité, ils appartiennent désormais à l'Histoire ; la leur méritait d'être évoquée.

Mais qu'en est-il du présent ? Que laissent-ils derrière eux ? Presque tous ont été présentés comme des hommes providentiels, issus d'une période troublée, ou comme des patrons traditionnels, confirmés lors de la « nouvelle donne ».

La succession de ces chefs charismatiques n'était ni automatique ni simple à organiser, et cela, quelle que soit la structure du capital des entreprises. Pourtant, dans bien des cas, les relais se passèrent sans heurts, les directions se transmettant de père en fils ou en gendre, comme de précieux héritages, dont les éléments sont, en fait, essentiellement quelques pouvoirs et un peu de tradition, avec à l'arrière-plan le souci de préserver un fragile équilibre.

C'est là où l'on s'y attendait le moins, dans les entreprises les plus patrimoniales, que la contestation fut violente, à la mesure des querelles de famille confinées d'ordinaire dans le secret des cabinets de notaires, mais qui, s'agissant de journalistes, ne purent échapper à la loi de l'information. Le règlement de ces contentieux nécessita parfois l'appel à des arbitres extérieurs. Ce fut l'exception. Les tiers restent peu nombreux dans cette profession sauf peut-être au niveau des jeunes managers que l'on voit poindre de plus en plus fréquemment en deuxième ou troisième ligne.

En fait, les femmes eurent d'abord leur mot à dire. A l'instar de Françoise Giroud — que le statut de femme journaliste a conduite au gouvernement pour y repenser la condition féminine puis la culture — plusieurs épouses ou filles de patrons de presse reprirent les rênes.

Hélène Brémond et Louise Lignel, les deux filles de Léon Delaroche, possèdent, à parts égales, *Le Progrès* de Lyon, ce qui ne va pas sans poser des problèmes. La présidente de la société familiale, Hélène Brémond, suit avec une régulière attention les travaux de la profession. Il est vrai qu'elle a de qui tenir : la femme de son arrière-grand-oncle, fondateur du journal, assuma avec tant de vigueur, à la mort de son époux, la direction du *Progrès*, qu'elle fut une des premières en France à recevoir la Légion d'honneur.

Evelyne Baylet, qui se montre, écrit Joseph Barsalou (10), « *aussi ardente que ses prédécesseurs à défendre, même sous le chantage, l'indépendance du journal* », est la P.-D.G. courageuse de *La Dépêche du Midi*. Reprenant la tradition de son époux, elle mène de front la direction, ô combien effective, de son journal et une active carrière politique, comme maire de Valence d'Agen, présidente du Conseil Général du Tarn-et-Garonne et membre du Conseil Economique et Social où elle a été nommée par Valéry Giscard d'Estaing en 1974.

On a dit d'elle et d'Eliette Jacques Lemoîne, élue présidente-directrice générale de *Sud-Ouest* à la mort de son mari, qu'elles étaient les deux souveraines du Sud-Ouest. C'est surestimer les ambitions de la présidente du quotidien bordelais, qui n'a cherché qu'à préserver l'esprit et l'homogénéité d'une équipe dont Henri Amouroux avait naturellement poursuivi l'animation. Elle sacrifia ainsi avec beaucoup d'abnégation sa vie personnelle.

Plus discrète encore est la veuve d'Alexandre Varennes, propriétaire de *La Montagne* depuis la mort de son mari, grand dignitaire socialiste de l'avant-guerre. Il est vrai — ce n'est plus inconvenant de le révéler — que c'est une septuagénaire.

Marguerite Puhl-Demange, fille de Victor Demange, présidente-directrice générale du *Républicain Lorrain*, est presque aussi discrète sans en avoir les mêmes raisons. Cette quadragénaire a pourtant occupé d'importantes

(10) Joseph Barsalou, *Questions au journalisme*, Stock, 1973.

fonctions hors de son journal : Présidente de la commission « vie publique » lors de la préparation du VIIe Plan, elle est aujourd'hui membre du conseil d'administration de T.F. 1. En bonne épouse, elle s'efface devant son mari, Claude Puhl, qui joue les régents plutôt que les princes consorts ! Leur collaboration date des Sciences Po de Strasbourg. Homme de l'Est, sérieux, appliqué, opiniâtre même, soucieux de bonne gestion mais conscient des impératifs de la rédaction, il s'affirme dans les milieux professionnels comme un des hommes forts de la presse de province d'aujourd'hui et surtout de demain. Son beau-frère, A. Petit-Demange, s'occupe à Paris de Projalest, bureau de vente de publicité commun avec *Les Dernières Nouvelles d'Alsace.*

Ce ne sont pas les seuls gendres de la profession :

A Chalon-sur-Saône, le directeur du *Courrier,* René Prétet, a pris la succession de son beau-père, René Lavenir en 1956.

A Bordeaux, Jean-Michel Blanchy, de vieille souche des Chartrons, avait quitté, à la demande de son beau-père Jacques Lemoîne, une affaire de sucres, familiale et traditionnelle, pour assumer la présidence de *La France La Nouvelle République* à compter du 1er janvier 1967.

A Dijon, le raffiné François Bacot, gendre du baron Jacques Thénard, après un début de carrière dans la recherche électronique naissante, a repris avec autant de gravité que d'exquise courtoisie la direction du *Bien Public* en 1950.

A Tours, à *La Nouvelle République du Centre-Ouest,* Jacques Saint-Cricq, gendre de l'ancien président Jean Meunier, s'est affirmé, grâce à sa formation d'ingénieur civil des mines, comme un des grands directeurs d'imprimerie de la presse de province ; il anime d'ailleurs la Commission technique du Groupement des Grands Régionaux et a été nommé président du Directoire du journal par son conseil de Surveillance, en août 1975.

A Nice, la rédaction en chef de *Nice-Matin* est confiée au gendre de Michel Bavastro, Georges Mars, qui a suivi dans ce quotidien une carrière de journaliste.

Les fils à la barre

En dehors des gendres, il va de soi que plusieurs fils ont aussi repris la barre, l'un d'eux même depuis suffisamment longtemps pour faire figure de sage. Jean-Pierre Coudurier a, en effet, succédé, dès 1962, à son père Marcel Coudurier, l'un des anciens dirigeants d'avant-guerre de *La Dépêche de Brest*, devenu en 1946, à la suite de Victor Le Gorgeu, ancien sénateur-maire de Brest, président-directeur général du *Télégramme de Brest et de l'Ouest*, à Morlaix. Ce jeune quinquagénaire est un des hommes les plus avisés et d'ailleurs les plus écoutés de la presse de province. Son journal, d'une diffusion inférieure à 150 000 exemplaires, se présente en concurrent sérieux, dans l'ouest breton, du plus grand organe français, *Ouest-France* (sa diffusion dépasse 630 000 exemplaires), et connaît, grâce à l'énergie directoriale, un des tout premiers taux d'expansion : plus de 30 % de 1962 à 1972. Ce Breton sportif et taciturne aurait pu briguer des responsabilités importantes au sein de la profession, mais il préfère passer ses rares loisirs à bord de son voilier, au large du Finistère, plutôt que dans les bureaux de la capitale. Outre son quotidien qui a réalisé, en 1975, un chiffre d'affaires de plus de 71 millions de francs, il gère aussi une imprimerie de labeur, une agence de publicité et six journaux gratuits. Optimiste quant à l'avenir, il confie à Paul Meunier : « *Economiquement et techniquement, jamais la situation n'a été aussi favorable aux petits journaux de province* » (*Presse Actualité,* octobre 1976).

Voisin immédiat et tentaculaire du *Télégramme, Ouest-France* est lui aussi dirigé par un fils. A la suite de l'accident de santé de son père Paul Hutin, François-Régis reprit la direction du quotidien rennais, en équipe avec le président Estrangin, tandis que son frère François-Xavier se vouait à des études prospectives sur l'avenir de l'information. François-Régis Hutin suit la ligne politique et morale de son père, particulièrement soucieux de catholicisme social. Sa réflexion l'a, par exemple, amené à s'interroger sur la valeur de la peine de mort. Sans doute son visage pointu, au regard précis à travers de fines lunettes à monture métallique, lui donne un abord distant et froid. A moins de cinquante ans, François-Régis Hutin s'affirme comme un des plus ardents patrons de presse français, à la tête d'une entreprise dont le gigantisme alourdit le management. François-Régis Hutin se défend néanmoins de toute visée expansionniste. A Paul Meunier, il déclarait : « *Notre objectif n'est pas de nous étendre, mais d'assurer mieux le service du lecteur dans notre région de diffusion. Nous ne sommes pas un monopole régional ! Contrairement à d'autres régions de France, nous voyons encore vivre d'autres journaux dans des villes importantes de notre rayon d'action, au Mans, à Angers, à Nantes, à Brest, à Quimper* [N.D.E.], *à Cherbourg.* » (*Presse Actualité,* juin 1976).

A Rouen, à *Paris-Normandie,* repris par le groupe Hersant, on trouve Ralph Canu comme secrétaire général. En 1975, Ralph Canu a été élu vice-président du Centre de Formation et de Perfectionnement des Journalistes à Paris. Son père, Max Canu, avait été celui des fondateurs du journal qui avait appelé Pierre-René Wolf à sa direction. Ce dernier avait à son tour recruté Ralph Canu en 1956, alors qu'il avait d'abord entrepris une carrière de fonctionnaire, très vite contrariée par une déportation à Buchenwald, puis une expérience commerciale dans les affaires familiales. Il siège à la direction de *Paris-Normandie,* en compagnie du fils de Pierre-René Wolf, qui a repris les fonctions de directeur général et d'éditorialiste politique.

A Orléans, le président-directeur général de *La République du Centre,* Roger Secrétain, ancien maire de la ville, et le directeur général, Pierre Carré, son beau-frère, ont chacun donné un fils à l'entreprise : Michel Secrétain qui apparaît comme un spécialiste de l'offset et un administrateur avisé, et Marc Carré qui assume la rédaction en chef. Ils sont parallèlement directeurs généraux adjoints.

A Dijon, les deux journaux concurrents, mais aussi désormais complices malgré eux, ont été dirigés, en 1974, par deux fils. Le séduisant Arnault Thénard, au maintien très britannique, s'est découvert, au *Bien Public,* une sérieuse vocation de patron de presse. De son côté, Jean-Paul Chadé, fils de Léon Chadé, a dirigé pendant un an

Les Dépêches de Dijon, après avoir servi dans les secteurs technique et informatique, en tant que directeur adjoint au groupe de *L'Est Républicain*. Après le départ de son père, il cessa d'exercer ses fonctions, reprises par Pierre Didry, P.-D.G., et Michel-Yves Laurent, directeur général (11).

Les trois plus jeunes recrues sont des Méridionaux : Jean-Michel Baylet est devenu directeur général adjoint du quotidien de Toulouse et P.-D.G. de la Société immobilière chargée de jeter les bases de la future implantation des imprimeries. Il débute aussi avec appétit dans la carrière politique. Réclamé un temps par les deux partis qui se disputent l'héritage radical, il est membre des instances nationales du Mouvement des Radicaux de Gauche qu'il représente à la Commission de contrôle de la Radio-Télévision instituée par l'Union de la Gauche. Quant à Gérard Bavastro, qui s'inscrivit d'abord au barreau de Nice où il fit preuve de grandes qualités, il a été appelé en juin 1975 par son père au sein de *Nice-Matin* pour occuper le poste de secrétaire général. Le très ambitieux plan de développement du journal, qui doit transférer dans un proche avenir ses installations près de l'aéroport pour y construire « *le centre d'impression le plus moderne d'Europe* », fournira au jeune secrétaire général une excellente occasion de s'aguerrir. Christian Poitevin débuta dans la profession par le biais de la publicité. Il quitta l'agence Havas en 1968 pour devenir directeur commercial du groupe Del Duca, éditeur du quotidien *Paris-Tour*. Christian Poitevin y était chargé de la régie publicitaire Galia. En 1971, il démarre la régie extra-régionale intégrée du *Provençal* à Paris, Média-Sud, dont chacun s'accorde à reconnaître le dynamisme. A la tête d'une équipe de jeunes publicitaires, il multiplia les contacts avec les agences nationales et contribua à accréditer une image rénovée de la presse régionale. Sa carrière l'a amené, le 1er janvier 1975, à rejoindre son père à Marseille.

A Pau, la succession à *La République des Pyrénées* fut

---

(11) Issu de la rédaction de *L'Est Républicain*, Pierre Didry en avait été nommé directeur général par Léon Chadé. Il a conservé ce poste auprès de Charles Boileau. Michel-Yves Laurent était secrétaire général de la rédaction de *L'Est-Républicain*.

assurée, en 1974, par deux petits-fils, Jean-Pierre Cassagne et Christian Le Nature, et un gendre, Jean-Marie Hellian (ancien secrétaire du Livre à Bordeaux, qui a fait parler de lui lors de la grève de *Sud-Ouest*, en 1972).

A Roubaix, Jean-Philippe Demey avait pris, le 1er janvier 1971, derrière son père, président de *Nord-Eclair*, le secrétariat général, après avoir fait ses premières armes aux services commerciaux de *La Nouvelle République* de Tours. A la suite du rachat de *Nord-Eclair* par le groupe Hersant, Jean-Philippe Demey se trouve placé depuis octoble 1975 à la direction d'un autre titre du groupe, *Le Berry Républicain*. Peut-être aura-t-il un jour comme patron Jacques Hersant, le fils de Robert, qui, indépendamment de fonctions importantes dans le groupe, préside déjà *Havre Presse*.

A cette longue liste pourraient être ajoutés les auteurs du livre : François Archambault, qui fut secrétaire général du quotidien tourangeau, *La Nouvelle République du Centre-Ouest*, et qui a choisi volontairement l'exil parisien plutôt qu'un changement de structures qu'il n'approuvait pas ; Jean-François Lemoîne, qui assume les fonctions de Directeur Général de *Sud-Ouest* depuis le départ d'Henri Amouroux, le 20 février 1974.

Il faudrait parler aussi de Jean Brémond et Jean-Charles Lignel, les deux cousins rivaux du *Progrès*.

Jean Brémond, qui semble resurgir des coulisses, a donné pendant les deux années qu'il passa à la tête du *Progrès* (entre le départ à la retraite de son père, le 1er janvier 1971, et sa propre démission, le 1er juillet 1973) l'impression d'un homme de caractère pénétré d'un sens aigu du management.

Il fut notamment l'un des plus lucides artisans de l'impressionnant rapprochement *Dauphiné/Progrès*, qui, vu dans l'esprit traditionnel du quotidien lyonnais, aurait pu être repoussé comme un mariage contre nature.

Quant à Jean-Charles Lignel, fougueux directeur général de la Société Delaroche, éditrice du *Progrès*, gendre d'Edgard Pisani (12), *L'Express Rhône-Alpes* lui consa-

---

(12) Cet ancien préfet, devenu sénateur en 1954, fut ministre de De Gaulle : de l'Agriculture (de 1961 à 1966) puis de l'Equipement (de 1966 à 1967).

crait, en septembre 1973, un révélateur face à face ainsi présenté : « *Il est âgé de* 31 *ans, marié, père de trois enfants. Mathématicien, spécialiste de la statistique, professeur assistant de faculté, il crée des éditions d'art.* » (13).

Le groupe *Progrès/Dauphiné* possède aussi son homme de Marketing en la personne de Jacques Gallois, fils de Jean, directeur du *Dauphiné :* une carrure de parachutiste, qu'il fut d'ailleurs ; un tempérament de cascadeur discipliné par un séjour américain. Un commercial, en somme !

Les rédacteurs en chef promus

Mais dans l'ensemble *Progrès/Dauphiné,* les fils ne sont plus seuls en poste. La querelle des deux cousins a amené à la tête du *Progrès* un « directeur salarié », Charles Blondeau, qui vient de la rédaction et en a suivi le cursus honorum, chef de la locale, puis rédacteur en chef. En janvier 1975, la revue *Lyon-Forum* a brossé le portrait de cet ancien résistant, aujourd'hui âgé de 57 ans : « *Sa situation de directeur salarié, son caractère d'honnête homme font qu'il est aux prises avec des contradictions quotidiennes qu'il assume avec la discrète délectation et le soupçon de masochisme allègre caractéristiques des chrétiens quelque peu démocrates.* »

Cette filière rédactionnelle a mis en place quelques autres directeurs qui sont ou furent parmi les plus fameux de la profession.

Léon Chadé, à *L'Est-Républicain,* a été en effet, jus-

---

(13) En mars 1976, Jean-Charles Lignel a porté devant le tribunal de commerce de Lyon le différend qui l'oppose aux Sociétés « Progrès-Dauphiné Libéré », car il estime avoir été abusivement révoqué des mandats sociaux qu'il exerçait dans ces sociétés. Les représentants de ces dernières ont soutenu que Jean-Charles Lignel avait engagé une procédure abusive et ont indiqué que le montant des rémunérations qu'il avait retirées du « système » avait été de 728 000 F pour le premier trimestre 1974. Par ailleurs, Jean-Charles Lignel a fait appel du jugement du tribunal de grande instance de Paris qui avait déclaré, le 14 janvier 1976, « irrecevable » la requête de résiliation des accords de 1966 entre *Le Dauphiné* et *Le Progrès* et la dissolution des sociétés nées de ces accords. Depuis octobre 1976, il est administrateur du groupe Expansion. En janvier 1977, il rachète 40 % du capital de cette société dont il devient le vice-président délégué.

qu'à la fin 1974, le grand journaliste de la presse de province et l'un de ses plus fiers dirigeants. Cet homme d'extraction simple a montré dans son métier une grande noblesse de sentiment, le faisant entrer dans l'aristocratie de l'information.

Ancien de l'agence (d'informations) Havas d'avant-guerre, puis rédacteur en chef des services étrangers, révoqué par Vichy, il était rompu au métier de journaliste lorsque *La Voix du Nord* le recruta comme directeur en 1944. De Lille, il est passé à Nancy dès 1949 pour reprendre la direction de *L'Est Républicain.* Les anciens se souviennent encore avec terreur des colères du patron : « *Cela commençait par les Bottins qu'il vous jetait à la figure, puis le téléphone y passait ; on le changeait presque chaque jour...* »

Sans doute cette anecdote s'est-elle enjolivée avec le temps, mais elle entre dans la mythologie du personnage. Sa fin de carrière, qui connut quelques rebondissements avec l'élection à la députation de Jean-Jacques Servan-Schreiber à Nancy, en 1970, a été ternie par les problèmes de cession d'actions que connut *L'Est Républicain* et qui aboutirent à la prise de pouvoir par le docteur Charles Boileau, P.-D.G. de la Grande Chaudronnerie lorraine, à la fin 1974.

Un autre grand patron suivit également la filière rédactionnelle pour arriver aux commandes de *Midi Libre :* il s'agit de Maurice Bujon. Cet ancien officier de marine n'a ni l'intransigeance du militaire, ni l'effusion du méridional. Il est réservé et secret. Son charme incomparable fait oublier son énergie et son esprit de décision. Certains pourtant le disent poète à ses heures. Sa carrière rédactionnelle débuta au *Petit Méridional* en 1933 ; il devint, en 1944, rédacteur en chef de *Midi Libre,* puis président-directeur général en 1956, à la suite de Jacques Bellon, ce mystérieux émigré d'Europe centrale promu dans les maquis de la dernière guerre. Maurice Bujon acquit une notoriété nationale en octobre 1972, lorsqu'il prit la succession de Pierre-René Wolf à la tête du Syndicat des Quotidiens Régionaux, après avoir été président de la commission chargée d'étudier le rapport Lindon et membre de la Commission Serisé (14). Etant entré au Conseil d'Administration de l'O.R.T.F., il fut chargé, en 1973, d'établir le rapport sur la télé-distribution. En 1976, il devait prendre la succession d'André-Louis Dubois à la tête de la F.N.P.F. (Fédération Nationale de la Presse Française).

Enfin, un autre journaliste issu de la province, Henri Amouroux, tint pendant six ans une place de choix dans la profession directoriale, avant d'être aspiré par la capitale où il partit assumer la direction de *France-Soir,* de février 1974 à mai 1975. Il avait été nommé à la direction générale de *Sud-Ouest,* à la mort de Jacques Lemoîne, après y avoir accompli une exemplaire carrière de journaliste, depuis ses premiers articles, en 1944, sur la poche allemande de Royan, en passant par de multiples reportages de guerre en Indochine, puis en Algérie. De janvier 1946 à juillet 1949, il publia un quotidien M.R.P., *Le Soir de Bordeaux,* dont l'équipe lança *Sud-Ouest-Dimanche.* Directeur de *Sud-Ouest,* il sut rester journaliste ; les derniers articles qu'il signa en 1973 portèrent sur la Chine où il avait accompagné Jacques Chaban-Delmas, l'U.R.S.S. et Israël pendant la guerre du Kippour.

Mais, très tôt, parallèlement à sa vocation journalistique, il a développé une activité littéraire autour de deux thèmes majeurs : Israël et l'Occupation. C'est sur le second sujet qu'il sortit chez Fayard, en 1961, son fameux ouvrage : *La vie des Français sous l'occupation,* qui le classa d'emblée parmi les spécialistes de cette période troublée.

« *Même lorsque j'écris des livres,* précise-t-il (15), *j'ai l'impression de donner un prolongement à mon travail de journaliste... Lorsqu'on écrit dans un journal, on s'aperçoit le lendemain que ce que l'on publie ne compte guère. Le papier imprimé sert à envelopper les chaussures. On cherche alors un prolongement dans le livre.* »

---

(14) Le Rapport Lindon (1970) examina les possibilités d'une participation des rédacteurs à la direction des entreprises de presse. La Commission Serisé étudia en 1972 les modalités d'une transformation de l'aide de l'Etat à la Presse.

(15) J.-C. Texier, « Entretien avec Henri Amouroux », *Presse-Actualité,* mars 1974.

Lorsqu'il parle de son avenir, Henri Amouroux constate, après avoir été directeur de *Sud-Ouest*, puis de *France-Soir*, quotidien alors le plus diffusé en France : « *Je ne peux me consacrer qu'à l'écriture.* » Il est d'ailleurs membre du jury du prix Renaudot.

Citons aussi, parmi les directeurs issus de la rédaction, Richard Mazaudet, élu président-directeur général du *Courrier Picard* (16) alors qu'il était président de la Société des Journalistes et ancien secrétaire de la section syndicale des journalistes F.O. Il eut cependant quelques difficultés pour conquérir le fauteuil directorial, car la forme de la société (coopérative ouvrière de production) favorisait les ambitions d'un représentant des travailleurs du Livre.

Quant à Pierre Janrot, âgé de 55 ans, il fut parachuté de la capitale vers la province. Toutefois, à Paris, il s'était fait le défenseur des régions comme en témoigne sa carrière : de 1960 à 1963, il fut chef des informations régionales des *Echos ;* en 1964, il fut chargé par *L'Express* des problèmes de décentralisation ; enfin, de 1965 à 1969, il dirigea la rédaction du *Bulletin d'information* du Comité national pour l'aménagement du territoire français. En septembre 1970, il devenait directeur général du *Journal du Centre,* alors contrôlé par le groupe *Express,* et en novembre 1972, directeur général du *Populaire du Centre.* Il conserva la direction de ces deux quotidiens, repris par *La Montagne* en janvier 1972, jusqu'en 1976. Il est nommé, à partir du 15 novembre 1976, directeur-gérant de *France-Antilles,* le quotidien lancé par Robert Hersant à Fort-de-France, à la Martinique.

Un Auvergnat jadis « monté » à Paris, comme journaliste parlementaire, est devenu rédacteur en chef, puis membre du Directoire d'un autre journal de la Vallée de la Loire. C'est Robert Vazeilles, alias Michel Dufau, à *La Nouvelle République.* Il n'a pas encore de successeur

---

(16) Voir dans *Journaliste* de novembre-décembre 1975 l'étude sur ce quotidien. Né en septembre 1924, Richard Mazaudet a commencé sa carrière au *Républicain Lorrain.* Après un passage à *L'Union,* il est entré, en 1952, au *Courrier Picard.* En 1972, il devint P.-D.G. de la société éditrice de ce quotidien. De 1969 à 1971, il a été vice-président du Parti Radical.

à la rédaction en chef du quotidien tourangeau, mais son adjoint, Guy Bonnet, remplit déjà la fonction.

Les tiers

Rompant le cercle de famille, quelques tiers ont pénétré dans les rangs de la profession. Ce fut d'abord le cas de hauts fonctionnaires qui « pantouflèrent », puis de personnalités appelées comme arbitres ; désormais se dessine un timide recrutement de jeunes managers.

En premier lieu, figure Jean-Jacques Kielholz, à la haute stature, président-directeur général des *Dernières Nouvelles du Haut-Rhin* et des *Dernières Nouvelles d'Alsace.* Haut fonctionnaire sous Vichy, il s'engagea dans la Résistance. Gouverneur du Tyrol de 1947 à 1950, il fut appelé par Aristide Quillet au secrétariat général des *Dernières Nouvelles,* que contrôle toujours la Librairie Quillet. Dès le début, il s'attacha à améliorer le contenu rédactionnel du journal qui, sous sa puissante impulsion, passa de 130 000 à 220 000 exemplaires. Ayant été longtemps président de la Commission intersyndicale de la publicité, il est aujourd'hui administrateur de la Régie Française de Publicité.

Deux autres hauts fonctionnaires accomplirent une partie de leur carrière dans la presse de province.

Jean Hamelin, entré à 34 ans comme directeur adjoint au *Progrès,* alors qu'il était conseiller à la Cour des Comptes, devint, en 1961, administrateur du groupe Prouvost. Sylvain Pivot, inspecteur général de la Sécurité Sociale, lui succéda avec le titre de secrétaire général. Cet unique énarque de la presse provinciale y fit une carrière à étapes. Après *Le Progrès,* il devint directeur de la rédaction de *La Montagne,* à Clermont-Ferrand, avant d'être recruté par *Midi Libre* comme secrétaire général puis directeur adjoint. Il retourna en 1974 à Paris, où il fit un bref passage dans des cabinets ministériels. N'en déplaise à Valéry Giscard d'Estaing, qui prônait le recrutement d'énarques devant des directeurs provinciaux quelque peu réticents, il n'y en a plus aucun, pour le moment, dans cette profession. Le dernier haut fonctionnaire entré dans la presse fut recruté par *La Montagne,* alors qu'il était sous-préfet. Il s'agit de Jean-Lucien Valentin, qui évolua dans l'ombre de Francisque Fabre. Mais, en novembre 1976, Jean-Lucien Valentin a réintégré le Ministère de l'Intérieur pour devenir chargé de mission à l'Inspection Générale de l'Administration. Pierre Houriez, ancien fonctionnaire des impôts, participe toujours à la direction de *Nord-Matin* dont il fut fondateur après avoir été résistant.

Quelques personnalités vinrent aussi à la presse dans des moments difficiles. Ainsi, en 1965, Louis Estrangin devint président du Conseil de gérance d'*Ouest-France* alors qu'il dirigeait, depuis 1964, la diffusion du groupe Bayard-Presse à Paris. A travers une carrière très éclectique, il poursuit un idéal constant. Fils d'agriculteur méridional, son premier contact avec la presse date de 1931, époque où il était étudiant en géographie et où il travaillait à mi-temps à la mise en pages d'*Alpes et Provence,* journal des syndicats agricoles qui s'imprimait au *Sémaphore,* à Marseille. En fait, ses études terminées, il débuta comme professeur de l'école Saint-Martin de France à Pontoise, avant que la guerre ne le ramène dans le Midi à la profession familiale. De 1942 à 1964, il fut un des leaders de l'agriculture française : il présida la Fédération Nationale des Centres d'Etudes Techniques Agricoles de 1955 à 1960. Son idéal social et chrétien s'inscrivait dans le droit fil des idées de son père, l'un des fondateurs des Semaines Sociales. C'est donc très naturellement qu'il fut l'un des premiers secrétaires généraux de la Jeunesse Etudiante Chrétienne et que les actionnaires d'*Ouest-France* pensèrent à lui lorsqu'ils cherchèrent à placer un gérant entre François Desgrées du Lou et François-Régis Hutin, après la démission de Paul Hutin, le 13 mai 1965. Ce sexagénaire a été membre de section au Conseil économique et social. Il a participé à la commission de l'information économique pour le VIe Plan. Par ailleurs, il préside Havas-Atlantique-Publicité.

Louis Estrangin a attiré en 1975, à *Ouest-France* un autre membre de la « Bonne Presse », Roger Lavialle, ancien directeur général adjoint de Bayard-Presse, qui a consacré sa carrière au marketing de la presse. Il avait été auparavant président de l'Association catholique de la jeunesse française.

Après Louis Estrangin, un arbitrage de nature différente a amené à la presse Théo Braun. Cette forte personnalité vint trancher une situation inconfortable pour le journal de Mulhouse, *L'Alsace,* disputé entre les quotidiens strasbourgeois et nancéien, *Les Dernières Nouvelles d'Alsace* et *L'Est Républicain.* Le président de la Confédération Nationale du Crédit Mutuel et de la Banque Fédérative du Crédit Mutuel, Théo Braun, en en prenant le contrôle, put écrire : « *Ainsi rien n'est changé,* L'Alsace *garde à Mulhouse son centre de décision, conserve son indépendance.* » Peut-on parler d'indépendance s'agissant d'une banque ? Dans le cas présent, le caractère très particulier et la vocation intrinsèquement régionale du Crédit Mutuel peuvent la garantir. Théo Braun confiait d'ailleurs : « *Lorsque le Crédit Mutuel fut créé, il y a cent ans, par Raffeisen, c'était pour lutter contre l'usure. En* 1972, *le contexte social est différent ; les populations ont besoin d'un environnement et d'une information qui ajoutent à la qualité de leur vie. C'est la raison pour laquelle le Crédit Mutuel s'est adjoint l'activité de services comme l'assurance ou les vacances. Eh bien, maintenant, nous disposons de moyens d'information. C'est notre manière à nous de garantir de façon institutionnelle la satisfaction des besoins des hommes* » (17).

Aux côtés de ces grands ténors dont l'arrivée se mesure au compte-gouttes, on voit aussi apparaître dans les journaux une jeune classe de gestionnaires d'un style nouveau, qui occupent déjà des postes importants. Parmi eux émergent notamment : André Elkouby, secrétaire général du *Provençal,* issu d'H.E.C., et bras droit d'André Poitevin ; Michel Cabart, secrétaire général au *Midi Libre,* diplômé de l'E.S.S.E.C., qui seconde activement Maurice Bujon ; Dominique Claudius-Petit, fils de l'ancien ministre Eugène Claudius-Petit, ingénieur physicien et directeur général adjoint de *Presse-Océan,* auprès de son P.-D.G., Claude Berneide-Raynal.

(17) *Presse Actualité,* n° 83, mai 1973.

La montée des contestations

Le vent de la contestation a aussi soufflé sur la presse, car un certain appétit de pouvoir semble habiter les principales catégories de partenaires, exacerbé tout naturellement à l'ouverture ou même à l'approche des successions.

A Lyon, la querelle se poursuit entre les deux cousins, Jean Brémond, ancien directeur du *Progrès* et Jean-Charles Lignel, directeur général de « Delaroche S.A. ». Leurs deux familles possèdent des intérêts égaux au sein de la société familiale. Jean Brémond, qui est l'aîné de plus de dix ans, avait énergiquement pris en main l'affaire en janvier 1971 dans un moment de grande mutation. Dès avril suivant, la dispute fut portée sur la place publique : on parut néanmoins s'acheminer vers un accord. Les Lignel firent connaître la transformation de la société en nom collectif « Delaroche et Cie » en Société anonyme dont les postes de président et de directeur général devaient faire l'objet d'une permutation tous les quatre ans. Hélène Brémond fut, au départ, désignée comme P.-D.G. et Jean-Charles Lignel comme directeur général. Cela n'apaisa pourtant pas les esprits. Jean Brémond démissionna de la direction effective du journal en juin 1973, considérant que « *certaines conditions n'étaient pas remplies pour lui permettre d'exercer ses fonctions* ». Un nouvel épisode eut lieu en 1974, au cours duquel, à son tour, Jean-Charles Lignel — sous la pression conjuguée de son cousin et des dirigeants du *Dauphiné-Libéré* — démissionna de l'ensemble des postes qu'il occupait au sein des sociétés filiales ou associées du groupe *Progrès-Dauphiné.* Il reste néanmoins administrateur, directeur général du holding « Delaroche S.A. » et a engagé plusieurs actions judiciaires. L'affaire est à suivre.

A Rennes, en revanche, les débats sont clos. En effet, la structure du capital d'*Ouest-France* qui n'était pas comparable à celle du *Progrès,* puisqu'il est réparti entre cinquante actionnaires, a facilité la résolution du conflit familial. François-Régis Hutin, fils de Paul Hutin, se trouva en différend, au départ de son père, avec son oncle François Desgrées du Lou, co-fondateur d'*Ouest-France*. Ce dernier entendait prendre la direction effective de l'affaire, à la suite de son beau-frère. Pour sortir de l'impasse, on fit appel à un tiers, Louis Estrangin. François Desgrées du Lou démissionna et entama une longue bataille judiciaire qui se termina au profit de son neveu. Aujourd'hui, la S.A.R.L. *Ouest-France* a été transformée en Société anonyme. Louis Estrangin en est président et François-Régis Hutin directeur général. François Desgrées du Lou est entré au groupe Amaury comme administrateur du *Courrier de l'Ouest*, à Angers, dont son fils Jean-Marie est secrétaire général.

Dans d'autres journaux, des membres de réseaux de Résistance revendiquèrent des droits. Cela donna lieu à un épineux contentieux à *La Voix du Nord*, à Lille, issue d'un journal clandestin dont soixante-cinq numéros parurent sous l'Occupation. L'autorisation de paraître avait été accordée, à la Libération, collectivement, au mouvement représenté par Jules Houcke en l'absence des fondateurs, pour la plupart disparus ou déportés. En 1945, la Société émit une augmentation de capital réservée aux membres du réseau, et décida d'attribuer la moitié des bénéfices du journal aux veuves et aux orphelins. Mais, après la clôture de l'émission, certains résistants se plaignirent de ne pas avoir été avertis. Pierre Hachin, l'un des fondateurs du mouvement clandestin, réapparut miraculeusement et prit la tête de leur contestation. Il finit, après maints procès étalés sur de nombreuses années, par obtenir une certaine satisfaction. La Cour de Cassation a réaffirmé, en novembre 1974, que chaque membre du réseau a le droit de contribuer à la parution du journal et que tous ont le droit indivis à l'exploitation du titre. Mais, comme le remarque *Presse-Actualité* (18), là encore l'affaire n'est pas terminée. L'association « Ceux de la Voix du Nord » compte en effet plus d'un millier d'adhérents fondés à demander des dommages-intérêts. La société du journal n'y survivrait sans doute pas. Une conciliation n'est donc pas impossible.

---

(18) Décembre 1974, n° 96.

En 1970, à Nice, un noyau de résistants du réseau *Combat* contesta *Nice-Matin.* L'explication en remonte aux lendemains de la Libération, alors que Nice est inondé de journaux : *Combat ; L'Etincelle* (C.G.T.) ; *L'Espoir* (socialiste) ; *Le Patriote* (Front National), et *Le cri des Travailleurs.*

Combat est issu d'un groupe de résistants animé par Jean Constant. En mai 1945, il subit une grève de plus de deux mois et une partie des associés décident d'abandonner locaux, personnel et matériel, pour relancer ailleurs, avec la trésorerie, le quotidien. Michel Bavastro et quelques amis restent sur place et éditent un journal sous le titre de *Nice-Matin* pour lequel ils constituent une société anonyme à participation ouvrière. C'est contre les anciens de *Combat* passés à *Nice-Matin* que Jean Constant a, en 1970, intenté son procès... vingt-cinq ans après.

La contestation familiale et celle des anciens de la Résistance ne constituent que deux exemples parmi bien d'autres : deux cas en montrent un troisième type, qui résulte de statuts à tendance collectiviste, établis dans la fièvre idéaliste de la Libération mais fondés sur un équilibre de forces précaire.

Ainsi, Maurice Catelas, appelé dès 1944 à la direction du *Courrier Picard,* dont il avait conçu les statuts sous forme de coopérative ouvrière, fut-il mis à la retraite en 1972, laissant derrière lui une situation tendue entre les journalistes et les ouvriers. Son fils, Bernard, demeure proche de la presse puisqu'il dirige à Paris le triplage publicitaire normand : *Paris-Normandie* et *Havre Presse,* deux titres du groupe Hersant, ainsi que *Havre Libre,* proche des communistes.

A Tours, *La Nouvelle République,* constituée sous forme de Société Anonyme à Participation Ouvrière, connut diverses tribulations internes dont la modification des statuts ne fut pas la moindre (19).

Organes de pensée, les entreprises de presse sont considérées par beaucoup comme des entités abstraites, mais elles brassent en réalité de lourds intérêts, d'ailleurs pas toujours à la mesure des investissements qu'elles requiè-

---

(19) Voir le cas 2 de la 1re partie.

rent. Là réside tout le problème. Des conflits entre leur mission et leur fonctionnement sont inéluctables. On a souvent rêvé d'un droit ciselé à leur mesure, c'est-à-dire d'un statut spécifique. Mais, selon l'expression de l'ancien ministre de l'Information (1968-1969), Joël Le Theule, « *c'est un peu le serpent de mer* » (20).

(20) *Dirigeant*, mai 1972.

Chapitre III

USER, JOUIR, ABUSER

User, jouir, abuser, tels furent, selon le droit romain revu et codifié par Napoléon, les attributs du droit de propriété. Déjà contestés en droit commun, peuvent-ils être invoqués dans les affaires de presse ? Les organes de la conscience publique seront-ils livrés sans protection aux caprices des particuliers, risquant de subir les fluctuations de leurs humeurs, de leurs ambitions ; voire plus simplement de dépendre de leurs besoins d'argent ? La question reste toujours posée, spécialement dans la presse de province où s'accomplit une lente mais constante concentration qui inspira à Philippe Bœgner cette très belle réflexion : « *Chaque fois qu'un grand journal meurt, un peu de liberté disparaît* » (1). Limiter le droit des propriétaires est l'ambition avouée, sinon proclamée, de certains collaborateurs et notamment des journalistes : l'idée n'est pas sans fondement, tout au moins moral, pour la majeure partie des entreprises de presse. La « nouvelle donne » de 1944 en avait confié la gestion à des équipes

---

(1) *Cette Presse malade d'elle-même*, Plon, 1973.

qui en prirent possession sans bourse délier ou presque, un statut devant venir consacrer cette nouvelle presse délivrée du « péché de capital ». Il n'y eut en tout et pour tout qu'une loi, en 1954, autorisant le rachat des biens de l'ancienne presse.

Ceux qui exigent un droit de participation et de contrôle, tirent les justifications de leurs revendications de cette opération, si unique dans les annales de l'Histoire et du Droit, que certains l'ont même parfois qualifiée de spoliation.

La question a fait l'objet en 1970 du Rapport Lindon, à l'initiative du gouvernement Chaban-Delmas ; à l'heure actuelle, ses conclusions n'ont débouché sur aucune réforme. Il faut reconnaître que, s'il n'existe pas de statut des entreprises de presse, c'est notamment parce qu'il est difficile, sinon impossible, de les faire toutes entrer dans un moule unique.

En effet, les chaînes de journaux en province sont rares et deux seuls groupes méritent cette appellation : celui de Robert Hersant et celui d'Emilien Amaury. Il existe aussi d'autres formes de rapprochements. L'une d'elles apparaît particulièrement spectaculaire : celle du *Progrès-Dauphiné*. Mais il serait abusif d'assimiler les groupes de presse aux trusts qui peuvent se constituer dans d'autres secteurs industriels.

Deux cent quarante-deux titres en 1914, cent soixante-quinze en 1946, quatre-vingt-un en 1970, soixante-seize en 1976 : la concentration des quotidiens de province est un phénomène ancien. Elle ne traduit pas obligatoirement un dépérissement de cette presse dont le tirage global est passé de quatre millions d'exemplaires en 1914 à plus de sept millions en 1976, en atteignant son maximum de 9 165 000 exemplaires en 1945. Avant de juger les phénomènes de concentration, il convient d'analyser leur véritable portée. Par exemple, la disparition d'un quotidien ne signifie pas nécessairement la mort du titre ; dans de nombreux cas, le journal subsiste en adoptant une périodicité plus espacée.

Toutefois, la presse hebdomadaire d'information régionale subit la même loi que la presse quotidienne : 1 175 titres en 1938, 784 en 1964 et seulement 432 en 1973.

La concentration revêt divers aspects : changement de périodicité, bien sûr, mais aussi prises de participation, accord de rationalisation, couplages de publicité... Certaines de ces pratiques préservent la personnalité des titres concernés, d'autres au contraire l'amputent.

Les premières sont faites dans le but louable de maintenir la pluralité de l'information ; les secondes, en revanche, la restreignent.

La concentration donne à la géographie de la presse de province l'aspect d'un vaste puzzle dont chaque morceau représente un ensemble plus ou moins organisé, un marché plus ou moins réglementé. Plutôt que de qualifier ces ententes locales de monopoles, nous serions tentés de les appeler « multipoles ». Elles s'expliquent moins par l'ambition impérialiste des patrons de presse que par une triste loi économique dictée par l'étroitesse des marchés publicitaires, notamment, alors même que la nature de l'industrie appelle de lourds investissements. Si elle a regroupé ses titres par marché publicitaire et par centre d'impression, elle demeure néanmoins farouchement individualiste.

Les degrés de fusion

Il est très rare que ces ententes — forcées plutôt que de raison — dépassent le cadre régional. Certaines opérations aboutissent à la mort du titre absorbé. Dans d'autres cas, on assiste à des emboîtages successifs, comme un jeu de poupées russes, ou plutôt à la manière de l'éternelle histoire du petit poisson qui mange un plus petit que lui, avant d'être avalé à son tour par un plus gros.

Les cas sont nombreux : *Le Progrès de Fécamp* racheté par *Le Havre* devenu en février 1968 *Havre-Presse,* absorbé en mars 1969 par le groupe Hersant ; *La République* de Besançon, absorbée en mai 1960 par *Les Dépêches de Dijon* et fusionnée avec *Le Comtois,* édition des *Dépêches ;* le tout ayant basculé en 1973 dans le giron de *L'Est Républicain ; Le Courrier de Metz* racheté par *Le Républicain Lorrain* et simplement fusionné, en mars 1962, avec son édition bilingue *France-Journal ;* ou bien *Le*

Nouveau Rhin Français, à Colmar, acquis par *l'Alsace* à Mulhouse et supprimé un an plus tard (décembre 1965).

Dans d'autres cas, les apparences sont sauves, mais le résultat est le même. *Le Berry Républicain,* racheté en 1962 par Hersant, n'est qu'une édition de *Centre Presse ; Les Dernières Nouvelles du Haut-Rhin,* à Colmar, acquises par *Les Dernières Nouvelles d'Alsace* en 1962, conservent leur titre mais sont aussi devenues une simple édition du journal de Strasbourg, publiée jusqu'au 28 août 1969. *Le Petit Varois,* de Toulon, est le frère jumeau de *La Marseillaise* de Marseille : seul le titre diffère. *La France,* de Bordeaux, n'a plus que deux pages distinctes de *Sud-Ouest. L'Eclair,* de Nantes, emprunte les neuf dixièmes de sa rédaction à *Presse Océan. Nord-Matin* et *Nord-Eclair* ont six à sept pages communes...

Dans certains cas, on peut se demander pourquoi les nouveaux propriétaires laissent subsister des titres différents sur des journaux identiques ; ne serait-il pas plus simple et plus honnête de n'en conserver qu'un ?

N'y aurait-il pas d'ailleurs à y gagner quelque économie de fabrication supplémentaire ? Sans doute, mais, sur le plan commercial, ce serait catastrophique. Il est frappant de constater la somme d'attachement ou, au contraire, de prévention, que suscite un titre. *Sud-Ouest* en prit conscience lorsqu'il supprima, en 1963, l'édition de *La France* en Charente, après avoir pris le contrôle de ce quotidien toujours classé à gauche, alors même qu'il soutenait ardemment la politique du général De Gaulle. *Sud-Ouest,* ayant décidé de continuer à servir son propre titre aux abonnés de l'édition supprimée de *La France,* essuya quelques bruyants refus parce que certains anciens lecteurs de *La France* craignaient que leurs voisins n'en viennent ainsi à douter de leurs engagements politiques « à gauche ».

Mais toutes les concentrations n'entraînent pas l'altération du contenu du titre absorbé ; bien au contraire, parfois, sa personnalité s'en trouve affirmée. C'est le cas de *La Charente Libre,* du même groupe *Sud-Ouest.* Bénéficiant de moyens techniques et humains très supérieurs et d'une publicité beaucoup plus abondante, elle a trouvé un large épanouissement.

Robert Hersant lui-même affirme œuvrer pour le maintien de la pluralité de la presse, ainsi qu'il l'écrivait dans *Le Monde* du 23 mai 1972 :

« *Regardez une carte de France, vous constaterez que c'est précisément là où j'ai repris et où je fais vivre des quotidiens que la pluralité subsiste, que la concurrence existe, que les opinions diverses peuvent s'exprimer. C'est à Lille, au Havre, à Limoges, Brive, Lorient, Nantes, Poitiers, Bourges, Tarbes ou Rodez que le lecteur peut encore lire le quotidien de son choix...*

« *Partout où j'ai pu étendre mes activités, la liberté de la presse s'est trouvée mieux défendue... Chaque titre a conservé son particularisme et son indépendance et maintenu à telle ou telle famille politique la possibilité d'informer à sa guise et hors de mon intervention.* »

Dans maintes circonstances, les accords de journaux se limitent d'ailleurs à la mise en commun de leurs ressources publicitaires, par le biais des « couplages ». Cette forme d'entente s'est brusquement développée, au grand dam d'annonceurs, au cours de l'année 1966 où eurent lieu successivement : le couplage *Ouest-France* et *Télégramme de Brest ;* celui du *Courrier de l'Ouest* et du *Maine Libre* et, trois semaines plus tard, celui du *Progrès* et du *Dauphiné,* puis en octobre, celui de *L'Est Républicain,* du groupe des *Dépêches* et des journaux de l'Alsace.

Quelques couplages sont lourds d'arrière-pensées : ainsi, un directeur de grand quotidien tenait, en confidence, ce raisonnement à un confrère qui l'interrogeait sur l'intérêt que représentait pour son titre le couplage qu'il avait passé avec deux petits journaux locaux fortement implantés dans un coin de sa zone de diffusion :

« *Vous allez renforcer de robustes concurrents.*

— *Vous n'y comprenez rien,* rétorqua notre machiavélique confrère, *ce sont des journaux économes et bien gérés, mais grâce aux recettes supplémentaires que leur apportera cet avantageux couplage, ils vont s'habituer à vivre sur un pied plus élevé. Et, dans deux ans, je dénoncerai cet accord...* »

Cet astucieux stratagème reste, à notre connaissance, unique en son genre. Actuellement, au contraire, beaucoup de grands régionaux finissent par admettre que leur emprise régionale a atteint un seuil maximum et ne désirent pas le contrôle de titres supplémentaires ; les couplages passés avec les titres rescapés permettent en principe d'éviter que ces derniers ne tombent dans les mains de groupes concurrents.

Certains groupes sont allés très loin, jusqu'à marier « la carpe et le lapin », en l'occurrence des quotidiens et des hebdomadaires : tels *Paris-Normandie* et *Le Pays d'Auge,* ou des tri-hebdomadaires, telle *L'Union* de Reims avec *L'Aisne Nouvelle.*

A la fin de l'année 1976, seuls trois régionaux, décidément individualistes, échappent à ces ententes : la majestueuse *Voix du Nord,* le riche *Nice-Matin,* et le bien nommé *Indépendant.* A côté d'eux cœxistent seize grands couplages (2).

Les deux chaînes

Grâce à cette restructuration générale mais limitée, la presse de Province a évité la formation de grands trusts. L'historien de la presse, Pierre Albert, remarque que tout s'est joué dans l'entre-deux-guerres. Tandis que les chaînes de journaux s'étaient développées aux Etats-Unis dès la fin du XIXe siècle, en Allemagne dès la fin de la première guerre mondiale et qu'en Angleterre d'énormes groupes de presse s'appuyaient sur des quotidiens nationaux à éditions régionales, la solidité de la presse de province française fit échec à toute tentative de constitution de chaîne.

C'est paradoxalement la « nouvelle donne » de 1944 qui permit la constitution du groupe Amaury, l'une des deux seules chaînes de journaux de province français. Et encore le professeur de journalisme Bernard Voyenne conteste-t-il l'emploi de ce qualificatif pour désigner ce groupe, le réservant au seul groupe Hersant (3).

Le Figaro, qui avait consacré en 1960 une page aux « Seigneurs de la Presse », campe les deux tenants de ces

---

(2) Voir cas 2 de la 2e partie.
(3) *La Presse dans la société contemporaine,* Armand Colin, 1971.

empires. Il classe Emilien Amaury parmi les tout derniers résistants encore « au pouvoir ». Avant-guerre, il avait débuté comme secrétaire de Marc Sangnier, théoricien du christianisme social, puis avait fondé l'Office de Publicité Générale. Pendant l'Occupation, sous couvert de distribuer le budget Famille, Travail, Patrie, de Vichy, il put alimenter la Résistance et fournir du papier aux journaux clandestins. Ainsi, à la Libération, avec une équipe au sein de laquelle se trouvaient au premier plan Claude Bellanger, et derrière lui quelques autres qui ont quitté depuis la presse, tel Antoine de Tavernost, Emilien Amaury fonda *Le Parisien Libéré* sur les presses du *Petit Parisien.*

Il y ajouta, au fil des ans, une série de périodiques nationaux : *Point de vue - Images du Monde, Marie-France, La France Agricole, Le Miroir des Sports, France-Football* et le quotidien *L'Equipe.*

Par ailleurs, comme le rappelle Claude Bellanger (4), « Le Parisien Libéré *a, par ses dirigeants, participé en* 1944 *à la fondation du quotidien d'Angers,* Le Courrier de l'Ouest. *Son voisin,* Le Maine Libre, *au Mans, ne se trouve pas en très bonne posture. D'abord par l'intermédiaire du* Courrier de l'Ouest, *en avril* 1948, *puis en agissant directement en janvier* 1950, Le Parisien Libéré *devient majoritaire au sein du journal sarthois. En décembre* 1949, *c'est* La Liberté du Massif Central, *éditée à Clermont-Ferrand, qui sollicite le concours du groupe Amaury et qui passe entièrement sous son contrôle jusqu'à sa disparition en* 1965. » Enfin, personnellement, à titre symbolique, Emilien Amaury détient quelques actions dans de grands régionaux, à *Ouest-France* notamment.

Une expérience unique a été tentée au sein du groupe Amaury, celle de la régionalisation d'un grand quotidien national, *Le Parisien Libéré,* pour redécouvrir l'information locale en Ile-de-France. Ses étapes en ont été retracées par Yves Guillauma (5), qui complète les lacunes

---

(4) *Histoire générale de la presse française,* tome 4, P.U.F., 1975.
(5) *Presse-Actualité,* mars 1974, pp. 30-31.

d'Anne Philip dans sa thèse sur *la Presse quotidienne régionale française* (6) :

1960, 10 mars : Lancement de trois éditions dans l'Oise (Creil, Beauvais, Compiègne) en concurrence avec *Oise Matin,* appartenant au groupe Hersant.

1962, 3 septembre : Lancement de deux éditions en Seine-et-Marne (Melun, Meaux), en concurrence avec *Seine-et-Marne Matin,* appartenant au groupe Hersant.

1964, 28 janvier : Edition sur Pontoise (qui sera supprimée le 12 février 1966).

1964, 18 février : Edition sur Boissy-Saint-Léger, Villeneuve-Saint-Georges, Corbeil, Longjumeau (supprimée le 12 août suivant).

1965, 15 mars : Edition à Versailles (supprimée le 15 février 1966).

1965, mai : *Le Parisien Libéré* rachète *L'Oise Matin* et *Seine-et-Marne Matin* au groupe Hersant : ces journaux deviennent des éditions du *Parisien Libéré,* tout en gardant leur titre.

1966, 4 octobre : Edition dans le Val-de-Marne (supprimée le 31 juillet 1967).

1968, 1er octobre : Lancement de *Normandie-Matin,* avec une édition dans l'Eure (Evreux, Les Andelys), l'autre sur Mantes, en concurrence avec *Paris-Normandie.*

1969, 12 mai : Lancement de *Normandie-Matin,* édition de Rouen.

Le 26 septembre 1971 : A la suite de la grève de la rédaction parisienne des éditions régionales du *Parisien Libéré,* l'édition *Normandie-Matin* est arrêtée. Mais à la suite de la grève de *Paris-Normandie,* l'édition de Rouen de *Normandie-Matin* reparaissait en mai 1972.

Le 20 novembre 1972, lancement de *Val-d'Oise-Matin* et le 12 décembre 1972, celui de *Beauce-Matin* dans l'Eure-et-Loir.

Et Claude Bellanger déclarait (7) : « *L'avenir du* Parisien Libéré *repose sur sa vocation de régional, politique que nous avons poursuivie depuis* 1960 *et qui est la chance du journal.* »

---

(6) I.P.E.C., 1974, p. 226.
(7) *Presse-Actualité,* décembre 1971.

Depuis la création des imprimeries de Saint-Ouen et de Chartres, en juin 1975, *Le Parisien Libéré* a relancé ses éditions régionales :

9 juin 1975 : *Le Parisien Libéré — L'Oise-Matin* à Beauvais, Compiègne et Creil.

9 juin 1975 : *Le Parisien Libéré — Seine-et-Marne-Matin* à Meaux, Melun et Provins.

8 septembre 1975 : *Le Parisien Libéré — Val-d'Oise-Matin* à Argenteuil et Pontoise.

29 septembre 1975 : *Le Parisien Libéré — Yvelines-Matin* à Versailles et Mantes.

1er décembre 1975 : *Le Parisien Libéré — Normandie-Matin* à Evreux, Les Andelys et Evreux-Verneuil.

24 décembre 1975 : *Le Parisien Libéré — Beauce-Matin* à Chartres.

1er mars 1976 : *Le Parisien Libéré — France Picardie* à Amiens, Montdidier, Péronne et Abbeville.

3 septembre 1976 : *Le Parisien Libéré — Essonne-Matin* à Evry.

En 1974, *Le Parisien Libéré* et *L'Equipe* quittèrent le Syndicat de la Presse Parisienne pour adhérer au Syndicat des Quotidiens Régionaux. Derrière ce changement d'affiliation se profilait une stratégie précise : Emilien Amaury, se prévalant de la mutation qui s'était effectuée au *Parisien*, voulait obtenir le régime plus souple d'impression des régionaux et ne plus subir le carcan des normes parisiennes telles que le monopole d'embauche ou la rémunération au service et non pas à l'heure. Le Syndicat du Livre n'ayant pas accepté, en 1975, de revoir les annexes techniques qui déterminèrent les conditions de fabrication des journaux nationaux, *Le Parisien Libéré* stoppa, pour un temps, sa politique de régionalisation et transféra ses imprimeries de Paris en banlieue et en province. Ce quotidien parisien est désormais tiré à Saint-Ouen et à Chartres.

A la suite d'une longue grève, en 1965, il avait sabordé *La Liberté du Massif Central*. Un tel conflit du travail prit rapidement une dimension politique à travers la querelle qui opposa la C.G.T. à F.O. et les communistes à la majorité. Surgissant dans une période de crise économique, cette bataille aggrava les difficultés de tous les journaux, particulièrement de ceux qui se trouvaient engagés dans un processus de modernisation technique.

Les dents longues

La riche chronologie de la régionalisation du *Parisien Libéré* rappelle le combat de deux titans : Emilien Amaury et Robert Hersant.

Le Figaro gratifiait naguère Robert Hersant, éloquemment, de l'étiquette « les dents longues », sans se douter qu'il serait, quinze ans plus tard, happé par sa mâchoire. Jean-Louis Servan-Schreiber le classa plus pudiquement parmi les « collectionneurs ». Le fait est, insiste Bernard Voyenne, qu'il est le seul à avoir constitué en France une véritable chaîne, au sens américain du terme.

Décrire le personnage est une entreprise ardue, tant il est divers et insaisissable. Noël Jacquemart, qui le considère (et il n'est pas le seul) comme un des personnages les plus extraordinaires de cette après-guerre, voit en lui, dans son *Histoire de la Presse française*, « *un cocktail de Rudolf Valentino et d'Alexandre Stavisky, de Balzac et d'Emile de Girardin, de Saint-Simon et de d'Artagnan, Machiavel et Montaigne, Barras et Talleyrand* ». Rien que ça, n'en jetez plus, cela suffit pour un seul homme ! C'est néanmoins une manière élégante de dire que le circuit de cet homme exceptionnel, qui peut être aussi séduisant qu'inquiétant, a été aussi accidenté que brillant. Son groupe — dont le directoire est formé de lui-même, de Jean-Marie Balestre, André Audinot, André Boussemart et de son fils Jacques — s'est assuré pour ses journaux de province la collaboration de Lucien Caujolle, ancien directeur de *La Dépêche*, toujours propriétaire d'une solide minorité du capital et neveu par alliance de Maurice Sarraut, l'une des figures marquantes du radicalisme sous la IIIe République.

Dans un dossier publié par *Le Nouvel Economiste*, le 12 novembre 1976, Marie-Louise Antoni a percé les trois secrets qui expliquent la réussite de Robert Hersant : « *Un détonnant cocktail où se mêlent une vision industrielle de la presse, une conception artisanale de gestion, le tout assaisonné d'un authentique flair journalistique.* » Mais comment Robert Hersant est-il parvenu à financer toutes ses opérations ? L'article de Marie-Louise Antoni rappelle toutes les possibilités : « *Du financier communiste Igouin à l'industriel gaulliste Dassault, en passant pas les caisses noires de Matignon, toutes les hypothèses ont été avancées. Dans le doute, ne serait-il pas plus réaliste de croire Robert Hersant quand il affirme avoir bénéficié du concours d'un pool bancaire pour ses achats les plus onéreux, affirmation crédible quand on sait qu'il a eu la bénédiction des deux éminences grises de Jacques Chirac, Marie-France Garaud et Pierre Juillet. Une couverture politique facilite bien des découverts.* »

Ce groupe comprend des périodiques prospères comme *L'Auto-Journal,* point de départ de sa collection, *Sport Auto, Champion* (mensuel), *La Bonne Cuisine, Votre tricot, Les Cahiers du Yachting, La Revue nationale de la Chasse, La Pêche et les Poissons, Bateaux,* mais aussi neuf quotidiens de province : *Centre-Presse,* imprimé à Poitiers et Rodez, *L'Eclair* de Nantes (8) (racheté en 1960), *Nord-Matin* à Lille, racheté en novembre 1967 et *Nord-Eclair,* racheté en avril 1975, *La Liberté du Morbihan* à Lorient, racheté en mai 1963, *France-Antilles,* lancé en Martinique en mai 1964, *Le Havre Presse,* racheté en 1969, une part de *La Nouvelle République des Pyrénées* de Tarbes, rachetée en 1970, et enfin, son fleuron de province : *Paris-Normandie,* racheté en 1972 et dont Raoul Leprettre, ancien déporté, collaborateur de Pierre-René Wolf et membre fondateur du journal, a pris la présidence en 1975.

Il y a ajouté un certain nombre de périodiques régionaux locaux : *L'Action Républicaine,* bi-hebdomadaire de Dreux, qui a absorbé *La Liberté du Perche, Le Petit Nogentais* et *La Gazette française,* ainsi qu'en Normandie *Le Pont-Audemer, Le Courrier de Neubourg, Le Journal d'Elbeuf* et *Le Lexovien Libre,* et deux hebdomadaires, *l'Indépendant Honfleurais* et *Le Progrès du Littoral* de Dives-sur-Mer.

---

(8) *L'Eclair* de Nantes est en grande partie rédigé et totalement fabriqué par *Presse Océan* dans lequel Robert Hersant possède une petite minorité d'actions.

« *Il se trouve* — remarquait Robert Hersant dans *Le Monde* du 23 mai 1972 — *qu'aujourd'hui, bien souvent, lorsqu'un problème de presse quotidienne se pose en France, c'est vers moi que se tournent les intéressés et avec moi qu'ils recherchent une solution : lancement d'un journal, reprise d'un autre, difficultés financières, différends entre associés, arbitrages entre tendances, etc.* » Un Monsieur Bons Offices, dépannages en tous genres, en quelque sorte !

Robert Hersant était entré dans la presse de province en 1953 pour faciliter son élection à la députation dans l'Oise, comme Marcel Dassault ; il créa *L'Oise-Matin* à Beauvais en 1953 et le transforma en quadri-hebdomadaire en 1954, puis en quotidien. En 1955, Hersant cède la gérance d'*Oise-Matin* à André Boussemart et se lance dans la politique ; il est élu conseiller général en 1954, puis député radical-socialiste en 1956. Invalidé (9), il est réélu au cours d'élections partielles. Puis il opéra, entre 1958 et 1960, une vaste opération de fusion de dix journaux départementaux regroupés sous le titre de *Centre-Presse : La Liberté du Centre, La Marseillaise du Centre, Brive-Information, Le Gaillard, Le Rouergue Républicain, Le Libre Poitou, La Gazette du Périgord, La Vie Rurale, Le Cantal Indépendant, L'Eclair du Berry ;* en 1962, il acquit *Le Berry Républicain* et le rajouta dans le creuset.

Robert Hersant est sans doute l'homme le plus entreprenant de son milieu professionnel. Il est vrai que sa démarche est différente de celle de la plupart des autres patrons dont Jean-Louis Servan-Schreiber déplore (10) l'ambition limitée en évoquant tous ces titres « *créés et gérés par un solitaire à qui cette réalisation suffit* ».

Robert Hersant, lui, a toutes les ambitions. Il y a une dizaine d'années, il caressait le projet de fusionner *L'Oise-Matin* et *La Liberté de Seine-et-Marne,* pour en faire un régional de la capitale : *Paris-Matin,* qu'il pensait tirer en offset... Ce dernier titre a paru à Paris, pendant 36 numé-

---

(9) Voir le *Journal Officiel* du 19 avril 1956, cité intégralement par *Le Monde* des 3, 4 et 5 juillet 1975.
(10) *Le pouvoir d'informer*, Editions Robert Laffont, 1972.

ros, du 8 janvier 1964 au 18 février 1964. Ambition suprême d'homme de presse, mais largement dépassée par celle qu'on lui prête en d'autres domaines. N'a-t-on pas dit qu'il avait l'intention d'être candidat à la présidence de la République ? Avec ce personnage, rien n'étonne, tout semble possible et bien des paris hasardeux réussirent. Son avant-dernière idée : constituer à Paris une agence centrale d'information à l'intention de tous ses quotidiens ; sa dernière idée fut encore meilleure puisqu'elle lui permit de s'assurer le contrôle du *Figaro* d'abord, de *France-Soir* ensuite.

La presse de province n'aurait-elle pas pu relever le défi de ces grands quotidiens malades ? Les régionaux disposaient d'une occasion unique pour prendre leur revanche sur les journaux parisiens. Certains patrons furent, un instant, tentés de s'engager dans des opérations de rachat. Gaston Defferre envisagea de reprendre *France-Soir* et la famille Brémond s'intéressa au *Figaro*. Par deux fois, Henri Amouroux tenta de fédérer quelques-uns de ses anciens confrères du S.N.P.Q.R. Dans son numéro d'octobre 1976, *Presse Actualité* donne le point de vue de l'ancien directeur général de *Sud-Ouest : « J'ai pensé qu'il était important que la presse de province s'intéresse à un journal parisien, si elle voulait éviter que, dans deux ou trois ans, un journal parisien ne vienne la concurrencer en publiant des éditions locales. Quatre ou six pages de locales sur la ville principale, cela peut faire grand mal. Le danger m'avait paru si évident que j'avais tenté de sensibiliser les grands régionaux. Je n'ai pas réussi parce qu'il est compliqué de mettre sur pied une entente. »*

Aventurier solitaire, Robert Hersant n'a jamais été aimé de ses confrères de province. Désormais, patron du *Figaro* et de *France-Soir,* il les inquiète encore plus que par le passé car les directeurs de régionaux savent qu'il veut sauver son quotidien national en le régionalisant, c'est-à-dire en imprimant en province des éditions locales grâce à des procédés de transmission par fac-similé. Pour le directeur du développement de *France-Soir,* Patrick Bernard, « *la diffusion, en province, de* France-Soir *pourrait être multipliée par deux à partir du moment où il sera là à l'heure, en même temps que le journal régional* » (*Stratégies*, 18 octobre 1976).

On crut avoir trouvé un émule de Robert Hersant en la personne de Jean-Louis Servan-Schreiber, qui fit une rapide mais bruyante incursion dans la presse de province, en 1970. Il acquit cette année-là, coup sur coup, *Le Journal du Centre*, de Nevers, auprès de Jean Lhospied, puis *Le Populaire du Centre*, qu'il racheta notamment à son ancien directeur socialiste, Jean Clavaud. On a pu croire alors à une attaque en règle du groupe *L'Express* qui avait constitué une société civile de publications du Centre sur le marché de l'information régionale. D'aucuns s'en inquiétèrent. Les intentions du jeune manager semblaient peu compatibles avec les leurs. Le frère de Jean-Jacques Servan-Schreiber considère, comme il nous le confiait très spontanément en 1973, que « *la presse de province est une très belle machine à faire de l'argent* ». Il l'écrit d'ailleurs dans son essai : « *Des taux de profit à l'américaine* (10 *à* 20 % *avant impôts*) *ne sont pas rares. A l'inverse des quotidiens parisiens, tous les régionaux, sauf un, ont gagné de l'argent en* 1971. *Et ceux dont les profits sont insuffisants doivent le plus souvent incriminer leurs propres erreurs de gestion.* » (11).

Cette approche pragmatique du problème aurait pu être efficace mais Jean-Louis Servan-Schreiber n'eut pas le temps de le démontrer.

Anne Philip (12) explique que la gestion financière des deux journaux qu'il avait acquis était assez lourde compte tenu d'investissements techniques sans doute excessifs engagés par *Le Journal du Centre*. J.-L. S.-S. estima que la situation nécessitait de larges accords et engagea des conversations avec Francisque Fabre, directeur de *La Montagne*. Elles aboutirent à une entente commerciale et technique qui préservait la personnalité des titres mais qui provoqua une grève de la rédaction en 1971. J.-L. S.-S. préféra dans ces conditions réaliser un substantiel profit en revendant en janvier 1972 les deux titres à *La Monta-*

(11) *Le Pouvoir d'informer, op. cit.*
(12) *La presse quotidienne régionale française*, I.P.E.C., 1974.

gne. Une troisième chaîne de province avortait avant même d'être née.

Un mariage de raison

Au milieu de toutes ces fusions, absorptions, opérations financières, un accord, le plus vaste, demeure aussi étonnant qu'exceptionnel.

Ni chaîne, ni groupe, le rapprochement des deux grands quotidiens régionaux : *Le Progrès* de Lyon et *Le Dauphiné Libéré* de Grenoble, ainsi que de leurs satellites lyonnais et stéphanois, est tout à fait original et reste d'ailleurs en constante gestation.

Ce rapprochement spectaculaire advint dans les années 1966 et 1967, alors que les deux titres rivaux étaient arrivés au paroxysme de leur combat. A cette époque, ils se battaient non seulement entre eux dans les départements communs de leurs zones de diffusion, mais aussi par quotidiens tiers interposés : à Saint-Etienne, où *Le Dauphiné* avait racheté *La Dépêche,* et *Le Progrès* acquis *La Tribune* auprès de la famille Soulié, puis *L'Espoir* et, à Lyon, où le *Dauphiné Libéré* avait pris le contrôle de *L'Echo Liberté, Le Progrès* ayant répondu en lançant *Le Mémorial* sur Grenoble (rappelons que *Le Dauphiné Libéré* avait créé en février 1955 *La Dernière Heure Lyonnaise*).

Une ultime audace du *Dauphiné* allait, paradoxalement, amorcer l'entente. Il décida en effet de construire une imprimerie aux portes mêmes de Lyon, à Chassieu. Décision énorme qui s'exécuta dans un climat exaltant puisqu'il arriva fréquemment, en raison des retards des rotatives, que les rédacteurs se transforment en livreurs de journaux... Mais c'était à l'évidence acrobatique, techniquement, commercialement et surtout financièrement.

La direction du *Progrès* de Lyon, qui venait en avril 1966 de prendre le contrôle du *Méridional* de Marseille, allait tout sauver. Sous l'impulsion de Jean Brémond, l'émotion qui avait au départ étreint les dirigeants du *Progrès* avait fait place à beaucoup d'intérêt.

Installé dans un ancien théâtre, rue Bellecordière, en plein centre ville, le journal de Lyon éclatait dans ses murs. Les projets de décentralisation étaient prêts mais terriblement onéreux. La tentative du *Dauphiné* servit de catalyseur. Pourquoi, au lieu de chercher à s'éliminer, ne pas bâtir autour de ce qui existait en partageant, cinquante-cinquante, investissements, gains ou pertes ?

L'accord, dont le premier volet date du 23 septembre 1966, fut éminemment complexe mais constitua, semble-t-il, un pari sur l'avenir, car ce fut pour les deux sociétés l'occasion d'une énorme lessive, d'une gigantesque restructuration et de considérables économies.

Quatre sociétés regroupèrent les différentes branches d'activités :

— A.I.G.L.E.S. (13) rassemble les journalistes ;

— Entreprise de Presse Numéro Un (E.P. 1) prend en charge toute la fabrication ;

— Rhône-Alpes Diffusion (R.A.D.) assure la distribution ;

— Quant à Province Publicité Numéro Un (P.P. 1), elle s'occupe de la régie publicitaire des titres dans la zone rhodanienne.

Une cinquième société, éphémère, traita d'informatique.

En 1972, des accords entre P.P. 1 et l'Agence Havas ont bouleversé l'organisation de la régie publicitaire et abouti à la création de cinq sociétés : Province Publicité Havas (P.P.H.), régisseur de tous les quotidiens ; Havas Support Numéro 1, régisseur de tous les périodiques ; Rhône Alpes Havas Budget, agence publicitaire ; Proconseil, agence de promotion des ventes et Havas Voyage, agence touristique.

Ce rapprochement fit frémir toute la presse de province car la prise de contrôle du *Méridional* à Marseille semblait trahir l'ambition d'autres conquêtes. Mais la gestion du *Méridional* fut confiée en 1971 au *Provençal*. Cet ensemble avait suffisamment à faire pour s'organiser dans son aire géographique.

---

(13) Voir cas 1 de la 3e partie.

Les grands principes

Le mariage du *Progrès* et du *Dauphiné* n'a, sans sortir de la région Rhône-Alpes, entraîné la suppression d'aucun journal, mais n'en a pas moins suscité de multiples critiques. De la part des syndicats ouvriers qui assistèrent à la disparition de nombreux emplois techniques, de la part des journalistes qui virent s'interposer entre eux et leur quotidien une agence de presse qui modifiait sensiblement la nature et la qualité des rapports avec « leurs » titres.

Et, comme toujours, on invoqua les grands principes : liberté de l'information, statut des entreprises de presse... Car toute opération de concentration de la presse française appelle la même litanie de réserves et de vœux, à tel point qu'un gros renard comme Robert Hersant fut conduit à redoubler de ruses.

Lorsqu'il prit le contrôle de *Paris-Normandie*, en 1972, une grève du personnel, hostile, fut déclenchée en juin. Il y sera mis fin par l'annonce de la mise en place d'une procédure de négociations qui aboutit à la signature d'un protocole d'accord : création d'un conseil de rédaction composé du directeur responsable de la rédaction, du rédacteur en chef, du rédacteur en chef adjoint, de deux chefs de service désignés conjointement chaque année par le directeur responsable de la rédaction et le rédacteur en chef, et de cinq journalistes élus à la proportionnelle par l'assemblée générale des journalistes. Les pouvoirs du conseil : assister le directeur de la rédaction pour la mise en place de la politique rédactionnelle, lui suggérer des améliorations de contenu... donner son avis sur l'embauche, la nomination, promotion ou révocation du personnel rédactionnel ; enfin, désigner deux journalistes pour participer, à titre consultatif, aux délibérations du conseil de surveillance.

Les accords étaient valables jusqu'au 31 décembre 1974 et pouvaient être prolongés par tacite reconduction. *Le Monde* du 4 juillet 1972 s'était félicité des résultats acquis, même « *si les garanties inscrites dans les structures ne sont pas exactement à la mesure des espoirs...* ».

Le fait est que Robert Hersant dénonça ces accords en 1974, ce qui entraîna une protestation de la Fédération française des sociétés de journalistes qui réclama, au cours de son assemblée générale de juin, à cette occasion, un statut des entreprises de presse.

Robert Hersant n'est d'ailleurs pas avare de statuts ni de promesses. Dans le cas du rachat de *Nord-Eclair*, le communiqué commun de la direction du journal et du groupe Hersant signale que ce rapprochement présente un caractère novateur : il est lié en effet à la création d'une société Nord-Eclair Editions à laquelle est confiée par mandat de longue durée la rédaction du journal dans l'esprit démocrate et social qui est le sien. Constitueront cette société : d'une part, la société actuelle, d'autre part, la société des journalistes, enfin des personnes physiques choisies par les gérants actuels en fonction des garanties morales qu'elles offrent et de leur adhésion à l'esprit du journal. Ainsi, la continuité se trouvera-t-elle assurée. La société nouvelle remplira sa mission d'information en pleine indépendance. Une convention sera conclue entre elle et la société d'exploitation qui garde en charge l'ensemble des services administratifs, commerciaux et techniques de l'entreprise (14).

Les rédacteurs de *Paris-Normandie* ont émis leur opinion sur la valeur de ces textes à la lumière de leur expérience dans un livre noir diffusé par le S.N.J. en juin 1975. Il est vrai que dans ce journal la situation demeure explosive. Sous une forme romancée, le directeur adjoint des informations d'*Ouest-France*, Henri de Grandmaison, a raconté comment *le Papivore* (Ed. Lattès, 1976) s'est assuré le contrôle du quotidien de Rouen. En 1975, *Paris-Normandie* est redevenu une société anonyme classique

---

(14) A *Nord-Eclair*, à la suite du rachat des actions de la société par le groupe Hersant, 2 millions de francs ont été attribués au personnel de l'entreprise par les actionnaires vendeurs de leurs titres. Sur cette somme, 1,5 million sont répartis entre les journalistes, employés et ouvriers sous forme d'une prime individuelle payable en trois fois, en tenant compte de l'ancienneté dans l'entreprise, avec un correctif en faveur des plus bas salaires. 500 000 F ont été répartis entre les mutuelles des vendeurs et les comités d'entreprise des deux nouvelles sociétés. (Source : *Le Monde*, 26 juillet 1975). Voir aussi, sur ce sujet, Claude Beaufort : « Où en est *Nord-Eclair* » ; *Presse Actualité*, n° 102, juin 1975.

sans directoire ni conseil de surveillance. En 1976, le rédacteur en chef du journal, Jean-Paul Deron, a été remplacé par Jean Miot, ancien directeur de *Havre Presse* puis de *France-Antilles.* A la suite du départ de Jean-Paul Deron, dix journalistes ont fait jouer la clause de conscience. Ainsi, depuis juin 1972, une soixantaine de rédacteurs ont quitté *Paris-Normandie.*

Une autre affaire a défrayé la chronique et a relancé elle aussi l'idée de protection des titres : ce fut, en 1974, celle de *L'Est-Républicain* dont *Le Républicain Lorrain,* son voisin et concurrent acharné, venait de racheter vingt et un pour-cent du capital auprès de Bernard Vilgrain, des Grands Moulins de Paris. Direction et journalistes appelèrent à l'aide. Même le Premier Ministre Jacques Chirac s'en émut. Mais qu'y pouvait-on ? Sinon faire jouer les règles spécifiques des entreprises de presse qui, pour toute transaction de titre, exigent une acceptation du Conseil d'administration, autorisé à faire jouer un droit de préemption s'il découvre un autre preneur. C'est d'ailleurs ce que finit par faire *L'Est Républicain* en agréant le Dr Charles Boileau déjà propriétaire de douze pour cent du capital. Mais l'émoi que causa la mésaventure du quotidien de Nancy est loin d'être apaisé. Léon Chadé, qui a cédé le 31 décembre 1974 la présidence au nouvel actionnaire majoritaire, a signé avant son départ deux accords sous la pression de l'inter-syndicale du personnel.

De ces deux contrats, celui concernant la rédaction paraît le plus novateur ; il fixe, en préambule, la position des journalistes qui « *tiennent à confirmer leur demande formelle de garantie des droits et devoirs de l'information qui sont le fondement de leur déontologie professionnelle, telle qu'elle est pratiquée depuis des années au sein du journal* ».

En fait, deux mesures essentielles en découlent : le directeur général sera obligatoirement un journaliste professionnel et un conseil de rédaction est institué pour participer à la « gestion » de l'information. Il est composé paritairement de cadres et de membres de la rédaction. Présidé par le P.-D.G., le directeur général ou le rédacteur en chef, il doit notamment donner son avis pour la nomination du rédacteur en chef et la révocation de ce dernier ne pourra être prononcée qu'avec l'accord du Conseil de rédaction, après examen d'un rapport du directeur général explicitant les griefs formulés à l'encontre du responsable de la rédaction.

Enfin, dans son communiqué du 10 octobre 1974, l'intersyndicale avait ajouté : « *Cette affaire montre une nouvelle fois la vulnérabilité des entreprises de presse considérées comme des entreprises commerciales ; l'intersyndicale de* L'Est Républicain *continuera son combat, en commun avec les salariés des autres journaux, pour l'obtention d'un statut de la presse, les mettant définitivement à l'abri du capital.* »

De fait, d'autres rédactions ont la même aspiration et s'appuient sur l'exemple du *Monde*. Jean Schwoebel, président de la Fédération des Sociétés de Rédacteurs, s'est érigé en théoricien de cette cause à travers son ouvrage : *La presse, le pouvoir et l'argent* (15), paru en 1968. Pourtant, depuis, rien n'a évolué ; la Commission Lindon, constituée pour juger les demandes des sociétés de rédacteurs, a débouché sur des vœux plutôt que sur des actes : elle a contesté la légitimité même des revendications capitalistes des sociétés de rédacteurs. La presse demeure à la recherche d'un insaisissable statut.

A la recherche du statut perdu

Entre les aspirations de la Résistance, consignées dans *Le Cahier Bleu*, et les réalités juridiques d'aujourd'hui, s'est creusé un fossé. Pourquoi ? Recueil de mesures d'urgence destinées à garantir la nouvelle presse contre « *les corruptions et l'influence du capitalisme* », *Le Cahier Bleu* n'avait pas valeur de loi. Il fallut attendre les ordonnances d'août 1944 pour qu'une ébauche de statut de la presse s'appliquât aux journaux. Quelques règles spécifiques étaient alors édictées : l'obligation d'avoir des actions nominatives comme la nécessité de faire ratifier tout transfert de titres par le Conseil d'administration visaient, selon les principes posés dans *Le Cahier Bleu*, « *à*

(15) Le Seuil.

s'assurer contre les événements qui pourraient suivre la Libération », notamment la volonté des puissances d'argent de « *se faire pardonner des défaillances passées en offrant de financer les organes résistants* ».

« *Messieurs les Ministres, faites-nous une bonne loi et nous vous ferons une bonne presse* », demandent les directeurs de journaux (16). Mais telle *L'Arlésienne*, la loi ne viendra jamais. Pourtant, les projets ne manquèrent pas. Deux émanaient d'ailleurs de patrons de la presse de province, le premier d'un nouveau chef, le second d'un responsable établi de longue date.

Dès 1946, Gaston Defferre proposait que toute entreprise de presse employant plus de quinze journalistes ou plus de trente ouvriers et employés devienne une Société anonyme à participation ouvrière. Une coopérative de main-d'œuvre devait gérer les actions de travail du personnel dont l'ensemble devait atteindre au minimum un cinquième du capital et au maximum un tiers.

A la demande de la Fédération de la Presse, Emile Brémond présenta ensuite un texte d'esprit plus libéral. Il préconisait la constitution de sociétés anonymes à participation morale : 51 % du capital des entreprises de presse auraient été composés de parts dites A, détenues soit par les fondateurs, soit par les collaborateurs attitrés. Ces parts n'auraient pas donné droit à des dividendes mais auraient procuré un droit de veto en assemblée générale. Ce projet fidèle aux principes de la Résistance avait l'avantage de tenir compte des réalités : un barrage était opposé à des capitaux dominateurs sans pour autant « *priver la presse de ressources saines dont elle aura sans doute un jour besoin* ».

Quelques autres projets de statut de la presse succéderont à ces deux-là, mais il n'en sera jamais voté aucun. Le 30 juin 1947, le ministre U.D.S.R. Pierre Bourdan (17) dépose sur le bureau de l'Assemblée nationale un texte

---

(16) Selon l'expression d'Albert Finet dans *Réforme* du 31 mars 1945.

(17) Pierre Maillaud, dit Bourdan, ancien de l'Agence Havas, fut pendant la guerre collaborateur à la B.B.C. à Londres. Dans le gouvernement Paul Ramadier (22 janvier 1947 - 22 octobre 1947), Pierre Bourdan fut ministre de la Jeunesse, des Arts et des Lettres ; l'Information lui était rattachée.

qui a essentiellement pour but de préserver « *l'indépendance économique de l'entreprise de presse* » en limitant notamment l'apport de chaque actionnaire à 10 % du capital sauf s'il est institué un « Syndicat des fondateurs » qui peut en détenir 50 %. En mars 1948, le colonel Félix, député indépendant, émet une proposition de loi visant à créer une « Chambre nationale de la presse française ». Il imagine que les entreprises de presse pourraient éclater en deux sociétés, l'une de « gestion » pour la rédaction, l'autre d' « exploitation » pour l'administration. Enfin, en septembre 1948, Robert Bichet, député M.R.P., envisage « *un ensemble de dispositions qui répondent à l'intention d'assurer aux fondateurs des journaux nés à la Libération la conduite spirituelle et politique des entreprises qu'ils ont créées* ». C'est pourquoi la majorité du capital est accordée aux fondateurs qui n'ont cependant pas le droit de constituer autour de leur entreprise des sociétés distinctes ayant pour objet de traiter l'impression, la publicité, la gestion des immeubles... Ce texte fut rejeté par la Commission de la presse de l'Assemblée nationale.

Notons, pour la petite histoire, que deux parlementaires responsables de journaux de province l'avaient soutenu, Paul Hutin et Jean Meunier, alors qu'un seul l'avait condamné, Jean Baylet.

Il faut attendre mai 1954 pour qu'une solution apparemment susceptible de concilier les intérêts en cause soit présentée à l'Assemblée. Son auteur est le marquis de Moustier, fils du directeur de *La République de l'Est* à Besançon, mort en déportation. Promulguée le 2 août 1954, après avoir été votée par 470 voix contre 101, la loi organise le transfert des biens des anciennes entreprises de presse au profit des nouvelles. « *C'est,* note Claude Bellanger (18), *la fin d'une longue période d'incertitudes et de malaise. Chacun le sent alors si bien que les textes d'application ou les décrets complémentaires suivent rapidement. Le revers de la médaille, et c'est évidemment fondamental au regard des espoirs conçus, est pourtant que la mise en possession des biens n'a pas été liée, comme il avait toujours été prévu, à un statut de la presse.* »

(18) *Histoire générale de la presse française*, tome IV, P.U.F., 1975.

Cette situation fait dire aujourd'hui à Jean Schwoebel que la loi de Moustier a sonné « *le glas des projets visant à reconnaître le caractère de service public de la presse* ».

Des complications imprévues

Pour respecter leur idéal résistant, quelques journaux ont néanmoins adopté, dès leur création, un statut particulier qui soit encourage la participation du personnel, soit freine l'appétit de profit des actionnaires. Ils ont choisi la formule de la coopération ouvrière ou celle de la société anonyme à participation ouvrière. Secrétaire général des Coopérateurs régionaux avant-guerre, Maurice Catelas a tout naturellement institué une coopérative ouvrière au *Courrier Picard*. Celle-ci pourtant a connu des complications imprévues. En revanche, le même type de société à *L'Yonne Républicaine* semble parfaitement fonctionner grâce à la compétence de son directeur, Louis Clément.

On rencontre une dizaine de sociétés anonymes à participation ouvrière dans les quotidiens de province (19) ; les deux plus connues sont celles de *La Nouvelle République du Centre-Ouest* (20) et de *Nice-Matin*. En 1967, l'agence A.I.G.L.E.S., née de l'union des rédacteurs du *Progrès* et du *Dauphiné Libéré*, a pris, à son tour, la forme d'une S.A.P.O.

Un statut ne fait pas l'esprit d'un journal. *L'Union* de Reims est une S.A.R.L. classique au capital de 1 200 000 francs, divisé en parts égales entre tous ses associés. Pourtant, d'après Claude Bellanger, « *c'est un phénomène sans doute unique qu'il convient de mentionner tout à fait à part puisqu'elle a conservé ses structures du début et demeure l'organe du comité départemental de Libération groupant dans son conseil de gérance les responsables des grandes tendances politiques des partis et mouvements ; ceux-ci s'expriment tour à tour en tribune libre* » (21).

---

(19) Cf. *Correspondance de la Presse*, 22 février 1974.
(20) Voir cas 2 de la 1re partie.
(21) *Histoire générale de la presse française*, tome IV, P.U.F., 1975.

La participation, cette fois, du personnel est réalisée au *Télégramme de Brest* où la majorité du capital est aux mains de collaborateurs actifs ou retraités et à *Sud-Ouest* où trois sociétés de salariés — journalistes, cadres et employés — sont actionnaires du journal. Dans ces deux quotidiens les différentes catégories de personnel sont représentées au Conseil d'Administration.

D'autres sociétés de presse provinciale ont ajouté aux statuts de droit commun des dispositions spécifiques pour répondre à leur vocation propre ; ainsi *Ouest-France* a prévu une double mesure pour éliminer le profit personnel des actionnaires comme motivation dans la direction du journal : chaque fois qu'on distribue 100 francs de bénéfices aux actionnaires, on doit en accorder 175 au personnel ; en cas de liquidation, le remboursement des actionnaires doit être effectué au nominal ; or, le capital ne s'élève qu'à 392 000 francs. Le reste doit être distribué aux œuvres du personnel et à celles de la région.

Ces dispositions vont dans le sens de la « lucrativité limitée », idée défendue par Hubert Beuve-Méry : « *Formées intuitu personae, ces sociétés se recruteraient suivant le principe de la cooptation et non par le droit de succession ; seraient habilitées à recevoir des dons et legs ; rétribueraient au plus juste les capitaux qu'elles pourraient se trouver dans l'obligation d'emprunter ; ouvriraient largement l'accès des Sociétés de rédacteurs à la copropriété des entreprises* » (22).

L'absence de statut type est souvent le prétexte que prennent certains journalistes pour remettre en cause l'équilibre obtenu.

Ruptures du statu quo, les changements de direction laissent, un temps, la place libre aux rivalités pour le pouvoir. C'est dans ce contexte que sont apparues les premières sociétés de rédacteurs.

En province, elles existent dans une quinzaine de journaux tels que : *L'Alsace, Le Courrier de l'Ouest, Le Courrier Picard, Les Dernières Nouvelles d'Alsace, L'Est Républicain, Havre Libre, Liberté de l'Est, Midi Libre, Nice-*

(22) *Le Monde*, 28 décembre 1966

Matin, Nord-Eclair, Ouest-France, Paris-Normandie, Presse-Océan, Sud-Ouest, Le Télégramme de Brest, L'Union.

Cependant, leur père spirituel, Jean Schwoebel, désabusé, nous confiait, fin 1973, que seules celles de *L'Alsace*, de *Paris-Normandie* et du *Télégramme de Brest* fonctionnaient de manière satisfaisante. On est loin du temps où la société des rédacteurs d'*Ouest-France* retenait l'attention de la profession tout entière.

Mais les rédacteurs ne sont pas les seuls à souhaiter une participation. Les cadres, regroupés dans la Fédération française des sociétés de cadres des entreprises de presse, ont émis des aspirations voisines. Sans oublier les prétentions des travailleurs du Livre...

A la pêche au moule

Arracher l'entreprise de presse au droit commun, la soumettre à des règles exceptionnelles limitant ses profits, partager son gouvernement entre diverses parties, au premier rang desquelles les journalistes auraient leur place, tente irrésistiblement et cycliquement nombre d'esprits généreux, inquiets de voir cette redoutable fonction d'intérêt public aux mains de puissances privées sujettes à toutes les fluctuations et à toutes les tentations. Mais si ces idées tant de fois lancées n'ont jamais accroché à leurs hameçons le fameux moule dans lequel s'inscriraient les sociétés de presse, c'est qu'elles se heurtent immédiatement à d'insurmontables difficultés.

D'abord, la première et la plus importante : l'argent. Que viendraient faire des financiers dans une profession qui ne leur verserait pas d'intérêts, qui excluerait une valorisation du capital et qui leur refuserait l'ombre même d'un pouvoir. Très pertinemment, Jean Serisé, ancien président de la Commission d'étude des aides à la presse, nous confiait, en 1973, alors qu'il était le patron du Comptoir des Entrepreneurs : « *Si j'avais de l'argent à placer, je ne l'investirais certainement pas dans la presse.* »

Alors, qui financera les journaux en péril ? Les résistants n'avaient-ils pas péché par idéalisme en pensant pouvoir ignorer les réalités économiques ? Certes, lorsque les auteurs du *Cahier Bleu* envisageaient de libérer la presse de l'argent, cela ne visait pas, dans leur esprit, les capitalistes existants mais au contraire les puissances extérieures à ceux-ci : trusts industriels ou commerciaux, voire partis politiques. Ils craignaient de tomber dans une situation qui est celle de la presse italienne d'aujourd'hui que Maurice Denuzière décrit (23) : « *Les financiers, industriels et pétroliers organisent sa concentration ; seulement* 3,1 % *des journaux sont vraiment indépendants et les autres sont aidés par des mécènes.* » Or, comme insiste Maurice Denuzière, « *les mécènes parfaitement désintéressés ne se rencontrent pas plus en Italie qu'ailleurs* ». Fort heureusement, la presse de province française n'en est pas là ! Elle n'a donc pas besoin d'un moule, car un verdict économique interviendra sûrement pour sanctionner la mauvaise organisation ou au contraire conserver la bonne.

(23) *Le Monde*, 2 novembre 1974.

Cas 1

Le syndicalisme patronal dans la presse provinciale : un individualisme passionné...

« *Il faut bien comprendre que la liberté de la presse, qu'invoquent si souvent tant de directeurs de journaux dans les colloques, congrès et banquets auxquels ils participent, c'est en réalité la liberté de mener leurs affaires à leur guise, et non l'indépendance rigoureuse de leurs collaborations et le renforcement constant du pluralisme des idées et des opinions.* » Cette opinion d'un enseignant écouté (1) est sans nul doute également partagée et défendue par la plupart de ses élèves et par tous ceux qui ne contribuent pas quotidiennement à la vie ou à la survie d'une entreprise de presse. Effectivement, les directeurs de journaux organisent des colloques, des congrès et même des banquets. Cela prouve qu'ils se rencontrent et se concertent. Et il convient de s'en féliciter, car les patrons de presse ont longtemps eu tendance à se retrancher derrière le secret des affaires ou l'infaillibilité directoriale. La

(1) Bernard Voyenne, Professeur au Centre de Formation des Journalistes, dans son livre *La presse dans la société contemporaine*, Armand Colin, 1962.

multiplicité des syndicats patronaux reflète bien cette difficulté d'entente.

Aura-t-il été inutile de le rappeler, lorsque l'on saura que trois sur cinq des syndicats de journalistes — C.F.D.T., C.G.T., S.N.J. autonome — défendent des idéologies spécifiques, au moins autant que des idéaux professionnels ? Quant aux ouvriers de la presse, ne sont-ils pas tous adhérents à des centrales politisées dont l'une, la C.G.T., écrase la profession de ses oukases, de ses grèves, de ses sursalaires et de son antiproductivité ?

Si l'on peut parfois faire un reproche au syndicalisme patronal de la presse provinciale, c'est plutôt d'être marqué par un individualisme passionné, qui tend souvent à l'affaiblir face à des interlocuteurs puissants tels que l'Etat, la Publicité, les syndicats de journalistes, les ouvriers du Livre, et, depuis quelques années, la Télévision sous toutes ses formes, visibles ou... clandestines.

Une demi-douzaine de syndicats

Ainsi peut-on compter une demi-douzaine d'entités syndicales rassemblant la quasi-totalité des « patrons » de presse (quotidienne et périodique) de province : trois ne concernent que les quotidiens (le Syndicat National de la Presse Quotidienne Régionale ou S.N.P.Q.R., le Syndicat des Quotidiens régionaux ou S.Q.R. et le Syndicat des Quotidiens Départementaux ou S.Q.D.) ; trois regroupent les périodiques : le Syndicat National des Publications Régionales, le Syndicat National de la Presse Hebdomadaire Régionale d'Information et la Fédération Nationale de la Presse Agricole et Rurale. Encore cette liste n'est-elle pas exhaustive, puisque de nombreuses associations régionales ou spécialisées existent dans les faits ou sur... le papier.

Tous, sauf un, dépendent de la Fédération Nationale de la Presse Française, que préside Maurice Bujon, P.-D.G. de *Midi-Libre* et que dirige Gaston Gaudy. L'exception est de poids : il s'agit du S.N.P.Q.R., présidé par Michel Bavastro (2) qui adhère, lui, à la Confédération de la Presse

(2) P.-D.G. de *Nice-Matin*.

Française (3) (8, place de l'Opéra), présidée par Pierre Archambault, directeur de *La Nouvelle République du Centre-Ouest* et membre du Haut Conseil de l'Audiovisuel où il représente toute la presse de province. C'est Roger Bouzinac, administrateur et éditorialiste de *Nice-Matin*, assisté de Jean-Claude Gatineau, qui dirige le S.N.P.Q.R. et la C.P.F. depuis 1957.

Ancien membre du barreau de Nice, Roger Bouzinac, la cinquantaine, énergique (n'est-il pas toujours bien classé au cross du *Figaro*), se fait tout à la fois le confident, l'arbitre, l'avocat et le promoteur inlassable de la P.Q.R. Familier des arcanes du pouvoir depuis son passage dans six cabinets ministériels de la IVe République, de 1951 à 1956 (tels que ceux de P.-O. Lapie, ministre de l'Education, ou Gaston Defferre, ministre de la France d'Outre-Mer), Roger Bouzinac incarne avec une si chaleureuse efficacité les régionaux à Paris, qu'il n'envisagea pas de donner suite aux approches qui lui avaient été faites lors de la succession de Jean Marin à la tête de l'A.F.P. en 1975.

La F.N.P.F. (4) et la C.P.F. adhèrent à la Fédération Internationale des Editeurs de Journaux que préside Claude Bellanger (directeur général du *Parisien Libéré* et administrateur du *Courrier de l'Ouest*) et que dirige Michel Lempereur de Saint-Pierre.

Il existe un pont robuste entre les deux « centrales » patronales (la F.N.P.F. et la C.P.F.) : c'est le G.G.R., Groupement des Grands Régionaux. Son président est Jean-Jacques Kielholz, président-directeur général des

(3) La Fédération Nationale de la Presse Française a succédé, à la Libération, à la Fédération clandestine de la presse française que présidait Albert Bayet. Elle a longtemps regroupé la quasi-totalité de la presse française. Mais la « sécession » du S.N.P.Q.R. (voir plus loin) a amené la création de la Confédération de la Presse Française (C.P.F.). Le S.N.P.Q.R. n'est plus que le seul adhérent de la C.P.F. Toutefois cette dernière demeure une structure d'accueil pour d'autres formes de presse. Le bureau du S.N.P.Q.R. est ainsi composé : Michel Bavastro, président; Evelyne Baylet, Louis Estrangin et André Poitevin, vice-présidents ; Jean-François Lemoîne et Claude Puhl, secrétaires généraux ; Claude Berneide-Raynal et Louis Richerot, trésoriers ; Pierre Archambault, Jean Brémond, Charles Boileau, Pierre Carré et Jean-Pierre Coudurier, administrateurs.

(4) F.N.P.F. : 6 bis, rue Gabriel-Laumain, 75010 Paris. Tél. : 824.98.30.

Dernières Nouvelles d'Alsace, président du Syndicat des Editeurs de Journaux d'Alsace et de Lorraine et administrateur de la Régie Française de Publicité (où il représente toute la presse de province). Cet organisme prend une importance politique, publicitaire et technique croissante dans la profession. Regroupant les douze plus importants quotidiens régionaux français (appartenant aussi bien au S.N.P.Q.R. qu'au S.Q.R.), il avait été créé en 1963 pour souligner la puissance de la presse régionale aux yeux des publicitaires et à l'encontre des magazines. Il comprend également une commission des Rédacteurs en Chef et une des Directeurs Techniques. Les directeurs généraux adhérents accueillent périodiquement un homme politique de premier plan à l'occasion d'un déjeuner de travail.

Le plus important en nombre de titres des syndicats de presse de province est le S.N.P.H.R.I., Syndicat National de la Presse Hebdomadaire Régionale d'Information que préside Albert Garrigues, directeur général du *Courrier Français à Bordeaux.* Cet organisme, qui regroupe 260 titres, résulte de la décision prise, en juin 1973, par le Syndicat de la Presse Périodique de Province de répartir dans deux organisations homogènes des publications très différentes par leur nature et leur audience. Le second groupement créé à cette occasion est le Syndicat National des Publications Régionales (S.N.P.R.). Jusqu'en juin 1976, le S.N.P.R. fut animé par Roland Garnier, ancien fonctionnaire du ministère de l'Information et ex-président du « directoire » de *Paris-Normandie.* Comme secrétaire général du conseil supérieur des N.M.P.P., Roland Garnier a joué un rôle très important pour la promotion de cette presse périodique de province méconnue mais appelée à un grand avenir. Le nouveau président du S.N.P.R. est Jean Matagrin, P.-D.G. de la S.A. Le Tout Lyon - Le Moniteur judiciaire.

Les ruraux

La Fédération Nationale de la Presse Agricole et du monde rural a été citée dans cette revue de l'information écrite provinciale en raison du rôle local de ce type de publications : plusieurs sont souvent le deuxième support écrit après le quotidien régional dans les départements agricoles. Mais cet organisme est plus épris d'agriculture que de journalisme, étant très lié aux exploitants agricoles plutôt qu'aux éditeurs professionnels de journaux ou publications. Il était présidé depuis 1969 par Joseph Bosson (5), directeur de l'ancien mensuel *L'Agricole,* remplacé, fin 1974, par René Poupry, directeur de *L'Elevage.*

Le Syndicat des Quotidiens Départementaux (S.Q.D.), qui a changé de nom au printemps 1973, est présidé par Raymond Dubreuil, ancien président de la Fédération Nationale de la Presse Française et ancien président de la Commission de l'Information du Parti Radical. Il regroupe une vingtaine de titres qui témoignent de la survie et même de la vivacité des quotidiens de localité ou d'arrondissement, malgré la concurrence des grands quotidiens régionaux et des concentrations de toutes sortes. Il est très intégré à la F.N.P.F., comme le S.Q.R., avec lequel il a cependant parfois des intérêts divergents.

Les intérêts du Syndicat des Quotidiens Régionaux sont défendus par son président, Maurice Bujon, président-directeur général du *Midi-Libre* et président de la Société pour l'étude de la télédistribution par la presse régionale (6). Son secrétaire général administratif est Jean-

---

(5) Joseph Bosson a été nommé, à l'automne 1975, Secrétaire Général de la rédaction de *Midi-Libre.*

(6) Depuis mai 1976, le bureau du S.Q.R. est ainsi composé :
— *Président* : Maurice Bujon, président-directeur général de *Midi-Libre,* réélu (il avait été élu président pour la première fois en octobre 1972) ;
— *Vice-présidents* : René Decock, président du conseil de gérance et directeur général de *La Voix du Nord,* et Jean-Jacques Kielholz, président-directeur général des *Dernières Nouvelles d'Alsace* et des *Dernières Nouvelles du Haut-Rhin,* qui succède à Jean Rocaut, ancien président-directeur général des *Dernières Nouvelles d'Alsace,* décédé ;
— *Secrétaire général* : Roger Gayet, membre du conseil de gérance de *L'Union,* réélu ;
— *Secrétaire général adjoint* : Ralph Canu, secrétaire général de *Paris-Normandie,* réélu ;
— *Trésorier* : Charles Minnekeer, administrateur de *Liberté* (Lille), réélu ;
— *Trésorier adjoint* : Jean Louy, ex-président du directoire de *L'Alsace* jusqu'en novembre 1976, réélu ;
— *Membres* : Claude Bellanger, directeur général du *Parisien Libéré,* réélu, Jean-Marie Desgrées du Lou, secrétaire général du *Courrier de*

Pierre Rist (7). Début 1974, l'adhésion du *Parisien Libéré* et de *L'Equipe,* tous deux membres du « groupe Amaury », au S.Q.R. souligna bruyamment le phénomène de régionalisation de la presse, fût-elle parisienne. Cette adhésion n'est pas non plus sans lien avec les dissensions entre journaux parisiens et plus traditionnellement au sein de la Fédération Nationale de la Presse Française. En fait, malgré leurs tensions « historiques », le S.N.P.Q.R. et le S.Q.R. sont de plus en plus liés dans les intérêts et les organismes.

La sécession du S.N.P.Q.R.

Le Syndicat National de la Presse Quotidienne Régionale, qui est le plus important syndicat de presse française en nombre d'exemplaires quotidiens, résulte d'une sécession dudit Syndicat des Quotidiens Régionaux, en 1951.

A cette époque, ce dernier syndicat créé à la Libération et présidé par Léon Bancal, du *Provençal,* ne fonctionnait pas comme l'auraient souhaité la majorité de ses membres, notamment en raison de la présence en son sein des quotidiens communistes : le combat politique de ceux-ci prévalait sur les soucis professionnels. André Wurmser, chroniqueur à *L'Humanité,* fut l'un des premiers présidents du S.Q.R. Les querelles politiques tendaient à éclipser les réalités professionnelles. C'est pourquoi la plupart de ses adhérents, sous la conduite de Pierre Archambault, décidèrent de créer le S.P.Q.R. (sans N), qui s'appela ensuite S.N.P.Q.R., par modestie vis-à-vis du Sénat du Peuple Romain (8) ! Ce syndicat fut d'abord dirigé par Marcel Reichenecker, puis par Roger Bouzinac. Son président est Michel Bavastro qui a succédé, en 1971,

---

l'Ouest (qui succède à Robert Guillier, directeur général du *Courrier de l'Ouest,* comme représentant de ce journal), René Kokhanoff (*L'Echo du Centre*), réélu, René Laure, co-gérant de la SOPUSI (*L'Equipe*), élu, Paul Le Gall, directeur de la société *Le Maine libre,* réélu, Richard Mazaudet, président-directeur général du *Courrier Picard,* réélu, Georges Righetti, directeur de *La Marseillaise,* réélu.

(7) Jean-Pierre Rist est également, depuis septembre 1975, secrétaire général du S.N.P.H.R.I.

(8) Senatus Populus Que Romanus.

à son président fondateur, Pierre Archambault (1951-1971).

En juillet 1976, le banquet de clôture de l'assemblée générale annuelle du S.N.P.Q.R. fut présidé par Valéry Giscard d'Estaing. A cette occasion, le président de la République a déclaré : « *Je vous dirai que c'est, à mes yeux, une chance qu'a la France en tant que telle et une chance qu'ont ses provinces d'avoir une presse quotidienne régionale aussi vivante et aussi diverse. Vivante, je le dirai par vos tirages ; diverse, par la personnalité de ceux qui animent les rédactions de cette presse. Bien adaptés aux conditions de vie, bien adaptés aux préoccupations de leurs lecteurs, vos journaux sont incontestablement un des éléments, les plus actifs de la vie locale et régionale. Vos journaux sont vos instruments privilégiés de communication.* » (*Echo de la Presse*, 19 juillet 1976.)

Les conseils d'administration des deux syndicats ont décidé, au printemps 1973, de tenir régulièrement des réunions communes ; cet événement marque un pas supplémentaire vers la « réunification » de la presse quotidienne régionale, sinon vers celle de l'ensemble de la presse quotidienne ; le S.Q.D., membre de la F.N.P.F. comme le S.Q.R., avait ainsi, à la même époque printanière, bien marqué la différence entre un quotidien régional (c'est-à-dire pluridépartemental) et un départemental (couvrant un seul département). L'ironiste peut se demander si le Syndicat des Quotidiens de Paris ne se scindera pas un jour en deux, voire en trois, certains journaux parisiens se considérant comme régionaux, d'autres se reconnaissant comme départementaux, une troisième catégorie (limitée, celle-ci) redevenant « nationale ». Mais alors certains très grands « régionaux » comme *Ouest-France* ou *Le Progrès* pourraient éventuellement revendiquer l'accès à cet étage prétendu supérieur. Le petit jeu des reclassements est loin d'être achevé.

En tout cas, on assiste à un « certain » rapprochement entre la « Place de l'Opéra » et la « Rue Gabriel-Laumain » à travers les « régionaux ». Car, avant les réunions périodiques jumelées des deux conseils d'administration, les commissions de travail étaient déjà devenues presque toutes communes et baptisées de ce fait « intersyndicales ».

Des commissions intersyndicales

L'une, présidée par André Poitevin, directeur général du *Provençal* et président de Promojour, s'occupe de la publicité et assure les relations avec les agences, les annonceurs et divers organismes publicitaires. C'est elle qui a lancé, en 1973, avec l'agence Feldmann, Calleux et Associés (F.C.A.) (9), une grande campagne promotionnelle pour la P.Q.R., dont l'ampleur visait à faire percevoir les régionaux comme un media spécifique.

L'autre, présidée par Dominique Claudius-Petit, directeur général adjoint de *Presse Océan,* s'occupe de la vente et comprend des sous-commissions qui se sont préoccupées notamment du portage à domicile, des études et enquêtes, des distributeurs automatiques, des contrats de dépôt.

La troisième a été présidée par Henri Amouroux, ancien directeur général - rédacteur en chef de *Sud-Ouest,* et s'occupe de l'information et des problèmes rédactionnels. Son nouveau président, depuis mars 1974, est Jean-Pierre Coudurier, P.-D.G. du *Télégramme de Brest et de l'Ouest,* à Morlaix.

Enfin, la commission des salaires, qu'anime Roger Bouzinac, assure les relations ingrates avec les syndicats de salariés (cadres, journalistes, employés, ouvriers).

Un certain nombre de groupes de travail (statuts, télévision, arbitrages...), d'associations (comme celle de la formation permanente présidée par Ralph Canu, secrétaire général de *Paris-Normandie*), voire de caisses de retraites ou de solidarité, ont été constitués par les deux syndicats et fonctionnent très positivement. Ainsi, en cas de grève ou de difficulté grave (par exemple, incendie survenant dans un quotidien régional), la solidarité peut jouer non seulement dans l'intérêt « patronal », mais aussi dans celui de la profession tout entière et de la liberté de la presse. La grève de *Sud-Ouest* en a porté témoi-

(9) Voir le chapitre sur le « marketing » et le cas sur Havas.

gnage : le S.N.P.Q.R. a consenti, spontanément un prêt au quotidien girondin.

Ainsi, le syndicalisme patronal, qui semble frappé dans les quotidiens provinciaux par un individualisme passionné, apparaît-il aussi comme marqué par la passion de l'indépendance, de la survie et du progrès de la presse. La réponse de Valéry Giscard d'Estaing à la lettre de Michel Bavastro, le 25 mars 1975, annonçant une légère réduction du prix du papier, constitue une preuve parmi d'autres de l'efficacité de ce groupe de pression naturel.

DOCUMENT :

1) *Adhérents au S.N.P.Q.R.*
(Syndicat National de la Presse Quotidienne Régionale)

— Le Bien Public - Dijon
— Le Comtois - Besançon
— Le Dauphiné Libéré - Grenoble
— La Dépêche - Saint-Etienne
— La Dépêche du Midi - Toulouse
— Les Dépêches - Dijon
— Les Dépêches - Besançon
— Les Dernières Nouvelles du Haut-Rhin - Colmar
— L'Echo Liberté - Lyon
— L'Eclair - Nantes
— L'Espoir - Saint-Etienne
— L'Est Républicain - Nancy
— La France - Bordeaux
— Le Journal du Centre - Nevers
— Le Journal de la Corse - Ajaccio
— Le Méridional - Marseille
— La Montagne - Clermont-Ferrand
— Nord-Eclair - Roubaix
— Nord-Matin - Lille
— La Nouvelle République du Centre-Ouest - Tours
— Ouest-France - Rennes
— Le Populaire du Centre - Limoges
— Presse-Océan - Nantes

— Le Progrès - Lyon
— Le Provençal - Marseille
— Le Républicain Lorrain - Metz
— République - Toulon
— La République du Centre - Orléans
— Le Soir - Marseille
— Sud-Ouest - Bordeaux
— Le Télégramme de Brest - Morlaix
— La Tribune - Le Progrès - Saint-Etienne

2) *Adhérents au S.Q.R.*
(Syndicat des Quotidiens Régionaux)

— L'Alsace - Mulhouse
— Le Courrier de l'Ouest - Angers
— Le Courrier Picard - Amiens
— Les Dernières Nouvelles d'Alsace - Strasbourg
— L'Echo du Centre - Limoges
— L'Equipe - Paris
— La Liberté - Lille
— Le Maine Libre - Le Mans
— La Marseillaise - Marseille
— Midi Libre - Montpellier
— Le Parisien Libéré - Paris
— Paris-Normandie - Rouen
— Le Petit Bastiais - Paris/Bastia
— L'Union - Reims
— La Voix du Nord - Lille

A noter que 1) les quotidiens d'un même groupe n'appartiennent pas au même syndicat, 2) ceux du groupe Amaury côtoient les journaux communistes.

3) *Adhérents au S.Q.D.*
(Syndicat des Quotidiens Départementaux)

— L'Aisne Nouvelle - Saint-Quentin
— L'Ardennais - Charleville-Mézières
— Le Berry Républicain - Bourges
— Centre Presse - Poitiers
— Centre Presse - Rodez

— La Charente Libre - Angoulême
— Le Courrier - Bourg-en-Bresse
— Le Courrier de Saône-et-Loire - Chalon-sur-Saône
— L'Echo Républicain - Chartres
— L'Eclair des Pyrénées - Pau
— L'Est-Eclair - Saint-André-les-Vergers (Aube)
— L'Eveil de la Haute-Loire - Le Puy
— France-Antilles - Fort-de-France
— La Gazette Provençale - Avignon
— La Haute-Marne Libérée - Chaumont
— Havre Libre - Le Havre
— Le Havre Presse - Le Havre
— L'Indépendant - Perpignan
— Libération Champagne - Troyes
— La Liberté de l'Est - Epinal
— La Liberté du Morbihan - Lorient
— Narodowiec (en polonais) - Lens
— Nord Littoral - Calais
— Le Nouvel Alsacien - Strasbourg
— La Nouvelle République des Pyrénées - Tarbes
— Le Petit Bleu du Lot-et-Garonne - Agen
— La Presse de la Manche - Cherbourg
— La République des Pyrénées - Pau
— L'Yonne Républicaine - Auxerre

Cas 2

« *La Nouvelle République du Centre-Ouest* » : *Escarmouches autour d'un statut*

Avec un tirage moyen de 300 000 exemplaires, ce journal d'une « région » qui n'existe pas, a la particularité gênante d'avoir le titre le plus long de la presse française : « *La Nouvelle République du Centre-Ouest* ». C'est pourquoi on l'abrège souvent sous le sigle « N.R.C.O. », voire « N.R. ».

Une autre particularité du sixième régional français est sa diffusion à cheval sur trois régions de programme (Centre, Pays de Loire, Poitou-Charentes), qui diffèrent quelque peu des trois régions géographiques auxquelles il appartient : Val-de-Loire (ou Loire « moyenne »), Poitou et Berry. Sans compter les discussions sans fin des géographes sur les antinomies entre Beauce et Bocage, Brenne et Perche, Sologne et marennes..., qui font du « Centre-Ouest » un kaléidoscope de terroirs. Quant à la Touraine, berceau du journal, sait-on qu'elle ne coïncide qu'avec un seul département, l'Indre-et-Loire, et qu'il ne faut la confondre ni avec le Blésois, ni avec le Maine, ni avec l'Anjou, ni surtout avec le Haut-Poitou et le Bas-Berry, tous jaloux de leurs particularismes.

D'aucuns diront que « *la solitude, ça n'existe pas* » ! Pourtant, outre ses originalités terminologiques et géographiques, la « N.R.C.O. » — dont les Berruyers ou les Niortais ne veulent pas entendre dire qu'elle est « le journal de Tours », mais bien le journal du Cher ou des Deux-Sèvres — offre surtout des particularités statutaires pour le moins étranges. Elle est, en effet, la seule « société anonyme à participation ouvrière, à directoire et conseil de surveillance » de France. Elle apparaît vite à l'analyse comme une sorte de double défi au juridisme et au capitalisme. Cet isolement juridique et doctrinal, la « N.R. » le connaît depuis le 1er janvier 1973 ; mais il résulte d'une longue et curieuse évolution.

De la Résistance...

Ainsi, se rejoignirent dans la Résistance Jean Meunier, né à Bourges, de père artisan imprimeur, élu député S.F.I.O. d'Indre-et-Loire à Tours en 1936, et Pierre Archambault, né à Tours, militant de l'Action catholique (1) et journaliste avant guerre, puis cadre commercial pendant celle-ci. Avec la complicité discrète d'ouvriers et d'employés de « *La Dépêche du Centre* », — le quotidien de la famille Arrault, naguère de tendance radicale, mais qui continuait à paraître sous l'Occupation — les deux responsables de la Résistance tourangelle et des amis des réseaux éditèrent sous le manteau, dans le premier semestre 1944, deux numéros de « *La Nouvelle République du Centre-Ouest* » sous forme d'un bulletin politique.

En 1944, plusieurs voies s'offraient aux uns et aux autres. Jean Meunier, qui était président du Comité Départemental de Libération clandestin, choisit la voie politique. Député socialiste jusqu'en 1958, il devint parallèlement maire de Tours, conseiller général d'Indre-et-Loire, puis secrétaire d'Etat à trois reprises, auprès de Léon Blum, Georges Bidault et Maurice Bourgès-Maunoury. Pierre Archambault, lui, chargé par Michel Debré, commissaire régional de la République, des fonctions préfectorales en Indre-et-Loire, reçut du gouvernement provi-

(1) Jean Meunier, lui, était membre de la Grande Loge Ecossaise.

soire du général De Gaulle l'autorisation de faire paraître *La N.R.* Ainsi préféra-t-il la presse à l'administration ou à la politique.

La N.R., sous sa direction, s'installe alors dans les locaux de *La Dépêche du Centre*, interdite. Le nouveau « directeur » négocie avec les anciens propriétaires et recherche une structure légale pour ce journal sorti de la clandestinité. Il fait appel à un jeune avocat poitevin, M.R.P., Henri-Paul Moinet, qui, dans la ligne du programme du C.N.R. à laquelle Jean Meunier et Pierre Archambault demeurent attachés, déterre la Loi Chéron de 1917 sur les Sociétés Anonymes à Participation Ouvrière (S.A.P.O.). De rares cours de Droit Commercial en parlent encore un peu de nos jours, surtout depuis mai 1968. Mais, en 1944, après cinq ans de droit pétainiste, les idées travaillistes en matière d'organisation des sociétés étaient loin. Pourtant, l'objectif pour les fondateurs de *La N.R.*, comme de quelques autres journaux d'après-guerre, était de bâtir une presse « *indépendante des puissances d'argent* ». C'est pourquoi, Henri-Paul Moinet ne se contenta pas de recopier la loi de 1917, mais y ajouta quelques perfectionnements de nature à répondre aux idéaux du moment. Le plus original fut l'impossibilité, pour un individu, de posséder plus de 1 % du capital social. Ainsi, mathématiquement, *La N.R.* n'aurait pas dû avoir d'actionnaire dominant.

Il faut rappeler, en effet, le mécanisme complexe des S.A.P.O., forme tout à fait spécifique des sociétés dites de capitaux. Apparemment sociétés anonymes, avec Assemblée Générale des actionnaires, Conseil d'Administrattion, Direction Générale, les S.A.P.O. sont dotées d'une « Société coopérative de main-d'œuvre » (S.C.M.O.), sorte de « petite » société dans la grande. Cette S.C.M.O. est en quelque sorte la personne morale représentative du personnel, comme entité spécifique, distincte du capital, du moins du « capital extérieur ». Les salariés sont, en effet, doublement actionnaires, d'abord comme détenteurs volontaires individuels d'un tiers réel du capital, puis comme propriétaires indivis d'actions dites « de travail », représentant un tiers fictif (le « quatrième tiers »), de sorte qu'en Assemblée Générale, le personnel peut détenir jusqu'à 50 % des voix. Il est en fait la plus grande force interne de la société. Outre ces actions réelles et fictives et ces voix en Assemblée générale, le personnel, via la S.C.M.O., avait la faculté d'élire, dès la fondation de la société, des Administrateurs (quatre sur les dix membres du Conseil d'Administration).

Tels sont les statuts progressistes que Pierre Archambault présenta, sur le conseil de Henri-Paul Moinet, à l'Assemblée constitutive de la S.A.P.O. de *La Nouvelle République du Centre-Ouest*. Il proposa Jean Meunier comme président du Conseil d'administration, car ce dernier est retenu ailleurs par ses activités politiques. Ainsi, *La N.R.* fut-elle organisée en septembre 1944, pour 30 ans, en Société Anonyme à Participation Ouvrière, présidée par Jean Meunier, dirigée par Pierre Archambault.

Son directeur général fit de ce journal un des plus grands de province, tant par la diffusion que par les recettes publicitaires. La participation ouvrière n'y est pas non plus théorique, puisque les salaires et avantages divers y apparaissent parmi les plus élevés de la presse quotidienne régionale. En 1975, son chiffre d'affaires a atteint 119 millions de francs, dégageant un bénéfice brut de 4,6 millions.

Pourtant, vingt-huit ans plus tard, une Assemblée générale extraordinaire, en juin 1972, transformait les statuts, retirant à l'homme qui pilotait ce navire la plupart de ses pouvoirs ; ceux-ci allèrent à Jean Meunier, nouveau président du Directoire à 67 ans (2), et Henri-Paul Moinet, président du Conseil de Surveillance, que Pierre Archambault avait choisi en 1944 comme conseiller juridique et avocat de la société et qui par ailleurs le demeure.

25 % de voix d'amis sûrs ou de collaborateurs fidèles à Pierre Archambault n'ont pas empêché le vote de sta-

---

(2) Jean Meunier, décédé en juillet 1975, a été remplacé en août suivant à la présidence du Directoire par son gendre, Jacques Saint-Cricq. Les problèmes posés par cette nomination sont loin d'être résolus sur les plans juridique, politique et humain. Pierre Archambault demeure Directeur de la Publication et vice-président du Directoire ; les trois autres membres sont Robert Vazeilles, Jean-Louis Forest et Marcel Lelion. Pierre Archambault conserve une autorité indiscutable dans la presse de province, comme en témoigne sa nomination, en 1976, à la Commission chargée de contrôler la qualité des programmes télévisés.

tuts dont le président Meunier, lui-même, constatait en assemblée générale extraordinaire que quelques problèmes de conformité entre la loi de 1966 sur les S.A.C.S.D. (Société Anonyme à Conseil de Surveillance et de Directoire) et celle de 1917 sur les S.A.P.O. restaient à régler.

...Vers la « Société à Participation Ouvrière à Directoire et Conseil de Surveillance »

Actuellement, l'ancienne S.A.P.O. de 1944 subsiste, à ceci près que le plafond d'actions est passé à... 1,21 % et que le Conseil d'Administration et la Direction Générale ont été remplacés par un Conseil de Surveillance (avec cinq élus du personnel sur 11 conseillers) et un Directoire, sans directeur général, ni rédacteur en chef, ni secrétaire général, ni directeur technique. Cette structure participative et collégiale, plus la réduction des investissements de productivité, plus des augmentations substantielles de salaires, n'ont pas empêché *La N.R.* de subir plusieurs arrêts de travail, dès les premiers mois d'existence de la « S.A.P.O. à Conseil de Surveillance et Directoire ». Ceux-ci viennent notamment du Syndicat du Livre, pourtant grand gagnant de cette « restructuration » prometteuse, tandis que, sous la direction « personnaliste » de Pierre Archambault, aucune grève spécifique à *La N.R.* n'avait éclaté en 28 ans.

La Nouvelle République du Centre-Ouest, certes, n'appartient à aucun groupe et ne contrôle que partiellement deux petites sociétés (une d'informatique (3), l'autre de distribution et d'animation) (4). Elle n'a jamais racheté aucun journal et elle rencontre encore six concurrents, dont deux appartiennent à des groupes puissants, ceux de Robert Hersant (*Centre-Presse* et *Berry Républicain*)

---

(3) La S.A.T.I. (Société d'Automatisation et de Traitement de l'Information), dans laquelle la « N.R. » a 20 % et la S.L.I.G.O.S. 51 %. Cette entreprise fut dirigée par Philippe Archambault, fils du fondateur de la « N.R. », de 1968 à 1976. Elle est aujourd'hui présidée par Jean-Claude Bugeon.

(4) D.I.C. (Diffusion et Information Commerciale), dans laquelle la « N.R. » possède 51 % et qui est dirigée par Jean Chalopin.

et d'Emilien Amaury (*Le Courrier de l'Ouest*), au Parti Communiste (*La Marseillaise du Berry*), en passant par *Ouest-France et La République du Centre* (5).

La Nouvelle République du Centre-Ouest ne semble pas croire à l'avenir du capitalisme industriel et libéral. Un gros actionnaire y croit toujours, lui, et de plus en plus. Son nom ne figure toutefois sur aucun des titres nominatifs qui justifient légalement la propriété des actions pour laquelle le Conseil d'Administration naguère, puis maintenant à la fois le Conseil de Surveillance et le Directoire, donnent leur agrément protecteur. Cet actionnaire, qui a fait voter les nouveaux statuts de *La N.R.*, quasi majoritaire et méconnu, s'appelle, à travers le Syndicat du Livre, la C.G.T. (6).

(5) En octobre 1975, elle a acquis 34 % du capital de l'hebdomadaire du nord du Loir-et-Cher, *Le Vendômois*.

(6) Le statut de *La Nouvelle République* a fait l'objet d'une thèse de doctorat en science politique soutenue à Paris en 1975 par Gérard Dubois, actuel secrétaire général de la Commission paritaire des publications et agences de presse (C.P.P.A.P.).

Cas 3

Un journal artisanal :
le plus petit quotidien provincial de France :
« La Montagne Noire » (Mazamet)

La cinquantaine grisonnante, des lunettes de myope derrière lesquelles perce un regard très mobile, l'air tout à la fois modeste et ironique, J. Boutès fut pendant près de vingt ans en même temps propriétaire, directeur, gérant, journaliste et ouvrier imprimeur du plus petit quotidien provincial : *La Montagne Noire* de Mazamet. Cette petite ville de 16 620 habitants, soit le chiffre exact du nombre de morts annuels sur les routes de France, avait été choisie, en 1973, par la télévision pour incarner « une ville rayée de la carte ». Placée accidentellement, si l'on peut dire, sous les feux de la rampe. Mazamet, sans faire de bruit, se comporte à la manière d'une capitale. Située au centre de la Montagne Noire, dans les bas contreforts du Massif Central, elle règne sur le pays de la laine et du cuir, centre d'affaires des mégissiers et des tanneurs. Avec ses banlieues presque intégrées de Bacdieu et d'Aussilon, l'agglomération compte quelque trente mille âmes.

La taille d'un cahier d'écolier

Il n'est donc pas étonnant que Mazamet possède son propre organe d'information quotidien. Cependant, ce journal se singularise par sa conception et sa configuration. C'est vraiment le quotidien le plus artisanal de France. Imprimé sur un format demi-tabloïd, soit la taille d'un cahier d'écolier, il comprend, selon les jours, deux à quatre pages. Il ne paraît pas en août par suite des vacances. Imprimé à plat, sur une presse Taech, sa composition est réalisée sur une « typographe », machine plus simple qu'une linotype. L'ensemble du personnel se limite à quatre compagnons, J. Boutès compris.

Lorsqu'on jette un coup d'œil sur le contenu de *La Montagne Noire,* on est frappé par l'abondance de la publicité. « *Ce qui m'intéresse surtout,* souligne le directeur, *ce sont les annonces légales. A Mazamet, existent environ* 800 *sociétés anonymes ; sans elles, nous serions un hebdomadaire, voire un bi-hebdomadaire.* » La publicité commerciale est confiée à l'Agence Havas et à une agence locale, Publidoc. De cette manière, les grandes campagnes nationales figurent souvent dans le journal.

Les informations, présentées sous le titre « les actualités », se bornent à des brèves du style : « *Le Conseil des Ministres a décidé la suppression de la patente qui sera remplacée par un impôt plus juste* » ou « *Du* 15 *mai au* 12 *juin, la première station spatiale américaine tournerait autour de la terre avec trois hommes à bord* » (1). Les nouvelles locales occupent plus des quatre cinquièmes de la surface rédactionnelle. Elles reprennent la plupart du temps les communiqués transmis au journal. « *Nous avions un feuilleton, mais faute de place,* précise J. Boutès, *il nous était impossible de le publier régulièrement. Aussi avons-nous résilié notre abonnement auprès de la Société des Gens de Lettres.* » De l'aveu de son directeur, *La Montagne Noire* ne fait pas de politique : « *J'ouvre mes colonnes à tout le monde, à condition qu'on n'exagère point et qu'on ne diffame pas.* »

---

(1) Citations relevées dans le numéro du 11 mai 1973.

J. Boutès a maintenu une vieille tradition. Son journal a été créé, en 1914, par le propriétaire de la seule imprimerie existant alors à Mazamet, M. Gatimel. Intitulé *Le Petit Cévenol,* ce quotidien survécut, en dépit de la mort de M. Gatimel en 1937. Ayant paru pendant toute la seconde guerre mondiale, il tomba sous le coup de l'Ordonnance de 1944 et dut cesser d'exister sous son appellation originelle. Cependant, personne ne s'opposa, à la Libération, au lancement par la veuve de M. Gatimel d'un nouveau titre, *La Montagne Noire.*

Un ancien typographe

En 1956, J. Boutès, qui avait commencé sa carrière comme typographe à l'imprimerie Chabert de Mazamet, puis était devenu comptable dans un établissement textile, racheta *La Montagne Noire* à Mme Gatimel. De ce petit journal, il sut faire une entreprise rentable : en 1973, son chiffre d'affaires avoisinait les 150 000 francs, les huit dixièmes provenant des recettes publicitaires.

Ce petit budget suffisait pour faire vivre quatre personnes. En 1974, J. Boutès a vendu son journal à M. Vidal.

Journal d'appoint, acheté de père en fils, *La Montagne Noire* voit sa diffusion rester stationnaire au fil des ans : 2 000 abonnés versent fidèlement 60 francs pour recevoir 220 numéros chaque année et 500 personnes payent chaque jour 0,40 franc pour se procurer l'exemplaire de leur petit quotidien. *La Montagne Noire* se vend donc beaucoup moins cher que tous ses confrères. Sa force réside dans son enracinement local. Lorsqu'à Mazamet on demande à n'importe quel passant où se trouve *La Montagne Noire,* on vous répond : « *Le directeur habite la première maison avant le lavoir.* »

Deuxième partie

LE POUVOIR DE GERER

L'existence et le développement de la presse de province apparaissent désormais comme reposant sur la liberté de posséder. Nous entendons par ces mots la liberté concrète de créer, de céder, de transformer, de fusionner, de scinder, de fermer des entreprises, petites ou grandes, d'information locale ou régionale. Les problèmes historiques, juridiques, humains que pose ce principe simple, mais abrupt, ne sont pas minces. Ils soulèvent des contestations variées, dans leur degré autant que dans leur nature, tant à l'extérieur qu'à l'intérieur de la presse. La fameuse « majorité silencieuse » elle-même conteste à sa façon : en n'achetant pas certains journaux.

La presse n'est donc pas immatérielle, éthérée, éternelle, comme la métaphysique ou le rêve. Elle est chargée de contraintes précises. La presse provinciale, dans sa diversité fantastique, comprend aussi bien des feuilles semi-confidentielles que des groupes industriels à l'échelle du siècle. Même les plus petites publications ont des horaires à tenir, un équilibre financier à maintenir, des risques à prendre. Publier un journal, c'est chercher à communiquer avec un public plus ou moins large et surtout plus ou moins fluctuant. Si l'on n'a pas la moindre capacité proprement professionnelle, le moindre pouvoir de gérer, il vaut mieux se consacrer à la poésie et à ses charmes que d'éditer un journal ou une publication, fussent-ils provinciaux.

Chapitre I

RADIOSCOPIE D'UNE INDUSTRIE

Savoir si la presse est ou non une industrie équivaut à s'interroger sur le sexe des anges. D'ailleurs, pas plus à Byzance qu'à Paris, on n'a réellement tranché ! Interviewé par Roger Priouret, Jean-Jacques Servan-Schreiber déclarait (1) : « *Pour moi, la question de la presse française est assez simple aujourd'hui : ou les journalistes seront capables de devenir des industriels dans leur secteur ; ou ce sont les industriels qui vont devenir des journalistes : inutile de vous dire qu'il y aura une différence.* » Le même Roger Priouret commençait son livre *La France et le Management* (2) en écrivant : « *La France n'aime pas son industrie.* » Il faut alors se demander si la France apprécie sa presse en la considérant comme une industrie ou à l'inverse comme une activité abstraite.

Quelle commune mesure y a-t-il, en termes à la fois journalistiques et industriels, entre, d'une part, la petite revue ronéotypée *L'Effort*, publiée à Tours en août 1974

(1) *Hommes et Techniques*, octobre 1967.
(2) Denoël, 1968.

par un militant ouvrier, Louis Brot, qui se propose de diffuser les textes en français et en... esperanto des écrivains-ouvriers du monde entier, et d'autre part, l'énorme *Voix du Nord*, à Lille, qui aurait réalisé en 1973 un bénéfice réel de 18 millions de francs avec ses 400 000 exemplaires quotidiens ? Quelle convergence d'intérêts existe-t-il entre le mensuel gratuit lancé par le Conseil Général des Hauts-de-Seine à grand renfort de millions lourds (3) et la revue lyonnaise *Le Bouliste* ? Entre toutes ces publications de province, du grand quotidien au petit périodique, le dénominateur commun est incontestablement le besoin d'informer un public local ou régional. Mais comment dessiner les limites, sur le plan industriel, de la presse de province ? De par les règles légales et professionnelles, un certain nombre d'organes se trouvent exclus du secteur de la presse. Les entreprises, si diverses quant à leurs problèmes d'équipement et de fonctionnement, doivent être décrites davantage en termes humains que techniques. Sans doute, ses mille visages méconnus donnent-ils à la presse provinciale sa spécificité.

De l'artisanat au service

Il reste très difficile de recueillir des statistiques détaillées sur la presse provinciale, globalement ou individuellement. Elle constitue une branche économique très dispersée par définition, mais surtout cachotière par tradition. Seuls les quotidiens régionaux et les hebdomadaires d'information générale de province livrent quelques éléments à la radioscopie. Certes, il demeure quelques « voiles », notamment sur le « poumon » financier. Mais le « squelette » est assez intelligible, à la différence des formes de presse plus spécialisées ou originales, qui fleurissent aussi en province.

On sait, par exemple, qu'il existe 400 hebdomadaires régionaux d'information, dont 260 adhèrent au Syndicat National de la Presse Hebdomadaire Régionale d'Information que préside Albert Garrigues, directeur général

(3) Subvention de 5,7 millions votée pour l'exercice 1975. En 1976, ce mensuel a cessé de paraître.

du *Courrier Français* (4). Sur tout le Sud-Ouest *Le Courrier* est le leader de la presse catholique provinciale, qui compte 35 titres en France, soit à peu près autant que la presse communiste. Les autres titres sont plus nuancés sur le plan politique ou confessionnel : quelques socialistes, très peu de gaullistes, mais de nombreux « radicaux indépendants »... Ainsi le second périodique régional français est *Toutes les nouvelles de Versailles et de la région parisienne,* dont le directeur est Roland Faure, par ailleurs directeur-rédacteur en chef de *L'Aurore.* Cet hebdomadaire, contrôlé par le sénateur Edouard Bonnefous, diffuse, chaque mercredi, 72 000 exemplaires lus dans trois départements : Yvelines, Hauts-de-Seine et Essonne. L'audience de ses cinq éditions est estimée à 500 000 lecteurs.

Un des aspects les plus significatifs de cette presse hebdomadaire de province est qu'elle cesse d'être artisanale. Elle brûle même parfois l'étape industrielle pour se consacrer essentiellement à une activité de service. Très souvent, ces périodiques, pour certains très anciens, étaient un appendice d'une petite imprimerie locale.

Leur ancienneté se manifeste dans la liste suivante, non exhaustive : *Le Journal de Trévoux* (fin du XVIIIe siècle), *Le Progrès de l'Oise* (1820), *L'Abeille de Terrenoise* (1827), *Le Journal de Montreuil* (1840), *L'Indépendant du Pas-de-Calais* (1849), *L'Alpes Midi* (1849), *Le Bonhomme Libre* de Caen (1850) (5), *L'Impartial des Andelys* et *La Gazette de la Thiérache* (1909), *Le Journal de Tournon* (1876).

Rares sont parmi ces titres ceux qui, à l'instar de *L'Eveil Normand* de Bernay, se sont équipés de façon ultra-moderne. Beaucoup abandonnent leur imprimerie pour faire appel à des sous-traitants. Cette formule permet aux hebdomadaires provinciaux de se consacrer plus exclusivement aux domaines de l'information, de la publicité et même de l'animation locale. De sorte que, pour une même publication, peut très bien subsister un type

(4) Quinze éditions, dont deux sous les titres spécifiques de *L'Echo de l'Ouest* et *La Vie Corrézienne,* font de lui le premier hebdomadaire français d'informations régionales.

(5) En 1974, la Société d'Edition de Basse-Normandie, filiale d'*Ouest-France,* a pris le contrôle du *Bonhomme Libre.*

artisanal dans la gestion et la rédaction, en parfaite intelligence avec les méthodes industrielles de fabrication et de distribution. L'artisanat est symbolisé par le contact de l'éditeur-rédacteur avec « son » arrondissement ; l'industrie est représentée à la fois par l'appel à une imprimerie d'agglomération, traitant plusieurs périodiques en même temps, et éventuellement l'utilisation des N.M.P.P. ou de la Librairie Hachette pour la diffusion dans les gares, les cafés ou les librairies. De plus en plus fréquemment, la publicité est confiée à l'Agence Havas ou, à défaut de ce régisseur quasi monopolistique en province, à une officine parisienne « descendue » sur place tenter sa chance. Ainsi procèdent à Tours les Royer (Jean, le père, qui est député-maire, Gérard, le fils) pour leur hebdomadaire politique *L'Espoir :* ils se réservent la rédaction et la promotion, l'impression étant confiée à une entreprise tourangelle, la diffusion à Hachette et la publicité à un cabinet parisien. Nous sommes donc loin du journaliste balzacien, tout à la fois libraire, typographe, vendeur et écrivain ! L'édition d'un périodique de province emprunte deux voies : tantôt elle demeure le complément d'une autre activité (l'imprimerie ou la politique), tantôt elle devient un métier spécifique, absorbant et passionnant.

Des imprimeurs-éditeurs aux managers-journalistes

La cohabitation entre un artisanat traditionnel et des industries spécialisées ne semble pas poser de problèmes aux périodiques de province, leur souplesse d'adaptation se révélant très grande. Pour les quotidiens, l'évolution est fort différente et ne manque pas de pathétique. Il y a toutes sortes de gradations entre l'imprimeur-éditeur d'avant-guerre et le manager-journaliste de demain ou d'après-demain. La famille Arrault, par exemple, a pratiquement contrôlé à Tours, avant-guerre, l'essentiel des arts graphiques et de la communication politico-littéraire. Jusqu'à la Libération, elle éditait le quotidien *La Dépêche du Centre ;* plusieurs années après la guerre, « l'Imprimerie Arrault », qui n'avait plus le droit de faire des journaux, effectuait encore des travaux de ville et pon que Jean Rocaut. Le premier, grand bourgeois bordelais, présida l'empire de *La Petite Gironde* jusqu'en 1944, puis la Société des Imprimeries du Sud-Ouest jusqu'en 1974, date de sa fusion avec la Société de Presse et d'Edition du Sud-Ouest.

Le second, Jean Rocaut, présida, jusqu'à sa mort en août 1975, à la fois *Les Dernières Nouvelles d'Alsace* (*D.N.A.*) et les Editions Quillet, témoignant encore de cette tradition d'éditeurs-imprimeurs.

Les *D.N.A.* ont, à Strasbourg, une des imprimeries, non seulement de presse, mais de labeur — ce qui devient rare —, parmi les plus modernes de France. En 1975, *Les Dernières Nouvelles d'Alsace* ont réalisé un chiffre d'affaires supérieur à 160 millions de francs.

Quatre milliards d'exemplaires en l'an 2000 ?

D'audace, la presse provinciale n'en a manqué ni politiquement (son histoire le prouve), ni industriellement (son avenir en témoignera). Certes l'évolution des quotidiens est plutôt morose depuis trente ans, tant en province qu'à Paris.

Le nombre des titres d'informations générales a diminué de plus de la moitié dans les deux cas : 175 quotidiens en province en 1946 (28 à Paris) contre 73 en 1974 (13 à Paris) (6). Cent journaux provinciaux de moins, c'est une hécatombe, même répartie sur trois décennies. Cependant, le tirage total a un peu mieux résisté en province qu'à Paris : 9 164 000 exemplaires en province et 5 959 000 à Paris en 1946 contre 7 509 000 et 3 756 000 en 1974. Autrement dit, Paris a perdu près de deux millions d'acheteurs journaliers (20,19 %), la province un million et demi (18,71 %). Encore que le creux de la vague pour les deux catégories ait été atteint en 1952, soit 3 411 000 à Paris et 6 188 000 en province ; en 22 ans, Paris aurait retrouvé 300 000 « acheteurs », la pro-

---

(6) La plupart des chiffres contenus dans ce chapitre proviennent de la première livraison du bulletin de documentation statistique sur la presse édité en 1974 par le Service Juridique et Technique de l'Information dont le responsable est Georges Ordonnaud, assisté de Joseph Dutter pour les études statistiques.

vince 1 300 000, mais avec des fluctuations diverses, notamment dans les modes de calcul des tirages, des diffusions, des abonnements et des ventes...

C'est cette dernière raison qui fait qu'on ne connaît pas bien l'évolution de la presse périodique, plus diversifiée, moins organisée, plus complexe, moins contrôlée, notamment par l'O.J.D. En tout cas, la division de la statistique du service juridique et technique de l'Information fournit des indications précieuses sur les poids respectifs des types de presse. Les derniers chiffres, traités sur ordinateur, remontent à 1972 (l'on connaît la résistance de la profession à informer sur elle-même en dépit des obligations légales). Michel Drancourt, ancien rédacteur en chef d'*Entreprise,* ancien directeur général de la Télémécanique, a d'ailleurs proposé dans un rapport au Conseil Economique et Social (1974) que la presse se conforme au minimum aux règles des ordonnances de 1944, par exemple sur la publication des bilans annuels ou des listes d'actionnaires.

Ainsi, ce que l'on peut savoir à travers les statistiques officielles révèle le poids de la presse provinciale sous toutes ses formes qui ne peut que s'accentuer avant la fin du siècle. Sur un tirage total annuel en France de 7 266 000 000 exemplaires, la presse de province représente 3 437 000 000 exemplaires. Encore faut-il préciser que sur les 3 380 000 000 tirés à Paris, un nombre très important est diffusé dans la région parisienne et en province, notamment les magazines et périodiques spécialisés. Si l'on ajoute que beaucoup de personnes travaillant à Paris habitent parfois dans un rayon de 100 km autour de la capitale, on voit que la frontière entre presse « provinciale » et presse « parisienne » est très difficile à tracer. D'ailleurs, *Le Parisien Libéré* et *L'Equipe* ne s'y sont pas trompés en adhérant au Syndicat des Quotidiens Régionaux. La « régionalisation » de la presse parisienne est un phénomène complexe à peine esquissé, laissant la voie d'autant plus libre à la croissance de la presse « provinciale », au sens large du mot.

Sur les 3,4 milliards annuels d'exemplaires tirés en province, les quotidiens du matin, du soir et du « 7e jour » représentaient, en 1972, un total de 2,5 milliards. De sorte que la seule presse périodique, c'est-à-dire paraissant moins de quatre fois par semaine et au moins chaque trimestre, comptait près d'un milliard d'exemplaires par an. Le développement des feuilles gratuites — difficiles à inventorier pour des raisons juridiques et pratiques —, ajouté à cette croissance intrinsèque de la presse provinciale stricto sensu et à la régionalisation de la presse parisienne, peut légitimement laisser penser que la province pourra revendiquer quatre milliards d'exemplaires en l'an 2000. Un calcul sommaire montre qu'il suffit que les seuls quotidiens provinciaux augmentent chacun en moyenne chaque année leur tirage journalier d'un millier d'exemplaires pour que leur problème financier soit résolu. L'enjeu n'est pas gagné d'avance, compte tenu de la crise passagère de l'information écrite, mais il n'est pas démesuré, rapporté par exemple à la croissance démographique ou même à une croissance économique réduite à 2 ou 3 %. Un quart de siècle doit permettre au moins une autre « nouvelle donne » à une industrie qui s'ignorait et qui est en train de se découvrir en tant que telle.

Trois milliards et demi de francs

D'autres indicateurs peuvent être extraits de l'étude informatique du Service Juridique et Technique de l'Information ; ce sont, comme pour toute industrie, les tonnages et les francs. En 1972, la presse française, dans son ensemble, a consommé 985 000 tonnes de papier de toutes qualités. Les publications tirées à Paris en ont utilisé 585 000, de sorte que la presse tirée en province en a employé 400 000. Toujours en vertu du transfert de la presse parisienne vers la « province », on peut affirmer que plus de la moitié du tonnage de papier de la presse française a été utilisé en province, soit un demi-million de tonnes. En monnaie, cela représentait, en 1972, environ 600 millions de francs lourds.

Le chiffre d'affaires de la presse provinciale, lui, si tant est que les données soient sincères, était de 2 769 000 000 de francs en 1972, soit 1 559 000 000 de francs pour la vente et 1 210 000 000 de francs pour la publicité. La répartition entre quotidiens et périodiques était de

2 100 000 000 de francs pour les premiers et 669 000 000 de francs pour les seconds. La part du lion va logiquement à la périodicité la plus forte, à laquelle s'ajoute naturellement un impact publicitaire très puissant. Signalons qu'en 1976, le chiffre d'affaires total de la publicité extralocale de la presse quotidienne régionale a atteint 250 millions de francs : soit légèrement moins que le chiffre d'affaires de R.T.L. (300 millions de francs) ou d'Europe 1 (260 millions de francs), mais 2 fois celui de R.M.C.

Au total, on peut évaluer à 3,5 milliards de francs environ, en 1975, compte tenu à la fois de l'inflation et de la crise, le chiffre d'affaires de la presse provinciale. Cette somme impressionnante pour le profane, et suffisante pour constituer une petite industrie, doit cependant être rapprochée d'autres chiffres. Elle avoisine le montant des ressources dont disposent les moyens audio-visuels en France : l'ex-O.R.T.F. + R.T.L. + Europe N° 1 + R.M.C., etc. La profession « presse provinciale » devrait pouvoir parler d'égale à égale avec la profession audiovisuelle.

En revanche, la presse quotidienne régionale est encore loin d'atteindre le chiffre d'affaires du seul groupe Hachette. En 1975, le chiffre d'affaires de la Librairie Hachette s'élève à 4,1 milliards de francs : 664 millions de francs pour le groupe presse ; 949 millions de francs pour le groupe livre ; 924 millions de francs pour les agences et les bibliothèques ; 579 millions de francs pour le groupe international et 1 037 millions de francs pour les activités nouvelles et les autres activités. De surcroît, ce chiffre d'affaires consolidé n'inclut pas celui des N.M.P.P. Mais qui est le plus fragile de l'immense pot de fer parisien ou de la diversité des pots de terre provinciaux ? La crise actuelle n'est pas sans inquiéter davantage les énormes affaires que les entreprises plus « mesurables à l'œil nu ». La presse de province n'a pas perdu, en 1974, les 83 millions de francs (nouveaux) qui ont manqué à la Librairie Hachette pour boucler son exercice.

Dans d'autres secteurs, la comparaison apparaît encore plus frappante. La Société « L'Oréal », spécialisée dans les cosmétiques et associée depuis peu au groupe

Nestlé, réalise un chiffre d'affaires voisin de celui de toute la presse de province réunie. Les plus gros journaux régionaux ne réalisent pas le dixième du chiffre d'affaires de ce holding.

La publicité française devait dépasser, en 1976, les dix milliards de francs, soit près de 3 fois la presse provinciale. Voilà une autre comparaison génératrice à la fois de craintes (la puissance des grandes agences) et d'espoirs (un énorme marché à conquérir).

Ne parlons pas des groupes pétroliers (type B.P.) ou lessiviers (type Unilever) dont les chiffres d'affaires atteignent dix ou vingt fois celui de la presse de province. Il ne s'agit pas ici de donner des complexes à cette profession dont le pouvoir est probablement ailleurs que dans l'argent seul. Mais il n'est pas irrévérencieux de penser que les phénomènes de dimension économique justifient à la fois les difficultés et la nécessité pour cette profession de devenir une industrie peu différente des autres. A titre de comparaison, indiquons qu'aux Etats-Unis, les trois principaux groupes de journaux de province, Times Mirror Newspapers, S. Newhouse et Knight Ridder Newspapers, ont réalisé, en 1975, des chiffres d'affaires respectifs de 4 milliards, 3,8 milliards et 3 milliards de francs, dégageant ensemble 700 millions de francs de bénéfice.

6 000 *francs la tonne !*

La presse provinciale, comme d'ailleurs la presse en général, est, en termes industriels, un « produit » qui ne vaut pas cher à la tonne, environ 6 000 francs en moyenne. Une voiture coûte largement trois fois plus ; la communication sociale semble galvaudée par rapport à la communication physique. La viande, elle, vaut quatre à cinq fois plus ; l'aliment intellectuel, même banal et sans prétention, est meilleur marché que la nourriture physiologique. Ces comparaisons de prix à la tonne pourraient être poussées indéfiniment. On sait depuis longtemps que, pour des raisons historiques et politiques, la presse grand public se vend à bas prix. Encore se diffuserait-elle plus cher à ses lecteurs si elle n'avait pas aussi des recettes publicitaires, puisque dans le chiffre d'affaires on ajoute la publicité à la vente.

Le fond du problème est que la presse est une industrie, si l'on peut dire, de contenu plus que de forme. Elle offre un contenu informatif, distractif ou culturel plus qu'un aspect physique. Une lessive promeut souvent plus son conditionnement que sa poudre. Encore que, de nos jours, la concurrence audio-visuelle ait valorisé les éléments esthétiques et le support matériel notamment des périodiques. Daniel Toscan du Plantier, — dans un livre d'ailleurs très injuste pour les journaux provinciaux (7) qu'il considère comme médiocres —, affirme que la presse appartient à l'univers du « désir » plus qu'à celui du « besoin ». Ce n'est pas si simpliste en province où la presse fait partie d'un édifice socio-culturel plus subtil qu'on ne le pense généralement dans quelques milieux parisiens. En province, la presse est au cœur de la société ; à Paris, elle reste à la surface.

La production de ce service très spécial qu'est une publication, notamment quotidienne, implique une organisation opérationnelle sur le plan rédactionnel avant tout.

Précisons seulement maintenant trois faits : dans le prix de revient de la presse provinciale, la matière première rédactionnelle, qu'on pourrait en jouant sur les mots qualifier d'immatérielle, a une place relativement faible, en gros 10 à 20 %, selon ce qu'on y inclut, depuis l'abonnement aux agences jusqu'aux mètres carrés de bureaux, en passant par la documentation interne au journal ; en second lieu, cette part décroît avec l'importance de la publication, ce qui permet aux grands quotidiens d'acquérir une plus grande autonomie, par exemple dans les domaines de l'information nationale ou internationale ; enfin, le poids stratégique — et non plus financier — des rédacteurs est traditionnellement très important, pour ne pas dire prioritaire par rapport, par exemple, à la politique commerciale ou publicitaire. On produit d'abord, on vend après !

Mais le poids financier, voire syndical, des producteurs intellectuels que sont les journalistes ou les informateurs

(7) *Donnez-nous notre quotidien*, Olivier Orban éditeur, 1974.

n'est rien à côté de celui des producteurs matériels que sont les ouvriers et les techniciens, spécialement dans les quotidiens.

L'aspect industriel peut s'analyser en deux éléments : lourdeur structurelle de la production matérielle, rejet viscéral du machinisme moderne.

L'imprimerie est une vieille industrie, puisqu'elle fait partie des « grandes découvertes » des « temps modernes » ; en d'autres termes, elle est une des bases de la Renaissance intellectuelle et matérielle. La démocratisation de la presse quotidienne lui a fait accomplir d'assez remarquables progrès à la fin du XIXe siècle (8). On peut avancer sans forfanterie que la régionalisation de la presse dans le monde lui a valu de nouveaux progrès (9) ; mais la France demeure encore en retard par rapport aux Etats-Unis, au Japon, à l'Allemagne Fédérale, à la Suède ou à la Hollande. On voit dans cette liste sommaire que la dimension des pays ne joue pas dans ce phénomène : le goût du progrès technique et la souplesse des structures sociales en sont les moteurs.

Ne reparlons pas des périodiques provinciaux français. Nous avons indiqué au début de ce chapitre qu'ils tendent à résoudre leurs problèmes techniques par la sous-traitance, soit pour autrui, soit chez autrui. Or, chacun sait que la sous-traitance, comme la spécialisation, est naturellement génératrice de progrès.

Un certain sous-emploi

Les quotidiens peuvent difficilement faire appel à cette méthode (mis à part la gestion commerciale ou comptable) compte tenu des distances qui les séparent les uns des autres, sauf en cas de concentration technique, comme à Chassieu (Rhône) entre *Le Progrès* et *Le Dauphiné Libéré.* De sorte que la quasi-totalité d'entre eux doivent entretenir des équipements lourds utilisés à quart de temps (rotatives), mi-temps (photogravure) ou trois quarts

(8) Linotype, rotative, liaisons télégraphiques.
(9) Composition automatique, télécomposition, liaisons par fac-similé, rotatives offset.

de temps (linotypes). Lorsqu'il découvre le coût de ces équipements par rapport au chiffre d'affaires, l'industriel est évidemment surpris de ce relatif sous-emploi : des dizaines de millions de francs pour une rotative typographique couleurs destinée à un journal de 2 ou 300 000 exemplaires ; 10 millions (toujours lourds) pour les linotypes d'une entreprise faisant 100 millions de chiffre d'affaires, etc.

C'est pourquoi, après la guerre, vers 1945, c'est-à-dire à leurs débuts, dans des circonstances économiques très difficiles, les journaux se sont contentés de « *rafistoler* » les équipements anciens. Certains avaient parfois 50 ans... mais l'acier était bon !

Dans un second temps, grâce à l'article 39 bis du Code général des impôts, permettant aux entreprises de presse d'investir leurs marges en exonération provisoire des impôts sur les bénéfices industriels et commerciaux, les quotidiens ont pu commencer dans les années 1955 à renouveler leurs équipements. Mais ils le firent sans mutation technologique profonde, en raison de freinages syndicaux notamment.

Mais la vraie modernisation, fondée sur l'automatisation, n'a pu commencer que dans les années 1965. Grâce à des pionniers comme Jean Gallois ou André Poitevin, de grands progrès ont pu être introduits dans les ateliers, tels que la polychromie ou la composition automatique.

En 1977, il reste encore bien des options importantes à prendre. Par exemple, imprimerie concentrée avec composition à distance ou imprimeries offset décentralisées avec transmission par fac-similé de pages toutes faites. *Ouest-France* a choisi la centralisation avec un système d'expédition automatique de ses 700 000 exemplaires quotidiens. *Sud-Ouest* passera à l'offset dès février 1977 : très rares dans le monde sont les grands quotidiens qui ont tenté ce pari. L'automatisation de la diffusion a été mise en place par *La Nouvelle République du Centre-Ouest*, à partir de 1968 : ses 100 000 abonnés et ses 3 000 dépositaires sont ainsi totalement « intégrés » sur ordinateur avec l'aide de la Société d'Automatisation et de Traitement de l'Information à Chambray-lès-Tours.

Tous ces choix ne sont simples dans aucun journal,

d'abord pour des raisons financières évidentes, ensuite du fait de la spécificité même de la presse régionale fondée sur des éditions multiples (10) impliquant la composition de plusieurs dizaines de pages par jour (250 à *Ouest-France*), enfin, à cause des syndicats ouvriers. La presse quotidienne est en effet traditionnellement dominée par une technique, la typographie ; et la formation de base des ouvriers repose sur un C.A.P. impliquant cinq années d'apprentissage dans ce domaine. Des siècles de traditions typographiques ont naturellement façonné la mentalité des professionnels, qui appréhendent la conversion à l'offset et encore plus à l'électronique. Passer du caractère en relief au caractère en creux, c'est, dirait M. de Lapalisse, une inversion ! Mais passer du caractère lisible au caractère symbolisé par des trous sur une bande en papier ou a fortiori par une impression invisible sur une bande magnétique, c'est plus qu'une inversion, c'est une perturbation mentale et sociale. Toute la difficulté réside dans cette réelle mutation technologique, voire scientifique.

Attendre une génération ?

Lorsque le patronat est fort, comme à Marseille (11) ou à Lyon, la mutation se fait bon gré mal gré. Lorsque c'est le syndicat qui est puissant, elle ne se fait pas ou prend une génération, tandis que 3 ou 4 ans suffiraient. Le problème ne se pose d'ailleurs pas seulement au niveau de la composition. C'est là qu'il est le plus crucial en province, du fait du poids de la pagination et par conséquent du nombre de linotypistes. Mais le problème se pose aussi au niveau de la clicherie (12) ou des rotatives.

(10) En gros, une par arrondissement, parfois plusieurs par agglomération : 5 à Lille pour *La Voix du Nord.*

(11) Paradoxalement, la majorité des ouvriers appartenant à F.O., *Le Provençal* du socialiste Gaston Defferre paraît le jour des grèves nationales de presse. Cela contraint son concurrent local, le quotidien communiste *La Marseillaise,* à ne pas respecter les mots d'ordre de grève.

(12) Atelier de transformation des « flans », pages en carton souple, en « stéréos », pages en plomb demi-cylindriques destinées à être placées sur la rotative.

C'est la suppression d'... un poste à la clicherie qui a provoqué, en 1974, une grève d'un mois à *Sud-Ouest.* A Tours, le président du Conseil d'Administration de *La N.R. C.O.*, Jean Meunier, redoutant les grèves, accepta, en 1969, la plupart des revendications syndicales de la C.G.T. : sursalaires aux rotativistes pour la couleur, pour les éditions spéciales, pour les suppléments gratuits, ainsi qu'aux linotypistes pour qu'ils acceptent que leur production soit mesurée machine par machine et non pas homme par homme. Coût de ce type de concessions : plusieurs millions de francs sur un chiffre d'affaires de 70 millions.

Au terme de cette rapide radioscopie de la presse provinciale, il faut cependant souligner que les mutations technologiques sont depuis une dizaine d'années largement amorcées et même avancées. Elles ne sont pas l'apanage des plus grands journaux. Certains hebdomadaires sont allés très vite et très loin, malgré les pesanteurs historiques, géographiques et sociologiques. Nous le verrons en étudiant le cas de *L'Eveil Normand* à Bernay (Eure). Des quotidiens de dimension moyenne comme *La République du Centre* (Orléans) ou *La République du Var* (Toulon) se sont décentralisés à la campagne, équipés en offset, organisés autour du maximum d'automatisme.

Outre les perfectionnements techniques, la gestion a été dans beaucoup d'entreprises modernisée avec sagesse. Budgétisation, plans à moyen terme, contrôle de gestion ne sont plus des mots pour technocrates. Les nouveaux cadres, lorsqu'ils sentent « l'esprit maison », ou les anciens, lorsqu'ils goûtent aux vertus du changement, s'y sont mis courageusement. Les employés administratifs et commerciaux, pourtant deux fois moins payés que les ouvriers, se sont également adaptés, voire reconvertis avec beaucoup de dynamisme et d'abnégation.

Parfois, le poids de la production, tant intellectuelle que matérielle, fait encore oublier les « marchés », ceux des lecteurs et des annonceurs. Il faut dire que ces marchés provinciaux sont généralement excellents, comparés à ceux des capitales ou des « megalopolis ». Il n'empêche qu'il reste encore beaucoup à découvrir sur les liaisons les plus subtiles entre rédaction, production technique et adaptation aux marchés.

DOCUMENT :

Compte d'exploitation d'un grand régional

	1974	1975
RECETTES		
Ventes de journaux	60 %	63,5 %
Publicité	40 %	36,5 %
	100 %	100 %
DEPENSES		
Frais de personnel	58 %	57,5 %
Papier + encres	23 %	23,5 %
Autres frais	19 %	19,0 %
	100 %	100 %

Pour déterminer ces pourcentages, il n'est pas tenu compte aux Recettes : des divers ; aux Dépenses : des amortissements.

Chapitre II

LE MARKETING DE M. JOURDAIN

Le pouvoir de gérer ne réside pas seulement dans la capacité de maîtriser des organisations complexes, comme dans le cas des grands quotidiens régionaux, ou dans l'art d'exploiter des machines relativement perfectionnées, comme dans les périodiques locaux. Il consiste aussi à savoir appréhender des « marchés » délicats, mystérieux, sinon lointains. Le terme de « marché » est pourtant, comme celui d' « industrie », un vocable peu prononcé dans la presse. Il est même de bon ton d'éviter de l'employer pour ne pas paraître technocrate ou mercantile. Quant au « marketing », que la France a découvert comme un « miracle du diable », sa résonance ressemble parfois à de la provocation au fond de l'Auvergne ou de la Touraine. Néanmoins, des débats sur ces thèmes se sont développés autour des années soixante-dix au sein des entreprises de presse, notamment régionales. La plupart du temps, les échanges ressemblèrent à des dialogues de sourds entre éditeurs, journalistes et hommes de marketing. Les questions posées restèrent souvent sans réponses, à moins que les événements ne se soient chargés d'y répondre d'eux-mêmes.

Contrairement aux apparences, trois observations laissent, en effet, entrevoir une existence et un développement non négligeables du marketing dans la presse provinciale.

Tout d'abord, nombre de directeurs et de cadres constatent avec délices qu'ils ont, comme l'éternel « bourgeois gentilhomme », toujours fait du « marketing sans le savoir ». Ensuite, la presse de province n'est ni en situation monopolistique, ni en concurrence parfaite, mais plus concrètement dominée par ce que l'économiste anglais Edouard Chamberlin avait appelé en 1935 la « *concurrence monopolistique ou imparfaite* ». Enfin, contrairement aux idées reçues, on assiste à une lente mais certaine adaptation du « produit-journal-provincial ».

Un découpage « historique » du marché

Les éditeurs provinciaux ont toujours recouru au marketing pour trois raisons toutes simples : la première est le poids de l'histoire, la deuxième le besoin d'argent, la troisième la « pression » publicitaire.

Robert Butheau constatait que la province française a été découpée par la presse régionale en « 277 petites régions » (1). Ce fait, bien des professionnels l'ignorent eux-mêmes. A la différence des journaux parisiens qui traitent la France comme une entité homogène et abstraite, les quotidiens provinciaux s'efforcent d'adapter leur contenu aux arrondissements de chaque département, quand ce n'est pas aux principaux quartiers des grandes agglomérations, comme *Le Progrès* à Lyon ou *La Voix du Nord* à Lille. Ainsi, le lecteur solognot de l'édition du Loir-et-Cher de *La Nouvelle République du Centre-Ouest* ne lit pas le même journal que ses voisins beaucerons du même département. Seules les pages d'informations générales et régionales ainsi que celles de Blois sont communes. Mais « la locale » varie presque quotidiennement en fonction de l'actualité, d'une berge à l'autre de la Loire.

D'après Ralph Canu, « *la formule du dédoublement des*

(1) Déclaration du directeur adjoint d'Aigles, en mai 1967, au 45e Congrès du Syndicat National des Journalistes.

éditions a été inventée voici trente ans pour Ouest-Eclair *par l'abbé Trochu* » (2). Depuis, elle a été généralisée et perfectionnée, notamment pour des raisons politiques, à la Libération et dans une optique économique au cours des années soixante.

Cette « segmentation » du marché des lecteurs, qui est une des bases du marketing, résultait souvent des exigences du terroir et surtout des intuitions du moment. On s'est aperçu peu à peu, sans calcul très précis des coûts, que des éditions très rentables finançaient des éditions qui ne l'étaient pas du tout. Le poids de l'histoire avait conduit M. Jourdain, éditeur, à un marketing intuitif auquel manquaient seulement la comptabilité analytique ou le contrôle de gestion. Ainsi *Le Provençal* a demandé récemment une étude de motivation à la SOFRES avant de fusionner certaines sous-éditions. De même, *La Nouvelle République du Centre-Ouest* a commandé au cabinet « Synthèse et Gestion », de Robert Gandur, une étude financière qui l'a conduite à supprimer, en 1971, son édition de la Sarthe où elle rencontrait, depuis 27 ans, la double concurrence de *Ouest-France* et du *Maine Libre*. De cette façon, elle a pu réaliser des économies indispensables quoique progressives.

On retrouve ce découpage du marché chez les périodiques locaux qui se partagent parfois très nettement un département. Ainsi, dans l'Orne, on lit *Le Publicateur Libre* à Domfront, *L'Orne Combattante* à Alençon, *Le Réveil Normand* à l'Aigle et *Le Perche* à Mortagne. Une autre forme de segmentation départementale est celle de *La Marne,* hebdomadaire édité à Meaux par Marc Rousseau, qui diffuse ses 30 000 exemplaires en deux éditions différentes. Si le nombre des départements sans quotidien imprimé sur place s'avère hélas croissant, aucun département français ne reçoit moins d'une édition locale d'un régional, à laquelle s'ajoutent un ou plusieurs hebdomadaires du cru. La province française est donc totalement « couverte » par un double réseau d'éditions loca-

(2) Cours professé en 1962-1963 à l'Institut Français de Presse par le Secrétaire général de *Paris-Normandie*.

les de quotidiens mono ou pluri-départementaux et de périodiques locaux.

Ce marketing historico-géographique n'est pas sans efficacité. Sur une période de vingt ans, on a constaté, en province, certes, une diminution de 32 % du nombre des titres, mais aussi une augmentation de 27 % du tirage. Après les hausses du prix de vente des journaux, leur diffusion a tendance à baisser. Toutefois, cette perte provisoire d'acheteurs n'entraîne pas forcément une réduction du nombre des lecteurs. En effet, il arrive que des personnes à revenus modiques se groupent pour acheter leur quotidien. Les journaux provinciaux ont moins souffert que leurs confrères parisiens des élévations successives du prix de vente. C'est pourquoi Roger Sédillot a pu parler« *d'une revanche du désert français sur la capitale abusive* » (3). Néanmoins, ce développement de la lecture de la presse de province, fondé sur la segmentation géographique, nécessite un financement adapté.

Afin de s'affirmer comme le Quatrième Pouvoir ou pour satisfaire certaines vanités, il a fallu adopter des comportements de « grande maison ». Ainsi s'expliquent quelques investissements de prestige pour mieux demander à l'Etat des subventions d'équipement ou des réductions tarifaires. Cette attitude fut au départ, là encore, moins fréquente en province qu'à Paris, simplement peut-être par complexe d'infériorité. Les « envoyés spéciaux permanents » à l'étranger (4) ont longtemps constitué un luxe pour les régionaux. Les « chauffeurs de maître » demeurent rares. Les plaquettes de promotion sont restées longtemps trop peu fréquentes aux dires des publicitaires. En revanche, pour séduire les annonceurs, les régionaux se sont fait une obligation de multiplier des éditions hors de prix dites de « combat » ou de « pointe » et qui étaient en réalité sacrifiées au culte de la surface géographique. Les exemples ne manquent pas : *La N.R.C.O.*, après 25 ans d'hésitation, a finalement supprimé son édition de la Sarthe, où *La N.R.C.O.* ne vendait que 2 500 exemplaires, ce qui provoquait

(3) Préface d'une table ronde tenue à l'Ecole des Cadres.

(4) Pour l'ensemble des quotidiens régionaux, on en dénombre aujourd'hui moins d'une douzaine.

une perte de 2 millions par an. De même, *Le Provençal* fit une éphémère tentative pour investir Nice, qui a entraîné une perte de plusieurs millions de francs.

La « pression » publicitaire

Il faut rendre à César ce qui lui appartient ; c'est plus prudent ! L'imperium publicitaire sur la presse de province est plus ancien, plus simple et plus positif qu'on ne le croit généralement.

L'ancienneté de cette « possession » remonte à Théophraste Renaudot, médecin de Loudun « monté » à la Cour de Louis XIII. Mais on n'y parlait pas encore de marketing ! C'est tout juste si l'on se permettait de chercher à travers son *Journal d'annonces* une « compagne pour un voyage en Italie » ou un acquéreur pour un dromadaire !

Les journaux anglais, dès le XVIIIe siècle, usèrent, les premiers en Occident, comme dans bien des domaines, de la publicité commerciale pour équilibrer leurs comptes et conserver leur liberté vis-à-vis du pouvoir. A l'aube de l'ère industrielle il y avait bien là une idée de marketing ; qu'elle fût consciente et structurée, ou non, peu importe : c'est un fait.

En France, Emile de Girardin et Charles Havas, tous deux journalistes de génie, adoptèrent le système vers 1830, l'un pour donner un nouvel essor aux quotidiens bourgeois, l'autre pour développer les agences d'information internationales. Quant à la presse populaire, héritière du *Petit Journal,* aurait-elle seulement « décollé » si son inventeur, Moïse Millaud, n'avait, dans les années 1860, réussi à ajouter à l'unique « sou » du lecteur les recettes publicitaires nécessaires au financement des investissements exigés par le caractère massif de cette industrie naissante ?

Sans la publicité, la France aurait-elle possédé, à la charnière du 19e et du 20e siècle, les quatre cents quotidiens, en majorité locaux, qui ont contribué à la gloire de la Belle Epoque et de la IIIe République ? D'aucuns insinueront, non sans raison d'ailleurs, que ce que le flux publicitaire de la révolution industrielle a apporté, le reflux du marketing l'a (partiellement) remporté, puisque seuls survivent en France le quart des quotidiens du début du siècle. Comme toujours dans ces sciences inexactes, c'est vrai et faux à la fois. Il faut ici faire appel non plus à l'ancienneté du phénomène publicitaire, mais à la relative simplicité de ses aspects provinciaux.

La montée publicitaire entraînant la pression de l'argent, voilà une idée simple, s'il en est, pour ne pas dire simpliste ! En fait, si le flux de la publicité locale n'a jusqu'alors jamais cessé de croître, mise à part la période des deux guerres mondiales, il n'en a pas toujours été de même pour ce que les professionnels appellent dans leur jargon l' « extra-locale ». Il se pose ici tout à la fois des problèmes de fluctuations conjoncturelles, saisonnières, hebdomadaires, voire régionales, mais aussi ceux de la fameuse concurrence des « media ». Si le flux naturel des annonces — petites ou grandes — des commerçants et des particuliers provinciaux n'a pas encore vraiment nécessité de marketing (apparent ou non), il n'en va pas de même des marchés nationaux, internationaux et même interrégionaux. Il semble aujourd'hui normal que, dans ces cas précis et complexes, les annonceurs aient voulu en savoir plus sur la presse provinciale, comme moyen d'accès aux marchés locaux ou aux segments de marchés nationaux. Il eût été non moins normal que les éditeurs s'y prêtassent spontanément. En fait, s'ils se sont fait quelque peu désirer, ils n'en ont pas moins subi les lois du marché, qui incitent le publicitaire à considérer les quotidiens régionaux comme un media unique. L'influence de la publicité s'analyse plus a posteriori comme une incitation d'abord statistique, puis promotionnelle, que comme une pression de nature morale ou politique.

La pression statistique

Statistiquement, les opérations sont tantôt tripartites, tantôt internes à la seule presse régionale ou locale.

L'opération tripartite type est le contrôle annuel de l'Office de Justification de la Diffusion (O.J.D.), successeur à la Libération de l'Office de Justification du Tirage créé dans les années 1920 par les Fédérations de Presse, d'Agences de Publicité et d'Annonceurs. Rares sont les quotidiens ou périodiques, fussent-ils très localisés ou spécialisés, tels que les feuilles agricoles ou syndicales, qui ne font pas homologuer leur diffusion par l'O.J.D. Quelques-uns, dont le plus célèbre est *La Dépêche du Midi,* à Toulouse, semblant se méfier des Agences de Publicité, se font contrôler par l'Union des Annonceurs (5). Très peu refusent tout contrôle, laissant planer sur eux avec désinvolture ou mépris l'opprobre ou l'indifférence des confrères, des agences et des annonceurs... Il n'empêche que l'O.J.D. est l'A.B.C. du marketing de la presse. D'ailleurs, c'est le nom qu'il porte chez les Anglo-Saxons : Audit Bureau of Circulation. Ceux qui se livrent aux investigations du directeur et de l'expert-comptable de l'O.J.D., procèdent en trois phases, l'une comptable, l'autre gastronomique, la troisième... (facultative) polémique !

L'étape comptable est obscure et limitée à quelques initiés. L'objectif est de démontrer qu'on vend le plus de journaux possible, même à bas prix, pas trop bas ! Pas moins de 50 % du prix affiché. Quant aux « gratuits », il leur faut montrer qu'ils ne le sont que très provisoirement et qu'en tout cas ils sont « demandés », signe de confiance et d'attachement des lecteurs, ou exigés par l'administration et la promotion de l'entreprise.

L'étape gastronomique varie selon les styles de journaux et les objectifs du moment. Cela va du banal rafraîchissement ou vin d'honneur jusqu'au véritable « camp du drap d'or » en passant par le buffet classique. Le tout évidemment assorti, selon les cas, du simple toast à la santé de la presse et à la liberté de la publicité et réciproquement ou de six discours-fleuves prononcés par des présidents qui ne les ont jamais lus auparavant ou qui improvisent sur des thèmes sans rapport avec la diffusion des journaux. Les Parisiens, souvent moins économes, vont encore plus loin que les provinciaux, soit dans le laconisme, soit dans la « chaleur » de l'accueil : un week-end aux Antilles offert par le groupe Hersant ou un déjeuner à Dubrovnik du groupe Prouvost n'effraient pas certains

(5) Depuis 1975, *La Dépêche du Midi* a rejoint l'O.J.D.

grands patrons de périodiques, pour fêter leur diffusion passée ou future (6).

L'étape polémique, elle, se déroule tantôt à huis-clos, tantôt en public par gazettes interposées. Pour ces joutes, les publications professionnelles sont reines. *La Correspondance de la Presse* s'y adonne avec beaucoup de gravité, *L'Echo de la Presse* avec un certain sourire et *Stratégies* avec une malicieuse technicité. Quant au *Monde*, il reprend les informations publiées par les feuilles spécialisées en ajoutant maints N.B. ou N.D.L.R. sous-entendus. Les fêtes passées et les lampions éteints, il reste à démontrer que l'on vend bien tant de dizaines de milliers d'exemplaires sur tel département à fort pouvoir d'achat et que le pourcentage d'abonnés payants ou de portage à domicile est bien supérieur à la moyenne nationale.

Des outils de promotion

Le Centre d'Etude des Supports de Publicité (C.E.S.P.) va plus loin. D'abord, il s'intéresse non seulement à la presse écrite, mais aussi aux media audio-visuels : radio, cinéma, télévision. Ensuite, il décortique la composition socio-économique de l'audience des supports : âge, sexe, profession, habitat, niveau scolaire et niveau de vie. En outre, il utilise l'informatique et nourrit ainsi les ordinateurs des media-planners et autres acheteurs d'espace. Enfin, il définit les vrais et les faux « lecteurs »,

---

(6) A l'occasion du 25e anniversaire de son groupe, Robert Hersant a invité plusieurs annonceurs et conseils en publicité à une croisière : « *Nous célèbrerons le 22 janvier 1977, à Fort-de-France, le 25e anniversaire de notre groupe de presse, en présence d'un représentant du gouvernement et sous les auspices de notre quotidien* France-Antilles. *Tout naturellement, nous souhaitons vivement associer à cette manifestation les plus grands annonceurs de nos quotidiens et publications ainsi que leurs conseils en publicité, avec lesquels nous entretenons de fidèles relations commerciales depuis si longtemps. Ce serait un grand honneur et une grande joie si vous acceptiez de participer au périple d'une douzaine de jours que nous organisons dans les Caraïbes. Au cours de ce voyage, nous nous proposons de vous présenter les réalisations audio-visuelles concernant nos principaux titres. Le programme que nous préparons pour nos amis, les conduira de Disneyworld en Floride, à Chichen Itza dans le Yucatan, en passant par la Jamaïque, Haïti, les Grenadines, la Martinique, la Guadeloupe et Porto Rico. Nous essaierons de faire de telle sorte que cette escapade leur laisse un bon souvenir.* »

ce qui n'est pas sans jeter de l'huile sur le feu des querelles précédemment évoquées, notamment entre les magazines nationaux et les quotidiens régionaux.

Le C.E.S.P. a également accueilli, il y a une dizaine d'années, « l'opération vérité ». Cet organisme original a pour vocation de calculer la pénétration exacte par canton de chaque journal adhérent. L'analyse devrait être d'une grande utilité pour choisir les zones où une campagne sera la plus efficace. En effet, les publicitaires cherchent à « segmenter » leurs marchés de plus en plus finement et la répartition cantonale est évidemment moins sujette à caution que les études psychologiques, voire socio-économiques.

En dehors de ces associations tripartites, la presse provinciale a constitué des organismes qui lui sont propres. Les régionaux, et notamment les grands quotidiens, sont les plus actifs en ce domaine, avec des réalisations qui se font parfois concurrence. Les hebdomadaires locaux, n'ayant pas voulu demeurer en reste, ont mis sur pied, en 1973, le C.H.E.R.P.A... Ce Club d'Hebdomadaires pour l'Etude, la Recherche, la Promotion et l'Animation fut lancé par l'ancien président du S.H.I.P. (Syndicat des Hebdomadaires d'Information de Province), Marc Rousseau, spécialiste des sigles à connotation marketing.

Les quotidiens régionaux réalisent des études statistiques et des opérations promotionnelles à travers plusieurs associations, groupements, commissions :

— Le Groupement des Grands Régionaux (G.G.R.) fut ainsi le commanditaire de deux enquêtes de la SOFRES sur l'audience et l'image de la presse régionale (7).

— Promojour, association moribonde et oubliée, demeure l'auteur audacieux de plusieurs campagnes promotionnelles, en particulier sur le thème de la presse outil de marketing régional.

— La Commission Intersyndicale des Etudes et Enquêtes de la Presse Quotidienne Régionale travailla sur les deux problèmes de la hausse des prix de vente et de la lecture « irrégulière » des quotidiens régionaux.

— La Commission Intersyndicale de la Publicité a

(7) *Le lecteur et son quotidien régional*, SOFRES, 1969, 176 p.

confié pour 1974 et 1975 une campagne importante et percutante à l'agence F.C.A. (8) sur le thème de la « créativité en noir et blanc ».

— Inter-France-Quotidiens (I.F.Q.), groupement d'intérêt économique, constitué par les principaux quotidiens en régie extra-régionale à l'Agence Havas ou à Régie-Presse, tente de mettre en œuvre une stratégie agressive. Havas-Régies a stimulé une initiative promotionnelle moderne intéressante, en créant cet « I.F.Q. » dont le président est Pierre Archambault, successeur de Louis Estrangin. Son directeur est Hervé Mével.

Le caractère positif de ces innovations ne peut être nié. Elles incitent à s'interroger sur le produit, et par là-même, à l'améliorer.

Aurait-on procédé, par exemple, à des enquêtes « Vu et Lu » sur la valeur respective des rubriques tant rédactionnelles que publicitaires, aussi bien pour les titres et les textes que les photos et les dessins, si les annonceurs ne les avaient pas demandées ? Personne ne doute un seul instant de l'attention des rédacteurs, des techniciens et des administrateurs aux résultats de ces enquêtes indispensables pour mieux savoir ce qui intéresse le lecteur. De l'O.J.D. au C.H.E.R.P.A., les pressions de l'histoire et celles de la concurrence ont amené M. Jourdain, éditeur à cent lieues de Paris et mille de New York, à faire du marketing sans toujours le reconnaître...

Le mythe du monopole

Il est de bon ton dans la capitale de qualifier la presse provinciale de « tissu de monopoles », comme si, en matière de concurrence parfaite, il n'était de « bon bec » que de Paris.

Pourtant, après avoir disséqué le « mythe du monopole » de la presse provinciale et résumé quelques chansons de geste à base de vraies batailles commerciales et de faux accords rédactionnels, il nous faudra bien tenter

(8) Feldmann, Calleux et Associés, dont le Directeur général, Philippe Calleux, est devenu en 1974 président de l'A.A.C.P. (Association des Agences Conseils en Publicité) jusqu'en décembre 1976. En 1977, Elie Crespi lui succède.

d'y voir clair dans cette « concurrence monopolistique » entre la télévision, la radio, les hebdomadaires gratuits ou payants et les quotidiens régionaux ou locaux.

Le mythe du monopole est une idée bien enracinée, tant à Paris qu'en province. Même des professionnels y souscrivent. Jean-Louis Servan-Schreiber, qui a pourtant possédé, à Nevers et à Limoges, deux quotidiens départementaux entourés de concurrents actifs, n'a pas échappé à ce cliché comme en témoigne sa déclaration devant le Conseil Economique et Social, lors de l'examen de l'équilibre financier des entreprises de presse (9) : « *Les quotidiens régionaux sont pratiquement tous monopolistiques. Il n'y a plus que deux ou trois villes en France, en dehors de Paris, où il y ait plus d'un titre. Il y en a encore quelques-unes où coexistent apparemment deux titres, c'est le cas de Marseille, mais ce sont des titres liés entre eux par des intérêts économiques. Dans toutes les autres villes, ce sont des situations de monopole...* » Avec un peu plus de pondération, Francis Balle émet un jugement voisin en évoquant « *la concurrence oligo-polistique* », « *les ententes régionales* » et « *le principe de l'unanimisme* » (10).

Certes, le nombre des villes d'édition décroît, puisque une trentaine de départements n'ont pas de quotidiens édités sur leur territoire. Il en reste tout de même entre les trois-quarts et les deux tiers à posséder un quotidien édité sur place. (Une imprimerie isolée, comme l'hirondelle, ne fait pas le printemps.) Plusieurs milliers de communes, en France, reçoivent chaque jour deux ou trois quotidiens régionaux : ce qui offre un choix pour les lecteurs.

Pourquoi ces quotidiens-là hésiteraient-ils tant à augmenter leur prix de vente s'ils étaient assurés de profits monopolistiques ? On constate, lors de chaque augmentation, combien, par grandes régions, les décisions des firmes sont interdépendantes. Par exemple, *La Nouvelle République du Centre-Ouest* doit tenir compte du *Courrier*

---

(9) 3 mai 1973.
(10) Francis Balle, *Institutions et Publics des Moyens d'information*, Montchrestien, 1973.

de l'Ouest, de *La République du Centre,* d'*Ouest-France* et de *Centre Presse.* Tous ces quotidiens, bien sûr, ne peuvent adopter une position commune ; eux aussi ont d'autres concurrents. Il arrive même qu'au moment d'une augmentation, un journal pratique deux tarifs suivant ses éditions. Il maintient son ancien prix dans les zones où il est en compétition avec un confrère qui tarde à augmenter. Si cet exemple du prix de vente ne paraît pas suffisant pour détruire le mythe du monopole, on peut y ajouter celui des éditions multiples à pagination croissante. Encore que la hausse mondiale du prix du papier, voire le problème d'approvisionnement, risquent fort de modifier cette donnée. Assurément, *La Nouvelle République du Centre-Ouest* ne s'astreindrait pas à publier près d'une douzaine d'éditions différentes si elle n'avait pas à affronter la concurrence de six autres titres sur huit départements.

On ne peut donc parler de monopole journalistique intégral dans le Centre Ouest : cinq pôles d'édition de quotidiens coexistent à Tours, Angers, Poitiers, Bourges et Orléans. De surcroît, tous ces titres se livrent une impitoyable bataille commerciale. Il est vrai que *La Nouvelle République* détient un quasi-monopole sur la seule agglomération tourangelle. Cependant, le monopole engendre sa propre régulation. Abuser du rôle d'informateur unique conduit sûrement, à terme, à une dégradation de la position commerciale, non seulement au niveau des ventes, mais également sur le plan publicitaire. Il n'empêche que le mythe du monopole est bien enraciné dans les esprits. Il peut provoquer des réactions contradictoires.

Tantôt, le mythe sert de repoussoir aux tentations lointaines. Lorsqu'au lendemain de la guerre de 1914, *Le Petit Parisien* envisagea d'installer en province des imprimeries tirant des éditions locales, ce furent les protestations des directeurs de journaux provinciaux qui l'amenèrent à abandonner son projet (11). Dans les années 70, lorsque le groupe Prouvost voulut régionaliser *Le Figaro,* voire *Marie-Claire,* il se heurta au refus de collaboration

(11) Cf. Charles Ledré, *Histoire de la presse,* Les temps et les destins, A. Fayard, 1958.

des régionaux, notamment du *Provençal* et de *Nice-Matin.*

Tantôt, à l'inverse, le fait de détenir — ou de le croire — un monopole local partiel peut conduire à quelques imprudences. On connaît ainsi de nombreux journaux, gagnant beaucoup d'argent dans un rayon de 20 à 30 km autour de leur siège, allant en perdre bien davantage à 100 ou 200 km. Un exemplaire près du siège peut ne revenir qu'à 60 centimes dans une édition bien gérée, et coûter jusqu'à plusieurs... francs dans une zone de faible diffusion. Ce genre de surenchères et d'escalades mérite d'être conté.

Surenchères et escalades

« *Une presse monopolistique n'est pas bonne par essence,* déclarait Théo Braun (12). *L'économie de marché permet la concurrence. Une presse régionale en situation monopolistique conduit à l'asphyxie de la région. Cela devient comparable aux pays sous-développés où les sièges sociaux sont ailleurs.* »

Il fut une époque où la concurrence entre quotidiens régionaux était probablement plus vive qu'aujourd'hui, pour ne pas dire plus violente. Bien des entreprises ont perdu leur indépendance — et parfois la vie — dans ces batailles où presque tous les coups étaient permis. L'excès de concurrence, comme son insuffisance, reste souvent une cause directe de la concentration tant déplorée dans le domaine de l'information. Ici comme ailleurs, la sagesse et la liberté, de même que la vertu, se trouvent au « milieu ». Néanmoins, on n'a pas le droit de dire ni d'écrire que la presse de province méconnaît les lois parfois dures de la compétition économique.

Faut-il rappeler, entre autres exemples, les gigantesques assauts réciproques du *Progrès* de Lyon et du *Dauphiné Libéré* de Grenoble pour conquérir une part toujours plus grande du « marché » de la région Rhône-Alpes ? Qu'il s'agisse d'efforts de qualité rédactionnelle, d'imagination promotionnelle ou d'organisation technique, des sommes

---

(12) *Presse-Actualité*, mai 1973.

considérables ont été ainsi investies. Les « grandes signatures » ont orné plus que jamais *Le Progrès,* cependant que *Le Dauphiné* réalisait des performances remarquables et demeurées célèbres sur le plan international dans le domaine de l'impression couleur. Finalement cette guerre se termina par un accord entre les deux protagonistes. Mais la concurrence s'enflamme périodiquement dans d'autres régions, que ce soit en Lorraine, entre *Le Républicain Lorrain* et *L'Est Républicain,* ou sur la Côte-d'Azur, notamment dans le Var, entre *Nice-Matin* et *Le Provençal,* avec sa filiale locale *Var-Matin-République.*

Dans le Centre-Ouest, l'arrivée des équipes du groupe Hersant au *Berry-Républicain* et la création de *Centre-Presse* ont déclenché des combats sans fin avec *La Nouvelle République.* Tant au niveau des vendeurs, parfois « surcommissionnés » et débauchés « en douce », qu'à celui des rédacteurs, jaloux de l'exclusivité de leurs informations locales, la bataille fit rage entre anciens et modernes, autochtones et « parachutés », « résistancialistes » et les autres...

Même lorsque le marché semble organisé selon des règles strictes, on découvre, en entrant dans le détail, des pratiques qui mettent en évidence des positions diamétralement opposées ; deux exemples apparaissent probants : celui du commissionnement des agences de publicité, conseils de clients locaux, et celui du « discount » sur les abonnements. Dans le premier cas, théoriquement, les 15 % traditionnellement concédés aux agences conseils en publicité extra-régionale ne sont pas versés aux conseils des clients locaux. Il y a maints arguments en faveur de ce comportement : usage théoriquement facultatif du commissionnement, coût de fabrication élevé de la publicité locale (13), notoriété évidente des journaux provinciaux dans leur région. Les détracteurs de cet usage évoquent d'autres justifications, telles que le sempiternel « service rendu » et surtout le fait que certains journaux commissionnent néanmoins ! On ne sera pas étonné de

(13) En locale, la publicité se présente souvent sous la forme de textes à composer alors qu'en extra-régionale, elle est la plupart du temps constituée par des clichés.

découvrir qu'en descendant vers le sud, les traditions s'assouplissent ! On y pratique toutes sortes de taux de rémunération des agences. Dans certains endroits, on n'hésite pas à surcommissionner. Paris n'est pas sans donner le mauvais exemple de cette indiscipline foncière dans les relations presse-publicité...

Quant au « discount », ou, plus simplement, ristournes aux abonnés, on se bombarde de grands mots tels que « concurrence déloyale entre confrères » ou « atteinte aux droits des dépositaires »... La diffusion est libre en France depuis la loi de 1947 (article 1er). Les prix de vente des journaux étant libres depuis l'automne 1969, on atteint désormais, pour les abonnements, des discounts qui vont de 50 à 100 %. *Le Figaro* s'est, en 1973, singularisé en développant considérablement les services gratuits (35 000 exemplaires distribués), ce qui lui a valu peut-être des lecteurs supplémentaires mais surtout les foudres du *Monde*. En province, de telles opérations sont plus limitées. On effectue tout au plus quelques services temporaires par publipostage (14).

Comme nous venons de le constater, la concurrence existe entre les provinciaux et ces derniers doivent aussi supporter l'intrusion sur leur marché de titres venus d'ailleurs. N'est-ce pas là la dernière condition mise par les économistes pour définir la concurrence dite monopolistique, ou imparfaite ?

Une adaptation du « produit » lente, mais sûre...

Tous les dépositaires de province, submergés sous les centaines de titres diffusés par les N.M.P.P., savent bien qu'une partie non négligeable de leurs clients ont délaissé le quotidien au profit de périodiques divers. Beaucoup de jeunes préfèrent les magazines et de nombreux adultes se contentent de l'hebdomadaire local. La télévision ou la radio ne sont donc pas les seuls produits qui se substituent aux régionaux.

En province, la plupart du temps sans marketing scien-

---

(14) Prospection commerciale par voie postale, naguère appelée... « mailing », au temps du « franglais » !

tifique ou simplement méthodique, bien des adaptations ont été apportées aux journaux. Il suffit déjà de feuilleter les collections des éditions depuis leur fondation pour constater qu'éditeurs et rédacteurs ont consenti des efforts très respectables.

Certes la double crise du papier et de la publicité d'après-guerre limitait cruellement pagination et maquettisation. Mais le redressement industriel et le développement régional ont rapidement fourni à la presse, dès les années cinquante, les moyens de base pour ses transformations progressives. Meilleur papier, photos plus nettes, mise en pages plus dynamique, graphismes plus modernes et, dans une mesure variable, introduction de la couleur jalonnent l'histoire de l'évolution du contenu des publications provinciales.

Le lancement d'éditions étrangères est également un signe étonnant de progrès rapides. Ainsi, sans aucune aide du Fonds Culturel, plusieurs quotidiens régionaux ont conquis des marchés étrangers : *Le Républicain Lorrain* au Luxembourg, *Nord-Eclair* en Belgique, *L'Indépendant* (de Perpignan), *Midi-Libre* en Espagne, avec des éditions spécifiques et non pas par la diffusion d'éditions limitrophes.

L'adaptation de forme a été de pair avec celle du fond. Dans ce domaine qui appartient à la rédaction, des secteurs demeurent insuffisamment explorés. Certaines catégories de lecteurs et d'acheteurs potentiels ne trouvent pas dans la presse de province la satisfaction de leur curiosité. Aux deux extrêmes, ce sont les teen-agers et les personnes du troisième âge qui mériteraient une attention particulière.

En ce qui concerne les personnes âgées, la difficulté résulte de la convergence de l'allongement de la vie, de l'abaissement de l'âge de la retraite et des faibles revenus des retraités. Tout cela conduit à la lecture collective, le journal passant de main en main, ou à la lecture irrégulière ou quasi nulle au profit des périodiques et surtout de la télévision. La création de rubriques appropriées (pêche à la ligne, chroniques sociales et juridiques, loisirs, voyages...), cumulée avec des conditions spéciales d'abonnement, permet dans certaines régions d'éviter cette désaffection du troisième âge. Le problème est loin d'être totalement résolu. L'objectif n'est pas de doter les régionaux d'un public vieillissant mais la marge d'action est importante puisque le plus fort taux de lecture se situe autour de 35 ans, ce qui peut inciter à consentir des prix spéciaux aux personnes âgées.

La presse provinciale se doit aussi de s'intéresser aux jeunes et de les intéresser, mais ce n'est pas sans poser de difficiles problèmes : de *La Voix du Nord* à *Sud-Ouest*, des expériences concrètes ont été lancées, depuis les pages spéciales jusqu'aux opérations mobilisatrices.

L'Alsace

Du 1er octobre 1973 au 1er juin 1974, ce journal a participé à l'enquête de caractère national « *La France face à l'avenir* ». Sur le plan régional, cela s'est traduit par une chronique « Vivre en Alsace ». Une fois par semaine, les 3/4 d'une page étaient rédigés par les élèves d'une classe et publiés dans toutes les éditions du journal. Le quart de la page restante était consacré au même sujet. Au cours de l'année scolaire 73-74, 35 pages environ de ce type ont été publiées. Cette action a été prolongée par l'intervention de journalistes devant les élèves des classes qui avaient participé à la rédaction de ces pages. Les journalistes ont ainsi pu expliquer aux élèves comment, sur le plan technique, la page dont ils avaient eu la charge rédactionnelle avait été réalisée. En outre, un concours a été organisé entre les classes rédactrices de ces pages qui a fait l'objet de prix sous forme d'excursions, de postes de télévision, etc., en faveur des cinq classes ayant réalisé les meilleures pages. Ces actions concernaient des élèves dont l'âge variait entre dix et treize ans. Parallèlement, le service de diffusion proposait des abonnements gratuits de numéros périmés (datant de deux jours) aux membres du corps enseignant. Ces derniers ont paru très intéressés par cette expérience. Il semble notamment qu'elle ait fait naître chez eux l'habitude de constituer des dossiers à partir du journal *L'Alsace*.

En 1975, l'expérience a été reprise avec cette différence que les pages rédigées par les élèves sont transcrites dans les informations locales au lieu d'être publiées dans toutes les éditions. Des reportages sont ou seront publiés dans le journal sur les mêmes thèmes que ceux qui font l'objet d'études par les milieux scolaires ; pour n'en citer que quelques-uns : les parcs naturels, la poésie dialectale, les chemins de fer en Alsace, etc. La concurrence de la presse nationale semble assez limitée pour deux raisons : d'une part, les expériences ont, encore une fois, intéressé des élèves de 10 à 13 ans dont les habitudes de lectures ne sont pas encore fixées, d'autre part, l'information régionale est ressentie en Alsace comme une nécessité absolue par la population.

La Montagne

Depuis 1971, *La Montagne* a choisi de « *présenter des séries d'enquêtes consacrées à des sujets intéressant au premier chef la région, collant à la vie, enquêtes qui trouvent place parmi les informations locales ou régionales habituelles et qui s'adressent à tous les lecteurs, qu'ils aient* 70 *ans,* 30 *ans ou* 12 *ans...* ». Cette formule a été préférée à celle qui aurait consisté à présenter des articles spécialement écrits à l'intention des scolaires, et qui aurait offert l'inconvénient majeur de faire naître une forme de discrimination entre la population d'âge scolaire et la population active, en créant « *un journal dans le journal* ». Chaque année, deux thèmes sont proposés (en 1975, par exemple : « *l'intérieur d'une maison typique d'Auvergne* » et « *la vie d'un quotidien régional* »). Des documents accompagnant les reportages prévus sont remis aux classes qui en font la demande. Ils se présentent sous forme de fiches, les unes destinées aux maîtres, les autres aux élèves. Seules participent à l'opération les classes qui le souhaitent. Or leur nombre va chaque année grandissant. Actuellement, on peut estimer de 67 à 70 % le nombre des classes primaires de l'Académie de Clermont-Ferrand participant à l'opération. Et c'est ainsi que de plus en plus « *le journal entre à l'école* » et prépare les enfants à être plus tard de fidèles lecteurs.

Le Républicain Lorrain

Le Républicain Lorrain a tenté, quant à lui, d'adapter le système américain « N.I.C. » (Newspaper in the classrooms) aux écoles lorraines, afin de sensibiliser dès leur jeune âge les futurs lecteurs à l'utilisation du journal en toutes circonstances. Il y a là une tentative dont on attend que tous les fruits soient mûrs pour en juger définitivement.

Sud-Ouest

Sud-Ouest, à cet égard, est allé assez loin. De 1963 à 1968, une page « 17-24 » a été mise chaque semaine à la disposition des jeunes. Puis elle fut abandonnée. Mais le don du sang des jeunes, lancé par « 17-24 », assorti d'un grand bal, remporte toujours un franc succès en Gironde. Il s'agit là d'une opération limitée dans le temps et l'espace. Les concours du meilleur reportage, lancés dans les écoles, permettent à certains journaux des expériences plus durables.

Avec la désignation d'un chroniqueur jeunesse-éducation permanent le 1er octobre 1975, des expériences ont été menées dans trois directions :

— Vers le monde universitaire, par le recours à des textes de scientifiques et la création d'une rubrique d'étudiants.

— Vers le monde scolaire, par la collaboration avec le Centre Régional de Recherche et de Documentation Pédagogique (C.R.D.P.) et l'opération « *La France face à l'avenir* ».

— Vers les « relais » enseignants et animateurs qui ont à parler de la presse aux jeunes, et qui donnent souvent une image incomplète de la profession.

I) *L'Université*

A — Recours régulier à des textes de scientifiques pour illustrer ou commenter l'actualité, dans les domaines politique, économique et culturel.

B — Rubriques universitaires animées essentiellement

par des étudiants. Celle de Bordeaux est désormais quotidienne, celle de Toulouse hebdomadaire. Cela permet une disparition partielle des communiqués, et des actions de promotion des ventes sont lancées régulièrement (affiches annonçant les enquêtes des étudiants sur les examens partiels, les problèmes de ceux qui vivent sur les campus, etc.).

II) *Ecoles, collèges, lycées*

A — Opération « *L'Aquitaine au présent* », avec le Centre Régional de Recherche et de Documentation Pédagogique (C.R.D.P.) dans le cadre de « *La France face à l'avenir* », série d'émissions de la télévision scolaire.

- — Textes illustrant chaque émission 9 fois dans l'année.
- — Envoi par le C.R.D.P. à 11 000 classes d'un document signalant régulièrement la parution d'articles de *Sud-Ouest* sur ce thème.

B — « *Habiter l'Aquitaine* », programme parallèle au précédent, mais financé par le Conseil Régional.

- — Envoi de trois affiches d'articles de *Sud-Ouest* aux 11 000 classes. La majorité les ont affichées dans la salle, d'autres les ont commentées, découpées et même fait coller dans des classeurs. Des débats ont été organisés à partir de ces affiches, notamment en classe de 3e, sur le thème de la région.
- — « *Vu par les enfants* » : une rubrique de textes d'enfants a été ouverte à la demande des instituteurs.

III) *Faire mieux connaître la presse*

A — Deux stages :

- — Du 14 au 17 avril 1976 auquel assistèrent 15 animateurs de foyers de jeunes
- — Du 9 au 11 juin 1976 en présence de 18 professeurs.

Ces stages comprenaient trois parties :

- — Découverte de *Sud-Ouest*, de F.R.3 et de l'A.F.P. locales, par des visites et débats le premier jour.

— Journée de réalisation le lendemain à *Sud-Ouest* : répartis en groupes, les stagiaires ont fait trois pages d'un journal fictif (étranger, intérieur, économique et social) avec un double des dépêches A.F.P. et A.P., sous la conduite de trois « moniteurs techniques » de *Sud-Ouest.*
— Troisième jour : critique des productions, et le quatrième, étude des prolongements. Ces stages ont été financés par une subvention obtenue par l'Association Presse Information Jeunesse (A.P. I.J.) auprès de la direction régionale de la Jeunesse et des Sports, et d'une autre par l'A.P.I.J. nationale.

Résultats :

Le premier jour, les débats ont fait apparaître de nombreux clichés et préjugés sur la presse (monopole, censure, etc.). Au bilan, les stagiaires apportèrent des nuances à leurs avis. Il faut dire qu'ils ont joué le jeu avec acharnement : les animateurs avaient, par exemple, mis l'accent au départ sur la réalisation de « unes » fictives. A la fin de la journée, ils étaient si épuisés qu'ils y ont renoncé. Les enseignants, par contre, les ont faites, malgré une fatigue aussi grande (due parfois à des efforts cocasses : une stagiaire n'alla-t-elle pas jusqu'à calibrer les papiers de sa page en comptant les signes... de chaque ligne !). Le « choc » principal du stage a été leur découverte de conditions de travail (complexité et rapidité d'exécution), et aussi de l'insuffisance d'une analyse littéraire de la presse. Ils ont reconnu l'importance de tous les maillons de la chaîne, et pas seulement celle de l'écriture.

Le plus remarquable résultat de ces stages a été la demande de prolongements sur d'autres sujets. Les animateurs ont souhaité une réunion ultérieure sur l'organisation de clubs de presse dans les maisons de jeunes. Ce qui fut fait le 3 mai 1976 ; des discussions avec des rédacteurs tracèrent quelques lignes sur le thème « Comment choisir les articles » et sur l'intérêt des panneaux pour les y afficher. Autre demande du premier stage : Comment faire s'exprimer les jeunes culturellement défavorisés. Une expérience utilisant les techniques d'interviews est en cours.

Côté enseignants, les demandes ont été surprenantes par leur nombre : neuf prolongements sont envisagés par l'A.P.I.J. :

— Un document sur l'organisation des visites de *Sud-Ouest*, F.R. 3 et A.F.P.

— La réalisation de dossiers de presse régionale par une équipe mixte journalistes-professeurs du stage.

— Etude de possibilités de réduction sur les abonnements.

— Analyses de contenu.

— Possibilités de rédaction pour les jeunes dans *Sud-Ouest*.

— Reportages de jeunes en double commande avec des journalistes (déjà réalisés par l'A.P.I.J. à Belfort).

— Effort de relations publiques entre les professeurs sur l'utilisation de la presse.

— Rencontres et échanges avec le premier stage.

— Demande de colloque sur les clubs actualité (il y en a 48 en Aquitaine, dont 19 clubs journal).

Il peut sembler que l'organisation des « prolongements » soit assez éloignée du rôle normal d'un journal. C'est néanmoins une dimension essentielle de la presse à l'école : des réunions régulières avec les enseignants qui la pratiquent sont plus importantes que la simple parution d'articles ou les seules visites. Cette action peut être menée efficacement par une association rassemblant tous les moyens disponibles et, dans le cas de *Sud-Ouest*, ce rôle a été bien rempli par l'A.P.I.J.

Les grands ensembles

En dehors des vacances, et hélas aussi souvent pendant celles-ci, demeure le problème des « grands ensembles », que la presse en général touche mal. C'est, en d'autres termes, la « sarcellite » provinciale, ou l'accumulation, près des chefs-lieux de département ou de grosses sous-préfectures, de groupes d'immeubles généralement du type H.L.M. Se retrouvent là, souvent contre leur gré, de jeunes ruraux venus travailler à la ville, des kyrielles d'enfants en quête de jeux ou d'adolescents en mal de coups à faire, des étrangers sans famille à domicile, des militaires retraités, des veuves esseulées... Bref, une humanité disponible pour une information autre que le bouche-à-oreille murmuré ou la télévision souvent criarde.

Un excellent numéro spécial de *L'Education* (15) a été consacré à « la presse et les jeunes ». On y trouve notamment un sondage réalisé dans quatre classes et dans un I.U.T. d'une Académie de l'Est et portant sur 111 personnes âgées de 15 à 23 ans. On y constate un chiffre apparemment rassurant et surprenant : 72 lisent un quotidien régional, mais 90 souhaitent qu'on accorde plus de place aux problèmes de l'emploi et des débouchés professionnels et 81 aux loisirs ! Ce qu'ils recherchent dans le journal régional, c'est d'abord *une information,* ensuite *une détente* et, enfin, en troisième lieu, *un enseignement.* Apparemment, d'après certains propos recueillis par les élèves de l'Ecole supérieure de journalisme de Lille, les jeunes ne trouvent pas tout ce qu'ils désirent dans le journal et, souvent, pas les informations qui leur sont destinées : « *La page des jeunes ? De toute façon, elle ne traite pas des vrais problèmes et, en plus, elle n'a aucune saveur.* » Ou bien : « *Il faut attendre qu'on soit ancien de quelque chose pour que la presse s'intéresse à nous.* »

Une équipe de recherches constituée en 1970 à l'invitation de M. Ferra a tenté de répondre d'une manière plus globale au problème. Ses travaux, coordonnés par Mme Marbeau, du service des études et recherches de l'I.N. R.D.P., ont fait l'objet d'une synthèse publiée en décembre 1973. Elle comprend un sondage auprès de 3 000 lycéens de 14 à 20 ans. Il confirme que les lycéens lisent moins que les adultes. Mais, tout de même, 40 % d'entre eux lisent quotidiennement la presse de province, surtout quand les journaux occupent une situation de monopole dans la région (*L'Est Républicain, Nice-Matin,* par exemple).

Des étudiants de première année de l'Ecole supérieure de journalisme de Lille ont, par ailleurs, enquêté dans les foyers de jeunes travailleurs de l'agglomération lilloi-

(15) 16 mai 1974.

se. Leurs conclusions permettent de cerner les désirs des jeunes ouvriers qui semblent souhaiter un journal :

— plus proche de leurs soucis quotidiens ;
— qui traite davantage des problèmes locaux et régionaux ;
— qui fasse découvrir la région, la ville ;
— qui aide à établir les communications qu'ils sentent bloquées (entre eux surtout, mais aussi avec « les adultes ») ;
— pourvu d'un langage simple et direct ;
— qui cesse de les considérer comme des « phénomènes », mais bien comme lecteurs ;
— coloré et plutôt souriant ;
— qui soit surtout sincère et crédible.

De toutes ces enquêtes et analyses diverses, que peuvent conclure les rédacteurs en chef ? Il semble, d'après le dossier de *L'Education,* que s'ils se déclarent disposés à intéresser les jeunes à leur organe de presse, ils reconnaissent ne pas avoir trouvé la bonne solution. Faut-il créer des pages « Spécial jeunes », réalisées pour — et parfois par — cette fraction montante de la population ? Faut-il au contraire refuser le risque d'enfermer les jeunes dans un ghetto et adapter l'ensemble de l'information pour leur en faciliter l'accès ?

Les avis des rédacteurs en chef de la presse régionale sont partagés. « L'information jeunesse » n'a pas toujours droit de cité, et quand elle l'a, elle doit défendre son rôle et sa place face, notamment, à la rubrique « Education »... Alors, pour ardue qu'elle soit, la recherche du dialogue-jeunes doit être constante, non seulement avec ceux déjà acquis qui s'écrient : « *Quand on lit pas le journal tous les jours on est paumé* », mais aussi et sans relâche pour accrocher les plus hostiles qui maugréent : « *Les journaux, tous dans le même sac, on s'en fout complètement.* » Et ne pas oublier la réflexion désabusée de Marc, 18 ans, de Saint-Lô, préfecture de la Manche, 20 000 habitants : « *Tu as vu les journaux locaux ? On n'y parle que d'assemblées, de réunions, de remises de médailles... Je ne connais pas ces gens et j'ai peu de chance de les rencontrer.* » L'intérêt des jeunes, des vieillards, des femmes, avons-nous dit, n'est pas assez pris en considération dans les quotidiens de province. L'information qu'on leur dispense est insuffisante.

Un journal fait par ses lecteurs

Suivant la suggestion d'un conseil en marketing, *La Nouvelle République du Centre-Ouest* a tenté et réussi une expérience de communication passionnante. Dans un nouveau quartier de Poitiers, où la presse locale était mal implantée, ce quotidien lança, dans son supplément hebdomadaire gratuit, des offres d'emploi anonymes proposant des postes d'informateur rémunéré. Les nombreuses réponses furent échantillonnées de façon à équilibrer les sexes, les âges, les professions. Un comité de rédaction d'une demi-douzaine de personnes, animé par un journaliste professionnel, le moins « directif » possible, fut constitué. Une demi-page quotidienne lui fut attribuée de façon à traiter librement toutes les nouvelles qui concernaient cet important quartier de plusieurs milliers d'habitants. Les reporters amateurs se prirent au jeu de façon très sympathique. Le fruit de leurs recherches et de leur prose fut mis chaque jour en valeur par des démarcheurs du journal allant au domicile de chaque habitant du quartier. La vente et les abonnements se développèrent rapidement. Le concurrent local ne réussit pas à rattraper l'avance acquise par *La Nouvelle République*. Cette expérience de coopération tripartite lecteurs-journalistes-vendeurs se révéla très positive.

Que l'on soit provincial ou parisien, rural ou citadin, professionnel ou profane de l'information régionale ou du marketing rédactionnel, il faut avoir l'honnêteté de reconnaître que la presse provinciale ne laisse pas d'étonner par ses méthodes de compétition et d'adaptation. « Immuable et changeante », dirait l'historien avec noblesse. Comme la plupart des journaux français, mais plutôt moins, compte tenu du contact direct avec les lecteurs du cru, cette presse locale ou régionale, hebdomadaire ou quotidienne, pratique souvent une information « au radar ». La communication et le marketing sont des mots dont le cours n'est pas encore très élevé dans les rédactions, voire les directions.

La stabilité des lecteurs, qui s'analyse souvent en attachement, prouve que la gestion intuitive n'est pas si mauvaise. Mais on doit se demander aussi si l'expérience de Poitiers d'un comité de « lecteurs-rédacteurs » n'est pas une réponse possible au « consumerism » qui surgit légitimement de situations sociales nouvelles : isolement des vieux, contestation des jeunes, génération spontanée de villes-champignons.

Chapitre III

DES RESPONSABLES EN PORTE A FAUX

Gloser sur le pouvoir de gérer dans la presse de province sans parler des gestionnaires ressemblerait à une pièce de théâtre sans héros ni victimes.

Les nouveaux chefs et leurs successeurs ont été campés d'entrée de jeu. La montée des contestations a été enregistrée comme un bavardage secret ou un murmure impertinent. Un décor en papier, dessiné à l'encre grasse et soutenu par du béton et de l'acier, a été planté lors de la radioscopie d'une industrie. Quelques ouvertures donnent sur des perspectives champêtres, ensoleillées, souriantes. La salle a été remplie, grâce au marketing de M. Jourdain. Le théâtre serait de préférence en rond, tenant de l'arène et du cabaret, de façon que les spectateurs, du moins les personnalités, soient très proches des acteurs. La pièce peut se jouer. Il lui manque encore un titre, des acteurs et une action. Le titre pourrait être, mais il en existe sûrement de plus subtils : « Entre la triangulation du cercle et le marc de café ». Quant aux acteurs et à l'action, frappons quelques coups, discrets, pour ne pas troubler le public.

Les « sociétaires », les « pensionnaires » et les autres...

Les personnages de la pièce, interprétée à la fois par des « sociétaires », des « pensionnaires » et des acteurs de « passage », sont en principe et très classiquement de deux sortes : les responsables eux-mêmes et leurs contestataires. Une troisième espèce joue un rôle non négligeable ; ce sont tout simplement les souffleurs.

Les responsables, nous en avons déjà un peu parlé, du moins de ceux qui sont sous les feux de la rampe. Mais, il y en a une seconde catégorie, moins connue, mais essentielle pour le fonctionnement des entreprises. Les vrais patrons ne sont pas toujours ceux que l'on voit ni même ceux que l'on croit. Quand on les rencontre, il vaut mieux les appeler « Monsieur le Président », même s'ils ne le sont pas. Ils le sont généralement, soit d'un syndicat soit d'une autre société que celle du journal auquel on s'intéresse. Ainsi Emilien Amaury n'apparaît pratiquement pas au *Maine Libre* du Mans, bien que président du groupe qui détient la majorité des actions du journal dont le P.-D.G. est Jean Bryckaert, directeur général d'Inter-Régies. L'animation est assurée localement par deux directeurs, l'un pour la gestion générale, Paul Le Gall, l'autre pour la rédaction, Jean-Jacques Alexandre. Sont-ils les « patrons », malgré les apparences locales ? Non, mais ils sont « responsables ».

Ailleurs, les vrais patrons sont tantôt des P.-D.G., des présidents de Conseils d'Administration, de Gérance ou de Surveillance, des présidents de Directoires ou de Comités de Direction, tantôt des gérants, des directeurs généraux, des directeurs délégués, des cogérants, des codirecteurs ou des directeurs tout court... Le langage juridique appliqué aux affaires ne manque pas de richesse.

En toute hypothèse, dans la presse, le patron est en principe un personnage qui ajoute à l'un de ces titres celui de « directeur de la publication ». Ce dernier est, en droit, le propriétaire, le principal actionnaire ou son représentant légal. Ce titre lui vaut de signer le journal et d'aller devant les tribunaux en cas de délit de presse ou d'action civile. Dans la presse provinciale où le pouvoir reste encore très personnalisé, les « directeurs de publication » sont généralement les « vrais patrons », les responsables réels, les « decision-makers », diraient les Anglo-Saxons. Seules des obligations politiques ou des fondements historiques font que, parfois, en province, des « directeurs de publication » ne sont pas les vrais patrons ; dans ces circonstances, il faut avouer que le pouvoir apparaît étrangement réparti, voire gravement morcelé.

Enfin, pour compléter sa panoplie de titres, le patron de presse peut cumuler ces privilèges honorifiques et juridiques, inhérents au droit des sociétés commerciales en général et au droit des entreprises de presse en particulier, avec la détention de la carte de *directeur ancien journaliste*. La plupart des directeurs de quotidiens régionaux la détiennent quasi automatiquement, qu'ils aient été ou non journalistes. Le fait est moins fréquent pour les périodiques provinciaux.

Ce sont en principe les « anciens journalistes » devenus « directeurs » qui en bénéficiaient. Ils étaient, au 30 juin 1976, 359 en France sur 14 236 cartes de journalistes, toutes formes de presse réunies, ce qui doit représenter de 150 à 200 journalistes-directeurs en province pour 70 quotidiens et plusieurs centaines de périodiques. Les directeurs, anciens ou encore imprimeurs (ce qui est fréquent dans les périodiques), anciens publicitaires, ingénieurs ou comptables, ne sont pas toujours titulaires de cette carte. Cette carence, s'ils ont des responsabilités rédactionnelles, est illogique bien que ne changeant pas juridiquement leur statut personnel, sauf en cas de crise.

En effet, les « Directeurs de Journaux », journalistes ou non, P.-D.G. ou non, ont droit au fameux abattement forfaitaire de 30 % sur leurs revenus déclarés pour frais professionnels (1) comme les journalistes et les V.R.P. Mais le principal inconvénient pour les directeurs non journalistes de ne pas avoir la carte journalistique demeure évidemment celui de ne pas pouvoir faire jouer la « clause de conscience » (2), ce qui est paradoxal puis-

(1) Cet abattement est désormais plafonné à 50 000 francs.

(2) La loi de 1935 portant statut des journalistes autorise ceux-ci à

que leurs subordonnés peuvent l'invoquer s'il se produit un « changement d'orientation » dans le journal. Or ce dernier peut advenir lors d'un renversement de majorité au sein de la société.

Des « Chevaliers errants »... ?

Les problèmes des responsables « de droit » ne sont pas simples ; mais ceux des responsables « de fait » le sont encore moins. Même si les premiers détiennent tous pouvoirs, c'est-à-dire 67 % du capital, ainsi que l'autorisation de paraître protégée par les ordonnances de la Libération, la fonction de P.-D.G., la carte de « Journaliste-Directeur » et le titre de « Directeur de la Publication », ils sont nécessairement amenés à se faire assister par des collaborateurs directs.

Ces hommes de confiance partagent — quand ils n'en exercent pas la quasi-totalité — les responsabilités de leurs patrons. Il arrive à ces derniers d'être âgés ou d'avoir une activité politique ou industrielle. On trouve alors auprès d'eux des directeurs généraux adjoints, des directeurs de la rédaction, des rédacteurs en chef, des administrateurs généraux, des secrétaires généraux, voire plus sobrement des directeurs administratifs, des directeurs techniques, des directeurs commerciaux ou des chefs de publicité. Les Américains parleraient de « Vice-Presidents », mot aussi intraduisible en français que celui de « President », différent du « Chairman ». Chaque langue a ses subtilités pour désigner l'aristocratie des affaires comme de la politique. Le général De Gaulle avait ses « barons ». Les patrons de la presse ont leurs « chevaliers ». Ceux-ci sont parfois « servants » ou « errants ».

Les chevaliers « servants » sont là depuis quarante ans. Ils ont traversé Vichy impunément et servi, sans ménager leur dévouement, leurs patrons d'avant 1944 comme ceux d'après. Ils sont moins journalistes que comptables ou typographes, publicitaires ou électromécaniciens.

---

démissionner en bénéficiant des indemnités de licenciement au cas où ils constateraient un changement d'orientation de nature à nuire à leurs intérêts moraux et matériels.

Ils ont plus de volonté tenace que de goût du changement, quoiqu'ils sachent fort bien s'y adapter. Ces hommes efficaces et effacés sont irremplaçables. Ils occupent si bien le terrain qu'on les remplace rarement.

Une seconde espèce de « chevaliers » est née surtout depuis une quinzaine d'années : ingénieurs ou cadres commerciaux, avec le titre de directeur technique ou commercial, voire attaché ou conseiller de direction, leur problème numéro un est de gagner leur vie. Ce sont des fonceurs qui se passionnent pour l'évolution de la presse : ils veulent changer le monde en cinq ans. Ils ont déjà commencé : l'offset, l'informatique, le marketing sont leur œuvre. Quelquefois, leur courage s'use à la tâche ; ils abandonnent les régionaux et revendent leur expérience aux agences de publicité ou aux journaux parisiens. Ceux qui se refusent au donquichottisme attendent tranquillement la succession des nouveaux chefs du « new deal », pliant souplement l'échine sous les charges des « contestataires ».

Hors cadre se classent les rédacteurs en chef. Leur statut comme souvent leur caractère les situent dans une position hiérarchique toute particulière. Ils souffrent difficilement qu'on leur parle d'organigramme. Leur tempérament journalistique les incite à ne pas se soumettre à une organisation trop rigide. On leur demande, il est vrai, essentiellement des vertus d'animateurs. Les écorchés vifs de l'actualité doivent pourtant respecter les normes si contraignantes du quotidien. Par suite de l'inflation des effectifs rédactionnels, tout comme en raison de l'introduction de techniques de fabrication modernes, il leur a fallu, bon gré mal gré, assimiler les principes de base de la gestion. Ce ne sont pas des intellectualistes. Ils n'ont ni le temps de rêver ni même souvent celui d'écrire. Leur métier ne prétend pas au vedettariat ; ils éprouvent parfois quelques difficultés à tenir en laisse leurs éditorialistes.

Hommes de terroir, ils reflètent les contrées dont ils sortent. S'il leur arrive parfois d'être des transplantés, ils ont adopté nécessairement les vertus et même les déformations du cru. Le plus grand sans doute, par la taille, pour ne vexer personne, est le rédacteur en chef de *La Dépêche du Midi.* Cousteaux, Fernand pour les amis, aime le rugby, l'armagnac, les courses de taureaux et la chasse. Il déborde de verve tout en faisant preuve d'un professionnalisme musclé et d'un radicalisme prudent. Son confrère de *Sud-Ouest* colle à Bordeaux comme Fernand Cousteaux à la ville rose. Dans la cité girondine, la famille de Francis Piganeau avait déjà pignon sur rue au XVIIIe siècle. Elle s'adonnait à la finance plutôt qu'à la presse. Il en a hérité un mutisme distingué et une intelligence apparemment calme, mais qui dissimule des nerfs de professionnel.

Jean Chautemps, de *Midi-Libre* est le fils de l'ancien président du Conseil. Son père lui a transmis le goût de la politique et il nage comme un poisson dans l'eau au milieu des communiqués et autres textes partisans. Il est heureux en période d'élections. Bien que natif de Paris, il a su souscrire aux joies de la Méditerranée. Il s'évade, pendant ses vacances, dans un bateau de pêche où il cabote en solitaire de calanques en calanques.

L'un des rédacteurs en chef du Nord, nommé en juin 1975 par Robert Hersant directeur général de la Société Nord Eclair édition, Jules Clauwaert, assume une responsabilité importante pour l'ensemble de la profession : depuis 1965 il préside le Conseil d'Administration de l'Ecole Supérieure de Journalisme de Lille, où il avait été formé.

Son confrère de *La Voix du Nord,* Robert Decout, cumule depuis dix ans son poste de rédacteur en chef avec celui d'éditorialiste. Il a effectué sa carrière au sein du quotidien lillois. Approchant de la soixantaine, il est assisté par un jeune adjoint, Quesnoy, qui n'a rien d'un impatient second car il paraît posé comme les gens du Nord.

A Nancy, c'est paradoxalement un Messin qui détient la rédaction en chef de *L'Est Républicain.* D'un naturel timide et d'une large culture, Roland Mével, qui préfère secrètement les lacs calmes des Vosges aux tempêtes de sa rédaction, est un altruiste particulièrement intéressé par l'éducation. Il a été chargé d'enseignement au Centre de Journalisme de l'Université de Strasbourg.

Eugène Brulé, en dépit de ses responsabilités à *Ouest-*

France, qui lui confèrent une attitude réservée, est, à 46 ans, plus jeune que la plupart des autres rédacteurs en chef. Sans doute n'est-ce qu'une coïncidence, mais il a été nommé à son poste dans la foulée de mai 1968.

André Desthomas est l'un des seuls rédacteurs en chef à avoir débuté comme professeur (3). C'est la Résistance qui l'a conduit au journalisme, à *France,* puis *Brive-Information, La Liberté, Le Courrier,* avant d'entrer en 1955 à *La Montagne.* Il a consigné ses souvenirs dans un ouvrage : *Le Temps des solitudes* (4). Néanmoins, dans l'organisation de *La Montagne,* le poste de rédacteur en chef est supervisé par celui de directeur de la rédaction occupé naguère par l'énarque Sylvain Pivot et récemment attribué à un autre ancien du *Progrès,* Jean-Louis Gauthier.

La plupart de ces rédacteurs en chef sont entrés dans le journalisme à la Libération. Ils cèdent aujourd'hui leur place à des cadets déjà installés au sein de quelques quotidiens : Jean-Paul Keller aux *Dernières Nouvelles d'Alsace,* Michel Poinot au *Courrier de l'Ouest,* Max Dejour à *La Charente Libre.*

Le moment est venu de présenter une deuxième catégorie d' « acteurs ». Les « contestataires », tous légitimes et respectables au demeurant, se classent en deux groupes : les « payeurs » et les « producteurs ». Les contestataires, qui payent, sont de nature plutôt silencieuse. Certains appartiennent à la majorité qui porte ce qualificatif célèbre : ce sont les clients. Les autres — c'est-à-dire les propriétaires — sont à cheval sur cette masse et sur une élite à qui Luis Bunuel attribuerait un « charme discret ».

Une majorité silencieuse

La contestation des clients intéresse au premier chef les responsables, moins sous sa forme épistolaire ou téléphonique, que sous l'aspect des graphiques de ventes, de publicité ou de trésorerie. Le mutisme froid des courbes

---

(3) Né en 1919, il a enseigné l'histoire et la géographie de 1939 à 1941. Il va prochainement publier un essai sur Jacques Chirac.

(4) Rougerie éditeur, Limoges, 1955.

ou des tableaux relève parfois des grandes douleurs ! Qu'on ne s'y méprenne pas, une vitre cassée par un manifestant à l'agence de Poitiers du journal ou une voiture de presse brûlée à Grenoble par des gauchistes sont sans commune mesure avec la défection persistante des lecteurs six mois après une hausse de prix ou avec le transfert de recettes de publicité extra-régionale au profit de la télévision. Dans ces cas-là, les vrais responsables, qu'ils soient maîtres ou non de l'événement, qu'ils soient « patrons » ou non de l'entreprise, se sentent bien seuls, même si par chance ils se retrouvent solidaires avec deux ou trois directeurs, dirigeants ou cadres. Jean Guéhenno exprimait fort élégamment, mais sans ambages, cette impression désagréable : « *On se plaint de nous, mais un journal est, comme le théâtre, dans une affreuse dépendance à l'égard du public. Si le public ne lit pas, il faut qu'il ferme...* » (5).

Les propriétaires aussi contestent à leur manière, quand ils ne sont pas directement responsables. Pierre-René Wolf, en 1971, peu avant sa mort, alors directeur général de *Paris-Normandie* à Rouen, le sénateur Jean Lhospied, en 1970, lorsqu'il était encore P.-D.G. du *Journal du Centre* à Nevers, et Léon Chadé, en août 1974 à *L'Est Républicain* de Nancy, ont connu ces problèmes de cessions intempestives d'actions ou de parts. La clause d'agrément, le droit de préemption et la dispersion du capital résistent mal à la lassitude des « capitalistes », même s'ils détiennent de faibles pourcentages et surtout lorsque les offres de rachat sont alléchantes. Dans ces cas-là, les dirigeants se sentent également bien seuls et ne laissent pas de méditer sur la signification réelle du mot « patron ».

Dans *La Province trahie* (Editions Le Cercle d'Or, Les Sables-d'Olonne, 1975), Henri de Grandmaison, directeur adjoint des informations d'*Ouest-France,* évoque la solitude des responsables : « *De la gauche à la droite, personne n'a protesté quand, en Normandie, Robert Hersant a racheté comme de vulgaires fonds de commerce, mais à prix d'or, des familles locales : les élus qui étaient souvent les actionnaires de ces journaux se sont vendus sans*

---

(5) *Preuves*, décembre 1952.

vergogne, sans remords. Les bons principes reculent vite devant les gros chèques. Et les grands résistants, dépositaires d'actions de journaux expropriés à la Libération pour faits de collaboration, n'hésitent pas aujourd'hui à s'offrir au premier venu, du moins à celui qui paie le mieux. Telle part qui valait 10 000 *F en* 1945 *s'est vendue en* 1972 50 *millions !* »

Une autre catégorie de « contestataires » est d'une certaine façon plus « bruyante » et, à sa manière, non moins efficace. Ce sont les « producteurs » ; les uns assurent la production « intellectuelle », les autres la fabrication matérielle des journaux.

Les journalistes provinciaux ont, dans leur majorité, un tempérament plutôt « berger » ; un environnement « moutonnier », lorsqu'il existe, n'est pas pour déplaire à nombre d'entre eux, mais, de temps en temps, le berger se transforme en loup, à moins qu'il ne s'agisse d'un mouton à grandes dents.

Il y aurait environ 6 000 journalistes syndiqués en France, soit 44 % de l'effectif total (6). Mais les six syndicats en déclaraient la même année : 4 100 pour le Syndicat National des Journalistes dit Autonome, 1 500 pour le S.N.J. - C.G.T., 1 250 pour le Syndicat des Journalistes Français C.F.D.T., 700 pour le Syndicat Général des Journalistes F.O., 500 pour le Syndicat des Journalistes C.G.C. et 120 pour le Syndicat des Journalistes C.F.T.C. Cela représente un total de 8 170 journalistes syndiqués, soit les deux tiers de la population journalistique française. Plus de 2 000 doubles ou triples appartenances. Il serait donc hasardeux de ventiler ces adhésions par régions, sinon même entre Paris et la province.

Toutefois, la géographie provinciale des syndicats de journalistes serait en gros celle-ci :

— S.N.J. (Autonome) : régions Rhône-Alpes, Nord, et la plupart des grands régionaux ;

— S.N.J. - C.G.T. : Auvergne, Lorraine, Yonne et petits « départementaux » ;

— S.J.F. - C.F.D.T. : Ouest, Saint-Etienne, Lyon, Dijon, Alsace, Poitiers, Limoges, Sud-Ouest... ;

---

(6) *Presse-Actualité, décembre* 1973, n° 87.

— S.G.J. - F.O. : Est, Nord, Centre ;
— S.J. - C.G.C. : Marseille, Lille, Grenoble, Centre-Ouest ;
— S.J. - C.F.T.C. : Rhône-Alpes.

Quant à la « contestation », elle est inégale selon les syndicats et selon les époques. Elle est surtout vive depuis 1968 avec des hauts et des bas. Les quatre premiers syndicats (Autonome, C.G.T., C.F.D.T. et F.O.) ont, en 1973, uni leurs efforts pour constituer une entité d'un certain poids, l'U.N.S.J. (Union Nationale des Syndicats de Journalistes) dont le président change chaque année et est alternativement un représentant des quatre syndicats. Cette union présage-t-elle un retour au quasi-monopole du S.N.J. d'avant-guerre qui avait pratiquement préparé la loi de 1935, codifiant la profession ? Ou simplement un retour avant 1948, à l'immédiat après-guerre, où la C.G.T. avait réussi à regrouper tous les syndicats de journalistes, jusqu'à ce que ce regroupement éclate ? Tout le problème est de savoir si le corporatisme aura le pas sur l'individualisme. Or les jeunes journalistes, fussent-ils provinciaux, ont plutôt des tendances soit légèrement technocratiques (qui poussent à la sagesse) soit intellectuellement gauchistes (qui conduisent aux groupuscules). De sorte que les forces centrifuges habitent sans doute plus les journalistes que les ouvriers.

Un étrange ouvriérisme

Ces derniers constituent sans doute un des plus incroyables « groupes de pression » qu'en France l'industrie et la politique aient jamais connus. La Fédération Française des Travailleurs du Livre - C.G.T. — en abrégé la F.F.T.L. ou plus simplement « Le Livre » — regroupe la quasi-totalité des ouvriers, la majorité des cadres techniques et un grand nombre des employés de la presse et de l'imprimerie françaises. Cette centrale entretient en outre, naturellement, des relations étroites avec les journalistes C.G.T. encore qu'en province ces rapports soient parfois tendus.

Il n'empêche que, forte de ses 80 000 adhérents déclarés (contre 10 000 en 1926), la Fédération fait constamment entendre sa voix sur la plupart des problèmes de la presse. Ainsi Jacques Piot, son secrétaire général, nous déclarait (7) : « *Il n'y a pas 36 catégories de salariés...* » Toutefois le Livre manifeste une discrétion plus grande que les syndicats de journalistes sur les problèmes de propriété et de contenu, mais évidemment plus d'énergie sur les problèmes de matériel : « *La presse de demain sera fabriquée avec moins de personnes qu'il n'en faut aujourd'hui,* nous disait Jacques Piot, *mais on ne peut pas ignorer le temps présent.* »

Précisons que, si les négociations y sont souvent dures sur les questions d'effectifs et de salaires, la province bénéficie cependant d'un avantage sur Paris : le Livre n'y détient aucun monopole d'embauche, sauf dans des cas tout à fait execptionnels, tels que la « commandite » de *La Montagne* à Clermont-Ferrand. En outre, quelques journaux, pour des raisons ressortissant à l'idéologie dominante locale, possèdent des syndicats non cégétistes dans leurs ateliers, par exemple F.O. au *Provençal* ou un syndicat chrétien à *Ouest-France.*

Si l'appartenance de la F.F.T.L. à la C.G.T. peut laisser soupçonner une domination indirecte du Parti Communiste, il faut reconnaître que le lien est discret. Le vrai dénominateur commun au « Livre » est l'ouvriérisme, avec des nuances tantôt populistes ou anarchisantes, tantôt « petites-bourgeoises » ou moralisatrices. Le comportement psychologique se révèle souvent plus grave que les convictions politiques.

Souffler n'est pas jouer

Dans une circulaire du 6 juin 1972, P.-M. Wolf (8), président du Syndicat des Journalistes - C.G.C., écrivait notamment : « *...Nous ne voulons pas être le cinquième syndicat de journalistes, mais l'AUTRE syndicat opposé à la politisation de l'U.N.S.J., à sa démagogie, à ses er-*

(7) Entretien du 10 septembre 1973.

(8) Qui ne semble avoir aucun lien de parenté avec la famille Wolf de *Paris-Normandie*. A l'automne 1976, Yann Clerc, membre du directoire du *Figaro* lui a succédé à la présidence du syndicat des Journalistes C.G.C.

reurs, à son tyrannisme. » C'est ce que l'on appelle mettre les points sur les « i ». En effet, la séparation du syndicalisme et de la politique est loin d'être aussi prononcée que celle de l'Eglise et de l'Etat. Ainsi, lors des élections présidentielles de 1974, l'U.N.S.J. a quasi officiellement pris position en faveur de François Mitterrand. Etait-ce bien son rôle ? Pourquoi le S.J.C.G.C. n'aurait-il pas soutenu Valéry Giscard d'Estaing ou Jean Royer et le S.J. C.F.T.C. Jacques Chaban-Delmas ou Emile Muller ? Deux ans après sa lettre, une des prédictions au moins de P.-M. Wolf s'est réalisée.

Un peu dans le même esprit, on peut s'interroger sur les arrière-pensées de la C.G.T., publiant en avril 1972 un rapport intitulé : « La crise de la presse - Les solutions de la C.G.T. » En l'espèce, il ne s'agit ni de la F.F.T.L. ni du S.N.J. - C.G.T., mais de la centrale elle-même, dont le secrétaire général, Georges Séguy, déclarait, le 31 janvier 1972 : « *La crise que connaît actuellement la presse quotidienne et périodique a son origine dans l'entreprise délibérée du pouvoir et du patronat des journaux à grand tirage, liés aux puissances d'argent, visant à s'assurer le monopole de l'information.* »

Cette déclaration péremptoire de Georges Séguy se rapproche par son style d'une interview de Roger Chinaud, alors secrétaire général des Républicains Indépendants, qui avait jeté un gros pavé dans la mare syndicale en déclarant : « *Les grandes centrales sont en situation de monopole et sont trop souvent devenues des courroies parallèles à l'action politique. C'est intolérable* » (9).

Il n'est pas dans notre propos de remettre en cause l'utilité des syndicats mais seulement de leur rappeler qu'un rôle de souffleur ne saurait servir à attiser le feu.

Ainsi, le cercle en question prend-il plutôt l'aspect d'un triangle. En haut de cette figure, insolite, se situent les « patrons » de toutes sortes, qu'ils soient effectivement « responsables » ou non. En bas, plutôt à gauche, on voit les « travailleurs du Livre » en relation « oblique » plus que « verticale » avec les « patrons ». En revanche, plus à droite — mais ce n'est qu'une figure ! — au troisième

(9) *Le Point*, 19 août 1974.

angle, il y a les journalistes en relation « horizontale » avec les « gens du livre ». A l'intérieur du triangle, se débattent comme ils peuvent les managers, les cadres, les vendeurs, les employés qui ne sont « passés » ni au Livre (manutentionnaires, par exemple) ni à la rédaction (sténos de presse non journalistes). Ces employés, au contraire alliés des cadres, sont les aides-informaticiens, les analystes comptables, les animateurs commerciaux et tous ceux qui exercent des professions nouvelles.

Tous ces gens, à l'intérieur du triangle, essaient de communiquer comme ils peuvent, presque subrepticement, avec l'extérieur. En effet, autour du triangle et formant réellement cercle, se pressent les clients, les lecteurs, les annonceurs, les agences de publicité, les fournisseurs, les banquiers, les petits actionnaires, les correspondants, bref des milliers de gens intéressés, même indirectement, par le journal et qui parfois se heurtent aux angles externes.

Tels sont, situés avec un esprit plus de « géométrie » que de « finesse », tous les acteurs de notre pièce.

Une action parfois tragi-comique

Une telle « pièce » s'analyse à trois niveaux : d'abord les « thèmes » de base qui la soutiennent ; ensuite les « drames » — au sens plus classique que journalistique du mot — qui s'y déroulent ; enfin les « rêves », éventuellement, qui s'en exhalent.

Les thèmes sont éternellement l'argent et la vie. Les questions d'argent sont considérées par les contestataires comme indignes. Pourtant ce sont eux qui soulèvent régulièrement un autre aspect, d'ailleurs légitime, du thème de l'argent à travers la presse. Dans cette industrie de main-d'œuvre, doublée d'une activité de « matière grise », qui entend être « honorée », les contestations d'ordre salarial ne sont jamais terminées.

Ce sujet est un des plus délicats qui soient. Les entreprises parlent, lorsqu'elles veulent bien sortir d'une discrétion nécessaire, de salaires bruts et d'avantages divers. Les syndicats excipent de salaires nets de base et demeurent discrets sur les « accessoires ». En outre, les conventions collectives, les barèmes et les grilles, sans même parler des conventions d'entreprises ou des contrats individuels, sont extraordinairement diversifiés et complexes. Certains journaux provinciaux sont « alignés » sur les quotidiens parisiens, d'autres normalement sur la P.Q.R. (S.N.P.Q.R. - S.Q.R.) ou les quotidiens départementaux (S.Q.D.), d'autres sur la Presse Régionale Hebdomadaire d'Information (S.N.P.H.R.I.) ou la Presse Technique et Spécialisée (S.P.I.T.S.)...

Un gros effort de clarification a été effectué par Marcel Reichnecker et Roger Bouzinac dans leur *Documentation sur la Presse Française,* puis par André Defrance, lorsqu'il fut longtemps président de la Commission Intersyndicale des Salaires de la P.Q.R., présidence que Roger Bouzinac a reprise, enfin par Hubert Sales dans une thèse de doctorat es sciences économiques sur « les Relations industrielles dans l'imprimerie française ».

A titre anecdotique, mais non sans signification, citons cette phrase d'Hubert Sales (10) : « *D'une manière générale, il fut convenu dans les accords signés jusqu'en* 1958 *que lorsque la moyenne trimestrielle de l'indice des prix accuserait une hausse ou une baisse de* 3 %, *par rapport à la moyenne du trimestre précédent, les salaires seraient modifiés dans la même proportion en hausse ou en baisse...* » De mémoire de syndicaliste, on ne se rappelle pas que cette disposition ait été appliquée à un niveau de prix en baisse. A notre connaissance, seul Robert Hersant, rachetant, le 20 novembre 1967, *Nord-Matin* à Lille, a jamais pu obtenir une diminution de salaires. D'aucuns pensent que c'est parfois préférable au chômage...

Les grandes négociations salariales dans la presse provinciale portent, en fait, pour la quasi-totalité des catégories professionnelles, sur l'échelle mobile. Aucune règle générale d'indexation n'est évidemment édictée ; cela serait à la limite de la légalité. Mais dans les grands journaux, l'augmentation indicielle est automatique, deux fois par an, au printemps et en automne. De plus, les thèmes de revendications salariales sont, de façon permanente,

---

(10) Prononcée lors d'une conférence donnée à l'Institut Français de Presse, le 21 avril 1964.

la revalorisation des rémunérations, la révision des grilles, l'augmentation des congés. Ces derniers sont d'un mois l'été et d'une semaine l'hiver, plus une semaine pour les plus anciens. Les salaires des employés demeurent, eux, relativement modiques par rapport à ceux des autres catégories de personnel de presse. Sans doute pourront-ils être améliorés lors du rééquilibrage provoqué par l'introduction de techniques plus économiques pour la fabrication. Le sort matériel des rédacteurs tend à s'améliorer, en raison notamment de l'élévation du niveau de recrutement. Aujourd'hui, souvent diplômés, les journalistes n'en demeurent pas moins pénalisés si l'on compare leurs émoluments à ceux du Livre. Malgré l'adoption de la semaine de cinq jours, un vrai professionnel, et il y en a beaucoup, est journaliste vingt-quatre heures sur vingt-quatre, sept jours sur sept.

Lorsqu'on évoque les dispositifs de salaires, on perçoit mieux le poids des artisans de la fabrication. En effet, on sait que le salaire annuel du « lino » de jour, par exemple, a été multiplié entre 1945 et 1970 par 39. Pendant ce temps, le tarif aux 100 000 acheteurs du millimètre d' « annonces groupées » n'était multiplié que par six. De son côté, le prix du journal était multiplié par 25. C'est-à-dire que le salaire lino a crû en 25 ans de 60 % plus vite que le prix du journal et de 500 % plus vite que le tarif publicitaire.

Il faut préciser que s'ajoutent au salaire de base toutes sortes de primes d'ancienneté, de « surproduction », d'heures supplémentaires au-delà de 6 heures par jour. Pour les rotativistes, outre l'ancienneté et les heures supplémentaires, on compte les primes de couleur, d'éditions spéciales, de tirés à part et de bien d'autres choses.

La contestation du changement

Mais il ne faudrait pas réduire l'action contestataire au simple thème de l'argent. « *Les pratiques restrictives dans l'industrie de la presse ont atteint les dimensions d'un scandale national.* » L'auteur de cette sentence n'est certes pas français, mais il parle d'or, puisqu'il est du pays de Malthus. Il n'appartient pas non plus à la presse, mais à la politique, où la prudence est également d'or, surtout pour un Premier Ministre. Il est encore moins un odieux réactionnaire. Homme de gauche, c'est alors le chef des Travaillistes. Il s'agit d'Harold Wilson. C'était en 1967.

Loin de nous l'idée d'appliquer à la lettre cette observation d'Outre-Manche à la France et encore moins à la province française. Au demeurant, en 1972, Jacques Piot, secrétaire général de la F.F.T.L., déniait toute responsabilité à sa Fédération dans la crise de la presse de l'époque, laquelle était essentiellement une crise des quotidiens parisiens (11).

Les thèmes de contestation dans la presse provinciale sont plutôt malthusiens avec une différence assez grande entre les journalistes et les ouvriers.

Les syndicats de journalistes ont, quant à eux, tendance à vouloir accélérer certains changements : « *reconnaissance de la responsabilité des équipes rédactionnelles* », demande le S.N.J. (Autonome) ; généralisation des « sociétés de rédacteurs » ou au minimum de comités de rédaction élus par la base, réclament d'autres ; suppression de la publicité, imaginent certains qui veulent faire en même temps des journaux populaires (donc bon marché) et sérieux (donc limités à une élite).

Les ouvriers, eux, veulent surtout préserver de vieilles habitudes, ce qui est légitime et humain en ce qui concerne l'emploi, ce qui l'est moins en ce qui touche à la fonction. Outre les anciens métiers que l'on veut conserver en dépit du « matériel moderne », comme si le comptable s'accrochait à la plume sergent-major, les ouvriers tiennent à de sacro-saints principes comme le « travail en conscience ». Ainsi, à *La Nouvelle République du Centre-Ouest,* pendant près d'un quart de siècle, la production des 45 linotypes est demeurée inconnue ; toute tentative de mesure, pour de simples raisons de gestion financière ou technique, eût été considérée comme un contrôle quasi policier. Il fallut donc successivement passer de la mesure collective et anonyme à la mesure individuelle et anonyme, pour atteindre enfin, non sans négociations et primes par surcroît, une mesure individuelle et nominative, ne

(11) *Dirigeant,* mai 1972.

serait-ce que pour connaître le rendement des machines ou le coût de telle rubrique.

Bien que l'état-major du Syndicat du Livre déclare, sous l'emprise de la nécessité, accepter le matériel moderne, il continue à raisonner pour les cadences ou les définitions des postes par référence aux matériels anciens.

Ces thèmes de contestation (autorité, changement, rentabilité, contrôle...) laissent présager les difficultés de certains responsables d'entreprises de presse de province, voire quelques « drames ». Sur le plan moral d'abord, les négociations permanentes sont éprouvantes, sans compter les efforts pour repérer, dénoncer et supprimer les zones de « sous-productivité », pour ne pas dire plus. Sur le plan pratique ensuite, les grèves, soit isolées, assez fréquentes, soit générales, plus rares, nuisent au bon fonctionnement, à la rentabilité, au prestige et au progrès de la presse provinciale.

Moins fréquents sont les textes du type de celuici paru dans *La Correspondance de la Presse* du 30 octobre 1973 : « *L'ensemble des journalistes du* Populaire du Centre *a observé vendredi une grève d'avertissement de 24 heures* », annonce un communiqué des sections syndicales C.G.T. - F.O. et S.J.F. - C.F.D.T. « *La rédaction,* est-il précisé, *a pris cette décision à la suite du refus systématique opposé par la direction à toutes ses revendications qui portent sur les points suivants :*

1° *Paiement du deuxième tiers du 14e mois en* 1973 *et la totalité en* 1974.

2° *Embauche de plusieurs rédacteurs afin de pouvoir respecter l'horaire hebdomadaire de travail.*

3° *Agrandissement des locaux de la rédaction dans les nouveaux bâtiments du journal.* »

Après avoir regretté l'attitude négative de la direction et le climat extrêmement dégradé, illustré par la démission des délégués du personnel et des membres du Comité d'Entreprise, la rédaction a adopté à l'unanimité « *le principe d'un nouveau mouvement de grève de 24 heures reconductible dont elle fixera la date selon les circonstances. Elle demande également l'insertion de son communiqué dans les éditions de lundi du* Populaire du Centre ».

Certes, en dehors de la grève d'un mois à *Sud-Ouest*, dont nous traitons plus loin, la presse provinciale française ne connaît pas des grèves à l'américaine, comme celle de 114 jours de New York en 1963 ou celle de sept mois de *La Presse* de Montréal en 1974. Mais lorsqu'un journal est racheté ou a fortiori disparaît, ses dirigeants se demandent à tort ou à raison, mais naturellement spontanément, ce qui serait advenu s'ils avaient pu supprimer telle édition déficitaire, moderniser plus tôt tel atelier ou se lancer dans le « marketing rédactionnel ». Bien sûr, il n'y a ni recette miracle de développement de la presse ni responsabilité claire des échecs et des réussites. Mais le sentiment d'être en « porte-à-faux » est souvent très pénible pour les responsables réels, qu'ils soient P.-D.G. ou non, propriétaires ou non, mais plus simplement chargés de la survie et de l'épanouissement de leurs journaux.

Rêves « fleur bleue » et rêves « cow-boy »

Parfois, lorsqu'ils en ont le temps, les responsables se prennent à rêver, mais ils ne l'avouent pas toujours. C'est l'aspect caché de la « pièce de théâtre ». On peut classer, très arbitrairement, leurs rêves en deux catégories : les rêves « fleur bleue » et les rêves « cow-boy ».

Les premiers portent sur la conscience et la solidarité, tant au niveau de l'entreprise qu'à celui de la profession. Tel directeur technique ou général pense que, du « travail en conscience », les linotypistes devraient passer à une conscience professionnelle mieux en rapport avec leurs capacités réelles de rendement ou de productivité. Sans songer à un quelconque stakhanovisme, ceux-là considèrent qu'une meilleure adaptation aux circonstances que traversent les journaux sauverait parfois ceux-ci de catastrophes économiques, psychologiques ou publicitaires.

Quant à la solidarité, elle est indéniable chez les salariés et certes non condamnable, mais elle se pose souvent de telle façon que les entreprises les plus libérales, les plus avancées sur le plan social, sont frappées au même titre que les plus rétrogrades. Roger Secrétain, P.-D.G. de *La République du Centre*, en parlait dans un éditorial intitulé « le malaise de la presse », publié à propos des mouvements entraînés par la disparition de *Paris-Jour* en 1972. « *Ce que nous contestons ici, ce n'est pas la solidarité,* écrivait-il, *principe éminemment respectable, fondement de toute communauté. C'est le moyen, c'est le recours à la politique du pire qui veut que les choses allant mal quelque part, on risque « sans sourciller »*, selon le mot de Jacques Fauvet, « *de les faire aller mal partout...* » (12). C'est pourquoi une « caisse de solidarité du S.N.P. Q.R. » a été mise en place pour aider les quotidiens en péril. Elle a déjà joué, mais résisterait-elle à une crise durable ou généralisée ?

Yann Clerc, alors secrétaire général du S.J.C.G.C., nous déclarait (13) : « *Entre les patrons de province et les journalistes, les meilleures relations se sont instaurées depuis 20 ans. Beaucoup de problèmes sont résolus pour les journalistes de province, sauf les problèmes prospectifs.* »

Cette déclaration explique en partie le rapport inquiet présenté par Lilian Crouail, alors président du S.N.J. (Autonome), ce que fut jadis Yann Clerc avant de participer à la fondation du S.J.C.G.C. Ce rapport affirmait que « *les journalistes veulent être consultés pour la mise en place des structures de la télédistribution* », discours s'adressant plus à l'Etat qu'au patronat de la presse.

C'est ce type de préoccupation évidemment qui inspire des rêves de nature « cow-boy » : grands espaces, longues chevauchées, justice claire et nette. Lorsqu'on voit à New York les typographes accepter, en juillet 1974, l'automatisation de la composition de l'imprimerie du *New York Times* et du *Daily News* en échange de contrats à vie et de primes salariales, on ne sait si l'on doit plus envier ces typographes qui ne seront jamais chômeurs ou leurs patrons qui auront enfin des imprimeries modèles.

François Amedro, alors secrétaire général de la rédaction de *Sud-Ouest*, puis directeur de ses services parisiens, disait lors d'une conférence tenue en mai 1966 : « *Il est grand temps que les journalistes se rendent comp-*

---

(12) *La République du Centre*, janvier 1973.
(13) Entretien du 17 septembre 1973.

te que leur meilleure chance, pour ne pas dire leur chance unique, de rendre à la presse écrite tout son prestige est de revendiquer d'abord le droit d'être ces journalistes-cadres qu'ils n'auraient jamais dû cesser d'être. »

De son côté, Jean Hamelin (14), ancien directeur adjoint du *Progrès* de Lyon, nous disait, en 1973, qu'il fallait « *redonner des patrons de presse aux quotidiens régionaux plutôt que de les supprimer* »...

De fait, l'audace nécessaire est celle du savoir-faire, notamment dans les domaines nouveaux de l'animation et de la diversification des activités des journaux ; celle aussi du savoir dire, mais du savoir dire non plutôt que oui à toutes sortes de solliciteurs importuns.

La rigueur technique et morale est... de rigueur, tant dans la gestion que dans l'information. La « Direction par objectifs » y incite, quoi qu'en disent ou pensent les détracteurs de ce genre de méthodes. Mais il n'existe pas plus de bible dans ce secteur que dans d'autres domaines de la presse. En tout cas la cohérence est une forme de rigueur pour un responsable de journal qui ne veut pas qu'on dise de lui, comme l'écrivait Jean-Jacques Servan-Schreiber au sujet du *Monde* : « ... *cet excellent journal qui dénonce d'autant plus volontiers les lois du marché qu'il en profite davantage* » (15).

Entre chien et loup

Ecrire sur la presse de province sans traiter du « pouvoir de gérer », qui est une des bases de sa réussite, eût été une lacune. Parler du « pouvoir de gérer » sans évoquer les difficultés des responsables eût été minimiser leurs efforts qui sont réels et efficaces, surtout lorsqu'ils n'ont pas tous les pouvoirs. On peut souhaiter à cet égard sinon qu'on réhabilite la notion de « patron », du moins qu'on revalorise la fonction de « responsable » à part entière. Un collaborateur fait la grève, proteste, conteste, revendique. Un dirigeant s'engage, patiente, puis parfois démissionne ; il « rend son épée », souvent sans garantie,

(14) Devenu ensuite directeur de la publicité du *Figaro* jusqu'en 1975.
(15) *L'Express*, 2 septembre 1968.

surtout s'il n'est pas propriétaire. Est-ce vraiment chez les politiciens en mal d'électorat, les fonctionnaires en quête de carrière ou les avocats en rupture de banc (celui de la défense, bien sûr), qu'on trouve de vrais responsables, des patrons modernes ? N'est-ce pas plutôt chez des professionnels convaincus et formés à la fois à la gestion et à l'information qu'il faut les chercher, tant sont liés le pouvoir de gérer et les moyens de dire ? (16).

(16) Lors d'un colloque de l'I.N.A. consacré au « monopole du Livre », le 18 novembre 1976, Dominique Ferry, directeur général de F.E.P. — France Editions Publications qui a publié notamment le quotidien *France-soir* — a rappelé que le salaire moyen des ouvriers du Livre s'élevait à 5 000 F par mois à Paris et à 3 700 F ou 4 000 F par mois en province. Les différences entre les prix de revient d'une page de quotidien à Paris et en province sont énormes : si la composition d'une page de *France-Soir* revient entre 3 500 et 5 000 F, la composition d'une page de régional revient de 4 à 10 fois moins cher. Pour *La Croix* qui échappe, à Paris, au monopole du Livre, le prix de revient d'une page est de 700 F.

Cas 1

De la lino à l'ordinateur

Un ordinateur dans une imprimerie, c'est, aux yeux de beaucoup, un renard dans un poulailler. Lorsque l'ère informatique succède à l'ère Gutenberg, une véritable révolution technologique se produit. On devine aisément l'émoi des personnels du Livre (1) dont le travail est remis en cause. Sachant lire par nécessité avant que l'ensemble de la population ne soit alphabétisée et baignant dans l'univers culturel, les typographes se considèrent, depuis toujours, comme l'aristocratie du monde ouvrier. De leurs rangs sont sortis aussi bien le chansonnier Béranger, le philosophe Proudhon que le syndicaliste Georges Séguy aujourd'hui. Mais on ne soupçonne peut-être pas qu'ils ne sont pas les seuls frappés par les conséquences de l'innovation. Pour nourrir l'ordinateur, les

(1) Le « Livre » comprend l'ensemble des travailleurs des arts graphiques qu'ils se trouvent dans des imprimeries de presse ou de labeur. La Fédération Française des Travailleurs du Livre - CGT est actuellement le principal syndicat de cette branche où les autres centrales sont très minoritaires, à l'exception de Force Ouvrière au *Provençal*.

rédacteurs doivent se muer en secrétaires de rédaction et en maquettistes. Il leur faut désormais fournir des textes exactement calibrés pour tenir dans l'espace qui leur est réservé au sein du journal. A la souplesse du dialogue journaliste-linotypiste se substitue la rigidité des relations homme-machine. Mais de quoi s'agit-il au juste ?

Les tâches assumées naguère par le linotypiste éclatent en trois parties. Dans un premier temps, la perforation : un claviste tape les textes avec une machine qui ressemble à une machine à écrire, sans tenir compte de la longueur des lignes. Il frappe en continu, ce que l'on appelle une bande au kilomètre. Dans un deuxième temps, la justification : l'ordinateur intervient pour découper ce texte. En fonction de son programme, il détermine la longueur des lignes désirées et le type de caractères souhaités. Dans un troisième temps, le procédé débouche soit sur la fonte dans une chaîne de fabrication classique, soit sur l'impression photographique dans une chaîne de fabrication moderne. Dans le premier cas, l'utilisation de fondeuses rapides n'entraînait qu'un faible accroissement de productivité : la cadence ne dépassait généralement pas 700 lignes à l'heure. Dans le second cas, l'électronique supprimant tout freinage mécanique, il n'y a pratiquement plus de limite à la production. On a inventé des photocomposeuses dépassant le million de signes à l'heure. Rappelons pour mémoire, bien que cela ne corresponde plus qu'à une référence salariale, que la norme de production de base sur une linotype traditionnelle est de 120 lignes à l'heure.

Précisons cependant qu'à l'ère électronique, si la vitesse de sortie des caractères de l'ordinateur est quasiment illimitée, l'entrée des signes dans la machine demeure liée aux possibilités manuelles de l'individu quel qu'il soit. Le support de la bande au kilomètre a déjà tendance à disparaître au profit d'écrans cathodiques directement connectés sur l'ordinateur qui accroissent encore la souplesse de la composition en permettant à l'opérateur de contrôler son travail et même de devenir son autocorrecteur.

Avec les techniques de composition froide, la mise en pages ne s'effectue plus « au marbre » mais sur des tables lumineuses. Les ateliers perdent leur pittoresque, mais gagnent en confort. Il y règne une atmosphère de laboratoire : les opérateurs sont en blouse blanche. Une page d'histoire est tournée.

Le froid et le chaud

La mutation ne s'opère pas sans remous. Entraînant d'importantes réductions d'effectifs, les journaux de province craignent les répercussions du changement. Ainsi, en 1969, la seule annonce de l'arrivée d' « un matériel moderne » au *Républicain Lorrain* provoqua une grève de six jours dans ce journal. Pourtant, Jacques Piot, secrétaire général de la Fédération du Livre C.G.T., se veut réaliste. Connaissant bien la presse et « sa crise », il se défend d'adopter une attitude rétrograde Pour lui, les conflits proviennent d'un manque d'information et de concertation. Il admet parfaitement la nécessaire reconversion des typographes. « *Nos camarades y sont prêts,* déclare-t-il, en précisant que *la Chambre Syndicale a préparé dans ses cours de promotion de nombreux typographes aux nouveaux matériels* » (2). « *Mais il y a le temps présent,* nous confia-t-il, en 1973, *on ne peut rejeter les gens qui sont en place comme des citrons pressés !* »

La photocomposition fait lentement tache d'huile dans la presse de province. En 1970, il existait 950 photocomposeuses installées dans les entreprises de presse et d'édition en Europe, dont seulement 125 en France. Aujourd'hui, la plupart des grands régionaux ont introduit ces techniques dans leurs ateliers.

Plusieurs constructeurs se partagent le marché ; les trois plus importants fournisseurs de systèmes informatiques destinés à la presse sont : I.B.M. qui a rééquipé *Le Provençal* et *La Nouvelle République du Centre-Ouest ;* la C.E.R.C.I. (groupe d'engineering) qui a vendu des ordinateurs Control Data au *Progrès Dauphiné,* à *La Voix*

(2) « Nous ne sommes pas responsables des difficultés de la presse », interview de Jacques Piot, publiée par *Dirigeant,* n° 32, mai 1972, p. 40.

du Nord, au *Télégramme de Brest,* à *Presse-Océan* et à *Sud-Ouest ;* enfin, la C.I.I. qui a implanté du matériel Siemens à *Nice-Matin,* à *Ouest-France* et à *Midi-Libre.*

Certains départementaux, pour éviter l'acquisition d'un ordinateur, avaient adopté des systèmes d'I.B.M. multipoint qui possédaient un mini-ordinateur intégré au meuble clavier. Ce fut notamment le cas de *La République du Centre* et de *La Charente Libre.*

Le système le plus ambitieux existant dans la presse régionale est actuellement celui du *Provençal.* Son secrétaire général, André Elkouby, présente ainsi le fonctionnement de « l'informatique éditoriale à la rédaction » (3) : « La partie centrale du système est une installation d'EDP type I.B.M. 370/135 avec une puissance de mémoire de 192 K. Une installation I.B.M. 370/125 de 128 K sert de réserve. Des disques magnétiques d'une puissante mémorisation de 400 mégabytes se trouvent reliés à la première installation et d'autres de 200 mégabytes à la deuxième.

En plus de cela, les deux installations comportent chacune une unité à bande magnétique, une imprimante de documents et une machine à écrire genre console. A l'entrée, quatre rédactions régionales et les lignes des agences de presse sont raccordées au système. Par l'intermédiaire d'une ligne de communication, l'entreprise de Toulon appartenant au groupe *Le Provençal* transmet des informations brutes et les reçoit en retour sous une forme traitée. Le trafic interactif (saisie, correction, mise en vedette, rédaction, etc.) s'effectue au moyen d'appareils à écran.

Des écrans sur des machines à écrire

Les textes produits ou rédigés dans la maison sont remis à un secrétaire d'édition par les rédacteurs. Après lecture, ce secrétaire les munit des instructions typographiques. Puis des collaborateurs spécialisés assurent la saisie des textes à l'aide de machines à écrire à écran (IBM 3277 avec représentation possible de 490 signes) reliées au système par des câbles. L'installation d'EDP con-

(3) In *Techniques de presse* (Inca-Fiej), mai 1974.

trôle l'observation de certaines normes et exige au besoin des corrections. Les textes dépassant la contenance de l'écran sont provisoirement mémorisés sur des disques magnétiques. Les opérations de répartition des lignes et de division des mots font automatiquement suite à l'achèvement de la saisie des textes (commande par le programme de composition). Dans leur forme mémorisée, les informations sont ensuite disponibles pour la correction. Cette dernière opération est également exécutée au moyen d'appareils à écran par des correcteurs spécialisés. Suivent alors l'adaptation des informations aux espaces prévus et la rédaction des titres, le tout également à des postes de travail spéciaux équipés d'écrans. Puis, les informations sont débloquées pour la sortie par l'intermédiaire de l'une des deux photocomposeuses Linotron 505. Durant tout le déroulement du processus, les rédactions peuvent à tout moment consulter le contenu d'une page ou d'un article à l'aide d'appareils à écran.

A leur entrée, les nouvelles des agences de presse sont pourvues de codes indiquant leur provenance, leur contenu et leur heure d'arrivée, puis mémorisées dans le système. Le secrétaire général de la rédaction — lequel se charge principalement de la préparation des pages d'informations générales — dispose d'un appareil à écran pour l'examen de ces nouvelles. Il peut seulement appeler des listes avec les titres des nouvelles (classés selon les différents codes) — mais également des nouvelles particulières dans toute leur longueur — pour leur représentation sur l'écran ou les faire sortir par l'intermédiaire d'une imprimante de documents. Si l'une des nouvelles d'une agence de presse doit paraître dans le journal, il suffit de la munir des instructions typographiques nécessaires et de son titre. Le processus subséquent est le même que pour les informations saisies dans la maison. Plusieurs collaborateurs spécialisés (en typographie et en conception) assistent le secrétaire général de la rédaction dans son travail. Comme l'on peut conserver toutes les informations (dans leur pleine longueur ou sous une forme raccourcie), il en résulte de jour en jour une banque de données que l'on compte interroger en accès direct dans un avenir plus ou moins lointain.

La saisie des nouvelles régionales s'effectue dans trois centres de préparation (avec des appareils à écran IBM 3277/480). Les secrétaires d'édition employés dans ces centres ajoutent les données typographiques et assurent la transmission de ces nouvelles à Marseille par des lignes spéciales. A l'arrivée d'une nouvelle dans cette dernière ville, l'installation centrale d'EDP contrôle les données afin de déceler d'éventuelles erreurs techniques ou typographiques, se charge de la répartition des lignes et mémorise la nouvelle sur un disque magnétique. Parallèlement, le concepteur reçoit une épreuve en clair avec les caractéristiques et le titre de la nouvelle. Il détermine la disposition de la mise en page et du titre à l'aide d'un appareil à écran IBM 3270. Enfin, l'installation d'EDP réunit la nouvelle et le titre. Une deuxième épreuve en clair sert à la lecture du texte en vue de corrections — opération suivie par la correction à un appareil à écran IBM 3277/1980 et par la composition. Grâce à un appareil à écran IBM 3277/1980, le rédacteur en chef adjoint — principalement responsable des pages régionales — peut en tout temps se procurer une vue d'ensemble sur le contenu des diverses pages, rubriques et nouvelles.

Pour la saisie des textes de petites annonces (transmises par téléphone ou par courrier), l'entreprise dispose de onze appareils à écran. Les collaboratrices chargées de ce travail se sont vues confier un rôle actif pour le service à la clientèle et la promotion des ventes. Au moyen de leur appareil à écran, elles peuvent au besoin appeler des données administratives, des prix, des dates de parution et l'état du compte d'un client. Présentement, la préparation des annonces maquettisées s'opère encore à l'aide de claviers perforateurs avec dispositif de justification, mais on prévoit l'incorporation de cette opération dans la chaîne de production. » (4).

L'offset constitue le débouché naturel de la photocomposition. Les premiers quotidiens à l'adopter en France furent les départementaux : *La République du Centre* et *Le Petit Bleu d'Agen,* d'abord. Suivirent *La République*-

(4) Cf. aussi « L'informatique au *Provençal* », *Presse Actualité,* n° 109, avril 1976, pp. 32-39.

Var Matin, La Haute-Marne Libérée, La Charente Libre, Les Dépêches, Le Bien Public, La Presse de la Manche, Le Courrier de l'Ain et, en avril 1973, *Le Courrier de l'Ouest,* qui fut le premier quotidien français tirant à plus de 100 000 exemplaires à être imprimé en offset. Le mouvement est lancé. Désormais plusieurs grands régionaux adoptent ce procédé : c'est le cas du *Progrès,* du *Dauphiné,* de *Nice-Matin,* de *Sud-Ouest...* Pour ces grands tirages, l'investissement en matériel est si lourd que la reconversion s'effectuera vraisemblablement en plusieurs étapes.

Un procédé intermédiaire est provisoirement envisagé par certains : appelé dilitho, il permet d'habiller les anciennes rotatives typo avec des plaques offset. Le résultat est de moins bonne qualité, mais le coût est nettement inférieur à celui de l'achat de nouvelles machines.

Le procédé offset implique l'utilisation de matériaux spécifiques onéreux. C'est pourquoi on a longtemps pensé que cette technique nouvelle coûtait plus cher à exploiter que l'impression typographique. Grâce à un groupement d'intérêt économique à vocation de centrale d'achat constitué par Michel Secrétain et Louis-Guy Gayan, certains départementaux ont pu réduire leurs charges (5).

---

(5) Dans le numéro d'automne 1976 des *Feuillets du C.F.J.*, Louis Guéry a traité du problème de la répartition des rôles dans la fabrication des journaux modernes : « *Sur le plan économique, le matériel moderne, même si les investissements qu'il exige sont lourds, devrait être rentable à long terme par l'économie de main-d'œuvre qu'il entraîne.* »

Cas 2

L'Agence Havas et la presse provinciale

Que n'a-t-on dit, cru ou imaginé sur les relations entre l'Agence Havas et la presse provinciale ? A tout seigneur tout honneur ! Havas partage avec Hachette « la censure » et « les fonds secrets », le privilège d'appartenir à une mythologie bien ancrée dans une opinion publique pourtant sceptique ou désabusée. Havas, c'est vieux, c'est grand, c'est étatique, donc c'est le vampire des rédactions et des administrations des pauvres journaux provinciaux. A moins que ces derniers ne soient puissants, alors ils sont donc vendus à l'Agence qui appuie sur un bouton pour obtenir ce qu'elle veut dans leurs colonnes ; réciproquement ces prisonniers de luxe appuient sur un autre bouton pour obtenir de l'Agence tout l'argent souhaité. Comme si les annonceurs et les banquiers (en l'occurrence pour une bonne part la Banque de Paris et des Pays-Bas et non pas une banque d'Etat) « crachaient au bassinet » sans avoir eu le temps de discuter !

« L'ogre » Havas est effectivement ancien, mais il n'a pas toujours été aussi grand ni propriété de l'Etat, ni passionné par la province... On sait qu'en 1826, un Normand d'origine juive du Portugal, Charles-Louis Havas, crée un « Bureau » de traductions pour la presse parisienne. Il lui donne le nom d' « Agence » six ans plus tard et lui attribue la fonction d'informateur, bien avant celle de publicitaire. Cette dernière activité ne se développera réellement que bien longtemps après sa mort survenue en 1858, à l'âge de 75 ans. Au début du 20e siècle, l'Agence Havas travaille toujours, du moins dans sa branche publicitaire, essentiellement pour la presse parisienne. C'est notamment la grande époque du « consortium », c'est-à-dire d'une sorte de « quintuplage » des cinq plus grands journaux parisiens qui accaparent la quasi-totalité de la publicité nationale. Avec une telle manne ces géants disparus disposaient d'un pouvoir considérable. Daniel Toscan du Plantier évoque ainsi la puissance d'Havas avant-guerre : « *Le consortium regroupait les cinq plus grands journaux de Paris :* Le Petit Parisien, Le Journal, Le Matin, Le Petit Journal *et* L'Echo de Paris. *Dans le domaine de la publicité, ces derniers renonçaient à toute concurrence, formaient une sorte de bloc solidaire, visant l'exploitation commune du marché publicitaire. Ils acceptaient que Havas les présente en groupe aux clients. En fait, en s'alliant, ils barraient la route de la publicité aux concurrents éventuels. Si le consortium se désagrège en* 1930, *lorsque* Le Petit Parisien *décide de faire cavalier seul, si nombre de journaux attaquent le « trust Havas », si le* Paris-Soir *de Jean Prouvost réagit contre ce système, la marche ascensionnelle d'Havas ne se ralentit pas pour autant. D'année en année, les accords avec les journaux qui lui confient la recherche exclusive de leur publicité, se multiplient. En* 1939, *Havas régissait la publicité de plus de* 200 *journaux, possédait* 75 *succursales en province, des filiales et des sociétés associées. En fait, Rénier* (1) *pratiquait un système qui n'existe plus depuis qu'en matière de publicité financière la régie est forfaitaire. Elle consistait à garantir un chiffre d'affaires annuel, versé par mensualités, qui faisait qu'un journal vivait ou ne vivait pas, le régisseur étant en droit d'utiliser, au prix qu'il voulait, une certaine proportion de la surface*

(1) Léon Rénier fut le directeur général d'Havas entre les deux guerres.

d'un journal. Il n'y avait pas de tarifs, il n'y avait rien ! C'était un moyen de pression incroyable. On pouvait ainsi décider du droit de vie ou de mort des journaux.

La régie était alors le biais par lequel l'argent contrôlait la presse, avec tout ce que cela peut comporter de marchandages. Havas dominait la presse, en surveillait l'évolution, en contrôlait les besoins » (2).

Il faudra tout à la fois la grande crise économique des années 30, la seconde guerre mondiale, la Libération, l'éclatement de l'Agence Havas en deux branches (Information, qui devient l'A.F.P., et Publicité, qui demeure l'Agence Havas) et leur nationalisation, pour que la vieille Maison se « déparisianise » de façon spectaculaire. Quant à sa modernisation, un peu liée à cette « déparisianisation » relative, elle s'effectuera de façon progressive et continue, notamment sous la présidence, de 1960 à 1973, de Christian Chavanon, cet ancien avocat bordelais né en Bretagne, dont le brillant lui permit de faire une rapide ascension parisienne à la tête de diverses fonctions publiques, le plus souvent en relation avec l'information : n'a-t-il pas été président de la Société Nationale des Entreprises de Presse, secrétaire général du Ministère de l'Information, directeur général de la R.T.F., président-directeur général de l'Agence Havas. Après un bref séjour à la présidence de la section des finances du Conseil d'Etat, il est revenu dans le monde des media comme administrateur délégué de R.T.L. Son « infidélité » passagère à la presse aura été atténuée car cet éminent membre du « Club des Cent » — réunissant de fins gourmets — rédige depuis 1974 la chronique « Gastronomiquement vôtre » de *Sud-Ouest*, où il a succédé au truculent Amunategui.

L'Agence Havas et la presse provinciale sont désormais liées par une étonnante épopée commune, bien que leurs voies soient souvent différentes. Leur convergence est à la fois géographique et financière, sans souligner les évidentes relations humaines, parfois conflictuelles.

Sur le plan géographique, l'aventure, c'est en même

---

(2) Daniel Toscan du Plantier, *Donnez-nous notre quotidien*, Olivier Orban, 1974, p. 97.

temps mais à une vitesse inégale « l'éveil des annonceurs provinciaux », pour reprendre la formule de Christian Chavanon, et une « longue marche », pour parler comme Mao Tsé-Toung, vers Paris et les sortilèges de la publicité dite extra-régionale.

La « longue marche » vers Paris

Sur ce terrain, beaucoup d'éditeurs de journaux ou périodiques provinciaux se sont imaginé que la condition nécessaire et suffisante pour recueillir de la publicité nationale, notamment dans la période de pénurie d'après-guerre, était de confier leur « régie extra-régionale » à l'Agence Havas. En effet, cette entreprise étant distributrice de budgets, comme agence-conseil en publicité, en même temps que régisseur de journaux et par surcroît génératrice de budgets comme agence de voyages, ne pouvait qu'avantager ses « supports en régie »... Clin d'œil satisfait de l'éditeur à son directeur de publicité moins convaincu ! C'est d'ailleurs le même schéma qui conduisait d'autres journaux vers Régie-Presse, filiale de Publicis, deuxième agence française de publicité. Cette idée a priori n'était au demeurant pas totalement fausse, pour certains grands budgets. Mais la publicité se voulant chaque année plus scientifique, voire plus « déontologique » et surtout plus disputée entre des media très concurrents, bien des problèmes se posaient. Des solutions diverses furent ébauchées, d'abord dans un esprit quelque peu « revendicatif », puis avec une approche plus « marketing ».

Ce fut après la guerre la création du « Groupement des Journaux et Périodiques en Régie à l'Agence Havas », dont le président, Pierre Carré, directeur général de *La République du Centre* d'Orléans, représente l'ensemble de la presse française au Conseil d'Administration de l'Agence. Puis, en 1966, monta la vogue des couplages, triplages et autres mariages bénis par Havas. En 1967, vint Promojour, association initialement commune à Havas-Régies, Régie-Presse et aux trois syndicats de quotidiens de province (S.N.P.Q.R., S.Q.R. et S.Q.D.) : mais Promojour a virtuellement disparu. Enfin, « Inter-France-Quotidiens », créée en 1972, promeut sur le marché national les principaux quotidiens de province, avec l'aide technique et commerciale d'Havas-Régies ; celle-ci est en effet fondatrice de cette nouvelle association, que Régie-Presse rejoint progressivement. La « longue marche » se poursuit, avec maintes péripéties, pour essayer de reprendre aux magazines, à la radio, à la télévision, aux media divers et nouveaux, les « budgets-qui-n'auraient-jamais-dû-quitter-la-P.Q.R. ».

La Société Nouvelle OCTO, filiale de l'Agence Havas et que préside Jean Joly, remplit pour 120 périodiques provinciaux, des hebdos aux tri-hebdos, en passant par les bi-hebdos, le rôle qu'Inter-France-Quotidiens et Havas-Régies jouent pour les quotidiens. Mais il va de soi que ses moyens et ses résultats sont plus limités, du fait du faible impact national des hebdos de province, même si leur impact local apparaît très puissant.

Sur le plan local ou régional, le couple Havas-presse provinciale s'est souvent trouvé dans une position dominante. D'abord, parce que le marché était virtuellement disponible : les annonceurs provinciaux étaient à convaincre quasi totalement de la nécessité de sortir de l'ère de la « réclame » et du « tiroir-caisse ». Ensuite, parce que ce marché potentiel très important était et demeure moins sujet aux fluctuations de la conjoncture économique ou politique que le marché national. Enfin, parce que l'Agence Havas et les journaux provinciaux ont agi discrètement en complices contre les intrus, arrivant parfois même à mettre en commun le maximum de moyens : documentation permanente, informations commerciales, locaux dans les petites villes, réseaux de correspondants, de dépositaires et de courtiers. L'Association des « Directeurs Havas » — une centaine — que présida longtemps Jean Paroissin, directeur régional honoraire à Orléans, et qu'anime aujourd'hui Alain de Varinay, « Régional » à Nice, veille au développement des relations entre l'Agence et « ses » supports.

La principale cliente

Cette conquête de tous les pouces de terrain possibles ne s'effectue pas sans mal, notamment aux deux extrêmes, c'est-à-dire à Paris et dans les localités dispersées ou reculées ; mais les résultats atteints, tant dans les positions que dans les chiffres, ne sont pas négligeables. Les seules succursales Havas de province représentent un chiffre d'affaire annuel d'environ un demi-milliard de francs (3). Inversement, les publications provinciales ne tirent pas leurs recettes locales de la seule Agence Havas ; elles reçoivent des « ordres » d'annonceurs directs, lorsqu'elles ne sont pas en régie Havas, ou de la part d'autres agences qui ont tendance à se développer, notamment dans les grandes villes : Lyon, Marseille, Bordeaux, Lille...

Toutefois, la situation prépondérante de l'Agence Havas en province, beaucoup plus forte proportionnellement qu'à Paris, en fait la principale « cliente » locale et régionale de la presse provinciale. De plus en plus de sociétés publicitaires se créent en commun entre Havas et la P.Q.R. pour conserver et accroître la part du marché. C'est une orientation qui a atteint son point culminant après les accords réalisés avec *Le Progrès* de Lyon et *Le Dauphiné Libéré* (Grenoble), de même qu'avec *Paris-Normandie* (Rouen) ou *Midi Libre* (Montpellier).

La part des recettes « provinciales » dans le « groupe » de l'Agence Havas (moins de trois milliards de chiffre d'affaires (4) total consolidé) est difficile à évaluer. En effet, plusieurs sociétés interviennent, les unes comme régisseurs, les autres comme conseils. Les journaux facturent

---

(3) Les succursales Havas de province exercent, dans le domaine de la publicité, deux activités distinctes *par nature* :

1) Une activité de *conseil en publicité* : la succursale se substituant à l'annonceur (industriel ou commerçant) pour gérer au mieux son budget de publicité. Cette activité s'exerce sous le nom de marque AVACO. Elle représente un chiffre d'affaires annuel hors taxes de 180 000 000 F.
2) Une activité de *prospection* publicitaire pour le compte de supports locaux-régionaux, soit édités par Havas (annuaire Télé-Havas, par exemple), soit en régie à l'Agence Havas (cas de plus de 55 % de la Presse Quotidienne Régionale). Cette activité représente un chiffre d'affaires annuel de plus de 400 000 000 F.

(4) En 1975, le chiffre d'affaires de l'agence Havas s'est élevé à 629 millions de francs. En ce qui concerne chacune des filiales du groupe, les résultats sont les suivants : Eurocom, 449 millions de francs; Information et Publicité, 280 millions de francs ; Avenir Publicité, 141 millions de francs ; l'Office d'Annonces, 255 millions de francs ; Havas Tourisme, 478 millions de francs et la Compagnie européenne de publications, 242 millions de francs.

au tarif brut à Havas, à ses succursales ou à ses filiales, le lignage inséré. L'Agence facture aux supports sa commission de régie variable selon l'importance des « clients ». Ce système de réciprocité permet notamment une meilleure récupération de la T.V.A. En tout cas les activités publicitaires de l'Agence et des supports sont très imbriquées. Par exemple, *La Nouvelle République du Centre-Ouest* reçoit toutes ses recettes publicitaires nationales et locales de l'Agence Havas. Mais la société « Havas-Conseil », filiale de l'Agence Havas, représente seulement 15 % des recettes extra-régionales du journal. Pour la locale et la régionale, l'imbrication est beaucoup plus grande : Havas agit à la fois comme conseil et comme régisseur ; de sorte que c'est de la branche conseil des succursales provinciales que proviennent plus des trois quarts de recettes locales des journaux, le reste étant transmis par les correspondants locaux desdits journaux, les officiers ministériels et quelques agences locales.

Cela a d'ailleurs donné lieu à une série de procès fameux sur le non-commissionnement par Havas-Tours d'une agence parisienne (Germon), conseil d'un annonceur local (Timbror). L'usage traditionnel est en effet que les conseils extra-régionaux d'annonceurs locaux déjà acquis aux supports ne perçoivent pas la commission d'agence (généralement de 15 %) retenue à l'intérieur du tarif brut. L'Agence Havas, percevant une commission de régie bien supérieure à la commission d'agence, a évidemment fait jouer cet usage pour ne pas rémunérer cet intermédiaire supplémentaire. Ce dernier, après avoir gagné devant le Tribunal de Commerce de Tours et la Cour d'Appel d'Orléans, n'a pas obtenu gain de cause devant la Cour de Cassation. L'affaire est donc théoriquement close (5).

On peut se demander si cette convergence d'intérêts publicitaires entre l'Agence Havas et la presse provinciale, notamment hebdomadaire, sera éternelle, Havas devenant un groupe financier très puissant et diversifié,

(5) — Jugement du Tribunal de Commerce de Tours, le 20 mai 1966.
— Arrêt de la Cour d'Appel d'Orléans du 28 juin 1967.
— Arrêt de la Cour de Cassation - Chambre commerciale, le 10 décembre 1969.

dont certaines activités font à tort ou à raison penser à une « esquisse de mouvement » concurrentiel.

Les activités du groupe sont certes très liées, mais assez différentes. Ainsi Havas-Informatique n'a pas grand-chose à voir avec Havas-Contact (recrutement par petites annonces) et encore moins avec Havas-P.L.M. (gestion d'hôtels).

Ce qui fut longtemps sa plus importante filiale, Havas-Conseil, créée de toutes pièces par Jacques Douce, de plus en plus absorbé par ses fonctions de directeur général de l'Agence Havas, c'est-à-dire du « holding », a éclaté. Ses dimensions devenaient trop importantes et surtout la déontologie publicitaire (6) l'empêchait d'accueillir de nouveaux budgets concurrents. Plusieurs agences en sont issues, regroupées autour d'Eurocom.

D'autres filiales d'Havas s'occupent aussi, comme régisseurs, de certains des concurrents de la presse de province : « Avenir-Publicité » pour l'affichage, « Information et Publicité » pour R.T.L., « Médiavision » pour le cinéma... Le groupe de l'Agence Havas s'est même lancé récemment dans l'édition de publications, par exemple *Marseille* 7, hebdo gratuit créé en 1971 et distribué dans tous les foyers marseillais, et, à un niveau quasi européen, *Usine Participation,* racheté à 45 % en 1973 et éditant les principaux périodiques industriels français. La fusion en 1975 des *Informations* et d'*Entreprise* (vendue par Hachette à Havas) a abouti au lancement du *Nouvel Economiste,* le 10 octobre 1975. Cet hebdomadaire, dirigé par Daniel Jouve pour la gestion et Michel Tardieu pour la rédaction, permet à l'Agence Havas d'avoir un pied hors de la presse spécialisée. En 1976, Usine Participation et la Compagnie Française d'Editions — présidée par un ancien d'Havas, Emmanuel Ollive — ont fusionné pour donner naissance à la Compagnie Européenne de Publications présidée par Jacques Klein et dirigée par Christian Bregou (7).

---

(6) C'est sans doute au nom de cette déontologie que Roland Pozzo di Borgo a dû quitter en 1972 la présidence du directoire d'Havas Conseil Relations Publiques, devenue depuis AGEUROP, filiale du groupe Bossard.

(7) Voir larticle d'Hervé Jannic : « La Vérité sur Havas : la plus privée des entreprises nationalisées », *L'Expansion,* n° 94, mars 1976.

Voilà Havas loin et près à la fois de la régie de quotidiens et d'hebdos provinciaux. Cela peut s'interpréter de mille façons. Les liens sont nombreux entre Havas et la presse. Ce ne sont pas pour autant des chaînes !

Des liens et non des chaînes

Quelques hommes font un pont entre les journaux et l'Agence : ainsi, Lucien Rose, actuel directeur régional de l'Agence Havas à Rennes, un des plus importants postes du groupe, était précédemment directeur d'Havas-Régies à Paris, après avoir occupé des postes directoriaux à *Nord-Eclair* (Roubaix) et à *La France* (Bordeaux).

Le jeune P.-D.G. de l'Agence Havas, Jean Méo, a une plus courte expérience de la presse, ayant été brièvement directeur général délégué de *France Editions Publications* (alors société éditrice de *France-Soir* et *Elle,* en particulier). Il est amené aujourd'hui à s'occuper aussi bien de *L'Eclaireur du Gâtinais,* hebdomadaire édité à Montargis (Loiret), que de R.T.L., station internationale aux intérêts complexes partagés entre le groupe Prouvost, la Banque Lambert, des personnalités luxembourgeoises et l'Agence Havas elle-même. Sa carrière très diversifiée tant dans la politique que dans l'industrie devrait lui permettre de s'adapter aisément à des situations aussi variées.

Il est donc évident que la presse provinciale ne constitue plus qu'une des activités du groupe Havas. Elle n'en demeure pas moins sur le plan local un partenaire privilégié avec lequel il est même inutile de se poser la question : « *Qui t'a fait comte ?* », « *Qui t'a fait roi ?* », car elle viendrait trop tard.

***

DOCUMENT :

Les regroupements publicitaires dans la presse régionale

GROUPE ALSACIEN

Dernières Nouvelles d'Alsace - Nouvel Alsacien.

GROUPE LORRAIN

Le Républicain Lorrain - La Liberté de l'Est.

GROUPE INTER OUEST
Le Courrier de l'Ouest - Le Maine Libre.
LE COURRIER PICARD
Le Courrier Picard - Picardie Matin.
GROUPE LA DEPECHE - MIDI LIBRE
La Dépêche du Midi - Midi Libre.
CENTRE LOIRE
La Nouvelle République du Centre-Ouest - La République du Centre.
LES JOURNAUX DE L'OUEST
Ouest-France - Presse Océan - L'Eclair - Le Télégramme de Brest et de l'Ouest.
LE GROUPE NICE MATIN
Nice-Matin.
GROUPE NORMAND
Paris-Normandie - Havre Libre - Le Havre Presse - Le Pays d'Auge - La Renaissance du Bessin - Les Nouvelles de Falaise - La Voix le Bocage.
PROVINCE N° I
Le Progrès - Le Progrès Soir - La Tribune / Le Progrès - L'Espoir - Le Dauphiné Libéré - L'Echo / La Liberté - Dernière Heure Lyonnaise - La Dépêche / La Liberté.
FRANCE EST
L'Est Républicain - L'Alsace - Le Bien Public - Les Dépêches du Doubs - Les Dépêches du Centre-Est - Le Comtois - La Haute-Marne Libérée - L'Ardennais.
CENTRE FRANCE
La Montagne / Limoges Matin - Le Populaire du Centre - Le Journal du Centre.
MEDIA NORD
Nord-Matin - Nord Eclair.
MEDIA SUD
Le Provençal / Le Soir - La République / Le Provençal - Le Méridional / La France.
LES QUOTIDIENS DU SUD-OUEST
Sud-Ouest - La France - La Charente Libre - Eclair Pyrénées - La République des Pyrénées.
CENTRE EST PRESSE
L'Union - L'Aisne Nouvelle - L'Est-Eclair - Libération Champagne - L'Yonne Républicaine.

LA VOIX DU NORD

La Voix du Nord.

L'INDEPENDANT

L'Indépendant.

GROUPE CENTRE PRESSE

Centre Presse - Berry Républicain - Action Républicaine - Nouvelle République des Pyrénées - La Liberté du Morbihan - La Liberté de la Vallée de la Seine.

GROUPE QUODEP

L'Echo Républicain - La Presse de la Manche - La Dordogne Libre - Le Petit Bleu du Lot-et-Garonne - L'Eveil de la Haute-Loire - Nord Littoral - L'Echo du Sud-Ouest.

LE COURRIER DE SAONE-ET-LOIRE

Le Courrier de Saône-et-Loire.

Taux de circulation des différents groupes de presse (1975)

	Audience	Diffusion (1)	Circulation
Journaux de l'Ouest	2 652 000	893 015	2,97
Province n° I	2 426 000	865 288	2,80
France Est	1 531 000	533 410	2,87
Quotidiens du Sud-Ouest	1 441 000	471 119	3,10
Dépêche du Midi - Midi Libre	1 375 000	458 289	3,00
Voix du Nord	1 158 000	382 040	2,93
Média Sud	1 053 000	369 420	2,85
Centre Loire	1 031 000	342 004	2,79
Centre France	1 021 000	344 331	2,97
Centre Est Presse	761 000	275 967	2,76
Groupe Normand	641 000	212 548	2,99
Nice Matin	618 000	221 790	2,79
Groupe Lorrain	590 000	247 439	2,38

(1) Source : Tarif Synoptique, 1er juillet 1975, uniquement les quotidiens O.J.D. à l'exclusion des bi-hebdomadaires.

Le Groupe Centre Presse nous a communiqué sa diffusion.

	Audience	Diffusion (1)	Circulation
Groupe Alsacien	576 000	229 631	2,51
Inter Ouest	506 000	165 940	3,05
Centre Presse	458 000	185 009	2,48
Média Nord	440 000	220 499	2,00
Courrier Picard	200 000	74 024	2,70
Indépendant	170 000	69 247	2,46

Cas 3

Morale d'un conflit :
26 jours de grève, pour un homme de moins

Le 18 février 1972, à 21 heures, huit cadres supérieurs de *Sud-Ouest* attendent avec impatience, dans le hall du bel hôtel XVIIIe de la rue de Cheverus, à Bordeaux, leur directeur général Henri Amouroux, qui rentre de Paris. Une grève menace à la clicherie. Le directeur de l'imprimerie, Denis Chapon, en a longuement débattu le matin même avec les délégués de l'entreprise et le secrétaire général du Livre de Bordeaux, Jean-Marie Hélian, venus lui porter une motion des clicheurs aux termes de laquelle si, le soir même, leur nombre n'était pas augmenté, ils cesseraient le travail.

Pour la direction de l'imprimerie, il s'agissait là d'un chantage auquel il était inconcevable de céder. C'était aussi l'avis du directeur général qui, dès son arrivée, déclara qu'il était impossible de négocier sous la pression et exigea le démarrage de la clicherie avant l'ouverture de toute discussion. Mais lorsque Henri Amouroux fit entrer tout le monde dans son bureau, il était loin d'imaginer qu'on s'acheminait vers une grève générale de l'imprimerie. Le désaccord était, en effet, minime : d'anciens moules de clicherie avaient été remplacés par des machines automatiques à débit plus rapide, ce qui avait permis de réduire l'équipe des serveurs de deux unités : un ouvrier partait à la retraite, l'autre bénéficiait d'une promotion.

Aucun problème social, en apparence, ne se posait, et pourtant la discussion déboucha vite sur une impasse. Les ateliers étaient manifestement tous sur le qui-vive. Lorsque J.-M. Hélian déclara : « *C'est la grève générale* », le travail cessa sur-le-champ. Un huissier constata les faits.

Dès le lendemain, ce fut l'escalade. Très tôt, la direction réunit les cadres supérieurs pour examiner la situation. La moitié du personnel était en grève, soit 650 personnes, tous adhérents au Syndicat du Livre. Les ateliers étaient occupés. L'autre moitié du personnel, journalistes et administratifs, venait normalement au travail. A aucun moment, ils n'avaient été consultés ni même informés par les responsables syndicaux du Livre du mouvement en préparation. Il fut décidé de mettre en vacances tous ceux qui n'étaient pas indispensables, tout en continuant à les payer. Comme il en coûtait 150 000 francs par jour, l'hypothèse d'un lock-out n'était pas exclue à terme. Par ailleurs, les piquets de grève des ateliers devaient être expulsés. Enfin une action en dommages-intérêts était engagée contre le Syndicat du Livre, pour violation de la convention collective qui stipule qu'avant tout conflit, une commission de conciliation doit être saisie. Les cinq cent mille francs réclamés par *Sud-Ouest* allaient sérieusement inquiéter le Livre et la C.G.T., car s'ils perdaient ce procès, une brèche importante s'ouvrirait dans l'édifice syndical.

Dans l'immédiat, ce fut néanmoins l'expulsion des locaux qui préoccupa le plus Jean-Marie Hélian. Une grève, cela s'entretient comme une flamme, sinon elle s'étouffe ! Et le prétexte initial ne pouvait permettre de durer longtemps. Si bien qu'au cours d'une des premières réunions quotidiennes à la Bourse du Travail, le secrétaire général du Livre chargea des équipes dans chaque atelier de rédiger des cahiers de revendications. Le reste des troupes fut envoyé faire le piquet de grève, mais devant les portes cette fois.

Une fois stabilisée la situation intérieure, pour la direction de *Sud-Ouest*, le souci primordial devint très vite le maintien du contact avec les lecteurs. Dans les premiers jours, les journaux tant parisiens que locaux avaient respecté la réserve confraternelle qui veut qu'on ne force pas ses ventes aux dépens d'une publication en grève. Mais si le mouvement se prolongeait, on risquait de voir des lecteurs perdre l'habitude du journal et se contenter de la radio ou de la télévision.

Comment faire ? La solidarité des ouvriers du Livre est telle que tous ceux de la profession qui désiraient venir en aide à *Sud-Ouest* ne pouvaient en aucun cas lui proposer de tirer le journal.

Lancer une édition réduite de *Sud-Ouest* sur les anciennes rotatives de *La France*, avec un personnel sympathisant, c'était exposer ces « jaunes » à des représailles multiples et créer une cassure durable dans l'atelier de *Sud-Ouest*.

Finalement, le dialogue reprit par titres du groupe interposés. *L'Eclair* de Pau, journal de tradition catholique, racheté en 1971 par *Sud-Ouest*, alors qu'il était dans une situation précaire, accepta le premier d'augmenter son tirage, qui bondit de vingt mille à soixante-dix mille, et d'étendre ses ventes pour couvrir non seulement les Pyrénées-Atlantiques, mais les Landes. *La Charente Libre*, d'Angoulême, dotée d'une rotative offset, suivit le mouvement et passa de trente-cinq mille à cent mille exemplaires, poussant ses ventes jusqu'en Charente-Maritime et en Dordogne.

Le cœur de la zone

Restait le cœur de la zone de diffusion : Bordeaux et la Gironde. J.-M. Hélian, qui avait, par nécessité, toléré les interventions des quotidiens du groupe, pouvait bloquer toutes les autres imprimeries de la région. Ce fut donc une gageure que de tirer, à Biarritz, un journal de quatre pages, intitulé : *Bordeaux-Gironde*. L'imprimerie I.P.S.O., propriété du baron Jean de l'Espée, n'imprimait plus de journaux depuis mai 1968 et s'était séparée de tous ses ouvriers syndiqués.

L'ensemble *Sud-Ouest* retrouvait donc une diffusion quotidienne égale au tiers de son potentiel normal. C'était loin d'être négligeable. Ce fut psychologiquement essentiel.

Néanmoins, des négociations s'imposaient. Dès le lendemain du déclenchement de la grève, J.-M. Hélian avait tenté de reprendre le dialogue en faisant savoir aux présidents de la S.A.P.E.S.O. et de la S.A.I.S.O. (1) qu'il était « *à leur disposition pour tout contact* ». Mais la direction, arguant du caractère illégal du conflit, avait balayé ses propositions, dans l'espoir sans doute de voir laisser « pourrir » la grève. C'était compter sans la puissante organisation de la Fédération du Livre, qui avait assuré une aide substantielle et durable aux chômeurs : 800 francs par mois. De son côté, *Sud-Ouest* obtenait un soutien de ses confrères régionaux (quelle que soit leur tendance, y compris communistes !), très important puisqu'il atteindra un million et demi au total.

L'inaction pesait de part et d'autre. Lorsque les pouvoirs publics intervinrent pour tenter d'instaurer un dialogue entre les parties, les premiers contacts furent pris. Les négociations, qui eurent lieu sous l'égide de l'Inspection du Travail, devaient durer cinquante-quatre heures. Tous les cahiers de revendications longuement élaborés furent présentés par les délégués des ateliers concernés. Mais le document final n'accorda aucun droit à ces demandes, qui firent seulement l'objet d'un calendrier de négociations. Le bilan était maigre ! Quant au nombre de clicheurs, il fut entendu qu'une commission paritaire en jugerait sur le tas. Elle donna rapidement raison à la direction.

Quelles étaient donc les véritables causes d'un conflit décidé en trois heures, à propos d'un poste de moins, et qui, au bout de 26 jours, avait pris une dimension nationale ?

---

(1) La Société Anonyme de Presse et d'Edition du Sud-Ouest a délégué la gestion de son imprimerie, de 1955 à 1974, à la Société Anonyme des Imprimeries du Sud-Ouest (S.A.I.S.O.).

A la base, c'est l'inquiétude devant l'introduction de tout matériel moderne automatique — la vieille idée de la lutte de l'homme contre la machine — qui avait dominé. Supprimer un poste à la clicherie, c'était mettre en émoi tous les ouvriers de la composition, menacés eux-mêmes à court terme d'un changement de technique. Réflexe d'autodéfense compréhensible, si ce n'est admissible, même dans le contexte de *Sud-Ouest*, où il est de tradition de conserver le personnel jusqu'à la retraite.

Une petite révolution culturelle

Du point de vue des délégués syndicaux, les objectifs étaient moins élémentaires : il s'agissait de profiter de cet émoi — sinon de le susciter — pour mener à bien une petite révolution culturelle mettant à bas les principes, jugés par trop paternalistes, qui avaient jusqu'alors régi les rapports de la direction et du personnel, et de faire prévaloir leur autorité aux dépens de celle de l'encadrement.

Quant au secrétaire régional du Livre de Bordeaux, ses motifs étaient encore plus complexes : J.-M. Hélian avait, disait-on, des difficultés à la base et des ambitions au sommet. Sans doute les excellentes relations qu'il entretenait avec le directeur général de *Sud-Ouest* depuis mai 1968 — Henri Amouroux avait alors beaucoup apprécié son calme et son sens des responsabilités — n'étaient-elles pas approuvées par l'ensemble du personnel. Se démarquer, prendre du champ, apparaissait opportun vis-à-vis de la base et, qui plus est, pouvait offrir d'importantes ouvertures au sommet, du côté instances nationales du syndicat. Car, pour Jean-Marie Hélian, brillant secrétaire régional, réussir une grève à *Sud-Ouest*, considéré comme l'une des entreprises les plus prudemment gérées de la profession, c'était accomplir un exploit qui pouvait justifier toute prétention ultérieure. D'autant plus qu'il avait une revanche à prendre depuis une grève avortée des ateliers en 1957.

Est-ce vraiment la crainte de cette impatience qui explique l'attitude prudente du Secrétaire général de la

F.F.T.L., Jacques Piot, dans ce conflit, ou bien est-ce le caractère illégal du déclenchement de la grève ?

Les conséquences furent énormes dans l'entreprise et dans la région. Elles se répercutèrent même au niveau national. Le bilan de la grève était lourd pour *Sud-Ouest* : 7 500 000 francs de pertes de recettes, 3 500 000 francs de pertes réelles. La direction, avec pour objectif de récupérer l'argent perdu, fut portée à procéder à des réorganisations : meilleur acheminement de la copie, réduction du marché et de la surproduction des ateliers de composition ; automatisation de l'expédition... Paradoxalement, la grève porta à la productivité et à l'économie.

Mais si *Sud-Ouest* avait perdu de l'argent, il avait pris bonne mesure de sa puissance régionale. La vie économique et sociale avait été sérieusement perturbée par son absence. Certains commerçants avaient fermé — immobilier, voitures d'occasion — ou tout au moins notablement réduit leurs recettes — cinémas — et surtout plus personne ne savait qui naissait et qui mourait ; les enterrements se passaient dans la plus stricte intimité... (2). On a même dit que certaines demoiselles du port étaient complètement désorientées car elles avaient l'habitude de programmer leurs activités en étudiant, sur la première édition de *Sud-Ouest* disponible à 23 heures, l'horaire des navires en charge.

Ce fut, par la négative, la preuve par neuf de l'impact considérable du quotidien régional (3).

---

(2) A la suite de cette grève, le S.N.P.Q.R. fit effectuer par la SOFRES une enquête sur l'attitude des lecteurs de *Sud-Ouest* durant la période de non-parution du journal.

(3) Voir l'article de Michel Legris dans *Le Monde* du 29 février 1972 et reproduit par E. Derieux et J.-C. Texier in *La Presse quotidienne française*, A. Colin, 1974, pp. 228-229.

Troisième partie

LES MOYENS DE DIRE

La presse provinciale vient d'être présentée comme une industrie diversifiée au potentiel important, mais avec des problèmes de gestion très spécifiques. Déjà Montalembert affirmait : « *De même qu'on n'a jamais su faire des guerres sans tuer des soldats, on ne sait pas faire des journaux sans tuer des écus.* » Les embarras de la gestion des volumineuses usines bâties par les journaux ne doivent pas inciter à oublier la finalité de la presse. De la même manière que les hôpitaux n'ont pas été inventés pour les infirmières mais pour les malades, les journaux n'ont pas été lancés pour servir de sources d'emploi mais pour répondre aux besoins des lecteurs.

Néanmoins, la production intellectuelle des journaux repose, elle aussi, sur des mécanismes sophistiqués. Elle fait appel à de nombreux protagonistes et implique la mise en service de moyens importants. Seuls les journaux de province sont parvenus à construire un réseau dense d'informateurs locaux. C'est pourquoi les grands quotidiens de la capitale ont pratiquement toujours utilisé les journalistes des régionaux comme antennes provinciales. La création d'un réseau spécifique d'informateurs suffisamment diversifiés et sa maîtrise permanente leur coûteraient très cher. Le recours au pouvoir informatif d'autrui par les Parisiens ne signifierait-il pas que la méthodologie élaborée et perfectionnée par la presse provinciale et singulièrement par les quotidiens régionaux correspond à une saine approche de l'information ? Des réussites à Rennes, à Metz, à Lille ou ailleurs en témoignent. C'est cet appareil informatif qu'il nous faut examiner maintenant, tant dans ses aspects humains que matériels, statiques que dynamiques.

Chapitre I

AUX SOURCES DE L'INFORMATION

Les détracteurs de la presse de province ont-ils pris conscience de la diversité des sources d'information utilisées par les journaux régionaux ? Tel un fleuve majestueux grossi de forts affluents, le quotidien parisien perçoit mal ses lointaines origines. Au contraire, rivière de dimension raisonnable, nourrie de mille ruisseaux venus des collines voisines, le journal régional entretient avec tous ses constituants des relations familières.

Rares sont « les vedettes à l'américaine » ou les informateurs exclusifs placés à la une des publications provinciales. Si quelques éditorialistes de renom semblent faire exception, ils vivent néanmoins en symbiose avec leur journal dont la force réside moins dans le recours à de prestigieux collaborateurs soucieux de garder leurs distances avec tout le monde que dans la possession d'un réseau de bureaux décentralisés sachant coordonner les efforts de correspondants obscurs bien ancrés sur leur territoire.

L'information nationale et surtout internationale est si abondante et complexe qu'il ne peut être question

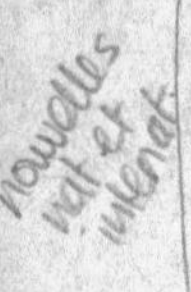

pour le quotidien régional de se lancer seul dans sa collecte. C'est pourquoi il utilise les services d'agences spécialisées pour être tenu en permanence au courant de la vie du monde. Pour donner à ce flot de nouvelles un éclairage parfois plus original, la presse de province n'hésite pas aussi à ajouter les commentaires de ses propres observateurs.

Trois sources sont à la disposition des éditeurs provinciaux pour s'informer : deux collectives, les agences mondiales et nationales ; puis, éventuellement, une individuelle, les services rédactionnels parisiens et les correspondants à l'étranger.

Les agences de presse anglo-saxonnes (1) éprouvent des difficultés croissantes pour s'implanter en province et même pour maintenir leur position. Seuls s'y abonnent les grands régionaux, mais comme ils disposent principalement des services de l'Agence France-Presse, ils font appel au maximum, en complément, à une agence étrangère.

Pour les photos ou les illustrations, la supériorité américaine sur les agences européennes n'est plus à démontrer. La transmission par fac-similé en continu rend presque caducs, à l'échelle mondiale, les systèmes du « hors-sac » ou du bélinographe, sauf pour des opérations spécifiques. Dans ce dernier domaine, les agences américaines ont su mettre au point un système de reportage à la demande, notamment pour les nombreux quotidiens qui n'ont pas les moyens d'entretenir une équipe de photographes à Paris. Ainsi, pour des événements spéciaux, tels que les manifestations régionales dans la capitale (foires agricoles, expositions folkloriques...), les rédactions provinciales peuvent alerter les photographes parisiens de l'agence américaine et obtenir très rapidement satisfaction. L'A.F.P. aurait sans nul doute dû mettre en place un tel département photographique, mais l'investissement était plus difficile à financer que pour les énormes firmes américaines. Toutefois, elle propose actuellement aux ré-

(1) Sur Reuter, Associated Press et United Press International, voir l'ouvrage d'Oliver Boyd-Barret : *Les agences de presse mondiales*, à paraître dans la même collection, « *La Bibliothèque des Media* ».

gionaux un jumelage de ses photographies métropolitaines avec la gamme internationale d'United Press.

Pour servir la province, l'A.F.P., sous l'autorité toute diplomatique de Jean Marin, son président de 1957 à 1975, a tenté d'adapter à la fois ses structures et ses services. Cet ancien officier de marine, Breton évidemment comme le révèle son vrai nom, Yves Morvan, géant par la taille à l'instar de celui qu'il suivit dès la première heure à Londres, fut un spécialiste notoire de la politique internationale. Sa trop grande réussite dans le rayonnement mondial de l'agence a entraîné des coûts jugés excessifs (2). D'aucuns, particulièrement des provinciaux, n'ont pas manqué, lors de son départ, de lui en faire reproche. Pourtant, ce furent les directeurs des journaux de province qui avaient largement aidé Jean Marin à faire voter un statut libéral pour l'Agence France-Presse en 1957. Parmi les huit représentants de la presse, qui détiennent la majorité au sein du Conseil d'Administration de l'A.F.P., six sont des éditeurs de journaux de province (3) ; en outre, statutairement, une année sur deux, la vice-présidence de l'agence revient à un provincial. De surcroît, au sein du Conseil Supérieur de l'A.F.P. qui, par-dessus le Conseil d'Administration chargé de la gestion, contrôle sa neutralité et son objectivité, l'un des deux représentants de la presse est provincial. Il s'agit de Pierre Ar-

---

(2) Ainsi, quand on examine les effectifs de l'AFP en 1975, on constate qu'il y a 1 016 salariés au siège, 821 à l'étranger, 161 en province, répartis entre 13 directions régionales : Bordeaux, Clermont-Ferrand, Dijon, Le Havre, Lille, Limoges, Lyon, Marseille, Metz, Nice, Rennes, Strasbourg et Toulouse. En 1975, le chiffre d'affaires de l'A.F.P. s'est élevé à 196 millions de francs.

(3) Rappelons la composition du conseil d'administration de l'A.F.P. :
Président : Claude Roussel, président-directeur général.
Membres :
— *Représentant la Fédération nationale de la presse française* :
— Au titre du Syndicat de la presse parisienne :
Roger Alexandre, directeur des services administratifs de *L'Aurore*.
Hubert Beuve-Méry, ancien directeur du *Monde*.
— Au titre du Syndicat des quotidiens régionaux :
Maurice Bujon, président-directeur général de *Midi Libre* et président de la F.N.P.F.
Claude Bellanger, directeur général du *Parisien Libéré*, vice-président du conseil d'administration de l'A.F.P.
— Au titre du Syndicat des quotidiens départementaux :
Roland Garnier, président d'honneur du S.N.P.H.R.I., vice-président de la Fédération nationale de la presse française (F.N.P.F.).

chambault, choisi en tant que président de la Confédération de la Presse Française.

Lorsqu'il a fallu remplacer Jean Marin à la présidence de l'A.F.P., un des noms avancés fut celui de Roger Bouzinac, directeur du Syndicat National de la Presse Quotidienne Régionale, qui souscrivait volontiers à l'idée exprimée par certains directeurs régionaux : « *La Corrèze plutôt que le Zambèze* ». En fin de compte, ce fut Claude Roussel qui fut promu du secrétariat général de l'A.F.P. à sa présidence. Au sortir de l'Ecole Normale Supérieure, il avait rejoint l'agence dès sa création. En mai 1976, il a choisi comme directeur général adjoint Henri Pigeat, ancien directeur du service d'Information et de Diffusion. Grâce à des structures « provincialisées », tant au sommet que sur le terrain, l'agence peut livrer aux journaux de province, en même temps qu'aux stations régionales de FR 3 et aux préfectures, un service spécifique qui représente 40 000 mots par jour, soit environ la moitié du « service général » (ou parisien) et le double du service asiatique (en anglais pour l'Asie du Sud-Est et l'Extrême-Orient).

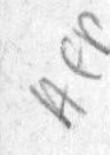

L'A.F.P. sert de rédaction internationale et en partie nationale à la presse provinciale. Elle évite aux journaux,

— *Représentant le Syndicat national de la presse quotidienne régionale :*
Jean-François Lemoîne, directeur général de *Sud-Ouest*.
Louis Estrangin, président-directeur général d'*Ouest-France*, vice-président adjoint du conseil d'administration de l'A.F.P.
Jean-Pierre Coudurier, président du *Télégramme de Brest* (Morlaix).
— *Représentant la radio-télévision :*
Jacqueline Baudrier, présidente de Radio-France.
Claude Contamine, président de F.R. 3.
— *Représentant les services publics usagers de l'Agence :*
— au titre du Premier ministre : François Moses, conseiller-maître à la Cour des Comptes,
— au titre du ministère des Affaires étrangères : François Leduc, ministre plénipotentiaire, en mission à l'administration centrale,
— au titre du ministère de l'Economie et des Finances : Laurent Blanc, directeur adjoint chargé de la sous-direction du personnel au ministère de l'Economie et des Finances.
— *Représentant le personnel de l'Agence France-Presse :*
— Collège journalistes : Fabien Lacombre, journaliste au service des synthèses,
— Collège non journalistes : Marcel Boiron, opérateur télégraphiste.
Secrétaire du conseil d'administration : Jacques Marot.

fussent-ils importants, d'entretenir des cohortes de correspondants étrangers.

Le tarif est proportionnel au tirage : un petit journal de 8 000 exemplaires devait payer, en 1976, mensuellement, 3 187 francs, tandis qu'un grand quotidien de 600 000 exemplaires versait 62 350 francs. Si 58 % des ressources de l'A.F.P. ne provenaient pas d'abonnements souscrits par l'Etat, l'agence ne survivrait pas. La presse française fournit, non sans peine, 15 % du budget de l'A.F.P. : les prix qui lui sont imposés sont pourtant bien supérieurs à ceux demandés à la télévision, aux radios périphériques et aux clients étrangers qui apportent les derniers 27 %.

Des agences spécifiques

En dehors des grandes agences internationales, il existe plusieurs organismes spécialisés aptes à procurer des services à la carte pour les journaux de province. Ainsi, la Nouvelle Agence de Presse et son homologue internationale, la *NAPI*, sous-filiales de la S.N.E.P., diffusent des bulletins vers le Tiers Monde et rapportent en sens inverse une documentation sur ces pays (4). L'Agence Générale de Presse, que préside Georges Bérard-Quélin, fournit quelques articles sur la politique intérieure, ce qui n'est qu'un secteur marginal des activités très diversifiées du groupe de la Société Générale de Presse (5).

Dans l'immédiat après-guerre, de nombreuses agences ont connu un certain essor. En effet, la presse de province ne disposait pas encore de collaborateurs spécialisés sur les affaires nationales : économie traitée par exemple par le S.D.E. de Roger Gaulon, agriculture par A.G.R.A. d'Henri Deramond, bandes dessinées par Opera Mundi de Paul Winkler, Variétés par l'A.C.I. (6) de Mau-

(4) Dirigée par François Archambault, la N.A.P. publie *Inter-Hebdo* et *La Lettre de l'Immigration.*

(5) La S.G.P. édite notamment les quotidiens professionnels, *La Correspondance de la Presse* et *La Correspondance de la Publicité.* Le directeur de la rédaction de la S.G.P. est un centralien, Willy Stricker.

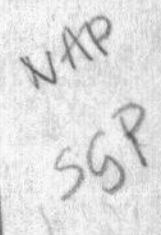

(6) Cette Société coopérative, dont le capital était détenu par divers

rice Barbarin, photographies par l'A.G.I.P. de Robert Cohen...

Plutôt que de développer leurs propres services, une autre formule avait séduit certains journaux de province, et non des moindres. Sous la houlette du *Provençal, Midi-Libre, La Montagne, Nice-Matin* avaient constitué l'Agence Centrale de Presse (A.C.P.) (7). Elle a su prendre la deuxième place parmi les agences françaises. Son directeur, Paul Braunstein, est d'ailleurs le président de la Fédération Nationale des Agences de Presse. Son domaine exclusif se limite à l'Hexagone. Ses dépêches, soit 80 000 mots par jour, sont expédiées par téléscripteurs, selon le procédé des grandes agences internationales, mais aussi parfois sous forme de flans et de bandes perforées. Cela pose toutefois des problèmes d'harmonisation technologique, voire idéologique, à plusieurs journaux qui n'ont pas tous les mêmes objectifs et la même organisation. L'A.C.P. a conclu récemment des accords avec l'agence anglaise Reuter, conventions ayant notamment abouti à la création, en juillet 1974, de la Société Française pour l'Information (SOFRAIN). Cela lui permet de proposer des services complets aux journaux français. Elle prétend ainsi concurrencer l'A.F.P. et connaît un succès certain en province (8). La véritable ambition d'André Poitevin

---

régionaux dont *Le Dauphiné Libéré, La Nouvelle République du Centre-Ouest, Le Journal du Centre*, est en cours de dissolution.

(7) Cf. Serge Renaudot et Daniel Urbain, « L'Agence Centrale de Presse », *Presse-Actualité*, n° 107, février 1976.

L'A.G.P. est une S.A.R.L. constituée en 1951 et transformée en société anonyme en 1962 avec un capital de 200 000 francs, composé de 2 000 actions de 100 francs réparties ainsi : Succ. de M. Cordesse, 10 ; M. Poitevin (P.-D.G.), 5 ; M. Braunstein (directeur), 60 ; Mme Lustac et enfants Lustac, 675 ; « *Journal du Centre* », 110 ; « *La Montagne* », 110 ; « *Nouvelle République du Centre-Ouest* », 50 ; « *Presses de l'Est* », 120 ; « *Le Provençal* », 470 ; « *La République du Var* », 110 ; Sté Messine Editions (*Républicain Lorrain*), 30 ; « *La Dépêche du Midi* », 50 ; « *Le Midi Libre* », 50 ; « *Le Dauphiné Libéré* », 50 ; « *Nice-Matin* », 100 - soit 2 000.

(8) Parmi les abonnés, en province, citons : *L'Ardennais* (Charleville) - *Le Dauphiné Libéré* (Grenoble) - *La Dépêche du Midi* (Toulouse) - *Eclair Pyrénées* (Pau) - *Est Eclair* (Troyes) - *L'Est Républicain* (Nancy) - *La Haute-Marne Libérée* (Chaumont) - *Le Journal du Centre* (Nevers) - *Libération Champagne* (Troyes) - *La Liberté de l'Est* (Epinal) - *Midi Libre* (Montpellier) - *La Montagne* (Clermont-Ferrand) - *Nice Matin* (Nice) - *Nord Littoral* (Calais) - *La Nouvelle République du C.O.* (Tours) - *Le Populaire du Centre* (Limoges) - *La Presse de la Manche* (Cherbourg) -

pour l'A.C.P. qu'il préside — ambition qu'il n'ose avouer que sur un ton badin — serait de se substituer au service intérieur de l'Agence France-Presse. Le passage de Michel Bassi, venant épauler André Rives à la rédaction-en-chef, indiqua une volonté d'expansion. Elle est d'ailleurs favorisée par l'attitude de certains titres qui abandonnent leur bureau parisien pour greffer un ou deux journalistes, qui leur demeurent propres, sur le tronc de l'agence. Cette solution a notamment été adoptée par *Le Télégramme de Brest.*

Cette constatation avait conduit *Le Progrès* et *Le Dauphiné* à s'associer pour créer AIGLES (9), qui produit pour l'A.F.P. l'information de la région Rhône-Alpes. Mais son projet plus ambitieux de mariage avec United Press a avorté.

Mais si l'A.F.P. possède en province ses propres bureaux, la plupart des informations touchant la province et répercutées par les agences, émanent... des collaborateurs de la presse de province ! Si bien que, d'une certaine façon, on pourrait soutenir que les agences vendent aux journaux leurs propres informations.

La plupart des grands régionaux conservent néanmoins des rédactions dans la capitale. Ce sont, pour une part, des vestiges du régime parlementaire, des survivances de la IIIe République. A l'époque, l'information générale se bornait à rapporter ou à commenter ce qui se déroulait au sein des deux Assemblées. Cela justifiait des équipes importantes de journalistes politiques. Avec nostalgie, Joseph Barsalou, alors responsable des services parisiens de *La Dépêche du Midi,* évoque (10) ces temps révolus. Aujourd'hui encore, les régionaux doivent suivre les interventions, à Paris, des parlementaires de province. Eux seuls s'attachent aux faits et gestes des députés sans grade alors que les quotidiens parisiens ne s'intéressent qu'aux vedettes. L'audience des éditorialistes provinciaux est loin d'être négligeable, comme en témoigna l'élection en 1968

Presse Océan (Nantes) - *Le Provençal* (Marseille) - *Le Républicain Lorrain* (Metz) - *La République du Var* (Toulon) - *Le Télégramme de Brest* (Morlaix) - *L'Yonne Républicaine* (Auxerre).

(9) Voir cas 1 de la 3e partie.

(10) *Questions au journalisme,* Stock, 1973.

de Pierre Sainderichin (alors chef du bureau parisien de *Sud-Ouest*) à la présidence de l'Association des Journalistes Parlementaires (11).

A la lisière de ce Tout-Etat, dépeint par Jean Ferniot (12), se situent les éditorialistes de la presse de province : Micheline Basset (13) qui signe Michel Guérin dans *La Nouvelle République du Centre-Ouest ;* Jacqueline Richerot qui adopte le pseudonyme de Line Reix dans *Le Dauphiné Libéré ;* Pierre Rouanet au *Berry Républicain ;* André Manon et Pierre Ysmal à *Sud-Ouest ;* Patrick Le Dantec et Paul-Jacques Truffaut à *Ouest-France ;* Jacques Dupeyron au *Progrès de Lyon ;* André Mazières à *La Charente Libre.*

Les nouvelles du Parlement ne constituent plus aujourd'hui qu'un élément des informations générales publiées par les régionaux. Leurs services parisiens ont donc intégré des journalistes couvrant tous les autres domaines. Ainsi, le bureau de Paris de *Sud-Ouest* comprend-il dix journalistes souvent en reportage ou en enquête loin de Paris, hors même des frontières ; celui du *Républicain Lorrain,* animé par Sonia Lemaire, en compte trois.

Grands reporters et pigistes de marque

Qui ne s'imagine, s'il n'a pénétré dans un vrai journal, qu'être journaliste, avec un grand « J », même en province, c'est, avant tout, faire de beaux voyages, écrire de longs éditoriaux, développer de nobles concepts, retrouver son nom et son prénom en capitales à la Une de son quotidien ou de son périodique ? L'ancien P.-D.G. de *Sud-Ouest,* Jacques Lemoîne, se plaisait à dire aux jeunes impétrants : « *Je me dois de vous signaler que de nos jours un journaliste ne voyage plus et n'écrit plus...* » Boutade

(11) Depuis juin 1974, Pierre Sainderichin est rédacteur en chef à *France-Soir,* chargé de diriger le service politique.

(12) *Ça suffit,* Grasset, 1973.

(13) Micheline Basset, épouse de Jean Basset, grand reporter à l'A.F.P., est également rédactrice en chef adjointe de *La Nouvelle République* et présidente de l'Association de la Presse ministérielle. Son pseudonyme masculin comporte un précédent : celui de Delphine Gay, épouse d'Emile de Girardin, qui signait ses « lettres parisiennes » (1836-1847) sous le nom d'emprunt de... Vicomte de Launay.

assurément ! Il reste dans la presse provinciale de grands reportages, des signatures illustres et des chroniques de haute tenue.

Une des figures les plus familières du grand reportage a été immortalisée par les frères Tharaud (14) :

« *Né en* 1904, *Jean Botrot entra dès l'âge de* 18 *ans au* Petit Parisien *tout en consacrant ses soirées à dire des vers dans des cabarets de Montmartre. En* 1923, *il fut introduit à* Bonsoir, *organe boulevardier où se rencontraient Willy, Edmond Sée, Charles Derennes, Pierre Scize, Marcel Achard... Il collaborait en même temps à* Paris-Soir. *De* 1925 *à* 1937, *il poursuivit sa carrière au* Journal, *d'abord comme reporter parlementaire, puis comme grand reporter à l'étranger, surtout en Allemagne, pays dont il a suivi l'histoire de* 1929 *à* 1933, *prévoyant que le pouvoir appartiendrait finalement à Hitler. Après son dernier reportage sur les obsèques de Hindenburg, la Wilhelmstrasse le pria de quitter le pays. Il a visité aussi l'Italie, la Pologne, les Balkans. En* 1934, *il a obtenu le prix Albert Londres, et en* 1937 *il est devenu l'un des directeurs de l'agence « Radio », poste qu'il a abandonné en* 1940. *Après une période d'inaction, il a fondé l'agence « Téléfrance » d'où rayonnait la pensée de Mauriac, Duhamel, Valéry, des Tharaud et de Guignebert. Depuis la Libération, il a été nommé directeur des services étrangers au Ministère de l'Information. Il a écrit* Terre d'Israël, *pièce sur le sionisme, en collaboration avec Edouard Helsey.* »

Dans *Grands Reportages,* autour de Jean Botrot, on trouve les noms de Louis Veuillot, Jules Vallès, Maurice Barrès, Pierre Mille, Albert Londres, Pierre Mac Orlan, Joseph Kessel, Colette, Alexis Danan, Antoine de Saint-Exupéry et bien d'autres. Peu sont encore vivants, mais l'espèce des grands reporters survit, quoique rare, pour des raisons financières plus que culturelles. Le grand reportage coûte cher et comporte mille risques humains, politiques et techniques. Le plus souvent, les hommes et les femmes qui le pratiquent le font pour plusieurs journaux en même temps. Pierre et Renée Gosset, par exem-

---

(14) *Grands Reportages*, par Jérôme et Jean Tharaud, Paris, éd. Corréa, 1946.

ple, écrivent dans une demi-douzaine de titres (14). Telle inauguration de la ligne « Olympic Airways » de New York à Johannesburg via Nairobi fournit l'occasion d'une page inédite sur le Kenya avec photos et statistiques. Tel congrès aux Etats-Unis permet de faire le point sur le pays en deux ou trois articles. Dans ces circonstances, les journaux profitent de facilités économiques. Mais quelques directeurs ou rédacteurs en chef ont pris l'initiative de voyages et d'enquêtes : Henri Amouroux à *Sud-Ouest*, René Mauriès à *La Dépêche du Midi*. La race des grands reporters répond à un modèle de journalistes baroudeurs et indépendants, souvent hauts en couleurs. La plupart ont couvert l'Indochine et l'Algérie. C'est le cas de Georges Diran de *L'Est Républicain* ou de Georges Ras de *Sud-Ouest*. La relève de ces quinquagénaires se met en place avec de brillants stylistes, tel Pierre Veilletet qui a succédé à Jean-Claude Guillebaud à *Sud-Ouest*.

La petite caste des grandes signatures

Les grandes signatures ornent traditionnellement les journaux. De plus en plus, des journalistes salariés à plein temps signent la majorité des articles. Toutefois, les quotidiens ont aussi toujours fait appel à de grands noms de la littérature, de la politique, de la science, de l'économie : le physicien Louis Leprince-Ringuet, le duc de Lévis-Mirepoix, l'archiduc Otto de Habsbourg, le démographe Alfred Sauvy, l'historien Pierre Gaxotte... Leurs articles diffusés par des agences sont financièrement amortis sur plusieurs journaux non concurrents. La politique générale ou intérieure fait l'objet d'un traitement particulier, sans doute encore pour peu de temps. Ainsi, Jacques Fauvet, ancien chef du bureau d'Epinal de *L'Est Républicain*, aujourd'hui directeur du *Monde*, a longtemps rédigé l'éditorial du journal de Nancy (16). Ses responsabilités directoriales l'ont empêché de continuer.

(15) Ce sont : *Sud-Ouest, Midi Libre, Nice-Matin, Les Dernières Nouvelles d'Alsace, la Voix du Nord, le Progrès, Ouest-France* et, occasionnellement, *La République du Centre*.

(16) Il a également collaboré à d'autres quotidiens de province mais sous pseudonyme.

Les journalistes du *Monde*, qui furent aussi les principaux éditorialistes de la presse de province, en principe, ne devraient plus l'être, leurs « piges » ayant été « rachetées » par leur « principal employeur ». Néanmoins, on rencontre fréquemment leur signature dans les régionaux à côté de celles de nombre de leurs confrères parisiens : Raymond Barrillon signe au *Midi Libre*, Thierry Pfister à *L'Alsace*, Paul Fabra et Philippe Simonnot au *Républicain Lorrain*... Quant à Jean Boissonnat de *L'Expansion*, il écrit dans *Ouest-France*, Jean-François Kahn, ancien éditorialiste d'Europe n° 1 et actuel rédacteur en chef du *Quotidien de Paris*, dans *L'Est Républicain*, Michel Garibal des *Echos* dans *Sud-Ouest*, Georges Suffert du *Point* dans *Le Républicain Lorrain*, Max Jalade, ancien rédacteur en chef de la N.A.P., aujourd'hui directeur du mensuel *France-Eurafrique*, dans *Le Méridional*.

L'ouverture des régionaux se note également dans les domaines scientifiques et techniques où interviennent des experts. Ceux-ci travaillent pour la presse de province, soit par l'intermédiaire d'agences, soit directement avec ses hauts responsables. Ainsi, depuis de nombreuses années, *La Nouvelle République du Centre-Ouest* a accueilli dans ses colonnes Albert Ducrocq pour l'espace, Jacques Gascuel pour la finance et la diplomatie, André Bourin pour la littérature, André Robinet pour la philosophie et Christian Melchior-Bonnet pour l'histoire.

La province n'est pourtant pas une obscure antichambre de Paris, pour ne pas dire son déversoir. Les journalistes provinciaux voient, de temps à autre, leurs mérites reconnus : Jean-Claude Guillebaud, aujourd'hui chef adjoint du service étranger au *Monde*, appartenait à l'équipe de *Sud-Ouest* lorsqu'il obtint le prix Albert Londres, tout comme Pierre Veilletet. La spécialiste de cuisine de *La Nouvelle République* reçut, en 1970, un grand prix qui la mena jusqu'à l'Océan Indien, et un débutant du même titre fut primé, en 1973, pour un reportage effectué en Orient. Ces indices prouvent que les régionaux pourraient conquérir l'autonomie de leurs sources d'informations nationales et mondiales, comme ils assurent, a fortiori, leur couverture locale.

Pour la politique étrangère, les régionaux font appel à des spécialistes internationaux. Ainsi René Dabernat, l'auteur de *Messieurs les Anglais* (17), donne des chroniques non seulement au *Monde* et à *L'Express,* mais aussi à *Midi Libre, Nice Matin, Le Républicain Lorrain, La Nouvelle République du Centre-Ouest, Nord Eclair, Presse Océan, Le Bien Public, Le Maine Libre, Le Havre Presse* et *La Liberté de l'Est.* De même, le correspondant du *Monde* à New York et à l'O.N.U., Louis Wiznitzer (18), collabore à *Ouest-France, Sud-Ouest, Les Dernières Nouvelles d'Alsace, Nice Matin* et *Le Républicain Lorrain.*

Qui peut prétendre connaître la presse provinciale, s'il n'a séjourné dans une agence départementale ou dans un bureau détaché au tréfonds du Gers ou du Cher ? Au siège ou à Paris, toutes les entreprises de presse se ressemblent, la technologie mise à part. Le sociologue Marshall Mac Luhan fait sourire dans nos provinces, si tant est qu'on sache qui il est. Media froid ? Media chaud ? Peu nous chaut ! En province, il faut de toute façon communiquer chaudement avec la tête froide. Telle est la vocation des 26 rédactions régionales de *L'Est-Républicain,* des 23 agences locales du *Républicain Lorrain,* de la vingtaine de bureaux de *La Nouvelle République du Centre-Ouest,* de la trentaine d'établissements de *Sud-Ouest.*

Agences régionales et bureaux locaux

Dans le marais poitevin ou les Vosges, dans le Bas-Berry ou la Haute-Normandie, le lecteur est à la fois informateur, annonceur, prescripteur d'abonnement ou de lecture, convaincu et méfiant. Alors le localier doit tout lui dire pour ne pas être vide ou sec, mais le dire avec talent, humour ou habileté pour ne pas être « lynché » en place de Grève par les braves gens, les gendarmes, la receveuse des postes et le curé ! Quel métier fautil posséder pour être bien avec tout le monde, sans complaisance particulière pour quiconque ! De quelle oreille

---

(17) Ed. R. Laffont, 1976.

(18) Par ailleurs, auteur de *Jimmy Carter* ou *l'irrésistible ascension,* Editions Alain Moreau, 1976.

amplificatrice et discrète convient-il d'être doté par la nature pour ne pas provoquer des milliers de Watergate locaux ! De mémoire de journaliste régional, on ne connaît pas de procédure d' « impeachment » engagée à la suite d'une enquête déclenchée par une feuille locale. Toutefois, l'histoire récente a retenu quelques plasticages de bureaux et autres incendies de camions de journaux régionaux par des groupuscules extrémistes, cherchant à imposer par la violence leur propre « objectivité ». Tout chef d'agence expérimenté n'oublierait pas aussi de rappeler les pavés dans les vitrines, les graffitis sur les murs et les injures téléphoniques ou épistolaires.

Douze heures sur vingt-quatre, les directions régionales doivent envoyer au secrétariat général chargé des informations régionales, au siège du journal, toutes les nouvelles, brèves ou longues, grandes ou petites, qui passeront la nuit même ou deux jours plus tard et parfois même pas du tout, parce que copie rédactionnelle et ordres publicitaires se télescopent au sein d'une pagination limitée. Ces directeurs régionaux ou départementaux, ces chefs d'agence ou de bureaux, coincés entre le siège et leurs « sous-bureaux », veillent à la bonne utilisation des informations et des informateurs, dans l'espace et le temps qui leur sont attribués. Qu'ils soient ancien gouverneur des Lions Clubs, comme Roger Pilet (19), ou marié à une ancienne Miss France, comme Roger Dugué (20), ou simplement « débutant » comme le « petit »... Schooz (21), ces hommes ne peuvent exercer leur métier qu'avec un mélange subtil de chaude passion et de froide raison. A Bourges, à Poitiers, à Romorantin, on travaille pratiquement sans filet. Peu importe vraiment la hiérarchie. Sur place, le « gouverneur » Pilet comme le jeune Schooz incarnent le journal, dans une région pour l'un, dans un arrondissement pour l'autre. Sans cesse, il leur faut découvrir la nouvelle croustillante, même en plein mois

---

(19) Directeur régional pour le Cher et l'Indre de *La Nouvelle République du Centre-Ouest*.

(20) Directeur départemental pour la Vienne de la *N.R.C.O.*

(21) « Rédacteur détaché seul en poste » à Romorantin (Loir-et-Cher) de 1970 à 1975, M. Schooz est aujourd'hui au bureau de Blois de la *N.R.C.O.* Qu'il nous pardonne le jeu de mots avec un roman célèbre ! C'est l'âge plus que la taille qui est évidemment évoqué.

d'août, analyser les crimes crapuleux, même la nuit de Noël, équilibrer les parutions, même au cœur d'une campagne électorale municipale.

De surcroît, ceux qui exercent des responsabilités de commandement ont à régler maints problèmes administratifs et techniques, voire commerciaux : personnels, locaux, téléscripteurs, véhicules, abonnements, publicité. Il leur faut donc assumer aussi les tourments d'un chef de P.M.E. L'implantation des journaux dans des localités dispersées n'est pas sans poser quelques problèmes pratiques.

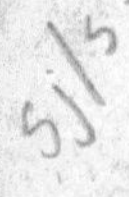

La semaine de cinq jours a été une revendication assez ferme des syndicats de journalistes. Ses justifications sont légitimes pour des gens qui sont « sur la brèche » parfois jour et nuit. Il faut aux observateurs de l'humanité une vie familiale équilibrée, une culture étendue, une bonne forme physique et morale. Or, c'est surtout le dimanche qu'on a le plus besoin d'eux pour couvrir les manifestations politiques et sportives. Si une « agence » n'exige normalement qu'un journaliste, son absence oblige à fermer ou à le renforcer. C'est pourquoi les patrons résistèrent aux demandes de congés supplémentaires, préférant parfois fermer certains bureaux plutôt que de les rendre trop onéreux. Aujourd'hui, le problème n'est pas tout à fait résolu.

La collecte de l'information locale coûte cher. La communication en profondeur est éprouvante, bien que passionnante. Ses contraintes ne sont pas si éloignées de celles de l'information internationale. Le correspondant de l'A.F.P. à Nouakchott en Mauritanie doit connaître des problèmes voisins de celui de son confrère de Saint-Amand dans le sud du Cher, la chaleur en plus !

Portrait d'un Rabelaisien de l'ère nucléaire

Raymond Dreulle, qui incarne depuis près de trente ans *La Nouvelle République* à Chinon, en Indre-et-Loire, rêve sans doute de promotion, notamment matérielle, ou d'une meilleure qualité de vie. Mais lâcherait-il « son bureau » pour un empire ? Sans doute pas. Dans son coin de Touraine, il est la presse à lui tout seul. Il organise son temps à sa guise, sauf dans les périodes de bousculade. Ses deux jours de repos hebdomadaire, qu'il ne prend pas toujours le week-end en raison de l'actualité, sont sacrés. Il les passe à 100 km au nord, dans le Vendômois, avec son épouse qui l'aide constamment dans son travail : accueil des clients et informateurs, réponses au téléphone, classement du courrier et des dossiers... Il connaît tout le monde et sans doute aussi toutes choses, comme l'instituteur ou le directeur d'école de Jules Ferry. Ancien dessinateur, il croque des paysages, des cartes, parfois des portraits. Mais la photographie l'accapare ou le soulage plus souvent. Humaniste, il se passionne pour un autre Chinonais, François Rabelais, dont il connaît toute l'œuvre et la pensée profonde. Il n'en ignore pas moins le rapport de Raffalovitch, conseiller du Tsar, au début du XXe siècle, sur « l'abominable vénalité de la presse ». Raymond Dreulle, qui, en se méfiant de tout excès, apprécie, comme Rabelais, les charmes gouleyants du dernier Chinon ou Bourgueil, la tête froide et gentiment, peut donner une leçon de physique nucléaire. Dans « son » arrondissement, à Avoine, se développe une Centrale dont il doit connaître les recoins. Il n'ignore pas non plus les péripéties techniques et politiques entre le C.E.A. et l'E.D.F., la France et les Etats-Unis. Tel est le métier d'un chef de bureau seul en poste. Est-ce un homme à tout faire ? Est-ce un spécialiste de la géographie locale et de la sociologie provinciale ? Oui et non.

Le journalisme constitue un sacerdoce. En province plus qu'à Paris, ce métier est difficile et ingrat : difficile, parce que l'entreprise est plus vaste, l'information plus détaillée ; ingrat, parce que la matière informative est en apparence moins noble. Il n'empêche que son travail est exaltant car il le situe à une position stratégique dans la société locale. Il est un personnage influent, soumis à maintes sollicitations, sujet à de multiples pressions. Il doit en permanence se garder d'abuser du pouvoir d'écrire. Il lui faut beaucoup de force de caractère pour ne pas céder à la tentation facile de jouer au notable. Toujours proche de l'événement, en connaissant bien souvent les auteurs comme les victimes, à portée du regard, voire de la main de ses lecteurs, le journaliste local a du mal à prendre du recul, car le temps lui manque. Sa position est éminemment délicate, dosage subtil d'amitiés et de rigueur. Au sein de l'entreprise de presse, son rôle se révèle essentiel. De la matière première qu'il rapporte dépend le succès de la vente. Avec pertinence Léon Chadé notait : « *Si le journal marche, toute l'affaire suit au même rythme.* »

Les tâches quotidiennes du journaliste de province varient selon la taille de la publication. Dans un petit périodique, il n'y a généralement qu'un seul rédacteur à plein temps, homme à tout faire, qui assure aussi bien la mise en page des communiqués et de la publicité que l'éditorial de la « une ». François Le Targat donne une description toujours actuelle d'un de ces hebdomadaires : « *L'imprimeur a hérité du périodique. C'est sa fierté. Au lieu de gagner beaucoup d'argent en imprimant du papier pour le beurre, il refuse des commandes, ce qui est touchant et maladroit. Et en compagnie de sa femme, promue secrétaire de rédaction, et de son fils improvisé rédacteur, il continue, souvent à ses frais, la publication créée par l'ancêtre dont la photo dans un ovale de mauvaises proportions trône au-dessus du buffet* »... (22). « *Ah, si j'avais su !* » lui fait dire Le Targat. C'est la même réflexion un peu lasse, mais dissimulant une réelle fierté, que nous avons recueillie auprès du directeur du *Tarn Libre,* hebdomadaire dépendant d'une imprimerie coopérative. Promu seul rédacteur, en plus de tout son travail de gestionnaire de l'imprimerie, cet ancien ouvrier typographe venait d'achever à grand-peine un article sur la « cogestion chez Lip ». Or être patron d'une imprimerie coopérative et disserter sur l'affaire Lip, cela exige l'utilisation de multiples périphrases... Dans certains de ces « petits canards » exercent d'ailleurs des hommes de grand talent. Joseph Folliet rappelle qu'un grand poète, Louis Mercier, fut longtemps directeur de l'hebdomadaire de Roanne (23).

La plupart des journalistes peuvent être classés en deux

---

(22) François Le Targat, *Journalisme, information,* Editions André Bonne, 1967.
(23) Joseph Folliet, *Tu seras journaliste.*

catégories : ceux qui sont assis et ceux qui sont debout. Les premiers reçoivent, mettent en forme, corrigent, coupent ou rallongent, titrent les informations que les seconds vont glaner sur le terrain. Dans les régionaux, ils se répartissent à peu près par moitié entre le siège et les agences.

Il n'y a plus d'épiciers

Pour améliorer le traitement de l'information, augmenter sa qualité tout en faisant face à l'accroissement considérable de son volume, les régionaux se sont dotés d'un énorme capital humain. Le nombre des journalistes en province a presque doublé au cours des dix dernières années. Les équipes ont changé. En trente ans le profil du journaliste s'est sensiblement modifié. « *Les équipes plus ou moins improvisées où plus d'un épicier se découvrit la vocation de journaliste* », auxquelles faisait allusion Jacques Fauvet (24), ont pris peu à peu leur retraite.

La carrière de journaliste tente un nombre considérable de jeunes qui déposent chaque année par dizaines, voire par centaines, leur candidature auprès du journal local. La sélection est rude. Elle est indispensable car, comme le souligne Pierre Lepape : « *Même si les exceptions commencent à se faire nombreuses, on entre encore au journalisme comme on entre en religion. Ce n'est pas un métier que l'on choisit, c'est une vocation que l'on veut exercer. Selon l'expression consacrée, on est journaliste vingt-quatre heures sur vingt-quatre, comme on est prêtre ou médecin, serviteur zélé, indéfectible et permanent de la déesse Vérité* » (25).

Le journalisme s'accommode mal de la semaine de cinq jours. Le plus grand danger qui le guette est la fonctionnarisation. D'où la tentation d'oublier le principe quasi sacré de la « polyvalence » du journaliste et de constituer deux ou trois catégories distinctes de professionnels. Cela présenterait l'avantage de ne pas décevoir les nou-

---

(24) *La IVe République*, A. Fayard, 1959.
(25) *La Presse*, Denoël, 1972.

veaux embauchés qui arrivent tout feu tout flamme, la tête remplie d'idées de voyages et de rêves de grands reportages, et qui tombent de haut lorsqu'ils sont attelés à la mise en page de l'information de Bormes-les-Mimosas ou d'Athée-sur-Cher.

Quoi qu'il en soit, les responsables des rédactions ont le souci de recruter des jeunes de qualité. Les mois d'été leur servent de banc d'essai. Tous les journaux recrutent pour cette période de vacances des dizaines de stagiaires, pour la plupart étudiants, qui font leurs preuves sur le terrain. D'une année sur l'autre le tri s'effectue. Lorsqu'ils terminent leurs études, les meilleurs éléments sont embauchés par le journal.

En 1966, d'après la très intéressante enquête statistique et sociologique réalisée par la Commission de la Carte d'Identité des Journalistes, le niveau de formation des professionnels se situait, pour deux tiers d'entre eux, entre la fin des études secondaires et le commencement des études supérieures. Depuis, le nombre des diplômés de l'enseignement supérieur a nettement augmenté. Si l'idée qu'exprime si bien Hervé Mille : « *Dans le journalisme, il n'y a pas de murs et par conséquent pas de portes* » (26) est toujours valable, un solide bagage culturel est cependant requis. Ainsi l'humoriste qui disait : « *Il n'y a qu'un point commun entre le métier de journaliste et celui de président de la République, c'est qu'il n'exige aucun diplôme* » n'est plus, dans les deux cas, qu'un persifleur.

En revanche, beaucoup de directeurs de journaux de province demeurent réservés à l'égard des écoles de journalisme, pour deux raisons principales. Il veulent que ce métier reste une profession ouverte, exempte de tout corporatisme et ils craignent, par ailleurs, que les journalistes frais émoulus des écoles ne soient vite désabusés, mécontents de leur état, dans une presse peu conforme à celle dont ils ont rêvé au cours de leurs études. Néanmoins, les réticences des directeurs de journaux tendent à s'estomper devant le talent vite confirmé de nombreux jeunes diplômés, soit du Centre de Formation des Journalistes de Paris, soit de l'Ecole de Lille.

(26) *L'Express*, 18-24 février 1974.

« *En fait,* dit Louis Guéry, actuel directeur du Centre de Perfectionnement des Journalistes, *on a admis pendant des années l'idée que ce métier ne s'apprenait pas, qu'on était doué ou pas. Or, on ne l'apprend pas complètement car il faut des aptitudes de base, — curiosité, esprit de synthèse, esprit de relation, clarté d'esprit et d'expression — mais il est bon que des organismes sélectionnent les candidats munis de ces qualités et complètent leur formation.* » Jules Clauwaert, président de l'Ecole Supérieure de Journalisme de Lille, ajoute à l'intention des directeurs de province : « *Il n'y a pas, à nos yeux, de « petit » et de « grand » journalisme, il n'y a que du bon et du mauvais journalisme.* » L'école de Lille, se refusant à former exclusivement des journalistes parisiens ou provinciaux, considère que son enseignement, réalisé au sein de la région, prépare bien ses étudiants à leur rôle de journalistes animateurs dont les provinces ont besoin.

La Commission de coordination de l'enseignement du journalisme, qui indique qu'en 1963, 6,2 % seulement des journalistes étaient passés dans des écoles professionnelles, situe aujourd'hui cette proportion entre 16 et 21 %. Tous ces efforts de sélection et de formation sont bénéfiques. Ils contribuent à améliorer l'image du journaliste de province, souvent méconnu sur le plan national, ce que ne compense pas le fait qu'il soit parfois trop connu au niveau local. Sans briguer une place au sein de ce « Tout-Etat » dans lequel figurent quelques-uns de ses confrères parisiens, le journaliste de province voudrait, lui aussi, avoir la parole dans des débats nationaux. Il est, par exemple, anormal que les tables rondes de la radio et de la télévision ne réunissent, le plus souvent, que des journalistes parisiens. Cela provoque l'exode des grandes plumes vers la capitale. Les directeurs des journaux parisiens le favorisent, car ils disposent de maints talents dans les régionaux. Ils savent que c'est la meilleure école pour un jeune journaliste.

Il faut souhaiter pour l'avenir que tous soient persuadés, comme l'affirme Joseph Folliet, qu'« *il y a plus de gloire* (*ou tout au moins autant*) *à travailler pour* Ouest-France *ou pour* L'Est Républicain — *pour prendre deux points cardinaux opposés — que pour* L'Aurore *ou* Le Parisien Libéré... » (27).

Des notables à vélomoteur

La force des régionaux ne réside pas seulement dans le poids de leur rédaction, mais aussi dans la densité de leur réseau de correspondants. Mais un correspondant local, sait-on vraiment qui il est, si l'on n'a jamais habité un village ? Et même dans ce dernier cas, faut-il encore se trouver sur son circuit. Celui-ci est double : permanent et occasionnel.

Les interlocuteurs permanents du correspondant sont le maire, son secrétaire, l'instituteur, le curé, les gendarmes, les pompiers, les postiers, le président du syndicat d'initiative, les principaux commerçants et le notaire. Souvent, le correspondant lui-même est l'un de ces personnages, donc un notable. De toute façon, il l'est, même comme conseiller municipal, garde-champêtre, assureur, buraliste ou cafetier. Il est correspondant, parce qu'il est intégré dans la « gentry » ou l' « intelligentsia » locale. Et il appartient à cette petite classe privilégiée qui tient le pouvoir communal, parce qu'il est correspondant, même s'il est retraité de l'armée, de l'enseignement ou des chemins de fer.

On peut aussi se trouver par hasard sur le chemin de ce héros champêtre ou héraut si l'on préfère, pour tout événement insolite : un accident survenu dans la grand-rue, un poisson phénomène pêché dans la rivière, un premier prix de chant à la chorale municipale ou la naissance de triplés dans le canton. Dans ces cas et dans bien d'autres, l'imagination peut se donner libre cours, le correspondant ne rate rien. Si cela lui arrivait, le chef d'agence voisin ou le secrétaire d'édition du siège pourrait lui en faire reproche. Or l'honneur et la joie d'informer ses concitoyens surpassent la prime, accessoire souvent dérisoire de la gloire. Cinq francs pour une exclusivité par rapport aux concurrents ou pour une dépêche bien tournée et envoyée à temps pour la « sortie »

(27) *Tu seras journaliste*, op. cit.

du journal ! D'ailleurs les primes sont de plus en plus rares, car leur multiplication coûterait cher au journal sans lui apporter une compensation en lecteurs. En outre, les correspondants travaillent souvent pour plusieurs titres. L'exclusivité ne leur est guère possible. Le papier carbone est une technique bien connue dans les villages, comme à Paris, chez les pigistes de plusieurs journaux.

Les correspondants se classent en trois catégories du point de vue de la rémunération : d'abord, — les bénévoles — ceux qui ne sont pratiquement jamais payés, sauf par le service gratuit du journal et par les salutations, plutôt rares, de la rédaction centrale ; correspondants de petits villages, ils sont plusieurs dizaines de milliers en France, et ce ne sont pas les moindres défenseurs de l'honneur du journal ; ensuite, ceux qui reçoivent une rémunération trimestrielle, laquelle est en réalité un remboursement de frais (téléphone, timbres, pourboires), correspondants de bourgades non négligeables, soit quelques milliers ; enfin, ceux qui sont payés mensuellement à des tarifs variant de... 50 francs à 1 500 francs, selon leur activité et l'importance de leur zone ; tantôt « spécialistes », notamment sportifs ou agricoles, tantôt correspondants de gros cantons couvrant plusieurs communes, ils peuvent à l'occasion remplacer un journaliste malade ou en vacances.

La « cantonalisation » des correspondants est une tendance prononcée dans la presse provinciale qui recherche toujours, à juste titre, une organisation plus solide et plus durable, mais si elle résout quelques problèmes de rémunération et de coût, elle n'en pose pas moins des questions d'ordre statutaire, voire juridique, social et humain.

Ces notables qui se contentent souvent d'un vélomoteur, voire d'une bicyclette, ne sont ni des journalistes ni des cadres ni des employés. Alors que sont-ils ? Des travailleurs indépendants ? Des amateurs éclairés ? Des philanthropes activistes ? Des « corbeaux » officiels ?

Une première certitude : ils sont des lecteurs hors pair, puisqu'ils reçoivent le journal gracieusement et le lisent avidement. Ensuite, ils se révèlent des prosélytes passionnés, puisque, non sans quelques conflits ou arrangements amiables avec le dépositaire du coin et le courtier des services publicitaires, ils placent quelques abonnements et annonces, sur lesquels ils perçoivent une commission de l'ordre de 10 %. Cette activité « commerciale » peut procurer dans certains gros bourgs de substantiels compléments de revenus. Ailleurs, « bourgs pourris » ou non, zones de forte ou faible concurrence, ce n'est guère qu'une complication supplémentaire pour tout un chacun. Pourtant, de grands journaux « gèrent » depuis plusieurs années leur réseau de correspondants sur ordinateur. Le calcul de leur production, le mandatement de leur rémunération, les prévisions de lignages, tout cela rend précieuses les utilisations de l'informatique. Trois mille correspondants, soit autant de prosélytes, pour un journal comme *La Nouvelle République*, cela vaut bien une « messe » informatique. Enfin, et surtout, ce sont des auxiliaires de rédaction dotés d'une « carte de presse », dont la validité reste à définir, pour ces employés, ces cadres ou ces travailleurs indépendants, avec des échelons de responsabilité et d'efficacité très gradués. Mais une pratique nuancée importe plus qu'une théorie corporatiste dans cette affaire. Lénine ne disait-il pas : « *Le communisme, ce sont les soviets plus l'électricité* » ? Ne pourrait-on pas dire, en le paraphrasant sommairement : « *Le journalisme provincial, ce sont les correspondants plus la disponibilité* »... ?

Des sources pour d'autres...

Des hommes, bénévoles ou mal payés, prosélytes ou désabusés, en tout cas conduits par un minimum de passion, sont à la base de l'information locale, départementale et régionale, triée et mise en forme par les journaux et périodiques de province. Ils le sont même parfois à leur corps défendant ou à leur insu pour leurs confrères parisiens, voire étrangers, de la radio, de la télévision comme de la presse écrite. Ces réseaux aux mailles serrées sont en effet inévitablement convoités, espionnés, pillés plus ou moins ouvertement. Jean Ladoire, rédacteur en chef adjoint de *Sud-Ouest*, compare les 3 500 correspondants de son journal à « *un gigantesque papier buvard qui absorbe tout ce qui se passe dans la région* ».

Tous ces faits prouveraient-ils, s'il en était besoin, que, pour être un informateur provincial, il n'est pas nécessaire d'être grand clerc ni d'avoir hanté des dizaines de salles de rédaction enfumées ? Pour exercer cette activité, il faut et il suffit, peut-être, d'aimer à la fois l'information, une région et son journal. Trois conditions pas si simples à remplir !

Pourtant, il devient de moins en moins aisé de trouver des correspondants : l'instituteur, aujourd'hui, tient souvent à ses loisirs familiaux, le curé court de paroisse en paroisse, le facteur motorisé ne s'attarde plus dans les fermes. Et le correspondant, comme le journaliste, est mobilisé tous les dimanches.

Dans *La Province trahie* (28), Henri de Grandmaison a brossé un portrait quelque peu désabusé du localier : « *Le journaliste local ressemble à un funambule qui avancerait sur un filin tenu à une extrémité par les pouvoirs et à l'autre par l'opinion publique. Quand l'un est mécon tent de la démonstration, il donne du mou tandis que l'autre applaudit. Et vice-versa. S'il tombe, en tout cas, personne ne se préoccupe de le relever. Ce qu'on voudrait surtout que soit un journaliste, c'est un complice : du préfet pour distiller les bonnes paroles, du maire pour faire avaler les décisions du conseil, des syndicats pour présenter une grève sous son meilleur angle, des patrons pour faire valoir leur dynamisme et leur sens de l'humain. Les commerçants en colère voudraient trouver en lui un Nicoud de la plume, les chasseurs toujours mécontents de quelque chose un Tartarin convaincu, les gaullistes exigeants un godillot bien ciré, les communistes un camarade discipliné, les curés un fidèle comme il faut. Et j'en passe. Qui n'a connu un maire ou un président du Conseil Général inviter la presse à lever la plume, quand un débat était trop houleux ? Et qui ne s'est pas heurté ensuite à un mur de silence pour n'avoir pas souscrit à cette invitation ?* »

(28) Le Cercle d'Or, Les Sables d'Olonne, 1975.

Chapitre II

LA RECHERCHE DU CONSENSUS DE LA LOCALE AU POLITIQUE

De la minuscule *Montagne Noire* de Mazamet au gigantesque *Ouest-France*, la presse de province célèbre avec ferveur le culte de l'information locale. Pivot central autour duquel s'ordonnent la politique nationale ou internationale, l'économie française ou étrangère, « la locale », comme on la baptise simplement, conditionne tout. A travers son prisme, parfois déformant, tout est revu. Cependant, derrière l'humilité feinte du régional, se dissimule une ambition certaine : défendre le droit des petites communautés à se faire entendre au sein du concert des nations. Cette tâche, aussi noble que périlleuse, ne saurait être la seule fin des quotidiens de province ; il leur faut aussi offrir à des lecteurs d'opinions variées un reflet de la vie du monde. Pour remplir cette double mission d'avocats des besoins provinciaux et de porte-parole des nécessités nationales, les journalistes, travaillant dans la presse régionale, se livrent en permanence à des numéros d'acrobates qui exigent d'eux autant de souplesse que de rigueur. A étudier comment sont traitées, dans le quotidien régional, la vie locale et la politique nationale, on découvre que ceux qu'un injuste mépris fait considérer comme les sans-grade de la profession journalistique, sont de prodigieux équilibristes.

Provenant d' « intellectuels en chaise longue », la plupart des attaques lancées contre l'information locale sont gratuites ou schématiques. Mais, même non fondées, elles nuisent au crédit de la presse de province. Les donneurs de leçons, qui sont aussi nombreux que les entrepreneurs de presse sont rares, oublient toujours que le seul censeur est le public. Les journaux sont publiés pour satisfaire leurs lecteurs, et non pour plaire aux rédacteurs. « *N'oubliez jamais les consommateurs* », telle devrait être la devise des journalistes. Or, les critiques des quotidiens régionaux ne se soucient guère des aspirations exprimées par les provinciaux.

S'élevant contre « le journal unanimiste » (1), Roger Dutheil reproche, de manière pernicieuse, à « *la grande presse de province de saupoudrer de parisianisme la recherche, patiente jusqu'à la niaiserie, du contact local* ». S'insurgeant contre « un narcissisme de clocher », il souhaite qu'il existe dans les régions des journaux d'opinion du style de *Libération* ou de *Combat*. Il manifeste, de la sorte, une curieuse méconnaissance de l'histoire. En effet, de 1944 à 1946, de tels brûlots ont proliféré. Mais ces titres sont tombés les uns après les autres parce qu'au lieu de tenter de servir les intérêts spécifiques d'une clientèle, ils voulaient lui imposer leur propre dogme. Ironiser sur le contenu de « la locale » est à la portée du premier venu ; maintenir en vie un quotidien exige ce don si rare de détecteur des menus faits de nature à intéresser les masses.

Un morceau de chiffon qui brûle...

La réalisation d'une bonne rubrique locale n'est pas le fait du hasard. Elle suppose la mise en œuvre de tout un art. C'est pourquoi le rédacteur en chef adjoint de *Sud-Ouest*, Jean Ladoire, peut affirmer (2) :

---

(1) Roger Dutheil, « Le Journal Unanimiste », *Esprit*, février 1971.
(2) Conférence prononcée à Bordeaux en 1971.

« *Dans une certaine mesure, nous sommes fiers de cette humilité et ne considérons pas comme infamante cette fonction.* Sud-Ouest, *comme ses confrères, s'efforce de disposer au-dessus de sa région d'un réseau de vigilance aux mailles serrées : on plaisantera peut-être l'importance que nous accordons à un feu de cheminée, à la chute sans gravité d'un cyclomotoriste, au succès au certificat d'études du fils de la postière, à l'acte de probité d'un gamin de dix ans qui a rapporté à la gendarmerie un porte-monnaie contenant cinq francs. Eh bien, c'est notre rôle d'en parler. Non pas par démagogie, non pour flatter nos lecteurs et en séduire de nouveaux, mais parce que c'est notre métier de le faire ; parce que c'est de l'information, parce que, dans nos campagnes, dans les villages, chacun veut lire dans le journal ce qui s'est passé chez lui, même si, déjà, on n'a plus rien à lui apprendre. Et à l'intention de tous ceux qui veulent le lire, nous, nous devons le publier.* » Et Francis Piganeau, rédacteur en chef de *Sud-Ouest,* n'hésite pas à reconnaître (3) que « *beaucoup plus, finalement, que de savants articles sur la situation au Vietnam ou de brillantes spéculations sur la crise du dollar, ce sont ces mêmes faits de la vie quotidienne, modestement rapportés, sans illusion excessive sur la valeur intrinsèque de cette forme de journalisme, mais aussi sans aucun complexe ni mauvaise conscience, qui font la force de la presse de province* ».

Depuis que le rédacteur en chef du *Chicago Herald Tribune,* Mac Cormick, a eu, entre les deux guerres, le bon sens d'avouer qu'« *un morceau de chiffon qui brûle dans Cleveland Avenue a plus d'importance pour son journal que la guerre en Chine* », tous les animateurs de quotidiens régionaux du monde ont embrassé la religion du fait local. Et ils n'ont pas eu tort, comme le prouve ce constat effectué à *Sud-Ouest.* Le drame des Jeux Olympiques de Munich a fait vendre au journal 7 000 exemplaires supplémentaires ; quelques jours plus tard, survenait un mini-tremblement de terre à l'île d'Oléron. Il n'y eut

(3) Conférence prononcée à Bordeaux en 1972.

ni mort ni blessé, mais *Sud-Ouest* a vendu 14 000 exemplaires en plus (4).

Pierre-René Wolf a su donner ses lettres de noblesse à « la locale » : « *Quand vous ouvrez un journal, vous vous dites, si vous n'êtes pas de cette province, qu'il y a bien là des pages réservées à des faits qui, intellectuellement, ne vous satisfont pas. Vous vous dites que tous les chiens écrasés ne sont pas dignes d'une intellectualité que vous recherchez peut-être et pour une part, c'est vrai. Si vous ne voyez dans votre rôle de journaliste que celui d'un guide supérieur, vous avez raison. Mais si vous pensez que vous devez être aussi un guide quotidien, vous vous apercevez que toutes ces servitudes, qui sont bien souvent lassantes, ont cependant le mérite de vous attacher à ce que j'appellerai « la chanson du quartier », et ce n'est pas sans grandeur* » (5).

L'exploitation systématique de la nouvelle locale s'est imposée dans les quotidiens régionaux français après la Libération. Avant la seconde guerre mondiale, « La locale » se limitait à une morne et brève énumération des incidents survenus la veille ou l'avant-veille. Désormais, elle est devenue un véritable roman, le principal feuilleton du journal, jamais achevé, toujours à suivre. La place qu'elle occupe a décuplé : *La Petite Gironde* accordait à l'information régionale une page, voire une demi-page, dans chaque édition ; son successeur, *Sud-Ouest*, consacre parfois, aujourd'hui, quatorze pages aux seules Pyrénées-Atlantiques réparties entre son édition de Pau et celle de Bayonne. Il va de soi qu'on ne saurait remplir ces pages seulement avec des avis sur « les chiens écrasés ».

D'une région à l'autre, d'un journal à l'autre, la locale varie sensiblement, tant dans son contenu que dans sa présentation. Pour le rédacteur en chef de *L'Est Républicain*, Roland Mével (6), l'information locale traverse

(4) Jean C. Texier, « Entretien avec Henri Amouroux, ancien directeur général de *Sud-Ouest*, *Presse Actualité*, n° 90, mars 1974.

(5) Texte cité par Anne Philip in *La Presse Quotidienne régionale française*, IPEC, 1974, p. 98.

(6) Conférence prononcée, le 23 avril 1974, au Centre de Perfectionnement des Journalistes.

actuellement une période d'incertitude car elle est balancée entre le conformisme des traditions et les audaces du changement. Il s'avère, néanmoins, possible de repérer une structure stable et cohérente sur laquelle s'appuient toutes les rubriques locales. René Pucheu a cru découvrir les huit centres d'intérêt majeurs de la locale (7) : « *Le grand jeu de la vie et de la mort* » où Thanatos domine sous la forme de nécrologies dont il faut subir la complaisance. Tous les morts ils sont beaux, tous les morts ils sont gentils ! Puis vient « *Le petit guignol des grandes personnes* » : la correctionnelle dont l'acteur principal est le prévenu. Ensuite apparaissent les « *rois et reines d'un jour* » : les décorés, les promus ou les centenaires. René Pucheu aurait dû ajouter les plus jeunes grands-mères, sujet redoutable à évoquer, mais périodiquement remis à l'honneur par un stagiaire qui s'étonne de découvrir une aïeule de 38 ans. Et le journal n'évitera pas de publier par la suite une douzaine de lettres de grands-mères encore plus jeunes. L'inventaire de la locale se poursuit avec les « *récréations* », comptes rendus de quinzaines commerciales, vins d'honneur, kermesses où il est de bon ton de ne pas omettre les noms des personnalités présentes. « *La culture* » et « *la vie municipale* » constituent aussi des thèmes de base. « *Le travail* » n'est le plus souvent évoqué qu'à l'occasion des départs en retraite. Enfin, « *les petits et les grands soucis quotidiens* » rassemblent pêle-mêle les accidents mortels et les divers incidents de la vie de tous les jours.

Voici brossé un portrait de la locale traditionnelle reflet d'une existence marquée par la permanence de rites quasiment immuables. On a même calculé qu'un lecteur régional avait au moins trois chances de figurer dans la locale, à l'occasion d'une des étapes de sa vie : naissance, succès scolaire, séjour en colonie de vacances, service militaire, mariage, promotion, exploits divers et, enfin, plus sûrement décès. C'est pourquoi *Le Provençal* était parvenu à codifier à l'avance la place que l'on accor-

(7) René Pucheu, « L'information locale », *Presse-Actualité*, n° 79, janvier 1973.

dera à tel type de mariage, de décoration, de décès. La mort du notaire vaudrait trois colonnes et celle du cantonnier un titre en caractère douze, c'est-à-dire très modeste. René Pucheu déplore cette mise en fiche « *selon qu'on est puissant ou misérable* ». Mais il conclut lucidement : « *Si l'on réimaginait la locale, pourrait-on faire autrement ?* »

Le grand drame des petits notables

Marqués par un passé où les journaux ne s'adressaient qu'aux notables, les quotidiens régionaux furent longtemps enclins à privilégier les célébrités locales. « *La république radicale,* note Pierre Lepape (8), *a renforcé cette tendance à rendre compte de la vie publique à travers l'image qu'en donneraient ceux que l'on devait considérer comme ses porte-parole.* » Grand reporter à *Paris-Normandie,* Pierre Lepape a maintes fois remarqué le jeu du chat et de la souris auquel se livrent le journaliste et le notable en province : « *Les communications de masse ne laissent pas le choix au petit notable : ou il parvient, à son échelle, à devenir lui aussi une vedette, ou il est condamné à disparaître au profit des plus habiles. Il va ainsi s'établir une sorte de complicité entre le journaliste et la personnalité, l'une permettant à l'autre d'avoir le plus souvent possible son nom, sa photo, ses réalisations dans la presse, le notable permettant au journaliste d'accéder à un certain nombre de sources d'informations auxquelles il n'aurait pu parvenir que par des chemins moins directs et plus lents.* »

Assurément, beaucoup de localiers ne savent pas, ne veulent pas, ou ne peuvent pas, prendre le recul nécessaire. Intimes avec toutes les personnalités de leur zone d'action, ils véhiculent une information trop souvent dénuée de sens critique. « *Si les journalistes sont encore présents dans les cercles et parmi les notables, aujourd'hui dépassés, qui accueillaient leurs aînés,* reconnaît Jacques Faine, chef des informations agricoles à *Sud-*

(8) Pierre Lepape, *La Presse,* Denoël, 1972.

Ouest (9), *ils ne sont pas encore, ou sont insuffisamment, présents là où vivent les hommes d'aujourd'hui : au cœur des entreprises, dans les moyens de transport, dans les clubs, dans les centres socio-culturels. Alors que la presse de province dispose, à juste titre, de son correspondant dans des chefs-lieux de cantons ruraux dépeuplés, elle n'en a pas encore dans des grands ensembles de plusieurs milliers d'habitants.* »

Afin de remédier à cette lacune, le quotidien marseillais *Le Soir* a tenté, au printemps 1975, de mettre en place un réseau de deux cents « correspondants » dans les quartiers de la cité phocéenne. Pour recruter ces informateurs bénévoles, *Le Soir* a obtenu le concours de la Fédération des Comités d'Intérêt de Quartier qui espère ainsi mieux faire entendre la voix de ses adhérents. Il est trop tôt pour juger le résultat de cette expérience, mais elle administre déjà la preuve que les régionaux ne cessent de chercher à améliorer leur « locale ».

Ce souci d'innovation a incité les journaux à miser sur leurs jeunes rédacteurs. Un grand régional de l'Est n'a pas hésité à confier la « locale » de son siège, où travaillaient plusieurs sexagénaires, à un journaliste de moins de trente ans. Un changement de ton fut immédiatement perceptible. De son côté, *Nice-Matin* constate que l'introduction de jeunes au secrétariat de son édition des Alpes-Maritimes a permis de redéfinir le style de la « locale ». De cet « aggiornamento », les notables ont fait les frais : dorénavant, le journal n'énumère plus tous les titres des personnalités, et parfois même tait les noms pour n'indiquer que leur fonction. L'énumération de renseignements brefs a été condensée pour laisser de la place à des enquêtes approfondies (10).

Il faut toutefois se garder de croire que les modifications proviennent uniquement de l'effort de modernisation entrepris par les rédacteurs. Comme le souligne pertinemment Jean Pinvidic, qui a travaillé pour la rénovation de la « locale » de Quimper à *Ouest-France* : « *Je*

(9) Jacques Faine, « Débat sur la locale », *Presse Actualité*, n° 83, mai 1973.

(10) Cf. Nicolas Langlois, « *Nice-Matin* », *Presse Actualité*, n° 84, juin 1973.

ne dirai pas que les personnalités des journalistes ne sont pour rien dans ces transformations, mais j'affirmerai que le changement d'attitude du public a été au moins aussi déterminant : rares sont désormais les associations de toutes natures qui ne réagissent pas à l'information et qui ne sollicitent pas les journalistes, non plus pour prendre un communiqué mais pour faire une enquête ou un reportage. (...) Certes, M. le Maire reste encore « dévoué et compétent », l'infirmière qui part en retraite a accompli « un véritable sacerdoce pendant quarante ans de sa vie », mais on sait que, malgré son dévouement et sa compétence, M. le Maire se fait mener parfois par quelques technocrates, on sait que ses décisions ne sont pas infaillibles, on sait de même que le sacerdoce de l'infirmière n'a pas été efficace à 100 %, parce qu'il n'y a pas assez d'infirmières notamment. Je pense qu'on assiste à une certaine dissociation entre la figure classique du maire ou de l'infirmière et la gestion municipale où les moyens de protéger la santé des gens ne sont plus tout à fait réductibles à quelques hommes » (11).

Dans un autre bureau d'*Ouest-France*, s'est déroulée une expérience pleine d'enseignement. A Brest, le grand quotidien de Rennes est dominé par *Le Télégramme*. Afin de ne plus offrir à ses lecteurs un reflet plus ou moins fidèle du journal concurrent, *Ouest-France* s'est délibérément orienté vers la « locale moderne ». « *Nous avons voulu*, rapporte Bernard Boudic (12), l'un des six journalistes engagés dans cette opération, *faire un travail d'information en profondeur, en donnant l'explication des faits, en redonnant la parole à ceux qui ne l'avaient pas, en devenant la mauvaise conscience des pouvoirs publics. La nouvelle formule a été inaugurée par une grande enquête portant sur la nouvelle Z.U.P. de Brest. Cette expérience nous a fait apparaître comme des gens crédibles aux yeux de nos lecteurs et, d'une façon générale, des habitants de Brest. Nous ne nous contentions plus de donner le point de vue officiel sur les choses et les événements. Nous*

(11) Jean Pinvidic, « Débat sur la Locale », *Presse Actualité*, n° 83, mai 1973.

(12) Conférence prononcée au Centre de Perfectionnement des Journalistes, le 24 avril 1974.

avons ainsi traité de la réforme communale et cantonale, de la rentrée scolaire, d'un projet de raffinerie, d'un scandale immobilier. »

Désormais, selon l'avis de Bernard Boudic, les Brestois ont le choix entre deux journaux différents, « *l'un offrant un type d'information locale traditionnelle, l'autre un type d'information dynamique* ». Pour *Ouest-France*, les résultats furent doubles : si la réputation de sérieux de son édition provoqua un léger accroissement de sa vente, son style accrocheur suscita quelques difficultés avec les pouvoirs établis. Depuis quelques années, *Ouest-France* a évolué sur le problème breton : il accueille, désormais, de temps à autre, des points de vue autonomistes.

Qui a encore peur du « ratage » ?

Le devenir de la « locale » préoccupe tous les régionaux. C'est pourquoi le Centre de Perfectionnement des Journalistes a organisé, en 1974, des journées de réflexion sur ce thème. De ce débat quelques idées sont à retenir :

« — *Il faut veiller à ne pas se couper des sources traditionnelles, notamment officielles : tout en perdant le complexe du journaliste-témoin et faire-valoir.*
— *Il ne faut pas avoir peur du ratage quand on veut innover.*
— *Il faut agir avec prudence, lentement, sans brusquer le lecteur ou les informateurs.*
— *Il faut redonner sa place et son importance au billet et aux échos, rubriques permettant de sentir et de faire sentir le pouls de la ville.* »

Tirant la philosophie qui se dégage de toutes ces controverses sur la « locale », le sociologue William Grossin montre bien que « *la locale ne peut plus rester ce qu'elle était, ou ce qu'elle est, parce que la vie locale a elle-même changé. L'essor industriel, le développement de l'agriculture, la centralisation politique et administrative, la « stagflation » économique : autant de facteurs de changement du comportement pour l'individu. Les besoins en information s'en trouvent être modifiés. On veut désormais des informations économiques dans le journal, facilement assimilables. On ne s'intéresse plus que très peu aux activités des notables, aux réunions d'anciens combattants auxquelles on néglige d'assister* » (13).

Autant l'information locale s'impose comme le dénominateur commun des lecteurs de régionaux, autant la politique risque de constituer leur diviseur commun. C'est pourquoi la plupart des quotidiens de province affichent un apolitisme qui déroute ceux qui souhaitent obtenir des journaux une opinion tranchée, un engagement net. Découvrir la tendance politique des principaux titres de province n'est pas très facile. Un spécialiste aussi avisé que Jacques Kayser reconnaissait, peu avant sa mort, en 1962, sur un ton désabusé, que « *classer les quotidiens français en journaux d'information générale et journaux politiques est une tâche malaisée, car il n'est pas* 25 % *qui avouent une appartenance politique, alors que plus de* 25 % *prennent des positions politiques, tout en se définissant « journal d'information* ».

Quel contraste avec l'immédiat après-guerre qui connut une floraison de quotidiens épousant sans réticences les thèses des principaux partis : une vingtaine de titres pour les communistes (14), treize pour les démocrates-chrétiens, sept pour les radicaux. Mais ces feuilles ne résistèrent ni aux difficultés économiques, ni à la dépolitisation du public. Au fur et à mesure des naufrages, l'empire des grands régionaux se confortait à condition qu'ils ne se hasardent point sur le champ des luttes partisanes.

---

(13) Conférence prononcée au Centre de perfectionnement des Journalistes, le 25 avril 1974.

(14 En 1946, en province, le parti communiste éditait 14 titres : *L'Avenir Normand* à Rouen, *L'Aurore du Sud-Est* à Nice, *La Dépêche de l'Aube* à Troyes, *Le Cri du Peuple* à Saint-Etienne, *L'Etincelle* à Pau, *La Gironde Populaire* à Bordeaux, *l'Humanité d'Alsace-Lorraine* à Strasbourg, *Liberté* à Lille, *Liberté des Charentes* à Angoulême, *Rouge-Midi* à Marseille, *Le Travailleur Alpin* à Grenoble, *Valmy* à Moulins, *La Voix de la Moselle* à Metz et *La Voix du Peuple* à Lyon. A la même époque, le Front National, mouvement communisant, disposait de 8 titres : *La Marseillaise* à Marseille, *Midi-Soir* à Marseille, *Le Patriote* à Nice, *Le Patriote* à Saint-Etienne, *Le Patriote du Sud-Ouest* à Toulouse, *Le Patriote* à Ajaccio, *La Marseillaise du Berry* à Châteauroux et *Les Allobroges* à Grenoble.

Ainsi, en 1975, seul le Parti Communiste édite encore des quotidiens en province. Cependant, ses trois titres : *La Marseillaise* à Marseille, *Liberté* à Lille et *L'Echo du Centre* à Limoges, n'atteignent pas une diffusion globale de 100 000 exemplaires et sont contraints de reproduire des pages de *l'Humanité* de Paris. La presse communiste a perdu pied en province, vers 1956. « *C'était l'époque de la guerre froide, le ton était devenu dur, la plupart de nos journaux se sont mal adaptés à la situation et ont braqué leurs lecteurs* », reconnaît aujourd'hui l'un des responsables de ces publications. Si les communistes sont parvenus à sauver les apparences en maintenant trois feuilles, les autres partis ont dû abandonner leurs organes d'expression quotidiens. Désormais, les polémiques partisanes trouvent refuge dans des hebdomadaires ou dans des bulletins à parution irrégulière. Les quelques journaux qui s'engagent à l'occasion n'entretiennent pas de liens officiels avec un quelconque parti : *La Dépêche* à Toulouse défend encore les principes du radicalisme (15) ; à Marseille, *Le Méridional* demeure farouchement conservateur parce que *Le Provençal* s'adonne à un so-

(15) Sur l'attitude politique de *La Dépêche*, on a pu lire ce commentaire dans *Le Point* du 2 juin 1975 : « *Le fait n'est pas banal dans un pays libéral : en quinze jours de campagne législative dans le Tarn, du 7 au 25 mai, le principal quotidien diffusé dans la région,* La Dépêche du Midi, *a cité deux fois — en pages intérieures — le nom de l'UDR Jacques Limouzy, très confortablement réélu le 25 mai au 1er tour de l'élection partielle avec plus de 54 % des voix. Quant au nom de son adversaire socialiste, Michel Tournier, arrivé bon second avec* LG *% des suffrages, c'est pis : il n'a été cité, lui, qu'une fois. Mieux :* La Dépêche, *qui dispose dans la région d'un quasi-monopole de l'information, a purement et simplement ignoré le meeting tenu à Castres, le 15 mai, devant près de* 5 000 *personnes, par François Mitterrand.*

Irritée des critiques qu'elle a reçues, la direction de La Dépêche *mettait, avec simplicité, la veille du scrutin, les points sur les i :* « D'étranges mœurs sont en passe de s'instaurer si *La Dépêche du Midi* ne peut plus soutenir, comme elle l'entend, un candidat officiel du Mouvement des radicaux de gauche sans essuyer injures et lazzis ou encourir on ne sait quel procès d'intention... » *Directeur général adjoint, Jean-Michel Baylet est encore plus explicite :* « Jacques Limouzy se fait passer partout pour un radical. Les socialistes ont présenté un candidat-pirate. Le siège nous revenait. Nous nous sommes donc battus avec nos moyens. Et si on me parle de morale professionnelle, j'en appelle, moi, à la morale politique ! »

Le 25 mai, le candidat de La Dépêche, *Bernard Raynaud, radical de gauche, a obtenu 6,25 % des voix.* »

cialisme militant (16) ; à Lille, *Nord-Matin* reste « *le journal de la démocratie socialiste* », mais depuis 1967, il fait partie d'un groupe dont les animateurs sont des parlementaires de la majorité présidentielle, Robert Hersant et André Audinot.

Une minorité bavarde

Les nostalgiques de cette presse d'opinion sont nombreux. Ils recrutent surtout parmi les intellectuels, cette minorité bavarde qui s'oppose à la majorité silencieuse. Ainsi, Roger Dutheil caricature le style des régionaux : « *La presse de province agglutine le citoyen autour d'une vague idée de sagesse qui s'accommode mieux de M. Pompidou que du général De Gaulle, intégrant à l'image du président le petit chapeau de M. Pinay, les pull-overs de M. Giscard d'Estaing, la pipe de M. Edgar Faure ou le bateau de M. Defferre. Depuis peu, M. Duclos et même MM. Séguy et Marchais sont insidieusement annexés dans les harmoniques discrètes de tout journal qui se veut efficace selon un dosage qui devrait intéresser les étudiants en sociologie* » (17). Cette fois encore, la critique de Roger Dutheil est trop systématique. Mais elle rejoint la préoccupation de beaucoup de directeurs de journaux qui cherchent à éviter, sous prétexte de neutralité, la neutralisation de l'information politique. C'est l'éditorialiste de *La Dépêche*, Joseph Barsalou, qui rappelle, à juste titre, que « *la presse doit exercer tous ses droits, et d'abord se convaincre que le respect n'est dû à personne, à aucune institution, à aucun corps de l'Etat* » (18).

Si l'on peut admettre, avec Jean Schwoebel, que « *les quotidiens se gardent de prendre des positions tranchées en matière politique, économique et sociale* », on ne saurait souscrire à son accusation formulée contre les régio-

---

(16) Lors de la campagne pour l'élection présidentielle de mai 1974, c'est *Le Provençal* qui a publié une tribune annonçant le soutien de Françoise Giroud à François Mitterrand. Edités tous les deux par Gaston Defferre, *Le Provençal* et *Le Méridional* ont, malgré leurs divergences idéologiques, des pages communes pour l'actualité locale.

(17) Roger Dutheil, « Le Journal unanimiste », *Esprit*, février 1971.

(18) Joseph Barsalou, *Questions au Journalisme*, Stock, 1973.

naux : « *Leur apolitisme constitue en fait une réelle complicité à l'égard de la politique conservatrice. Tout naturellement, ils défendent un régime social qui défend la propriété des grandes entreprises dont la publicité assure leur existence, leurs bénéfices, leur influence* » (19). Renonçant à l'engagement politique, les directeurs des grands journaux ont été amenés à adopter une nouvelle ligne de conduite qui tend à respecter le pluralisme idéologique. Ce souci est d'autant plus fort chez les régionaux qu'une bonne partie de leur clientèle est composée des anciens fidèles des quotidiens partisans.

« *En dépit de la concentration,* note Roger Secrétain, ancien maire d'Orléans et président de *La République du Centre, et par conséquent de la monopolisation relative des secteurs de lecture, le correctif est apporté par l'échantillonnage des journaux, moins varié certes qu'autrefois, mais auquel s'ajoutent les innombrables bulletins répandus par les partis, syndicats ou groupements et, bien entendu, les tribunes politiques des radios et de la télévision. Mais là où existe une monopolisation de fait, on assiste à un phénomène d'ailleurs général et irrésistible : la primauté de l'information sur la politique pure et sur l'idéologie. Les journaux se « décolorent », parce qu'une clientèle aussi large n'accepterait pas une propagande orientée et parce qu'ils rencontreraient la lassitude et le scepticisme qui ont provoqué la décadence des journaux d'opinion. De plus, le pluralisme, autrefois assuré par la diversité des organes, s'est transporté à l'intérieur d'un même journal, sous le signe de l'accueil le plus libéral* » (20). « *Impossible pour un grand régional d'être partisan,* renchérit Michel Bavastro, président-directeur général de *Nice-Matin, ce qui n'empêche pas les lecteurs de faire, eux, des votes partisans. Autrefois, un journal ne s'adressait qu'à quelques milliers de lecteurs. Aujourd'hui, ses lecteurs se comptent par centaines de milliers, par millions. Et là-dedans, toutes sortes d'opinions, de croyances, qu'il faut se garder de choquer. Un coup de barre*

---

(19) Jean Schwoebel, « Qu'est-ce qu'un journal ? », *Après-Demain*, n° 159, décembre 1973.

(20) Roger Secrétain, « Le Pouvoir de la Presse », *La République du Centre*, juin 1973.

trop appuyé à droite, à gauche, et ce sont des milliers de lecteurs qui s'effarouchent. Un autre coup de barre, ils quittent le bateau » (21). En une formule, Jacques Lemoîne, président de *Sud-Ouest* de 1944 à 1968, a su établir la charte morale du journaliste en position de monopole : « *Les partis ont le droit de venir dire, chez nous, ce qu'ils pensent, mais les commentaires sont libres* » (22). Du côté des formations politiques, cette situation est parfaitement admise, comme en témoigne un ancien ministre socialiste de l'Information, Gérard Jacquet, qui nous confiait, en 1973 : « *Là où il y a un seul titre, si le journal est « fair-play », ouvert à toutes les opinions, sa situation de monopole n'a rien de choquant.* »

Dans la perspective des prochaines consultations électorales, les positions ne risquent-elles pas de se durcir ? Révélatrice à cet égard est l'attitude de Robert Hersant qui déclare à Jean-Louis Servan-Schreiber, dans *L'Expansion* de novembre 1976 : « *Nous vivons une vie nouvelle. Je ne suis pas responsable de la coupure politique de ce pays, mais c'est ainsi. La presse va forcément opter, et les journalistes devront choisir des organes qui correspondent à leurs pensées politiques. C'est pourquoi, un jour, j'ai mis cartes sur table dans une petite annonce concernant des hebdomadaires normands qui soutiennent D'Ornano et Stirn : « Si vous êtes communistes ou socialistes, vous ne serez pas à l'aise dans les hebdos. Vous serez donc malheureux. En conséquence, ne venez pas. » Je ne pense pas que Mme Baylet, à Toulouse, depuis vingt-cinq ans, où elle a concentré autour de* La Dépêche *tous les titres existant à la Libération, ait pamais pensé à donner la parole à des adversaires politiques. Si vous n'êtes pas persona grata, votre nom, votre photo ne figureront jamais dans ses colonnes. Vous n'avez pas d'existence dans sa zone d'action.* Nord-Matin, *quotidien socialiste, poursuit strictement la même politique ; il n'est pas question de voir dans ce journal la tête d'un conseiller général U.D.R. ou Indépendant et Paysan.* »

---

(21) Texte cité par Anne Philip, in *La Presse Quotidienne Régionale française*, IPEC, 1974, p. 207.

(22) Cité par Jean Couvreur in « Le nouveau visage de la presse de province », *Le Monde*, 17 mars 1965.

Les débats politiques nationaux rencontrent un reflet assez exact dans la presse de province. Les divers partis ont toujours la faculté de s'exprimer dans les régionaux. La meilleure preuve en est fournie par l'élection présidentielle de mai 1974. L'enjeu, les circonstances, les candidats, tout concourait à donner à ce scrutin une importance fondamentale. Pourtant, il s'avère assez difficile de déceler dans la presse de province des campagnes nettement orientées. Si *Le Progrès* de Lyon a voulu retrouver l'accent radical de ses origines, *La Dépêche du Midi*, rompant pour la première fois avec ses habitudes, avait jugé nécessaire d'ouvrir ses colonnes à « son opposition », devenue la nouvelle majorité.

On pourrait croire que d'autres régionaux auraient été influencés par le fait que tel ou tel candidat était originaire de leur zone de diffusion. C'était le cas, par exemple, pour *L'Alsace* et Emile Muller, pour *La Montagne* et Valéry Giscard d'Estaing, pour *La Nouvelle République du Centre-Ouest* et Jean Royer, pour *Sud-Ouest* et Jacques Chaban-Delmas. Or, il n'en fut rien. Dans ces journaux, il est scientifiquement impossible de relever une mise en valeur nette, volontaire et constante des positions des candidats « du pays ». On constate, tout au plus, le souci, chez certains hommes politiques, de réserver au journal de leur circonscription la primeur, voire l'exclusivité de déclarations à portée nationale.

Une flambée sans lendemain

D'ailleurs, les directeurs de journaux savent qu'il faut doser l'information politique de telle manière qu'elle ne lasse pas le lecteur. En temps normal, un commentaire important retient l'attention de 20 à 40 % des lecteurs. En période d'élections, si le taux de lecture augmente sensiblement, le nombre des acheteurs s'accroît fort peu, sauf le jour de la publication des résultats, où les ventes progressent de 15 à 20 %. Mais cette flambée reste toujours sans lendemain.

Paradoxalement, les élections législatives partielles, en province, sensibilisent moins les quotidiens régionaux que les journaux parisiens. En fait, si, au niveau national, ces scrutins prennent valeur de test, à l'échelon local, ils se déroulent dans une indifférence telle que le taux d'abstentions atteint parfois les 45 %. Pourtant, un homme politique qui est aussi un journaliste, Jean-Jacques Servan-Schreiber, a obligé la presse de province à sortir de sa routine, à l'occasion de deux élections. De son aventure, on peut dégager des modèles possibles d'intervention de la presse dans les débats électoraux.

Dans les annales de la presse de province française, une élection législative partielle a fait date : celle qui permit, en juin 1970, à Jean-Jacques Servan-Schreiber de conquérir le siège de député de Nancy aux dépens de l'ancien titulaire, le gaulliste Jacques Souchal. J.-J. Servan-Schreiber fut littéralement « porté », durant toute sa campagne, par le journal local *L'Est Républicain*, qui, rompant avec son habituelle réserve, s'engagea à fond en sa faveur.

L'affaire fit du bruit, non seulement dans les milieux gouvernementaux, mais aussi dans le petit monde de la presse, côté management et côté rédaction. D'aucuns y virent une manœuvre personnelle de Léon Chadé, P.-D.G. de *L'Est Républicain*. Avait-il le droit d'engager aussi nettement un journal dont il n'était même pas propriétaire, dirent les uns ? Peut-on faire fi de l'opinion de près de la moitié de ses lecteurs, renchérirent d'autres ? Et notre opinion ? questionnèrent, à leur tour, les journalistes. Lorsque J.-J. S.-S. fut élu, on parla du pouvoir souverain de la presse de province, cela calma beaucoup d'esprits anxieux et tatillons.

Pourtant, allant plus au fond du problème, certains analysèrent les motivations de Léon Chadé qui demeure sans conteste une des plus respectables figures du journalisme en France, tout le contraire d'un aventurier. Qu'allait-il faire dans cette galère ? Ambition personnelle, avancèrent les uns : pas à 65 ans ; coup monté par amitié, le fameux copinage d'antan, suggérèrent les autres. Léon Chadé a sûrement été séduit, mais il ne connaissait pas J.-J. S.-S. auparavant. Alors ? Pour comprendre les raisons du P.-D.G. de *L'Est Républicain*, fidèle envers et contre toute apparence à ses principes, il faut restituer le contexte local, rappeler la lutte fratricide de Metz et de

Nancy, les deux grandes cités lorraines qui laissèrent à l'abandon un aérodrome évacué par l'OTAN, parce qu'il était situé plus près de l'une que de l'autre. Or, Metz bénéficiait à l'époque de l'influence d'un député-maire, qui était aussi ministre des Transports, Raymond Mondon. Elle en profitait notamment pour faire infléchir à son profit le tracé de l'autoroute... C'est dans ce climat passionnel que Léon Chadé crut trouver pour Nancy, en la personne de Jean-Jacques Servan-Schreiber, le champion tant désiré qui rétablirait l'équilibre.

La ligne politique du journal en a sans doute subi quelque dommage, mais l'intérêt supérieur de la région le commandait. Le quotidien régional respectait amplement son contrat. Et Joseph Barsalou d'applaudir : « *Nous avons assisté de la part d'un journal neutre à l'affirmation exemplaire de la vocation de la presse régionale. Nul ne peut exprimer plus valablement qu'elle la conscience profonde de la région* » (23).

Trois mois plus tard, *Sud-Ouest* devait être confronté à une situation jugée par beaucoup semblable à celle de *L'Est Républicain.* En effet, elle mettait en scène le même acteur, Jean-Jacques Servan-Schreiber, qui se présenta, le 20 septembre 1970, à une élection partielle en Gironde contre Jacques Chaban-Delmas, alors Premier Ministre. Dans le livre qu'Henri Amouroux, Pierre Sainderichin et l'équipe de *Sud-Ouest* ont consacré à cette fameuse bataille de Bordeaux, ils montrent les différences d'attitude entre le quotidien bordelais et son confrère nancéien : « *Léon Chadé a fait de* L'Est Républicain *le soutien logistique de J.-J. S.-S. A Nancy, il a offert à Jean-Jacques le IV*e *pouvoir, celui de la presse. L'influence de* L'Est-Républicain *a été mise tout entière au service du candidat — et de lui seul. En une campagne, le nouveau député a découvert — ou redécouvert — l'énorme pouvoir dont dispose un quotidien de province, surtout lorsqu'il est sans rivaux* (...). *Mais Léon Chadé n'aura pas d'émule.* Sud-Ouest *démontrera qu'en gardant sa distance — et ses*

---

(23) Joseph Barsalou, *Questions au journalisme*, Stock, 1973.

distances — un journal peut aussi prouver sa puissance » (24).

Henri Amouroux insiste sur le rôle si délicat des journalistes, « *acteurs autant que témoins* », car, précise-t-il, « *un journal n'est pas un mur sur lequel on affiche. Il lui arrive de créer l'événement, d'intervenir dans l'actualité, parfois de l'influencer. C'est ce qui s'est passé à Bordeaux. Si radios et journaux, pendant cinq semaines, ont fait écho aux initiatives de* Sud-Ouest, *c'est parce que nous avions décidé, non de prendre parti, mais de faire entièrement, totalement, notre métier de journaliste, qui est métier d'accoucheur autant que de devin* » (25).

La dépolitisation et la localisation ont assuré le succès de la presse de province depuis 1945. Elle a trouvé une audience plus large et plus stable en proposant à sa clientèle des services plutôt que des idées. L'intimité de ces journaux avec leurs lecteurs constitue un remarquable rempart contre l'érosion consécutive aux augmentations de prix ou à la concurrence des autres média.

Pas n'importe quel chien !

C'est pourquoi une partie de la presse nationale a tenté d'obtenir un sang neuf en misant aussi sur l'information locale. Son ambition serait de créer un lien suffisamment solide avec les habitants de la capitale pour enraciner profondément les journaux dans la communauté parisienne. Car il est vrai que l'attachement du lecteur est à la mesure de l'intérêt que le journal lui porte, ou tout au moins du sentiment qu'il en a. La presse locale : une presse de chiens écrasés ? Peut-être, mais pas de n'importe quel chien, comme dans feu *Paris-Jour,* celui de M. Jules Renault, plombier, 37 ans, père de deux enfants, 21, rue de la Mairie à Romorantin...

Le Parisien Libéré l'avait compris depuis de nombreuses années. Il s'était efforcé systématiquement de constituer des éditions aux environs de Paris, il en avait 16 en

---

(24) Henri Amouroux et al., *L'Equipe de Sud-Ouest raconte la bataille de Bordeaux,* A. Fayard, 1970.

(25) Op. cit., préface.

tout. Mais, en même temps, Claude Bellanger, son directeur général, avait mesuré les limites de cette politique le jour où il essuya un échec avec l'édition de la Seine-Saint-Denis. Il nous l'expliqua très naturellement : « *A moins de cent kilomètres de Paris, il n'y a pas de véritables entités locales, mais seulement des centres de vie tronqués, des cités-dortoirs dont la capitale aspire quotidiennement les membres actifs. Il n'y a pas de presse pour l'information locale.* » En dépit des efforts de *France-Soir*, spécialement sous la direction d'Henri Amouroux, acquis d'évidence aux problèmes d'information locale, de *La Croix* ou du *Quotidien de Paris*, les vrais journaux locaux de la capitale sont des périodiques qui ont pour titres *L'Auvergnat de Paris* (23 000 exemplaires), *La Bretagne à Paris* et aussi les journaux de la Corse.

Une ultime réflexion sur la dépolitisation des journaux de province s'impose. Afin de répondre à ceux qui les accusent de conformisme ou de conservatisme obscurantiste, nous ferons seulement remarquer que les gouvernants de la Ve République, à commencer par le général De Gaulle, ont toujours considéré la presse de province, dans son ensemble, comme hostile à leur politique. Jugement sans doute excessif et sommaire, mais qui tendrait à indiquer que les régionaux ont su mieux que bien des journaux parisiens indépendance garder. Et la politique, en province, ce sont les affaires de la cité : les routes, les ports, l'hôpital, l'hospice...

*
**

DOCUMENT :

Que lit-on dans un régional ?

L'étude portant sur les quotidiens régionaux, il serait superfétatoire de souligner l'intérêt primordial accordé aux nouvelles locales et régionales (1).

Peut-être, en revanche, n'est-il pas vain de relever que vie locale et vie régionale, pour le lecteur, ne se confondent pas : ce qui intéresse d'abord, c'est l'environnement immédiat.

Le phénomène est mis en évidence dans les pages de banlieue ou d'arrondissement : les taux de lecture tombent régulièrement aux alentours de 5 % hors la ville de sondage.

D'où il ressort, mais est-il nécessaire de le rappeler :

— Qu'un « régional » reste susceptible de se trouver menacé par un « local » ;

— Qu'un découpage accentué des éditions peut être envisagé, dès lors que la couverture des informations locales d'intérêt régional est bien assurée dans les pages régionales... et que les moyens techniques l'autorisent.

Politique :

En ce qui concerne les grandes rubriques, on a déjà vu que la politique ne réalisait pas les meilleurs scores. A cette réserve près, rappelons-le, que les sondages n'ont pas été effectués en période de crise.

Exemples (sur les cinquante articles les plus lus) :

(1) Source : Enquête « *Vu et Lu* », réalisée en mai-juin 1973 par l'I.F.O.P. pour onze quotidiens régionaux. Rapport de synthèse rédigé par François Amédro et Bernard Delprach.

Le Provençal

	rang	% de lecteurs
— Pompidou échappe à un accident	15	41
— Nixon contre l'inflation	23	37
— Les écoutes téléphoniques .... (A égalité avec la recette du jour)	37	32
— Conseil des Ministres	41	28
— Les boues rouges	46	26
— Nouveau régime des sursis......	49	25
— Nouvel accord au Viet-Nam	50	24
Nice-Matin		
— Lip	37	27
— Ouvriers de Fos	46	23

Article politique proprement dit : aucun.

Pourtant, la personnalisation (les noms-vedettes), notamment en politique intérieure comme en politique internationale, la dramatisation accroissent l'intérêt.

Scores moyens : aux alentours de 15-20 % pour l'intérieur ; inférieurs pour l'étranger.

Billets, éditoriaux, commentaires : score moyen de l'ordre de 15 à 20 %.

Informations générales :

La prépondérance du fait divers a été largement affirmée.

En ce domaine, le rapport titre - texte reste étroit (déperdition de l'ordre de 20 %) et les articles personnels sont appréciés.

Exemples :

Midi-Libre (Meurtrier de la ferme du démon) : titre, 76 % ; texte, 59 %. *Nouvelle République* (Enfant poignardé à Thézac) : titre en page 1, 78 % ; texte à l'intérieur, 57 %. *Voix du Nord* (Affaire de Bruay) : titre intérieur, 67 % ; texte, 51 %.

Assimilables au fait divers mais peu nombreuses dans les quotidiens examinés, les nouvelles type « presse du cœur » paraissent également prisées.

Exemples :

Ouest-France : mariage Brundage, 41 %. *Midi-Libre* :

mariage Charlotte Ford, 45 % ; Gala des artistes, 45 % ; Héritage Coco Chanel, 45 %.

Social-Economie :

Les scores grimpent dès lors que les informations économiques ou sociales ont une valeur exemplaire et concernent directement la vie, la situation des individus. Exemples :

L'affaire Lip : entre 20 et 50 % de lecteurs ; Ford défend Michelin (*La Montagne*), 35 % ; Grève à Fougères (*Ouest-France*), 23 % ; etc.

Toutefois, lors des sondages considérés, ces articles n'ont obtenu dans aucun journal le meilleur score et le phénomène de « localisation » est partout.

Le social l'emporte nettement sur l'économie, comme le montrent aussi, par exemple, les débats sur l'avortement (*Sud-Ouest*, 28 %).

Sports :

De 15 à 40 % de lecteurs suivant les sports ; souvent plus de la moitié sont des hommes. Pour des jours hors compétition, ce sont les taux connus.

Femme, Famille, Vie pratique :

De la page — voire des pages — à la recette du jour, le trait dominant est la diversité de traitement ; la femme, en tant que lectrice, paraît encore parfois négligée. Entre le « spécial femme », le « bricolage », les « conseils » ou « réponses aux lecteurs », il est en outre impossible d'opérer des distinctions strictes.

La Dépêche du Midi, Le Provençal, Le Républicain Lorrain, Sud-Ouest, La Voix du Nord publiaient une ou plusieurs pages « féminines » lors de leur sondage ; *Les Dernières Nouvelles,* une page mixte cuisine - bricolage.

Scores d'exposition : 82 % pour *Le Républicain Lorrain* et *Les Dernières Nouvelles,* de l'ordre de 50 à 60 % pour les autres.

Raisons de cette différence ? Pour autant que l'on puisse juger : le caractère pratique de la page des *Dernières Nouvelles* et l'audience de la rubrique « Nous répondons » du *Républicain Lorrain.*

A rapprocher de celle de « Françoise répond » de *La Voix du Nord* (chronique éditée) ou des conseils juridiques de *La Dépêche du Midi.* Scores de l'ordre de 30 à 60 % avec une forte proportion d'hommes.

Hors la « fête des Pères », les thèmes très divers de ces pages n'autorisent pas un jugement d'ensemble.

A noter, pourtant, que dans une page sur la mode enfantine (*Voix du Nord*), seules les illustrations intéressent. A l'inverse, la recette du jour est dénichée partout, même dans les bas de page d'informations générales (score moyen : 30 %, et 50 % de femmes).

En marge de ces rubriques, il convient de signaler les bons scores des rares articles concernant la santé : « L'or permet de déceler les tumeurs » (*Dépêche*), 41 % ; « Le sang c'est la vie » (*Provençal*), 38 % ; le « Stress » (*Dernières Nouvelles*), 29 %.

Radio - T.V. :

L'impact se répercute sur les présentations (de 20 à 50 %, hommes et femmes à égalité), un peu moins sur les critiques (de 15 à 40 %).

Les programmes radio n'ont qu'une faible audience (4 à 11 %).

Feuilletons :

Les plus lus : *Midi Libre,* « Les Amants de Palerme », de Gérard Néry, 14 % ; *Nouvelle République,* « Une ombre sur la mer », de Ginette Driant, 15 %.

« L'Aventure du Poséidon », de Paul Gallico, bien que rattachée à l'actualité cinématographique, n'obtient, dans *Nice-Matin,* que 7 %

Bandes dessinées :

Scores : de 8 % (*La Montagne,* « le Médecin de campagne », d'après Balzac) à 66 % (*Le Provençal,* « Jujube »).

Le rattachement à l'actualité télévisée ne vaut pas à « la Famille Boussardel » (*Républicain Lorrain*) plus de 18 %.

Il semble que les bandes humoristiques, voire enfantines, avec bulles ou sans légende, soient les plus prisées :

« Lariflette », *Ouest-France*, 56 % ; « Peanuts », *Nouvelle République*, 36 %; « Ferdinand », *La Dépêche*, 41 %; « Les Dalton », *Ouest-France*, 29 %, *La Montagne*, 27 %.

Horoscopes :

Lus par 20 à 40 % des lecteurs.

Météo :

Vue par 30 à 50 % des lecteurs.

Spectacles :

Pour les journaux sondés, la page « spectacles » était essentiellement une page de publicité cinéma.

Méritent d'être signalées, mais sans qu'il soit permis d'en tirer d'enseignements collectifs :

— Une page « Troisième âge », *Dernières Nouvelles* (score d'exposition, 73 %) ; articles lus à un peu moins de 20 % ; une rubrique identique, *Voix du Nord*, 10 %.

— Deux pages « Jeunes » dans *La Nouvelle République* (score d'exposition, 59 %) et dans *La Voix du Nord* (score d'exposition, 34 %).

— Une page agricole (score d'exposition, 36 %) et une page marine (score d'exposition, 26 %) dans *Ouest-France*.

— Des rubriques « Route Sécurité » dans *La Montagne* (taux de lecture, 28 %) et dans *Le Républicain Lorrain* (taux de lecture, 17 à 22 %).

Poursuivant sa campagne amorcée au début de l'année, *Sud-Ouest* publiait les résultats d'un sondage sur la limitation de vitesse (score d'exposition, page 1, 64 % ; taux de lecture : 37 % en page 1, 31 % en dernière page).

Publicité commerciale :

Le score moyen d'attention aux publicités commerciales paraît osciller autour de 10 %.

L'I.F.O.P. distingue entre les grandes publicités (plus de 200 millimètres-colonne) et les petites :

— Score moyen des « grandes » publicités : de 35 à 11-12 % ;

— Score moyen des « petites » publicités : de 10 à 5 %.

Sous toute réserve, on peut, semble-t-il, avancer :

— qu'au-delà du quart de page, les chances sont satisfaisantes de toucher un lecteur sur deux.

Exemples :

Pleine page *Montagne*	65 %
Demi-page *Ouest-France*	48 %
Quart de page *Provençal*	45 %

— que pour les autres annonces dépassant les 200 millimètres-colonne seront touchés entre un lecteur sur trois et un lecteur sur dix ;

— qu'en deçà, seront touchés un lecteur sur dix et un lecteur sur vingt-cinq.

Annonces classées :

Les annonces classées sont, par définition, sélectives. Leur présentation, dans les différents journaux, est comparable. Les scores d'exposition, très variables — de 15 à 60 % —, ne permettent guère d'enseignements.

Un lecteur sur deux au moins lit le carnet (scores considérés compris entre 43 et 72 %) et les femmes sont particulièrement attentives (80 % : *La Montagne,* 73 % : *Ouest-France*). Pour les remerciements, l'intérêt tombe généralement de moitié.

Chapitre III

DE L'ARGENT POUR QUOI FAIRE ?

Lorsqu'on évoque la crise de la presse, on prend soin de distinguer immédiatement les journaux parisiens de leurs cousins de province. Les quotidiens de la capitale seraient en proie aux pires difficultés, alors que leurs confrères régionaux, sans se trouver dans une situation florissante, auraient l'avantage de présenter un état satisfaisant. A Paris, on parle d'eux sur un ton entendu, volontiers protecteur, avec toujours un soupçon de dédain. La presse de province aurait de l'argent, mais peu d'idées, de l'aisance, mais peu de liberté. Comme le chien décrit par La Fontaine, elle porterait la marque du collier. N'en déplaise aux esprits chagrins, les régionaux font preuve, dans leur ensemble, de ces vertus rassurantes et bourgeoises auxquelles la province doit sa stabilité. « *Sans être idéale, la gestion de la presse de province est nettement meilleure que celle des journaux parisiens et très supérieure à ce qu'elle était avant-guerre.* » Ce jugement ne reflète pas l'autosatisfaction d'un directeur de régional, mais le constat lucide d'un homme dont la carrière riche en expériences multiples lui a permis d'apprécier les forces et faiblesses de toute la presse française, Christian Chavanon.

Quel que soit son sens de l'économie ou de l'épargne, et son souci d'orthodoxie financière, la presse de province est soumise à des contraintes identiques à celles de la presse nationale et étrangère. Il lui faut d'abord s'assurer des ressources. Les journaux de province ne peuvent ignorer ni les exigences du capital, ni les pressions de la publicité. Et pourtant, aujourd'hui encore, faire voisiner les deux mots de presse et d'argent constitue un mélange très explosif.

« Industrie à produits joints », selon l'expression de l'économiste Henri Mercillon (1), la presse est vendue deux fois : à l'annonceur puis au lecteur. Les journaux tirent donc leurs ressources du public et de la publicité. A ces deux mamelles de la presse, il faut ajouter, dans beaucoup de petits hebdomadaires à la trésorerie chancelante, comme dans certains grands quotidiens assez prospères, des recettes complémentaires, provenant d'activités d'appoint. Enfin, il convient de ne pas oublier l'aide de l'Etat à la presse, à laquelle se sont habitués les régionaux comme la plupart des entreprises d'information.

Sur ce riche éventail de ressources, pèsent néanmoins quelques hypothèques. En effet, leur élasticité étant faible, toute ponction effectuée par des tiers bouleverse l'équilibre du marché. C'est pourquoi Jacques Sauvageot souligne que « *la presse, dans son ensemble, a plus mal accueilli l'introduction de la publicité à la télévision que le développement des journaux parlés. Le vrai danger, pour beaucoup, c'est d'admettre un nouveau venu au partage du gâteau et non la concurrence dans le domaine de l'information* » (2).

Même si elle ne représente pas toujours la part la plus importante des recettes d'une entreprise de presse, la vente est naturellement considérée comme la première ressource d'un journal. Sur elle repose la crédibilité de la publication. Lorsqu'un lecteur achète un journal, il ne

---

(1) Henri Mercillon, *L'économie de l'information*, Cours de droit, 1967.
(2) Jacques Sauvageot, « Comme la langue d'Esope, la publicité », *Le Monde*, 25 septembre 1970.

lui apporte pas seulement le montant du prix, déduction faite des commissions de vente et de distribution, mais surtout, il lui donne une caution qui vaut cher. De la qualité de diffusion d'un journal dépend son tarif publicitaire. Bernard Voyenne va jusqu'à dire qu' « *ordinairement, ce n'est pas le consommateur qui achète un journal mais plutôt le journal qui achète ses lecteurs, avec l'espoir qu'ils jetteront un coup d'œil sur les annonces* » (3). Entendons-le comme une formule gratuite, assurément très excessive.

Un tiers d'abonnements

Selon les méthodes employées, le revenu des ventes est plus ou moins abondant. La vente par abonnements se révèle la plus rentable. Un quart de l'ensemble des ventes de la presse française se fait par abonnements. Si ce système est peu utilisé par les quotidiens parisiens (4), il est fréquemment pratiqué par les journaux de province : le tiers du total des exemplaires vendus par les régionaux est diffusé par abonnements (5). Bien que les tarifs postaux aient considérablement augmenté depuis 1973, l'abonnement demeure encore le moyen de diffusion le plus économique. Il procure aux entreprises de presse des avances de trésorerie qui s'élèvent à plusieurs millions de francs.

Néanmoins, l'essentiel des recettes de vente est fourni par la vente par porteurs ou par dépositaires. Les régionaux accordent une commission de 23 % au dépositaire central. Celui-ci fait aux vendeurs isolés ou aux sous-dépositaires une remise de 15 %. Il lui reste, en réalité, seulement 8 % pour son activité de distribution. Dans quelques zones de forte concurrence entre les régionaux, ceux-ci entretiennent des vendeurs administratifs. Ces véritables employés du journal perçoivent à la fois un

(3) Bernard Voyenne, *Le Droit à l'Information*, Aubier-Montaigne, 1970, p. 74.

(4) A l'exception de *La Croix* et des *Echos* qui diffusent presque exclusivement par abonnements.

(5) Statistiques portant sur l'année 1971, citées par Michel Drancourt dans son rapport sur « l'Equilibre économique des entreprises de presse », Conseil économique et social, 24 janvier 1974.

salaire fixe et un pourcentage sur leurs résultats ; le recours à de tels fonctionnaires de la vente se révèle extrêmement coûteux.

Globalement, l'apport des recettes de vente varie selon le titre et la périodicité. Il est généralement plus fort dans les quotidiens départementaux (60 %) que dans les régionaux (de 45 à 55 %). Toutefois, pour la plupart des titres de province, comme en témoigne le tableau suivant, la part de la vente dans l'ensemble des ressources est toujours supérieure à ce qu'elle est dans la presse parisienne. On chercherait, en vain, dans les régions un quotidien qui, comme *Le Figaro,* ne tire de la vente que les deux dixièmes de ses revenus.

Evolution des ressources des journaux (6)
(en %)

Catégorie	Publicité			Vente		
	1970	1971	1972	1970	1971	1972
Quotidiens parisiens du matin	59,0	55,5	54,9	41,0	44,5	45,1
Quotidiens parisiens du soir	57,4	56,4	54,7	42,6	43,6	45,3
Quotidiens de province du matin	44,9	46,8	45,8	55,1	53,2	54,2
Quotidiens de province du soir	55,0	52,0	50,8	45,0	48,0	49,2
Magazines parisiens d'information	35,9	35,2	34,5	64,1	64,8	65,5
Magazines provinciaux d'information	44,5	43,1	43,3	55,5	56,9	56,7

L'augmentation régulière des recettes de vente des journaux ne traduit malheureusement pas une multiplication du nombre des lecteurs. En un quart de siècle, le tirage de la presse de province n'a progressé que de 0,72 % tandis que la population française croissait de 29,11 %. En

(6) Source : Service juridique et technique de l'information.

1945, les 153 quotidiens de province tiraient 7 532 000 exemplaires ; en 1970, les 81 survivants imprimaient 7 587 000 exemplaires. La progression du produit des ventes est donc due à l'accroissement des prix. En douze ans, le prix du quotidien de province a augmenté de 400 % en francs courants, passant de 0,30 franc en 1963 à 1,20 franc en 1975. La détermination du prix de vente donne lieu, au sein des syndicats d'éditeurs de journaux, à de violentes controverses. Longtemps respectée, la règle de la solidarité est de plus en plus souvent transgressée : certains titres, ayant des besoins pressants d'argent, ne peuvent se permettre d'attendre que leurs confrères plus aisés acceptent un relèvement généralisé des prix de vente. Quelques journaux, qui se plient au bon vouloir de la majorité des quotidiens, compensent la perte provoquée par une augmentation différée en relevant fortement le prix de vente de leur édition dominicale.

Des lecteurs perdus

De surcroît, toute augmentation trop précipitée fait perdre un nombre non négligeable de lecteurs. Une enquête, réalisée à la demande des syndicats patronaux de la presse de province, a révélé que des augmentations trop rapprochées étaient dangereuses. Il vaut mieux une substantielle hausse accompagnée si possible de changements dans la présentation ou le contenu. C'est pourquoi le rédacteur en chef de *Sud-Ouest Dimanche,* Roger Achériteguy, annonçant, le 4 mai 1975, le passage de 1 franc à 1,50 franc du prix du journal, écrit : « Sud-Ouest Dimanche *a retardé jusqu'à l'extrême une augmentation de prix que tant d'autres avant lui ont depuis longtemps appliquée. Augmenter le prix d'un service n'est pas une fin en soi, ce n'est pas un but. C'est presque toujours le désir de mieux servir et de servir mieux. Loin de se vouloir un coup de frein, c'est souvent un coup d'accélérateur.* » Tous les directeurs de journaux vivent dans la hantise du souvenir des deux hausses consécutives du 2 octobre 1967 et du 13 juin 1968 qui avaient entraîné une diminution de près du dixième de la diffusion.

Aujourd'hui, l'inflation galopante risque à nouveau de

contraindre les journaux à entrer dans un cycle d'augmentations incessantes. « *La presse,* affirme Roland Mevel, *peut à juste titre s'inquiéter de l'augmentation factice de ses ventes du fait de l'inflation* » (7). Si l'on compare l'évolution des tarifs entre 1945 et 1971, on constate que le prix du quotidien a été multiplié par vingt-cinq, alors que celui du millimètre de publicité aux mille acheteurs l'était seulement par six. Certes, ces augmentations ne sont pas inconsidérées si l'on sait qu'elles ont dû contrebalancer, durant la même période, une multiplication par quarante du salaire annuel du linotypiste de jour et par dix du prix du kilogramme de papier.

Aujourd'hui, les revenus procurés aux journaux par la seule vente des exemplaires édités ne sauraient permettre aux entreprises de presse d'équilibrer leur budget. « *D'inutile à accessoire, d'accessoire à nécessaire, de nécessaire à indispensable, voilà,* selon Jacques Sauvageot (8), *les trois étapes parcourues par la publicité face à la presse.* » Déjà, dès 1832, dans le premier numéro de *La Presse,* Emile de Girardin écrivait : « *Désormais, l'abonné du journal ne doit plus payer que les stricts déboursés de papier, de tirage et de poste. C'est aux annonces, par leur produit, à subvenir aux frais de rédaction, de composition et d'administration, qui sont le fait de l'émission d'une doctrine et qui, pour un comme pour cent mille abonnés, sont toujours invariablement les mêmes.* » Assurément, ce vœu semble quelque peu fantaisiste. Néanmoins, la publicité apporte plus que jamais un complément indispensable aux recettes de vente des journaux qui ne couvrent ni le prix de revient total du journal (9), ni même le coût des secteurs désignés par Girardin.

Le volume de ces recettes varie selon la taille et la périodicité des titres. A lui seul, il justifie l'existence de certains d'entre eux comme les nombreux périodiques de province bâtis autour des annonces légales. Les tarifs de

---

(7) *Stratégies,* 17 septembre 1973.

(8) Jacques Sauvageot, « Comme la langue d'Esope, la publicité », *Le Monde,* 25 septembre 1970.

(9) En 1974, les 110 millions d'exemplaires vendus par *Le Figaro* lui ont rapporté 55 millions de francs alors qu'ils lui avaient coûté 265 millions de francs. Cf. Thierry Desjardins, « Radioscopie d'un quotidien », *Le Figaro,* 30 avril 1975.

ces insertions obligatoires, fixés par arrêté préfectoral, sont considérés par tous les grands régionaux comme inférieurs à leur prix de revient. C'est pourquoi ils refusent parfois de les recevoir. Toutefois, un quotidien, le plus petit de France, il est vrai, *La Montagne Noire*, devrait devenir hebdomadaire, voire bimensuel s'il ne disposait pas de cette manne abondante en raison de la multiplicité des sièges sociaux d'entreprises sur son territoire.

La provenance de la publicité est également diversifiée car elle est récoltée à trois niveaux : le national, dénommé aussi extra-régional ou extra-local, le régional ou le local. N'accèdent au premier de ces échelons que les quotidiens, les gros hebdomadaires et les périodiques spécialisés. Toutes les autres publications se contentent d'annonces locales.

Plus le support est petit, moins la frontière entre l'information et la publicité est nette ; les petites annonces et le carnet sont des éléments de lecture très prisés et soutiennent solidement la diffusion des quotidiens et périodiques locaux. C'est toute la force, en Lot-et-Garonne, du *Petit Bleu d'Agen* contre *Sud-Ouest* et *La Dépêche du Midi*.

En 1974, on évaluait à 177 francs la dépense publicitaire par habitant en France (10). De 1967 à 1973, l'ensemble des sommes consacrées à la publicité est passé de 4 820 millions de francs à 9 000 millions. La presse quotidienne de province, de manière constante, touche 9 % du pactole publicitaire. Si l'on ne considère que les grands média, en 1973, les quotidiens provinciaux ont reçu 17 % des investissements publicitaires contre 6 % aux journaux parisiens. Non seulement les quotidiens de province bénéficient, en valeur, de plus du double d'annonces que leurs confrères de la capitale, mais leurs ressources publicitaires progressent aussi beaucoup plus vite : de 1971 à 1973, les provinciaux ont accusé une croissance de 33 %, tandis que les nationaux se contentaient de 17 %.

(10) Source IREP : *Le marché publicitaire en* 1973. Les principaux résultats de cette enquête ont été publiés dans *Stratégies* du 16 décembre 1974.

Média régionaux et média télévisuels

S'il n'est pas niable que la presse de province a pâti de l'introduction de la publicité à la télévision, le média régional pris dans sa totalité l'emporte toujours sur le média télévisuel qui ne prélevait, en 1973, que 15 % des investissements publicitaires grands média, mais demeurait devancé par les magazines (21 %). Les recettes publicitaires de la presse quotidienne de province suivent une course ascendante : 600 millions de francs en 1967, 610 millions en 1968, 725 millions en 1969, 750 millions en 1970, 840 millions en 1971, 980 millions en 1972 et 1 140 millions en 1973(11) ; la chute momentanée de la publicité nationale a été compensée par l'essor des annonces locales et régionales.

Le tableau suivant permet de connaître la structure des recettes publicitaires de la presse quotidienne de province et de dégager leur évolution présente.

Recettes publicitaires
de la presse quotidienne de province grand public

Types de recettes	1971	1972	1973
Publicité extra-locale	24,00 %	22,50 %	22,00 %
Publicité locale	52,00 %	53,50 %	52,00 %
Total publicité commerciale	76,00 %	76,00 %	74,00 %
Petites annonces	24,00 %	24,00 %	26,00 %
Total recettes publicitaires	100,00 %	100,00 %	100,00 %

Evidemment, la publicité locale dans les quotidiens régionaux dépasse aussi bien les petites annonces que l'extra-locale. Bien que représentant plus de la moitié des ressources publicitaires des quotidiens de province, les annonces locales peuvent encore s'accroître. Aux Etats-Unis, elles montent parfois jusqu'aux huit dixièmes des rentrées publicitaires.

La presse de province tire aussi quelques ressources

(11) Ces chiffres comprennent les petites annonces et la publicité locale.

supplémentaires d'activités annexes. Essentielles pour les petits hebdomadaires, elles restent très marginales dans les quotidiens. Ces recettes n'atteignent alors pas le dixième du chiffre d'affaires global de l'entreprise. La diversification prend des formes multiples. L'exploitation d'imprimeries de labeur a traditionnellement été prise en charge par des régionaux. Aujourd'hui, *Les Dernières Nouvelles d'Alsace* et *Le Républicain Lorrain* possèdent des centres d'impression ultra-modernes. Plus originale apparait la vente de billets de loterie comme s'y adonnent la plupart des titres. Pour utiliser complètement leur réseau commercial, exceptionnellement dense, des journaux développent des bureaux de voyages qui, dans le cas de *L'Est Républicain,* représentent une organisation considérable confiée à une société autonome.

Plus près de leurs activités de support, certains journaux ont créé leurs propres agences de publicité : « Publicité Moderne » à *L'Est Républicain,* « J'annonce » à *La Dépêche du Midi,* « Sud-Marketing » au *Provençal.* D'autres exploitent cette publicité en association avec les grands régisseurs de publicité : notamment Havas. Certains ont accepté de servir d'agence centrale pour les Nouvelles Messageries de la Presse Parisienne et d'effectuer au sein de leurs ateliers d'expédition le routage et l'envoi de multiples publications ; c'est notamment le cas à Clermont-Ferrand de *La Montagne.*

Enfin, l'introduction de l'informatique dans les grands régionaux a décidé quelques-uns, afin d'amortir leurs coûteux équipements, à constituer des sociétés filiales : une des mieux pensées fut celle de *La Nouvelle République du Centre-Ouest,* la Société d'Automatisation et de Traitement de l'Information (S.A.T.I.), dont la S.L.I.G.O.S., filiale du Crédit Lyonnais, a racheté la majorité en 1973.

Une arme à double tranchant

Malgré ces ressources d'appoint non négligeables, les quotidiens de province, comme presque tous les journaux du monde, ont besoin de l'aide de l'Etat. Maurice Bujon précisait cependant, devant le Conseil Economique et Social, en septembre 1973, que : « *L'aide de l'Etat n'a pas pour but d'assurer l'aisance des journaux mais de permettre aux lecteurs d'accéder à l'information à un prix très bas. Sans l'aide de l'Etat, les journaux retrouveraient leur équilibre financier en se vendant plus cher.* » L'aide de l'Etat représente en moyenne de 10 à 13 % du chiffre d'affaires des quotidiens. La moitié est constituée par les tarifs postaux privilégiés. Cette subvention indirecte est beaucoup moins importante pour les journaux de province que pour les magazines nationaux ou les quotidiens parisiens puisque les distances d'acheminement, le nombre d'invendus et le poids moyen de chaque exemplaire sont très inférieurs.

Les relations de la presse et de l'argent sont rarement sereines, tout comme celles du pouvoir et du capital. On pourrait mettre le problème en équation. Une nouvelle fois, on se retrouve devant « la triangulation du cercle ». La presse attire l'argent, mais l'argent asservit la presse ; il n'y a pourtant pas de liberté de presse sans argent. Cette dialectique un peu vicieuse inspire à Pierre Archambault cette demi-boutade : « *La liberté d'information privée de moyens ne deviendrait plus qu'un canular.* »

La question peut être envisagée sous divers aspects : les pieux souvenirs ou les généreux projets de la Libération, les piètres réalités ou la difficulté d'attirer les capitaux vers la presse, les légendes tenaces comme celles des fonds secrets ou de la dictature publicitaire.

Les premiers mots d'une déclaration des droits et des devoirs de la presse libre, adoptée le 24 novembre 1949 par la Fédération Nationale de la Presse Française, mais finalement restée lettre morte, révèlent une volonté d'affranchir la presse de l'argent : « *La presse n'est pas un instrument de profit commercial. C'est un instrument de culture...* » Le directeur de *L'Aube* (démocrate chrétien), Francisque Gay, fidèle à l'esprit de la Résistance, rappelait catégoriquement que « *dans la clandestinité chacun était d'accord, on ne devait pas revoir une presse soumise à la domination de l'argent* ». Pourtant, lorsque la loi sur la dévolution des biens de presse fut votée en 1954 à la place du statut de l'information, tant souhaité par les Résistants, le président d'alors du Syndicat des Quotidiens de Province, Fred Guézé, écrivit dans *Le Mon-*

de : « *Dix ans ont suffi pour chasser beaucoup d'illusions généreuses, sinon du cœur de la majorité des directeurs de journaux, tout au moins des préoccupations de quelques-uns. Libérer la presse des puissances d'argent fut un de ces principes maintes fois répétés de 1944 à 1947. Est-il besoin de rappeler qu'en s'appuyant trop fortement sur un principe il arrive de le voir céder ?...* » Vingt ans après cette amère constatation, on peut comprendre les regrets de nombreux intellectuels au cœur pur, mais il semble plus utile de s'interroger sur l'évolution des journaux. Sont-ils vraiment passés entre les mains avides du grand capital ? Subissent-ils la loi odieuse de la publicité ?

Il est aisé de dissiper toutes craintes. La presse ne parvient même pas à drainer vers elle les capitaux nécessaires à son expansion. Or, ses besoins ne font que croître. Michel Drancourt le note : « *Les transformations techniques exigent des moyens financiers importants que les entreprises de presse sont loin de posséder toutes, en raison de leur jeunesse relative (elles ont pratiquement toutes été créées à la Libération) et de la faiblesse de leurs fonds propres* »... (12). Il ne faut pas chercher ailleurs les raisons de la concentration dénoncée par l'Association des Journalistes Economiques et Financiers dans un livre blanc sorti en 1971, où elle remarque : « *La presse est libre, sans doute, mais à condition de disposer de capitaux de plus en plus considérables. Elle devient une marchandise et les plus forts (financièrement) éliminent les plus faibles.* »

Cette analyse pèche par omission car il existe plusieurs exemples où des régionaux ont été conduits, en réalité, à subventionner de petits quotidiens locaux (13) qui, sans leur appui, auraient purement et simplement disparu. Cette stratégie traduit une charité bien ordonnée. En effet, il n'est jamais sain pour un titre d'être seul sur son marché.

---

(12) Michel Drancourt, « L'équilibre économique des entreprises de presse », Conseil économique et social, 24 janvier 1974.

(13) Ainsi, les journaux qui gravitent dans l'orbite du *Progrès-Dauphiné* ou de *Sud-Ouest* (*La Charente Libre, La France, L'Eclair des Pyrénées* et *La République des Pyrénées*).

Une machine à faire de l'argent

Lorsque Jean-Louis Servan-Schreiber affirme que « *la presse de province est une belle machine à faire de l'argent* », on peut s'étonner de ce qu'il n'y ait effectué qu'une si brève et si prudente reconnaissance. On comprend encore moins que son frère Jean-Jacques, député de Nancy, et, à l'occasion, chantre de la régionalisation, ne se soit pas jeté, en 1974, sur le paquet d'actions de *L'Est Républicain* qui fut alors mis en vente. Dans cette affaire, la transaction s'est déroulée entre les Vilgrain et les Boileau, deux familles du capitalisme classique. En effet, *L'Est Républicain,* faisant partie de ces journaux sabordés en 1940, n'a pas dû changer de propriétaires à la Libération. Il a toujours appartenu à des représentants de la bourgeoisie de l'Est. Quoi de plus normal, dans ce cas, qu'une cession d'actions ? Pourtant, les débats autour de cette vente furent très vifs. N'est-ce pas suffisant pour expliquer la bouderie du capital à l'égard de la presse ? Ce secteur apparaît, aux yeux des financiers, trop hasardeux pour investir, même pour ceux qui n'ont pas le souvenir de la « nouvelle donne » de la Libération.

« *La presse préfère vivre un peu en marge du régime capitaliste* », constatait l'actuel conseiller politique de Valéry Giscard d'Estaing, Jean Sérisé, au terme d'une enquête (1972) destinée à trouver des solutions pour régénérer les journaux. Ce haut fonctionnaire devenu, un temps, banquier, se garderait bien d'investir dans une industrie qui ne sert pas de dividendes. Cela confirme l'expérience de Philippe Bœgner : « *Quelles que soient les raisons, le fait est là ; vous frapperez vainement aux portes des grandes banques, des assurances, de la grande industrie, du grand commerce !* » (14).

Que la presse éprouve des difficultés pour découvrir les capitaux nécessaires à son essor n'émeut guère le grand public. En effet, il est solidement ancré dans l'imagerie populaire que les journaux et les journalistes touchent des fonds secrets. Encore récemment Robert Hersant a

(14) Philippe Boegner, *Presse, Argent, Liberté,* A. Fayard, 1969.

été accusé d'être l'agent du Koweit après avoir été soupçonné jadis de se trouver dans la main de Moscou (15). Dans *La Presse pourrie au service du capital,* Modiano a fulminé contre les profiteurs de l'entre-deux-guerres : « *Peut-être un jour le scandale éclatera-t-il, mais en attendant, les spéculateurs, les forbans de la presse, les politiciens véreux, la tourbe des louches intermédiaires ont rempli leurs poches et la richesse du régime capitaliste tient lieu de considération.* »

Pourtant, si l'on en croit *Le Crapouillot* de novembre 1934 qui retrace l'histoire de la presse : « *Les journaux de province paraissent exempts de cette abominable vénalité qui est l'apanage de la grande presse parisienne. Il suffit d'étudier la liste des journaux arrosés lors des principaux scandales de l'époque, le Panama, les Emprunts russes, ou les Affaires Stavisky, pour constater que la presse de province s'est tenue à peu près à l'écart des compromissions.* »

Même des ressources licites, comme celles procurées par la publicité, font l'objet de violentes attaques : « *Ce n'est un secret pour personne,* accuse Sylvain Gouz (16), *que, soucieuses d'assurer leur pérénnité, nombre d'administrations de journaux ont tendance à écarter tout ce qui serait susceptible d'indisposer les annonceurs.* » Assurément, le mot cruel du fondateur de Publicis, Marcel Bleustein-Blanchet, à l'adresse des journaux : « *Sans nous, vous n'existeriez pas* » (17), est globalement vrai. Mais il ne faut pas tomber dans le ridicule de croire la presse de province asservie à chacun de ses annonceurs. Les plus gros de ceux-ci n'apportent pas à un régional 2 % de l'ensemble de ses recettes publicitaires. En ce domaine, la presse de province fait montre d'une rigueur plus stricte que celle des journaux parisiens. La publicité politique est encore refusée par la plupart des quotidiens régionaux. Et si *Le Dauphiné Libéré* fut le premier à accepter des pages politiques payantes lors des élections législatives de 1967, en revanche, les journalistes du *Méridional* menacèrent de

(15) Cf. *Lectures françaises,* n°ˢ de janvier 1958, février 1968 (n° 130), février 1974 et septembre 1975.

(16) *Les atteintes à la liberté du journaliste,* A.J.E.F., 1973.

(17) Daniel Toscan du Plantier, *Donnez-nous notre quotidien,* Olivier Orban, 1974.

faire grève lorsque leur direction envisagea de publier un publi-reportage sur *l'Algérie*, après son indépendance. Durant la campagne présidentielle de 1974, la majorité des quotidiens de province déclinèrent les publicités émanant des divers partis (et nombre de ces placards rémunérateurs furent insérés dans *Le Monde*...).

Hervé Mille explique lucidement pourquoi la Libération n'est pas parvenue à affranchir la presse de l'argent : « *Vouloir faire une presse entièrement libérée du capital dans un système capitaliste est absurde. On ne pouvait aller que de déception en déception. Il est heureux que survive et s'affirme le principe d'une presse vivant honorablement de ses ressources avouées* » (18). Avec le recul du temps et l'apaisement des passions, c'est respecter l'esprit, sinon la lettre, des projets des Résistants.

---

(18) *L'Express*, 18-24 février 1974.

DOCUMENT :

Les dépenses publicitaires dans les grands média en 1975 (*Source I.R.E.P.*)

Montant hors taxes, comprenant les frais d'espace et les frais techniques, les honoraires et les commissions d'agences.

MEDIA	1975 (en millions de francs)	% grands média	% total
Presse quotidienne de Paris (1)	360	5,9	3,4
Presse quotidienne de Province (2)	1020	16,8	9,8
Presse magazine (3) .	1050	17,2	10,0
Autre Presse (1)	1135	18,6	10,8
TOTAL PRESSE (1) .	3565	58,5	34,0
TELEVISION	960	15,7	9,1
PUBLICITE EXTERIEURE (4) ...	830	13,6	7,9
RADIO (5)	630	10,3	6,0
CINEMA	115	1,9	1,0
TOTAL GRANDS MEDIA	6100	100,0	58,0

(1) Petites Annonces non comprises.
(2) Petites Annonces non comprises et publicité locale comprise.
(3) Il s'agit d'une définition plus restreinte qu'en 1971 de la Presse magazine.
(4) Affichage local compris.
(5) Les Annonceurs ont parfois déclaré en investissements publicitaires radio des opérations promotionnelles faites en dehors des stations, mais en liaison avec la publicité radiophonique. Il s'ensuit peut-être une légère surestimation des investissements dans ce media.

Cas 1

Un mariage de raison : A.I.G.L.E.S.

Très intéressante dans sa conception, dans son organisation et dans son fonctionnement, A.I.G.L.E.S. constitue un exemple unique, mais non exemplaire, de pool rédactionnel réalisé à l'occasion du rapprochement de plusieurs titres. Il existait en effet des pools publicitaires, des ententes rédactionnelles limitées, mais aucun journal, aucun groupe n'avait imaginé une organisation aussi globale et aussi intégrée (1). En 1976, Robert Hersant s'est certainement inspiré de ce précédent pour développer l'A.G.P.I. qui doit devenir sous la direction de Jean-Marie Balestre l'agence centrale de son groupe.

L'Agence d'Informations Générales, Locales, Economiques et Sportives (A.I.G.L.E.S.) a été créée en 1967 conjointement par *Le Progrès* de Lyon et *Le Dauphiné Libéré*. C'est une des cinq sociétés de ce nouveau groupe colossal qui s'étend sur un quart du territoire national. Au même titre qu'*Entreprise de Presse n*° 1 exécute la fabrication matérielle, que *Rhône-Alpes Diffusion* assure la distribution, que *Province Publicité n*° 1 fournit la publi-

(1) Une remarquable monographie a été consacrée à l'Agence d'Informations Générales, Locales, Economiques et Sportives : Cf. Joël Ramages, « L'AIGLES », *Presse Actualité*, n° 70, décembre 1971.

cité, A.I.G.L.E.S., cette agence au sigle ambitieux, apporte aux journaux du groupe (2) la matière noble : le contenu rédactionnel. Les journaux n'emploient plus directement de journalistes, à l'exception de trois au *Progrès* (le directeur, le rédacteur en chef et un attaché de direction), de deux au *Dauphiné,* d'un à *l'Echo* et d'un à *La Dépêche.*

Ceux qui travaillaient précédemment pour les titres du groupe ont été intégrés à A.I.G.L.E.S. On compta seulement une dizaine de départs.

Juridiquement, A.I.G.L.E.S. est une agence. Selon les termes de l'Ordonnance du 2 novembre 1945 : « *Sont considérés comme Agences de Presse les organismes privés qui fournissent aux journaux et périodiques des articles, informations, reportages, photographies et tous autres éléments de rédaction et qui tirent leurs ressources de ces fournitures.* » Cette agence est constituée sous forme de Société Anonyme à Participation Ouvrière selon la loi de 1917 dont les dispositions ont été reprises dans la loi de 1966 sur les Sociétés commerciales telles quelles.

Ainsi tous les salariés de l'agence participent à sa gestion. Le directeur d'A.I.G.L.E.S., Alfred Delsart, vante l'originalité de ce statut : « *Il permet une grande souplesse de gestion. Les collaborateurs d'A.I.G.L.E.S. sont bien décidés à se faire les promoteurs d'une conception nouvelle de l'information qui réagit contre une centralisation remontant à Napoléon. Ils sont prêts à se battre pour prouver que l'information moderne rapide existe en province* »... (3). A l'égard des journaux du groupe, A.I.G.L.E.S. fonctionne comme une Société indépendante et leur fournit, par contrats, des informations générales, des documents photographiques, des reportages et des pages toutes faites. En effet, A.I.G.L.E.S. compose et monte ellemême les pages régionales dont elle livre le flan au journal utilisateur. Seulement trois pages sur cinq de « petite régionale » sont rigoureusement identiques dans les divers titres. L'Agence a regroupé l'ensemble des anciens

(2) *Le Dauphiné Libéré, Dernière Heure Lyonnaise, Echo-Liberté, L'Espoir, Le Progrès, Le Progrès-Soir* et *La Tribune - La Dépêche.*

(3) Conférence prononcée en 1968 à l'Institut français de Presse.

correspondants et centralisé l'information sur trois pôles régionaux : Lyon-Chassieu, Grenoble et Saint-Etienne.

Lyon-Chassieu, le centre principal, centralise non seulement l'information en provenance de l'Ain, du Jura, de la Saône-et-Loire et de la Côte-d'Or, mais fabrique un certain nombre de pages d'informations générales. Il possède un groupe d'informations écrites, de photo-reportages, un laboratoire photo, un télex et peut recevoir ainsi les informations filtrées dans les trois zones et en utiliser les plus importantes, pour les commercialiser à l'extérieur du groupe. Le service central d'information joue donc un rôle d'accélérateur, d'aiguillon pour lequel sont requises rigueur et imagination.

En fait, dès l'origine, A.I.G.L.E.S. n'a pas cherché à dissimuler ses ambitions. Il s'agissait dans un premier temps d'exploiter complètement l'information régionale et locale en la commercialisant aussi auprès des tiers, fonctionnant au coup par coup en exécutant les ordres de reportages que peuvent lui passer d'autres régionaux voire des nationaux. Elle a signé également des contrats avec l'A.F.P. pour dix départements, ce qui a permis à cette dernière d'alléger considérablement son réseau de correspondants tout en conservant ses bureaux. Elle travaille aussi pour les radios. Elle s'est même engagée dans la voie de l'audiovisuel en concluant des « contrats de tournage » avec la Radio-Télévision belge, notamment, et en fournissant des « magazines » à la télévision régionale. Enfin, elle diffuse régulièrement deux bulletins : un bimensuel, *Reportages Service,* et un hebdomadaire, *Vacances Service,* auprès de plus de quatre-vingts titres français et étrangers. A.I.G.L.E.S. tente ainsi d'obtenir la quasi-exclusivité de l'information dans la région.

Dans un deuxième temps, A.I.G.L.E.S. nourrissait des ambitions plus vastes encore. Elle avait sous les yeux l'exemple de l'A.C.P. dont l'audience est incontestablement nationale et qui complète ses informations par le canal de l'Agence Reuter sur le plan international. Le désir d'A.I.G.L.E.S. était donc de faire au moins aussi bien. Des pourparlers eurent lieu en 1972 dans ce sens avec United Press International, grande Agence américaine très bien placée dans le monde anglophone, mais dont le service français était devenu une charge coûteuse : A.I.G.L.E.S. aurait repris pour le compte de U.P.I. l'ensemble du service français. Les clients de l'agence américaine dans l'Hexagone furent sondés. Mais de grandes réticences, pour ne pas dire de vives oppositions, se manifestèrent.

L'envers et l'endroit

Une telle expérience ne pouvait laisser les régionaux indifférents. D'aucuns y virent une menace et firent volontiers valoir que cette organisation quasi industrielle de concentration horizontale était parfaitement valable dans d'autres secteurs, mais qu'elle risquait en l'occurrence d'être préjudiciable à l'information en structurant de façon rigide le monopole. Les Syndicats de journalistes s'inquiétèrent de voir détacher les journalistes de leurs titres alors qu'ils engagent par leur signature leur responsabilité, parfois même leur tranquillité. Quoi qu'il en soit, les avantages sont nombreux : l'agence a permis d'abord de maintenir en vie certains titres du groupe aux positions politiques affirmées : *L'Espoir* (Gaulliste), *La Tribune* (Centre gauche), *La Dépêche* (Centre-Démocrate), qui sinon auraient disparu. Cette organisation nouvelle ne les empêche pas, en période électorale, d'adopter des positions très différentes. Cela est rendu possible grâce aux économies de fonctionnement réalisées sur l'ensemble, qui justifient quantitativement l'existence de l'agence. Mais la qualité, souligne Alfred Delsart, n'en souffre pas, bien au contraire : « *On fait maintenant impitoyablement la guerre aux informations dites traditionnelles : consacrer par exemple deux colonnes sur le départ en retraite du brigadier de gendarmerie et, en revanche, négliger le compte rendu des réunions d'un cercle de jeunes agriculteurs, fait important dans la conjoncture actuelle. De même, un jour, dans la chronique locale de Romans, on a mis en vedette un article sur les techniques de la construction moderne où il était question de la présence du pétrole dans la région : c'est le type même d'informations qui ont été négligées pendant des années et que nous voulons désormais exploiter.* » (4).

---

(4) Témoignage recueilli par les auteurs.

Cas 2

Une menace pour les ressources : les feuilles gratuites...

Qui ne se laisserait tenter par un chiffre d'affaires éventuel de quelques dizaines de millions de francs ? Certains émirs regorgeant de pétrodollars, peut-être... On comprend donc la colère de la presse, quotidienne ou périodique, française ou étrangère, lorsqu'un marché avantageux risque de lui échapper parce que quelques « trublions » ne respectent pas les règles du jeu. Des audacieux osent gagner de l'argent en distribuant gratuitement leurs journaux !

Le phénomène n'est ni nouveau, ni limité. On oublie trop souvent que les stations de radio périphériques constituent une forme de presse gratuite, puisqu'elles sont uniquement financées par la publicité. C'est pourquoi la gratuité inquiète. En Suisse, 500 journaux gratuits prospèrent dans un climat pourtant davantage voué aux affaires solidement payées. Depuis 1837, le *Tagblatt* est offert aux citoyens de Zurich. Bénéficiant du soutien officiel de la municipalité, il touche actuellement 180 000 foyers. Dans cette même cité, le *Zueri-Leu*, avec un tirage record de 300 000 exemplaires, est passé, au printemps 1974, d'une à deux éditions par semaine.

En France, la « presse » gratuite apparaît comme un... oursin ! Et le débat entre ses partisans et ses détracteurs ne manque pas de... piquant. Il est passionné, mais pas toujours passionnant. On peut le résumer en une tentation permanente, deux échecs intéressants, cinquante réussites à méditer.

Une tentation permanente

Il est toujours tentant de faire lire gratuitement son journal à ses lecteurs. Mais il faut alors le faire payer par d'autres. Or les payeurs possibles sont rares. La concurrence a de ce fait tendance à se déplacer sur d'autres terrains que la seule lecture. La promotion publicitaire intensive ou les luttes d'influence politique en constituent deux exemples classiques. Les réquisitoires périodiques du directeur administratif du *Monde,* Jacques Sauvageot, contre l'abondance des services gratuits du *Figaro* retentissent d'échos variés. L'O.J.D. lui-même a dû prendre des mesures assez strictes pour distinguer parmi les « gratuits » ceux qui relèvent de la diffusion « normale » du journal et ceux qui n'en relèvent pas.

Les salariés du journal, les informateurs (correspondants, magistrats, gendarmes...) et certains « demandeurs promotionnels », dans une proportion limitée et variable, peuvent être considérés comme des lecteurs par l'O.J.D. Mais les bénéficiaires d'une promotion permanente ou tournante ne font pas partie de la diffusion normale. C'est le cas des agences de voyages, d'affaires ou de publicité, voire des jeunes mariés et des vacanciers, des officiers ministériels et surtout des hôtels. Ce dernier cas est une pomme de discorde entre quelques grands quotidiens parisiens, comme *France-Soir, Le Monde* ou *Le Figaro,* et la presse provinciale. Sous prétexte de « suivre » leurs lecteurs habituels en voyage ou en congé, quelques confrères de la capitale pratiquent une large politique de « dumping », que les provinciaux ne peuvent recopier au risque de se dévaloriser. Les quotidiens parisiens ont besoin d'être présents sur le marché national ; leurs confrères régionaux ont simplement besoin d'être crédibles sur les marchés locaux. Quand il va à l'hôtel ou au restaurant, un bon père de famille paye ; sinon, il est poursuivi pour grivèlerie. Est-il toujours possible de « régler sa note en publicité » ? Certes non. Est-il très sain de faire appel à un tiers payeur ? Pas forcément. Pourtant, la tentation est permanente de gonfler son tirage, de simuler une forte pénétration et d'inciter prescripteurs et annonceurs à investir dans un support plus prestigieux qu'efficace. Ce chant de sirènes peut parfois conduire à des naufrages.

Deux échecs intéressants

Le président d'une station de radio privée et plusieurs responsables de quotidiens régionaux, dans une optique compétitive, ont tenté d'aller plus loin en adaptant les techniques du magazine national au journal gratuit. L'idée consistait à recueillir d'importantes recettes publicitaires grâce à un périodique presque totalement en couleurs, imprimé en héliogravure et distribué dans des millions de foyers. Le mode de diffusion variait dans les deux cas, compte tenu des expériences différentes des deux groupes.

Le président d'Europe n° 1, Sylvain Floirat, conseillé par Max Corre (1) et Maurice André (2), voulait toucher progressivement jusqu'à 10 millions de foyers en distribuant son magazine dans chaque boîte aux lettres des villes françaises comprises entre 40 000 et 500 000 habitants. Cet objectif nécessitait des cohortes de distributeurs, inspecteurs et animateurs. Cela exigeait aussi une immense séduction sur les lecteurs « involontaires » pour récupérer une fructueuse crédibilité chez les annonceurs. Ce grand mensuel gratuit, *Un jour,* lancé en 1969, dura ce que durent les roses. Il fut repris par la Redoute de Roubaix, comme catalogue, après avoir transité quelques mois chez les journalistes-éditeurs Henri Gault et Christian

---

(1) Max Corre avait été à *Paris-Presse* de 1951 à 1965, successivement en tant que rédacteur en chef, secrétaire général et enfin directeur général. Après l'expérience d'*Un Jour,* il tenta également de lancer, en avril 1973, sans succès, un magazine de la région parisienne, *Paris-Paris.*

(2) Maurice André possède un groupe de presse assez prospère, comprenant *Le bois national* à Paris, publication spécialisée, existant depuis 46 ans, *Imprima* à Lyon (fusion des imprimeries Molière et Martel) et quatre hebdomadaires gratuits à Lyon, Dijon, Saint-Etienne et Clermont-Ferrand.

Millau. Son concurrent, *Vous*, imaginé en 1966 par le Directeur de *La Dernière Heure* de Bruxelles, Maurice Brébart, malgré l'appui (éphémère) de la Banque Lambert et de l'Agence Havas, eut une destinée un peu plus longue, grâce à la ténacité de quotidiens régionaux (3). Ces derniers y virent en effet une double possibilité promotionnelle : d'une part, offrir un supplément illustré gratuit à leurs lecteurs, à la manière américaine ; d'autre part, contrecarrer la concurrence publicitaire des magazines, notamment féminins, et éventuellement, de la télévision. C'était alors l'époque où la publicité apparaissait sur les « étranges lucarnes ». Mais les différences de conceptions rédactionnelles entre les éditeurs, les fréquents changements de formules et de formats, la faible coopération des dépositaires, une périodicité insuffisante (mensuelle au lieu de bimensuelle ou hebdomadaire), les difficultés internes des journaux, notamment au niveau des personnels d'expédition, enfin le scepticisme des agences de publicité, tout cela amena les promoteurs de ce projet diffusé pourtant à 3 milions d'exemplaires à l'abandonner sine die en 1970. *Vous* est devenu un catalogue au service de Prénatal. Il n'est plus le grand magazine voué à s'opposer aux radios et aux télévisions.

Cinquante réussites à méditer

Il n'empêche que les exemples d'ersatz gratuits de périodiques, voire de quotidiens, ne manquent pas dans la province française, à l'instar de certains pays étrangers. Une centaine existent, soit indépendamment de la presse quotidienne régionale, soit à sa propre initiative. C'est le second cas qui devient paradoxalement le plus fréquent. Trois exemples spectaculaires méritent d'être évoqués dans la presse quotidienne régionale avant de rappeler les expériences éparses.

---

(3) Parmi lesquels *Sud-Ouest*, *la Nouvelle République du Centre-Ouest*, *Paris-Normandie*, *Le Progrès* de Lyon, *Le Dauphiné Libéré*, *La Liberté de l'Est*, *Les Dernières Nouvelles d'Alsace*, *L'Union* de Reims, les trois journaux de Saint-Etienne (*La Tribune*, *L'Espoir*, *La Dépêche*), *Dernière Heure Lyonnaise*, *L'Echo - la Liberté*, *La France* de Bordeaux, etc. (pour plus de précisions sur *Vous*, voir *Presse Actualité* n° 35 de juin 1967 et n° 40 de février 1968).

Les premiers imprimés publicitaires à prendre l'aspect d'un hebdo local apparaissent au Mans en 1963. Leur promoteur est un émigré d'origine belge, du nom de Timmers. Il est aujourd'hui Président du directoire de la Société « Le Carillon », éditrice d'une vingtaine de feuilles de ce type sur l'Ouest de la France et dont le plus gros actionnaire est le journal *Ouest-France* lui-même. En 1968, un HEC de trente et un ans, Paul Dini, fonde à Grenoble la Société pour la Connaissance des Marchés Régionaux (CO MAREG). Progressivement, il sort dix hebdomadaires gratuits dans la région Rhône-Alpes (4). Distribuées dans les boîtes aux lettres, les feuilles ne comportent aucun texte journalistique. La petite annonce y règne en maîtresse. Lorsqu'il s'y trouve quelques informations, ce sont toujours des renseignements utilitaires. Il s'agit de prospectus collectifs. La réussite est si concluante qu'en 1971, le groupe *Le Progrès-Le Dauphiné* prend une participation de 42 % dans la Comareg et confie à son animateur la direction de deux de ses Sociétés : une affaire spécialisée dans l'audiovisuel, la Société Européenne de Télévision, d'Information et de Cinéma (SETIC), et, pendant un temps, une entreprise de régie *Havas Province support n°* 1. Discret, mais efficace, Paul Dini est un homme qui monte dans la presse régionale. Ne se contentant pas de contrôler le « pariscope » lyonnais *Lyon Poche*, en 1973, il a pris la présidence nationale de la Jeune Chambre Economique française.

Dans les années 1970, *La Nouvelle République du Centre-Ouest* se décide, après de longues hésitations, à contre-attaquer la pénétration des « hebdo gratuits » du « Ca rillon » dans sa région. Elle lance successivement, sous forme de suppléments gratuits hebdomadaires : *N.R. Services* sur « l'axe » Bourges-Vierzon dans le Cher, *Poitiers-Chatellerault Services* dans la Vienne, *Niort-Services* dans les Deux-Sèvres et enfin *Tours-Services* en Indre-et-Loire. Paradoxalement, c'est sur cette importante ville d'édition que le dispositif réussit le moins bien, la concurrence

(4) *Le* 74 *Annemasse, Le* 74 *Annecy, Le* 73 *Chambéry, Le* 84 *Avignon, Le* 38 *Grenoble, Le* 71 *Mâcon, Le* 71 *Chalon, Le* 26, *Le* 38 *Vienne* et *Les Petites Annonces Caladoises* à Villefranche. L'ensemble de ces publications atteint un tirage de 500 000 exemplaires.

d'un « gratuit » local, *I.P.* 37, et du *Carillon* bihebdomadaire étant ancienne et forte. Par contre, à Niort et à Bourges, villes pourtant moins peuplées, la *N.R.* a fait disparaître tous ses concurrents gratuits. Et à Poitiers subsiste simplement un embryon de concurrence. En outre, la *N.R.*, pour parachever son système de défense, a racheté une société de distribution et d'animation, la S.A.R.L. « Diffusion et Information Commerciales » (D.I.C.). Son gérant, Jean Chalopin, émancipé à 18 ans, avait fondé cette entreprise afin de distribuer les « gratuits » de M. Timmers. Aujourd'hui, il distribue ceux de *La N.R.* tout en ayant développé une activité audiovisuelle sans précédent sur la région, puisque D.I.C. réalise 5 millions de francs de chiffre d'affaires dans ce secteur. J. Chalopin a aujourd'hui 27 ans...

Ailleurs, d'autres quotidiens régionaux ont réussi des expériences ou des lancements positifs de « gratuits ». C'est le cas de *Nord-Eclair* (Roubaix), de *L'Est Républicain* (Nancy), du *Télégramme de Brest et de l'Ouest* (Morlaix), du *Républicain Lorrain* (Metz), etc... Cette initiative permet aux journaux de protéger ou de promouvoir leurs marchés de publicité locale.

Contrairement aux thèses de Bernard Pourprix (joli nom pour un adversaire de la presse... gratuite !), la presse ne vogue pas inéluctablement vers la gratuité. Les hebdos gratuits ne constituent qu'un élément de diversification de ses activités et de défense de ses assises. S'il en était besoin, la crise économique mondiale serait là pour rappeler que le développement de la publicité n'est pas si illimité que les entreprises de presse puissent se passer d'acheteurs d'exemplaires au profit d'acheteurs de millimètres. La pétition de principe est trop belle pour ne pas être simplement évoquée. Une autre preuve en est qu'en dehors de la presse quotidienne régionale, les tentatives apparaissent nombreuses certes, voire antérieures à ses propres audaces, mais les coups d'essai ne sont pas toujours des coups de maître. D'ailleurs, Timmers et Paul Dini ne se sont-ils pas alliés respectivement au plus grand quotidien de provonce et au plus grand groupe de presse régionale ?

Toutefois, plusieurs réalisations se sont développées soit

localement, soit régionalement. Ainsi, en 1963, Maurice André avait créé à Saint-Etienne la Société « Hebdo-Presse » qui, dans cette ville et dans trois autres (Lyon, Dijon, Toulouse), avait lancé 4 hebdos gratuits. Sylvain Floirat y fut d'ailleurs un temps actionnaire, très intéressé qu'il était par la montée de ces publications gratuites. *Hebdo-Toulouse* a fondu sous la poussée de *La Dépêche du Midi*, cependant que Maurice André a repris le contrôle d'un gratuit clermontois. Cette montée des gratuits en général ne se fait donc pas sans à-coups. Tantôt l'on note un échec, tel que *Spécial Rouen*, mensuel lancé à 90 000 exemplaires en décembre 1973 et arrêté en juin 1974. Tantôt un téméraire attaque le marché parisien, tel *Je vends - J'achète*, hebdomadaire diffusé dans l'Yonne à 70 000 exemplaires, qui confie en 1974 sa régie « nationale » à l'Agence P.I.C.C.S. à Paris. Tantôt certains se regroupent entre eux, comme ces 7 éditeurs lorrains de publications gratuites qui créent la société anonyme « Groupement Information Publicité » en 1974.

Un syndicat des... « Gratuits »

Il existe même un Syndicat National des Editeurs de Journaux et Périodiques Gratuits, le S.N.E.J.P.G., créé en septembre 1973. Son Conseil d'administration a décidé en avril 1974 la mise en place d'une commission de contrôle du tirage de ses adhérents, une sorte d'O.J.D. pour publications non vendues. Celle-ci agirait jusqu'au niveau de la distribution avec l'aide d'un expert-comptable commissaire aux comptes, d'un huissier et d'un responsable d'une agence de publicité ou d'un annonceur important. Les adhérents se font contrôler par l'O.J.C.D. (5).

La presse qui répond aux critères institutionnels, de son côté, ne se laisse pas faire. Dès 1972, le Syndicat des Quotidiens Départementaux prend vigoureusement position contre les gratuits. En juin 1974, à Annecy, le Syndicat National de la Presse Hebdomadaire Régionale d'Information, que préside Albert Garrigues, Directeur Général

(5) Voir *L'Echo de la Presse et de la Publicité*, n° 936, 27 janvier 1975.

du *Courrier Français* (Bordeaux), a voté à l'unanimité une motion aux termes de laquelle l'Assemblée du Syndicat, « *fortement émue et se sentant gravement menacée par la prolifération de feuilles publicitaires gratuites dont la présentation crée une équivoque dans l'esprit du public, et qui constituent en fait une véritable concurrence déloyale :* 1) *demande que le papier exonéré de T.V.A. ou de droits de douane reçoive une marque particulière et facilement vérifiable ;* 2) *attire l'attention des pouvoirs publics sur la priorité qui doit être accordée aux journaux d'information dans l'attribution du papier de presse, particulièrement dans la conjoncture actuelle où se dessinent des menaces de pénurie* ; 3) *demande que la presse d'information bénéficie d'un quota de déduction de la T.V.A. de manière à ne pas être pénalisée par rapport aux feuilles publicitaires ou gratuites* ».

Cette attaque de la presse hebdomadaire régionale d'information n'est pas sans s'adresser à quelques grands quotidiens régionaux autant qu'aux feuilles gratuites indépendantes de la presse... Les positions ne sont en effet pas très nettes du fait de la double liberté de la presse et du commerce existant en France, ce qui n'autorise évidemment pas la concurrence déloyale. Ces principes ont d'ailleurs été rappelés par le Tribunal de Commerce de St-Lô (Manche), le 5 avril 1974. En voici l'essentiel (6).

Un « pamphlet publicitaire »...

La Manche Libre, respectable hebdomadaire dirigé par Joseph Leclerc, soutenu par le S.N.P.P.P., requérait contre *Atout* 50, feuille gratuite éditée par Jean-Paul Herbert. Les juges, après deux ans de réflexion, ont finalement retenu la concurrence déloyale pour imitation abusive et pillage d'annonces dans les colonnes du demandeur. Ils ont condamné le défendeur à des dommages-intérêts (modestes, 3 000 F) et aux dépens ; mais *Atout* 50, comme « pamphlet publicitaire » et non comme journal, « *pourra*

---

(6) L'intégralité du jugement a été publiée par *L'Echo de la Presse et de la Publicité* dans son numéro 904, le 22 avril 1974.

poursuivre son activité et être distribué gratuitement sous toute autre forme que celle journalistique et sans employer les rubriques »... Salomon était sûrement normand ! Qui a vraiment gagné de *La Manche Libre* ou d'*Atout* 50 ?

L'Express-Méditerranée, adressé gratuitement aux abonnés de *L'Express* parisien, a disparu en 1972, cependant que *Marseille Sept,* édité par Havas, prospère tellement que son exemple a été suivi dans d'autres villes (Aix-en-Provence, Salon-de-Provence...). En 1975, l'Agence Havas a pris le contrôle d'une importante chaîne de gratuits en Franche-Comté (300 000 exemplaires diffusés à Besançon, Belfort et Montbéliard). Décidément, la publicité ne peut pas tout payer. Les bons « créneaux » semblent être très simplement la petite annonce à bon marché et — si l'on sait en mériter les faveurs — l'annonce légale « en vrac ». Droit de savoir (l'information banale utile) et devoir de dire (de par sa majesté la loi républicaine) se rejoignent pour transférer quelques moyens de dire à d'autres « média » que la presse provinciale stricto sensu. Ces média n'existent que dans des agglomérations relativement denses, évitent toute casuistique politique, économique et sociale, ne s'intéressent qu'aux petites affaires ; mais les grandes viennent parfois vers eux, sans qu'ils fassent d'effort pour aller les chercher, telles que les grandes surfaces ou les grosses boutiques. Sans doute est-ce une menace locale pour les grands quotidiens régionaux et les hebdos d'arrondissement.

L'avis d'un publicitaire

Si l'on veut raisonner juste sur ce sujet brûlant, il faut éviter le terme de presse gratuite et analyser le phénomène des « imprimés publicitaires périodiques ». Pour conclure le débat, donnons donc la parole à un expert de ces supports nouveaux, J.-C. Cellard, directeur régional de l'Agence Havas (7) : « *Les gratuits sont des supports publicitaires locaux, généralement urbains, dangereux pour la P.Q.R. en raison de deux facteurs :*

---

(7) Lettre aux auteurs du 12 novembre 1975.

a) *leur structure de coût, en tant que support publicitaire, est beaucoup plus légère et donc plus adaptée que la structure de coût des régionaux (problème de la taille du quotidien, problème du Livre). Ils intéressent donc des annonceurs locaux qui ne peuvent plus s'offrir régulièrement d'espace dans un quotidien. Ainsi,* Marseille 7 *vend le millimètre à* 4 *francs, alors que* Le Provençal *le facture à* 9 *francs.*

b) *leur couverture est, par définition, totale puisqu'ils sont distribués dans tous les foyers. Ils ne sont pas toujours regardés, tant s'en faut ! Mais le public sait petit à petit ce qu'ils contiennent : de l'information commerciale. En d'autres termes, leur couverture atteint* 100 % *de la cible utile alors que celle de la P.Q.R. ne dépasse pratiquement jamais les* 58 %.

Dans toute cette affaire, il ne faut se préoccuper que de l'aspect support publicitaire et non de l'aspect support d'information. Un support publicitaire est finalement jugé sur le coût au contact utile. Un Jour *et* Vous *ont échoué parce que la cible qu'ils voulaient toucher était trop large, trop grande et que leur structure de coût devenait dès lors totalement inadaptée et sans intérêt par rapport à ce qui existait. Car, soit le problème de l'annonceur était de toucher la France entière, la télévision ou l'ensemble de la P.Q.R. étaient alors moins chers au contact ; soit l'annonceur voulait toucher une cible particulière, il y avait alors dans la panoplie des magazines tel ou tel titre pour résoudre économiquement le problème en question. La raison de l'échec d'*Un Jour *ou de* Vous *est finalement celle qui a fait la réussite des gratuits localement : leur structure de coût et leur pénétration sont parfaitement adaptées au problème de l'annonceur local.*

Les gratuits sont donc beaucoup plus une menace pour les journaux de province que pour les quotidiens de Paris ou les magazines nationaux. Je pense qu'en matière de support publicitaire national écrit, la personne qui découvrira le moyen économique de distribuer uniquement aux foyers français d'un certain revenu (un million de foyers au maximum) un imprimé attractif, ramassera énormément de budgets nationaux et sera autrement plus dangereuse qu'un Max Corre qui, en journaliste qu'il était, voulait faire, lui, du « journal » gratuit. Aujourd'hui, la quasi-totalité des gratuits n'a pratiquement pas d'informations autres que les petites annonces. »

DOCUMENT :

Liste des titres
membres du Syndicat National des Editeurs
de Journaux et Périodiques Gratuits

Adresse	Tirage	Périodicité
CANAL 51, 2, impasse du Moulin de l'Ecaille, Reims-Tinqueux 51	105 000	Hebdomadaire
AUBE CONTACT, 93, rue de la Cité, Troyes 10	68 000	Mensuel
TELEX 57 Moselle-Nord - Moselle-Sud), 24, rue du 20e Corps Américain, Metz 57	144 000	Hebdomadaire
ALENÇON EXPANSION, 7, quai de la Prévalaye, Rennes 35	15 000	Mensuel
RENNES PUB, 7, quai de la Prévalaye, Rennes 35	76 000	Hebdomadaire
RENNES EXPANSION, 7, quai de la Prévalaye, Rennes 35	85 000	Mensuel
NANTES EXPANSION, 9, rue de la Marne, Nantes 44	105 000	Hebdomadaire
IP 37 Edition Tours, 4, rue Origet, Tours 37	70 000	Hebdomadaire
IP 37 Edition départementale, 4, rue Origet, Tours 37	110 000	Hebdomadaire
IP SARTHE, 12, place Washington, Le Mans 72	60 000	Hebdomadaire
AIX HEBDO, 1, rue Lacépède, Aix-en-Provence 13	50 000	Hebdomadaire

06 HEBDO, « Le Forum », 28, rue Hoche, Cannes 06	70 000	Hebdomadaire
TOULON ANNONCES, 9, boulevard de Strasbourg, Toulon 83	66 000	Hebdomadaire
VAUCLUSE ANNONCES, 29, rue de la République, Avignon 84	50 000	Hebdomadaire
LE TREIZE, 12, rue Arlatan, Salon-de-Provence 13	20 000	Hebdomadaire
GAB, 3, place du 8-Septembre, Besançon 25	65 000	Bimensuel
GAB (Pontarlier), 3, place du 8-Septembre, Besançon 25	25 000	Bimensuel
GADE (Dôle), 3, place du 8-Septembre, Besançon 25	25 000	Bimensuel
GAL (Lons-le-Saunier), 3, place du 8-Septembre, Besançon 25	30 000	Bimensuel
GAV (Vesoul), 3, place du 8-Septembre, Besançon 25	40 000	Bimensuel
GAB-GAM (Montbéliard - Belfort), 3, place du 8-Septembre, Besançon 25	100 000	Bimensuel
TELEX 57 (Moselle-Est), rue de la Paix, Sarreguemines 57	25 000	Bimensuel
PUB, 12, rue Saint-Joseph, Compiègne 60	46 000	Hebdomadaire
PAM, 47, rue de la Sinne, Mulhouse 68	n.c.	Bimensuel
CONTACT, 47, rue de la Sinne, Mulhouse 68	23 000	Bimensuel
PAC, 47, rue de la Sinne, Mulhouse 68	40 000	Bimensuel
INTER 59, 72, rue Jacquemard-Giélée, Lille 59	100 000	Bimensuel
INTER BANLIEUE-EST, Publicat, 17, boulevard Poissonnière, Paris 75002	207 000	Bimensuel

INTER BANLIEUE-OUEST, Publicat, 17, boulevard Poissonnière, Paris 75002	302 400	Bimensuel
INTER BANLIEUE-SUD, Publicat, 17, boulevard Poissonnière, Paris 75002	308 000	Bimensuel
PARIS NORD-EST, 78, avenue Pasteur, Les Lilas 93	310 000	Mensuel
CLERMONT-SCOPE, 58, rue Bonnabaud, Clermont-Ferrand 63	80 000	Bimensuel
PUB MAGAZINE, 15, rue Lapérouse, Nantes 44	100 000	Bimensuel
SVIP ANNONCES, 40 bis, avenue d'Alsace-Lorraine, St-Dizier 52	50 000	Mensuel
SPECIAL 50, 37, rue de l'Alma, Cherbourg 50	35 000	Hebdomadaire
BIP 41, 37, rue Croix Boissée, Blois 41	36 000	Hebdomadaire
ROUEN EXPANSION, 4, rue aux Juifs, Rouen 76	10 000	Bimensuel
ROUEN EXPANSION Immobilier, 4, rue aux Juifs, Rouen 76	120 000	Mensuel
CONTACT 80, 49, rue Vascosan, Amiens 80	90 000	Hebdomadaire
ATOUT 50, 2, rue Houssin-Dumanoir, Saint-Lô 50	25 000	Bimensuel
ALLO SAMBRE, 131 bis, avenue de Ferrière, Rousies 59	70 000	Bimensuel
INFORMATION 62, 43, rue Saint-Pry, Béthune 62	75 000	Mensuel
LE 76, 16, rue Jeanne-d'Arc, Rouen 76	76 000	Hebdomadaire
L'ANNONC'EURE, 16, rue de Pressagny, Vernon 27	16 000	Bimensuel
TILT, 68 bis, boulevard Thiers, Remiremont 88	20 000	Bimensuel

LE 60, Paul Roos, 26, boulevard Broudé, Creil 60 80 000 Hebdomadaire

N.B. — Une liste exhaustive des publications gratuites a été publiée dans *Media Gratuit*, édité par Interset, 58, rue Bonnabaud, 63000 Clermont-Ferrand.

Cas 3

Un mensuel régional à suivre :
« Objectif Sud »

Lorsque, le 1er janvier 1973, le numéro un d'*Objectif Sud* est sorti des bureaux de la Compagnie Régionale d'Edition et de Presse (C.O.R.E.P.), il faut bien dire qu'il a rencontré le scepticisme amusé de beaucoup.

Pourtant, son fondateur, Maurice Genoyer, n'en était pas à sa première création. L'aventure, pour cet ancien officier mécanicien de la Marine Marchande, avait commencé quelque dix ans plus tôt, lorsque, abandonnant sa solde pour un salaire de 1 000 francs par mois, il devient représentant en produits métallurgiques. Ce n'est que la première étape. Quelques mois plus tard, Maurice Genoyer fonde la Société Phocéenne de Métallurgie, spécialisée dans la distribution des brides. En 1976, le petit atelier de la Belle-de-Mai, à Marseille, est devenu un complexe industriel et commercial qui depuis Vitrolles rayonne sur 52 pays. Avec plus de 500 salariés, le groupe réalise un chiffre d'affaires de 400 millions de francs et remporte un oscar à l'exportation.

Ainsi se trouve gagné le premier pari de Maurice Genoyer : créer de Marseille une multinationale. Car, par-delà une volonté farouche, un fil conducteur lie ces deux époques : l'attachement à la région. C'est pourquoi Maurice Genoyer n'a pas hésité en 1975 à proposer un plan de sauvetage pour Titan-Coder et en 1976 à s'engager dans la reprise des Grues Griffet. Mais son attachement au Grand Delta ne concerne pas seulement la sphère industrielle. Conseiller municipal de Marseille depuis 1971, il a joué, en 1974, un rôle prépondérant dans le sauvetage de l'équipe de football de la ville. Aujourd'hui, à 42 ans, cet enfant « venu du quartier des gangsters » ne cache pas son intérêt pour la mairie de la deuxième ville de France.

Comme le maire socialiste, Gaston Defferre, l'indépendant Maurice Genoyer avoue deux passions : la presse et la voile. En 1976, trois voiliers ont disputé sous ses couleurs la course transatlantique. Et dès l'automne 1973, il a pris le contrôle d'un second périodique, *Provence Magazine*, un mensuel vieux de 22 ans.

Désormais, *Objectif Sud* a réussi sa percée. Pour un tirage d'environ 15 000 exemplaires, la vente se situe aux alentours de 12 000 numéros (1). Quant à *Provence Magazine*, repris alors qu'il était diffusé à 8 000 exemplaires, il tire à 25 000 exemplaires et en vend pratiquement 20 000. En 1975, la C.O.R.E.P. est devenue Delta-Presse, société anonyme au capital de 1 million de francs. Le chiffre d'affaires du groupe de presse a ainsi évolué depuis sa création : 1973, 1,7 million de francs ; 1974, 4 millions de francs ; 1975, 5,6 millions de francs ; 1976, 5,9 millions de francs. En 1976, les recettes publicitaires représentent 54 % des ressources (1,4 million de francs pour *Objectif Sud* et 1,8 million de francs pour *Provence Magazine*).

En raison de la crise économique, la société a dû procéder, fin 1975, à une importante compression des effectifs réduits de 40 salariés à 28, entraînant une longue grève des journalistes.

Depuis janvier 1976, Delta-Presse a pour directeur général Bernard Wilbois, ancien directeur du marketing d'Usine Publications. Le rédacteur en chef d'*Objectif-Sud* est Paul Anglezi, un ancien de *L'Express-Méditerranée* et le correspondant des *Echos* à Marseille. Il est assisté de

(1) Le numéro est vendu 5 F et l'abonnement coûte 55 F.

cinq journalistes. Une nouvelle maquette du journal a été conçue par Antoine Peretti. Elle n'est pas sans rappeler celle de l'hebdomadaire *Les Informations*. Le mensuel est divisé en trois sections : économie, politique et dossier. Chaque mois, Maurice Genoyer donne « son point de vue ». En 1974, il s'était servi de son journal pour annoncer son soutien à Valéry Giscard d'Estaing lors de la campagne présidentielle.

Objectif-Sud veut incarner une presse régionale de combat. Le choix d'un créneau nouveau tant sur le plan de la périodicité que sur celui de la spécialité peut permettre à *Objectif-Sud* de donner naissance à une société de service régional.

Quatrième partie

LE DROIT DE SAVOIR

Quelle est la meilleure façon de satisfaire le droit de savoir ? Les prophètes des journaux chers — essentiellement sans publicité — le disputent aux défenseurs de journaux bon marché, héritiers d'Emile de Girardin et de Moïse Millaud et aux apôtres des journaux gratuits, idéalistes, hommes d'affaires ou affairistes.

Par ailleurs, comment doser l'information, l'adapter à des lecteurs qui ne sont pas des robots, et à un journal qui n'est ni élastique ni microfilm ? Cela viendra peut-être, mais quand ?

Alors, qui doit prendre des initiatives ? Le journaliste ou le lecteur ? Ou même, des tiers aux intérêts fugitifs, — tels les hommes de marketing, — ou aux visées très précises, tels les financiers ou les politiciens, quand ils ne sont pas confondus... ?

Chapitre I

PORTRAIT DU LECTEUR DE PROVINCE

« *Rien ne vaut un lecteur de plus* ». Ce postulat, formulé par Emile de Girardin dès la monarchie de Juillet, légitimait tout l'effort nécessité par la conquête, la séduction, l'acquisition de cet homme ou de cette femme sans lesquels un journal n'existerait pas. Avec lucidité, Girardin soulignait également qu'un quotidien est fait un peu par ses rédacteurs, beaucoup par ses lecteurs. Une étonnante page publicitaire du *Monde* (1) imaginant « La réponse de Gutenberg à Mac Luhan », sous l'aspect d'un ironique et irrévérencieux « bras d'honneur », constatait qu'en France « 15 000 000 *de lecteurs ont, chaque jour, besoin de leur quotidien régional pour en savoir davantage sur ce que l'on apprend ailleurs* ». (Les périodiques de province n'ont pas depuis réalisé de campagne équivalente.) Elle ferait également apparaître quelques millions de lecteurs supplémentaires, des agriculteurs aux militants politiques ou religieux, des retraités des Chemins de fer aux boy-scouts de la paroisse. Ces millions

(1) *Le Monde*, 8 mai 1974.

d'hommes et de femmes, de garçons et de filles, qui n'habitent pas Paris, lisent néanmoins un quotidien ou un hebdomadaire. Ils ne répondent pas automatiquement à un portrait type. Ils constituent un véritable puzzle humain.

Un quotidien national comme *Le Monde* obtient, en province, un score qui mérite considération. Décrivant ses lecteurs (2), *Le Monde* précise « *qu'un peu moins de la moitié d'entre eux résident dans l'agglomération parisienne, entendue au sens large* ». Les deux autres quarts se partagent entre les cités de plus de 50 000 habitants et les petites villes ou communes rurales « *où sa diffusion est d'ailleurs en constante augmentation* ». Près d'un lecteur sur deux du *Monde* achète aussi un quotidien régional. Malgré sa progression régulière, la diffusion du *Monde* — environ 420 000 exemplaires — demeure très faible comparée à celle de l'ensemble des quotidiens de province, plus de 7 000 000 d'exemplaires.

Les enquêtes successives du Centre d'Etudes des Supports de Publicité ont montré que le nombre des lecteurs des seuls quotidiens régionaux se situait entre 15 et 20 millions selon les époques. Seul un Français sur quatre ne lirait jamais, ou presque jamais, un quotidien régional. Et uniquement un provincial sur dix s'abstient de toute lecture de ce type (3). Un film publicitaire sur *La Nouvelle République du Centre-Ouest* se plaisait, en 1971, à montrer que seul « l'idiot du village » ne lisait pas le journal.

Mis à part quelques marginaux, le régional touche tous les provinciaux. Comme le précise le P.-D.G. de *La République du Centre,* Roger Secrétain : « *La nature même du journal de province, par comparaison et opposition à la presse parisienne ou nationale et aux périodiques politiques, culturels ou spécialisés, c'est que, lu partout et* par tous, *et non pas* choisi *par un secteur de clientèle ou d'opinion, il est une nécessité et non un luxe... Il joue le rôle de bulletin de liaison économique et social... Il est plus équilibré, plus prudent et plus ouvert à la fois, parce*

(2) Brochure : Le Monde en 1973 ».
(3) Source : Dossier Poitevin, S.Q.R. - S.N.P.Q.R., 1973.

que s'adressant à une clientèle diversifiée. Il est plus objectif, parce que contrôlé sur le terrain par ses lecteurs. »

Le Progrès est, sans doute, le premier journal de province à avoir, dès 1958, esquissé la carte d'identité de son lecteur en donnant sa profession, son âge, son niveau de vie. De cette enquête ancienne, on peut néanmoins retenir que, dans une majorité écrasante, les lecteurs du quotidien lyonnais étaient « *réguliers, fidèles, satisfaits et sérieux* ».

Depuis cette époque pionnière, bien des études, calculs, analyses, synthèses, dépliants ont été réalisés. La plus importante enquête est celle du C.E.S.P. qui étudie périodiquement les grands régionaux. Ses résultats permettent de dessiner un portrait du lecteur de province : il est aussi bien homme (50,8 %) que femme (49,2 %) ; il réside dans des villes de plus de 100 000 habitants (33 %) ; il possède son logement (53,7 %). Contrairement à ce que l'on laisse entendre à Paris, la presse de province n'est pas une presse de vieillards puisque 60 % de ses lecteurs sont âgés de 15 à 50 ans. De même, ce n'est pas une presse de concierges puisque sa pénétration est d'autant plus élevée que le pouvoir d'achat est fort : 69,3 % chez les cadres supérieurs, 67,9 % chez les petits patrons, 59,9 % chez les ouvriers et 53,4 % chez les agriculteurs. C'est chez les possesseurs de postes de télévision en couleur que la pénétration des régionaux est la plus massive : 90,3 %. Ainsi, l'acquisition d'appareils audio-visuels modernes n'exclut pas la lecture de la presse de province.

L'approche quantitative ne saurait suffire pour percevoir tous les traits du lecteur de province. Il faut donc recourir à des analyses qualitatives. Le Groupement des Grands Régionaux l'a compris. En 1963, il a demandé à la SEMA d'établir le degré d'attachement du lecteur à son quotidien : 77 % des lecteurs de « grands régionaux » affirment qu'ils ne pourraient se passer de leur journal ; 89 % le lisent depuis plus de 5 ans, 71 % depuis plus de 10 ans. La moyenne de durée de lecture quotidienne est de 49 minutes. En outre, 90 % des lecteurs déclarent « *éprouver le besoin de parler autour d'eux de ce que le journal leur apprend d'intéressant* ». Et 89 % expriment l'avis que « *ni la radio ni la télévision ne rendent le jour-*

nal inutile ». A l'attachement s'ajoute la confiance : ainsi 53 % des lecteurs de régionaux, contre 41 % de ceux des publications parisiennes, estiment, selon une enquête de 1969, que « *les nouvelles et indications y sont généralement exactes* ».

Un peu, beaucoup, passionnément...

Cet attachement et cette confiance, très forts, mais non sans nuances, se retrouvent dans la typologie des lecteurs. Celle-ci a été établie, probablement pour la première fois, grâce à des entretiens approfondis non directifs, réalisés par la SEMA, en 1970, sur un échantillon de lecteurs et de « non-lecteurs » de la zone de diffusion de *La Nouvelle République du Centre-Ouest*. Dans le rapport, intitulé « *Attitude du public à l'égard du contenu rédactionnel et publicitaire du journal* », on trouve une classification fort utile des lecteurs et des « non-lecteurs » par degré décroissant d'attachement au journal.

Les meilleurs lecteurs semblent être les « *intégrés* ». Parfaitement insérés dans la contrée où ils habitent, appartenant aux classes moyennes ou aisées, ils se caractérisent par un niveau intellectuel certain et apprécient à leur juste valeur les trois fonctions informatives du journal (locale, régionale, nationale), dont ils sont très satisfaits et auquel ils sont profondément attachés.

Ensuite, viennent les « *consommateurs* », en général plus âgés que les « intégrés » et parmi lesquels on trouve plus de femmes que d'hommes. C'est surtout le fait local qui les attire et leur attitude vis à vis du journal, qu'ils lisent très régulièrement, reste assez passive. Ils représentent près du tiers des lecteurs.

Moins attachés sont les « *utilitaristes* » : ce sont des agriculteurs ou des commerçants qui ne s'intéressent qu'à certains aspects de la vie locale, voire régionale, plus rarement nationale. Ce sont des lecteurs tantôt « réguliers », tantôt « occasionnels ».

Quant aux « *condescendants* », socialement proches des « intégrés », ils se déclarent avant tout intéressés par l'information générale et sont, en particulier, tournés vers Paris, d'où ils reçoivent la majeure partie de leurs lectures. Toutefois, ils lisent *La Nouvelle République* par habitude ou nécessité, selon les cas, surtout pour l'information régionale et locale, négligeant le reste du journal.

Enfin, assez proches socio-économiquement des « consommateurs », on trouve les « *habitués de telle page* ». Ce ne sont, à la différence des quatre catégories précédentes, que des « lecteurs occasionnels ». En fait, ils ne sont pas attachés au journal et ne le lisent que pour une raison précise : sport, cinéma...

Outre ces cinq types de lecteurs, pour la plupart réguliers, mais parfois occasionnels, la SEMA a établi une classification des « non-lecteurs » de *La Nouvelle République.* On pourrait dire qu'à la différence des lecteurs, qui l' « aiment », selon les cas, « un peu, beaucoup, passionnément »..., les non-lecteurs ne « l'aiment » pas, soit parce qu'ils ne la connaissent pas, soit parce qu'ils ne lisent aucun quotidien « régional » ni national.

Ainsi, se distinguent quatre catégories : les *lecteurs d'autres quotidiens régionaux* ont, à leur égard, des attitudes similaires à celles observées pour *La Nouvelle République ;* les *lecteurs de journaux parisiens,* assez proches des « condescendants », font passer leur mépris avant leur intégration ; les *non-lecteurs « disponibles »*, très jeunes, de sexe féminin, s'informent, mais par la radio, la télévision ou les périodiques, et sont récupérables au moment de leur intégration sociale, par exemple lors du mariage ; enfin les « *irrécupérables* », d'un niveau socioculturel bas, sont rebutés par la lecture et ne manifestent aucun désir particulier d'intégration dans la communauté locale. Mis à part les étrangers, cette catégorie a évidemment tendance à régresser.

Cette classification des degrés d'attachement des lecteurs de *La Nouvelle République,* à quelques nuances près, peut s'appliquer aux autres quotidiens régionaux. Bien des éléments concernent aussi les hebdomadaires locaux. Des notions de base comme l' « intégration », opposée à la « condescendance », sont à retenir en particulier comme spécifiques à la presse provinciale. Diversité socioéconomique d'abord, attachement et intégration ensuite apparaissent donc comme les premiers traits du portrait du lecteur provincial.

Toutes les recherches mettent en évidence le poids écrasant des préoccupations locales et régionales chez les lecteurs provinciaux. Les informations mi-utiles mi-distractives, des sports aux faits divers, en passant par le carnet, viennent au second plan des soucis des lecteurs. Les informations générales (c'est-à-dire, pour la presse régionale, politique nationale et internationale) bénéficient néanmoins d'une certaine attention. Il faut donc se garder d'induire, à partir des résultats des enquêtes, des théories systématiques sur les centres d'intérêt du lecteur.

Des cruciverbistes aux consulteurs

Dans une étude, publiée en novembre 1973, portant sur les quatorze régionaux pour lesquels l'enquête « Vu et lu » avait été réalisée en 1971, Lucien Mironer a dégagé « *le comportement de lecture du lecteur de la presse quotidienne régionale* ». Après avoir classé l'audience des quotidiens selon la *quantité de lecture* (typologie A), c'est-à-dire des « plus forts lecteurs » aux « plus faibles », Lucien Mironer propose une « *classification de l'audience selon* l'intérêt *spécifique porté aux différents éléments du contenu rédactionnel* » (typologie B). Il distingue ainsi six types de lecteurs qui vont des moins importants quantitativement aux plus importants :

1° Les « *cruciverbistes et porteurs de titres* » : 5 % des lecteurs ; on retrouve le même taux que pour les « boursiers », selon l'enquête de la SEMA.

2° Les « *sportifs et turfistes* » : 7 % ; le taux est curieusement faible, mais ce sont des « lecteurs forts », lisant longtemps et attentivement.

3° Les « *ménagères et petits retraités* » : 8 % ; le taux semble également faible, mais ce sont de forts lecteurs.

4° Les « *amateurs d'information* » : 10 % ; situés sociologiquement entre les « intégrés » et les « condescendants » de *La Nouvelle République,* ce sont aussi de forts lecteurs.

5° Les « *lecteurs en marge de l'actualité* » : 22 % ; ce sont d'assez « faibles » lecteurs, bien que nombreux ; assez peu « intégrés », ils s'intéressent à l'horoscope, aux avis de décès, au carnet aussi bien qu'aux grands reportages, mais pas à la politique, ni générale ni locale.

6° Les « *feuilleteurs et consulteurs* » : 48 % ; très nombreux, ce sont de faibles lecteurs, plutôt jeunes et en majorité des femmes ; l'importance de cette catégorie pourrait laisser penser à une certaine superficialité des lecteurs de quotidiens régionaux.

Lucien Mironer propose une troisième « classification de l'audience » (typologie C), cette fois-ci « selon la *forme* des articles lus ». De façon assez humoristique, il qualifie d'abord d' « *alouettes* » (11 %) ceux qui sont attirés par « tout ce qui brille », plutôt que par l'information plus « sérieuse » ; ensuite, de « *passants pressés* » (14 %) ceux qui regardent très rapidement ce qui les intéresse ; puis de « *flâneurs en marge de l'actualité* » (15 %) ceux qui privilégient, par rapport à « l'événement », les annonces commerciales ou les programmes de télévision ; puis de « *lecteurs d'articles de fond* » (19 %) une partie très respectable qualitativement et quantitativement des lecteurs ; d' « *amateurs de la une et des sports* » (20 %), de très « forts » lecteurs, très attachés au journal ; enfin, d' « *amateurs de petites nouvelles* » (21 %) les lecteurs « les plus longs » et les plus attachés au journal, notamment pour ses pages locales et générales.

Une étude réalisée par la SEMA, en décembre 1971, tente d'identifier les « *freins à la diffusion des quotidiens régionaux* ». Le premier d'entre eux « *tient au moindre besoin d'identification à la communauté locale* ». Ceci explique la différence d'âge entre lecteurs réguliers et lecteurs occasionnels. Le second résulte d'une *insuffisance d'informations sur la communauté qui intéresse le lecteur ou le non-lecteur*. C'est le problème des petites localités isolées. Le troisième est le « *manque d'intérêt pour la politique* », celle-ci étant d'ailleurs prise au sens large. C'est le cas des jeunes peu engagés dans la vie civique et des personnes de faible niveau économique ou culturel. Le quatrième frein est le « *niveau d'exigence à l'égard de l'information* », qui peut toucher les deux extrêmes, c'est-à-dire les « condescendants » avides de grandeur comme les « irrécupérables » pour qui la lecture représente un réel effort. Le cinquième frein est le *prix* : il concerne évidemment les milieux pauvres ; ainsi, 5 % des « foyers » s'associent pour acheter le journal ; ce sont des lecteurs évidemment difficiles à repérer, voire à satisfaire, sauf par des ristournes. Le sixième tient aux conditions actuelles de *distribution* de la presse, notamment dans les zones rurales.

De la plupart des enquêtes, il ressort que le quotidien régional fournit à ses lecteurs d'innombrables thèmes de conversations. Si le journal favorise peut-être le dialogue au sein de la cité (4), il ne s'est pas toujours prêté de bonne grâce à la discussion avec ses lecteurs. « *Nous ne refusons pas, bien au contraire, le dialogue avec le lecteur,* affirmait naguère Roger Secrétain (5), *mais nous voulons tout de même dire ceci : tenir compte du lecteur, certes, un journal est fait pour être lu. Servilité ? Non pas. Les lecteurs — ceux dont la dignité de pensée forme la véritable opinion publique — ne le voudraient pas* ». Aujourd'hui, les journaux sont nettement plus enclins à donner la parole à leurs lecteurs, non pas pour désamorcer toute éventuelle contestation, mais pour susciter une véritable participation.

Des milliers de lettres

Le courrier des lecteurs offre diverses possibilités d'échanges entre le journal et son public. En trois ans, la chronique sociale de *Sud-Ouest* a attiré vers le quotidien bordelais 15 000 lettres. A *La Nouvelle République du Centre-Ouest,* un cadre de la société consacre le plus clair de son temps à répondre aux lettres de lecteurs. N'utilisant pas les colonnes du journal, il accorde, sous la forme épistolaire, de véritables consultations. Si le besoin s'en fait sentir, il reçoit parfois ses interlocuteurs. Avec un tel ser-

---

(4) Dans son livre *Journalisme et Information,* François le Targat cite l'exemple de sa grand-mère allant chaque jour au hall de la ville regarder les journaux affichés et les commenter à chaud avec un amiral en retraite et les personnes présentes à ce moment-là.

(5) *La République du Centre,* 5 avril 1950.

vice, le quotidien tourangeau cherche à justifier son slogan lancé en 1971 : « *Jamais seul avec la N.R.* » (6).

A *Ouest-France,* le tri du courrier est confié à un rédacteur en chef adjoint, Jacques Le Bailly. Il se charge de la répartition des lettres entre diverses rubriques : « Vos droits », « La loi et vous », « Courrier des consommateurs »... En 1973, le quotidien rennais a reçu 3 000 lettres au sujet de la seule télévision et en a publié 200. Jacques Le Bailly en conclut (7) : « *Les gens cherchent des contacts à tout prix. Sans être démagogiques, considérons-les comme des partenaires. Pourtant, nous ne nous retranchons pas derrière le courrier des lecteurs, car son étude ne peut être scientifique.* »

L'ouverture des colonnes des régionaux à des lettres du public établit-elle vraiment le contact entre le journal et ses lecteurs ? « *L'attitude des journalistes à l'égard du courrier des lecteurs apparaît souvent ambivalente,* note un rapport du Centre National d'Information pour le Progrès Economique. *Ils déclarent presque tous le tenir pour quantité négligeable, car il ne peut fournir que des critiques marginales et des suggestions de détail. Mais, par ailleurs, les mêmes journalistes disent couramment : « Nos lecteurs pensent que... » et ils s'appuient, pour soutenir telle ou telle position, sur l'opinion d'un lecteur devenu magiquement représentatif de l'ensemble.* »

Pour tenter de donner la parole de façon permanente à ses lecteurs, *L'Alsace* a mis au point, en 1973, une expérience sans précédent, ainsi décrite par *La Correspondance de la Presse :* « *Dans un premier temps, un panel a été constitué en fonction des bulletins-réponses recueillis par le journal à l'issue du lancement de l'opération, le dimanche 6 mai, sous la forme de quatre pages spéciales de* L'Alsace Opinions. *Ce panel sera régulièrement consulté sur les questions d'actualité et le traitement de ces consultations se fera par ordinateur.*

« *La publication des résultats donnera lieu à la présentation de dossiers complets sur la question choisie,*

---

(6) Une récente campagne de promotion d'une station de radio s'est déroulée sur le thème : « *Jamais seul avec R.T.L.* » Pillage d'un régional ou discret hommage à sa créativité publicitaire ? Nul ne sait.

(7) *Presse-Actualité,* février 1974, n° 89.

dans les colonnes du journal. Par ce moyen, L'Alsace *entend aider les habitants de la région à être mieux informés sur eux-mêmes et leurs préoccupations, mais également créer un dialogue permanent entre le lecteur et le journal* » (8).

Les efforts des régionaux pour que se noue un dialogue entre les lecteurs et les journaux n'ont pas toujours été couronnés de succès. Des marginaux se sont rebellés : ce fut le cas à Grenoble où furent créées, après mai 1968, des associations de défense des lecteurs aux noms révélateurs : « Interpeller la presse » et « Comité anti-intox ». Dès 1961, Joseph Rovan avait suggéré (9) de reconnaître officiellement les droits des lecteurs en tant que consommateurs. Effectivement, pourquoi ne pas faire participer le public au pouvoir d'informer ? Certains responsables de journaux provinciaux y songent déjà. Aujourd'hui ombre vague, le « consumérisme » des lecteurs pourrait se concrétiser dans l'avenir.

(8) *La Correspondance de la Presse*, 14 mai 1973.
(9) *Une idée neuve : la démocratie*, le Seuil, 1961.

Chapitre II

ENTRE LA SUR-INFORMATION ET LA SOUS-INFORMATION

Phénomène d'un XXe siècle en proie à la révolution des communications, la sur-information est le produit des sociétés industrielles avancées : fléau à combattre aussi vigoureusement que la drogue ou le crime, elle provoque une insidieuse pollution de l'esprit. Tout est devenu prétexte à information. Le nombre des émetteurs suit une progression quasi exponentielle. Personne n'échappe au flot des nouvelles. L'homme contemporain reçoit quotidiennement deux mille fois plus d'informations que ses aïeux.

Les philosophes, les sociologues, les économistes ont, chacun à leur manière, envisagé la question. Leur diagnostic est sévère : David Riesman conclut à la solitude dans la foule (1) ; Jean-Marie Domenach s'inquiète des manipulations de la propagande (2) et Jacques Ellul va même jusqu'à démontrer que l'information peut être un facteur

(1) David Riesman, *La Foule solitaire*, Arthaud, 1964.
(2) Jean-Marie Domenach, *La Propagande politique*, P.U.F., 1965.

d'aliénation (3). Mais, c'est à un journaliste que l'on doit la vision la plus nette de ce que peut devenir l'homme surinformé. Alvin Toffler dégage les conséquences de l' « hyperchoix » (4) : le blocage des mécanismes de réflexion comme de décision. Trop informé, l'homme contemporain ne serait plus informé. Cette implacable réalité reste constamment présente à l'esprit du journaliste régional dont la mission consiste à établir un lien privilégié avec des lecteurs déjà submergés d'informations. S'il lui arrive de bénéficier d'une confiance exceptionnelle de la part de son public, c'est parce qu'il sait exploiter au maximum cette chance unique dont il dispose d'être souvent l'ultime et parfois le premier recours d'une masse anonyme.

Peu sur beaucoup ou tout sur peu ?

Faut-il dire peu sur beaucoup de sujets ou tout dire sur peu de thèmes ? Tel est le dilemme quotidien du rédacteur en chef d'un journal régional. Sa marge de manœuvre se trouve extrêmement limitée. Quelle que soit l'importance de l'actualité, cet homme charnière est soumis à des normes techniques et à des obligations rédactionnelles strictes. La plupart des quotidiens régionaux ne dépassent pas les vingt-quatre pages. Depuis les augmentations du prix du papier (5), tout accroissement de pagination a été rendu très onéreux. Si *Sud-Ouest*, par exemple, avait voulu, en 1974, publier chaque jour une page supplémentaire, le coût de l'opération (6) se serait élevé à trois millions de francs : chaque page ne contenant que 1 200 lignes environ. Néanmoins, le régional s'adresse à des lecteurs aussi divers que possible : des commerçants aux universitaires, des ruraux aux citadins.

Pour satisfaire les uns comme les autres, il lui faut proposer une multiplicité de rubriques : d'où sa construction à la fois verticale et horizontale pour traiter le particulier

---

(3) Jacques Ellul, « L'information aliénante », in *Economie et Humanisme*, n° 192, mars-avril 1970.

(4) Alvin Toffler, *Le Choc du Futur*, Denoël, 1971.

(5) Les augmentations du prix du papier des quotidiens ont atteint, en 1974, 84,50 %.

(6) Frais de papier, d'encre, de composition et d'impression seulement.

comme le général, le local comme le national. Sans une armature solide et éprouvée, il ne serait pas possible de réaliser ce miracle presque quotidien que constitue la sortie d'un journal de province.

Si le régional prend des aspects variés, la mosaïque de ses éléments suit un dessin précis. Le lecteur ressentant toujours le besoin d'un fil d'Ariane pour se guider, le quotidien régional doit offrir des points de repères. On pourrait le comparer, comme le suggère Henri Amouroux (7), à une fusée à trois étages : « *Le premier étage, en partant du sol, est constitué par l'information locale. A travers des événements mineurs* (...) *des centaines de communes trouvent chaque matin leur reflet dans le journal. Cela peut paraître négligeable, c'est capital, car, fort heureusement, les provinciaux s'intéressent à ce qui se passe autour d'eux. Sans ces bases, les deux autres étages ne pourraient pas fonctionner. Le deuxième étage concerne la région. Le journal ne renseigne pas seulement sur la vie locale la plus mince, il a la responsabilité de toute la région ; il joue alors un rôle d'aiguillon ou de sonnette d'alarme. Le troisième étage, c'est celui de la politique nationale et internationale. Avec bien moins de pages que ses confrères parisiens, le journal de province doit donner, sur les grands événements, une information de qualité. A tous les niveaux, il s'efforce de rester clair pour être compris.* »

D'aucuns trouveront l'image d'Henri Amouroux trop schématique. Elle ne fournit sans doute pas la mesure exacte de la segmentation très parcellaire de l'information provinciale. On pourrait légitimement ajouter à la fusée quelques étages intermédiaires, entre le national et le régional, celui de l'aire de diffusion (8), entre le régional et le local, celui du département. En effet, chaque échelon administratif constitue un émetteur d'informations. Mais le nombre d'étages importe peu, l'essentiel est qu'ils forment l'ossature du journal. Leur présence simultanée est nécessaire pour que s'ordonnent harmonieusement les

---

(7) Jean-C. Texier, Entretien avec Henri Amouroux, ancien directeur général de *Sud-Ouest*, in *Presse-Actualité*, n° 90, mars 1974.

(8) Les grands régionaux ont désormais tendance à déborder les régions naturelles.

100 000 lignes composées chaque jour par les grands régionaux. Car il convient de prendre sans cesse conscience de ce que la mise en circulation de nombreuses éditions se traduit par la fabrication effective de multiples pages différentes : soixante-dix pages pour les éditions de *Nice-Matin,* cent pages pour les quinze éditions de *Sud-Ouest,* cent vingt pages pour les quarante-six éditions du *Progrès* et, enfin, *Ouest-France* a atteint deux cent cinquante pages.

Ce respect scrupuleux des particularismes géographiques ne saurait être suffisant pour permettre aux quotidiens de province de remplir leur mission. Il leur faut aussi répondre aux aspirations de toutes les catégories sociologiques de leur audience. Plutôt que d'entreprendre une analyse structurelle des quotidiens régionaux, comme y invitait Jacques Kayser, laissons un grand journal se décrire lui-même. L'autoportrait du *Progrès* apporte bien plus de renseignements concrets que tout dénombrage rigoureux des « unités rédactionnelles » (9).

Le tambour du village

« *Un grand quotidien de province, c'est à la fois le pouls et la conscience d'une région. Mais c'est aussi « le tambour de la ville », du village...* Le Progrès *répond, de façon exemplaire, aux exigences de cette mission et de cette fonction.*

« *Celles-ci font qu'il doit être dans la pratique « tous les journaux en un seul ». Car, s'il est à l'écoute de l'entité régionale dynamique que constituent, autour de la mœlle épinière Rhône-Alpes, la Bourgogne, l'Auvergne et la Franche-Comté, il ne doit rien ignorer des grands événements de la politique, de l'art et de la science, qui font, de nos jours, évoluer les provinces au même rythme et dans le même temps que Paris.*

« *A cet égard,* Le Progrès *serait plutôt à la pointe de l'information. Sa rédaction parisienne de l'avenue de l'Opéra est forte de quinze journalistes professionnels spécialisés ou accrédités tant à l'Elysée ou à Matignon qu'à l'As-*

(9) Jacques Kayser, *Le Quotidien français,* Armand Colin, 1963.

semblée Nationale ou à la direction de la Sûreté Nationale. Avec des chroniqueurs politiques de la notoriété de Jean-Raymond Tournoux, Claude Martial ou Philippe Bauchard, ses pages « d' information générale » ont souvent les honneurs des revues de presse, ce qui est une manière d'être cité... en exemple.

« De même, la page scientifique de Camille Rougeron constitue une mise à jour attrayante des connaissances, cependant que les chroniques actualisées de Lucien Barnier démontrent que dans cette époque vertigineuse la science dépasse bien souvent la science-fiction...

« Cette évolution des techniques n'échappe pas, bien entendu, à Georges Marey, spécialiste des questions militaires qui sont encore — on ne choisit pas les thèmes de l'actualité — les charnières de notre temps.

« Si Le Progrès, *par sa scrupuleuse quête de l'information exacte comme par ses analyses de l'événement, correspond presque, au point de la symboliser, à cette notion de « la conscience informée » du philosophe libéral allemand Rauch, il est, par là-même, fidèle à sa vocation humaniste.*

« La collaboration précieuse d'un éminent professeur de médecine, si familier à nos lecteurs sous le nom d'Hippocrate, de même que « la vulgarisation de l'élégance » dans le langage de la chronique « Ce que parler veut dire », de Mireille Rieu, procèdent de cet humanisme éclairé dont on retrouve les bases sensibles et originelles dans la chronique « Vie et nature ».

« Evidemment, le lien qui unit Le Progrès *à ses lecteurs est fait aussi de communications pratiques qui constituent un « service » comme les rubriques « En réponse à vos questions », « Consommateurs-Informations » ou même « Votre jardin » ou encore un « échange » comme « Le courrier des lecteurs » qui, chaque jour, remplit le rôle enrichissant d'une tribune libre.*

« Tous les journaux en un seul », cela veut dire aussi l'information qui se chiffre en cours, en cotes et en scores, c'est-à-dire la Bourse, les courses, les sports. Très complet avec la rubrique quotidienne de la Bourse (Paris et Lyon) et « La semaine boursière », Le Progrès *réserve une large place aux courses à Paris — tant en semaine qu'à l'occa-*

sion des paris tiercés — dans la région où se trouvent de nombreux centres d'hippodromes. S'il n'est pas un quotidien de sports, Le Progrès *est un grand journal sportif qui « couvre » aussi bien les grandes rencontres internationales que les matches amicaux de chef-lieu de canton. Avec notamment six pages le lundi, il donne un panorama exhaustif de résultats et de commentaires.*

« Le lundi, place au sport ! Mais dès le lendemain, Le Progrès *publie ses pages « spéciales » qui en font aussi un magazine. « Les hommes et les Entreprises », c'est-à-dire la vie économique, le mardi ; « La vie de la femme, mode et vie pratique », le mercredi ; « Auto Moto Moteur », tous les sports mécaniques, le jeudi ; « Loisirs en plein air », avec une large place réservée en saison aux sports de neige, le vendredi ; « La page agricole », remplacée dans les éditions de Lyon par « Une page pour elles », le samedi, autant de centres d'intérêt, autant de pages vivantes éclairées de documents et d'images qui expliquent ou qui suggèrent...*

« Les douze départements de la zone de diffusion du Progrès *sont en évolution permanente, ici expansion, là récession, et c'est dans ce « devenir » qu'intervient comme donnée et comme stimulateur l'information objective, contrôlée, rigoureuse, complète : « Le grand Delta », l'agence du bassin Rhône-Méditerranée-Corse ; « Le Grand Lyon », la métropole d'équilibre Lyon - Saint-Etienne - Grenoble, autant de grandes options de la prospective à l'échelle de l'industrialisation qui constituent, pour la rédaction du* Progrès, *une « matière première » d'une grande richesse et d'une rare densité.*

« Mais Le Progrès, *avec ses 46 éditions différentes, va plus loin au service de ses lecteurs. Il est à l'écoute du département, de l'arrondissement, du canton et, à la limite, il joue le rôle humble mais prépondérant d'une feuille d'avis au niveau du bourg et du hameau. Le passage du percepteur, l'arrêt d'eau, la vaccination, le tour de garde des docteurs et des pharmaciens rythment la vie et, parfois, la conditionnent. Car, s'il est bon de connaître, il est essentiel de savoir... »* (10).

---

(10) Texte publié en 1974 dans la jaquette spéciale gratuite consacrée au 115e anniversaire du journal.

Un organe de synthèse

Le respect absolu du droit de savoir de tous les lecteurs explique la diversification si poussée des rubriques dans les grands régionaux. Elle constitue ainsi la contrepartie certaine de monopoles locaux. Même si la Bourse n'intéresse pas le vingtième des lecteurs, il faut que ses résultats figurent dans le journal pour lui conserver l'audience d'un public particulier. C'est pourquoi le régional est d'abord un organe de synthèse apte à toucher toutes les couches de la population. Son développement, au cours des dernières années, l'a conduit à supplanter en province aussi bien les quotidiens de Paris que les magazines spécialisés. Ainsi, la prolifération des pages sportives des journaux régionaux a limité l'essor de *L'Equipe.* De même, la croissance des rubriques télévisées a stoppé la progression des hebdomadaires de programmes. En effet, craignant la concurrence de la télévision, les quotidiens régionaux l'ont ignorée à ses débuts, ce qui a permis à des magazines comme *Télé-7-Jours, Télé-Poche* ou *Télérama* de s'implanter solidement. Aujourd'hui, la politique des régionaux a changé : ils jouent la complémentarité. Depuis 1961, *La République* à Toulon publie chaque samedi un supplément hebdomadaire de télévision sur quatre pages. Beaucoup d'éditions dominicales de grands régionaux accordent une place importante au petit écran, ce qui a fait augmenter notablement leur diffusion. En 1973, *Le Télégramme de Brest* a même lancé son propre magazine de télévision, mais son existence fut éphémère.

En théorie, on pourrait imaginer que le quotidien régional se mette à couvrir de plus en plus de domaines avec une précision aussi fine que possible. Mais, même surmontés les obstacles techniques à cet élargissement du champ d'intérêt, il resterait une impossibilité majeure : l'incapacité du lecteur à prendre connaissance de trop d'informations. Déjà, la lecture complète des 60 000 mots dont sont composés la plupart des quotidiens régionaux, exige près de quatre heures. Or, d'après les enquêtes, le lecteur du quotidien régional consacre à son journal, en moyenne, quarante-neuf minutes par jour. Il absorbe donc environ

12 000 mots, c'est-à-dire qu'il élimine les quatre cinquièmes de ce qui est offert à sa curiosité. Il n'existe que les retraités ou quelques solitaires pour lire le journal d'un bout à l'autre, en commençant en haut à gauche de la première feuille et en terminant en bas à droite de la dernière, souvent un crayon à la main !

Malgré cette impitoyable sélection, on enregistre plus de nouvelles en feuilletant un quotidien régional qu'en écoutant un bulletin télévisé. On a, en effet, calculé que vingt minutes de journal télévisé correspondent à trois colonnes de journal. En lisant un support écrit pendant quarante-neuf minutes, on ingère, au moins, la valeur de quinze colonnes de journal. Ainsi, le lecteur moyen de la presse quotidienne régionale maîtrise cinq fois plus d'informations que l'auditeur qui s'astreint à suivre l'intégralité du journal télévisé.

A juste titre, François Richaudeau, allant à l'encontre des idées reçues, insiste sur l'excellent rendement du texte imprimé comparé aux autres média : « *Le récepteur du disque, de la radio, de la télévision reçoit, à temps égal, deux fois moins d'informations qu'un lecteur lent, quatre fois moins qu'un bon lecteur, dix fois moins qu'un lecteur pratiquant la lecture sélective. Et ce même lecteur dispose, en outre, des possibilités de varier sa vitesse, de revenir en arrière* » (11). On comprend mieux pourquoi les faits ont infligé, aux prophètes de l'audiovisuel annonçant à brève échéance la disparition de la galaxie Gutenberg, un démenti cinglant.

La presse quotidienne régionale tire une partie de sa force de son aspect imprimé. Cependant, la supériorité du texte visuel sur le matériel audiovisuel n'implique pas que l'imprimé demeure figé dans sa présentation. Conçu à une époque de pénurie d'informations, il doit s'adapter tant dans le fond que dans la forme à la diffusion d'informations abondantes, voire excédentaires. Pour y parvenir, François Richaudeau suggère « *des mises en pages très*

---

(11) In Jacques Mousseau, *Dictionnaire des Communications de masse*, Hachette, 1972.

élaborées, à niveau de lecture multiple, à structure foisonnante ou en mosaïque » (12).

Une force de frappe propre

De la lisibilité du journal dépend le bon accès du lecteur à l'information. Elle s'obtient en tenant compte non seulement de la mise en pages mais aussi de la qualité de l'écriture. Le taux de lecture varie dans une même page dans des proportions considérables : il atteint fréquemment des écarts de 5 à 75 %. En ce sens, il faut dire qu'un message est perçu moins en fonction de son environnement qu'en raison de sa force de frappe propre : un message peut perdre ou gagner près de la moitié de son audience naturelle selon qu'il atteint ou non certaines dimensions minimales. L'équipe marketing de *L'Est Républicain,* dirigée par Michel Derème, a calculé qu'un texte de 120 lignes provoque la fatigue du lecteur et qu'un texte de 150 lignes engendre son épuisement. Si l'article dépasse les 200 lignes, il y a de grandes chances pour qu'il ne soit lu pratiquement par personne. Si la concision constitue une condition nécessaire de lisibilité, elle ne saurait être une condition suffisante. Il convient également que la clarté du message soit évidente. Mais là interviennent toute une série de facteurs psycho-sociologiques. Par exemple, 36 % des lectrices de *L'Est Républicain* contre 1 % seulement des lecteurs déclarent avoir vu le mot « blanc » dans une annonce publiée au mois de janvier. Ce résultat, qui semble refléter une lapalissade, traduit une réalité profondément significative : il existe des mots-signaux susceptibles de capter l'attention du public. Cependant, leur importance varie selon les lecteurs. Probablement, le terme « blanc » a été vu par beaucoup d'hommes, mais sa résonance étant quasiment nulle pour eux, il fut immédiatement oublié.

Le journal risque de devenir prisonnier de ces mots-signaux dont il n'appréhende justement pas toujours l'impact. Le choix du lecteur obéit à une logique qui n'est pas celle des professionnels de la communication. Le

---

(12) François Richaudeau, *La Lisibilité,* CEPL, 1970.

flair journalistique n'est souvent qu'une illusion trompeuse. De petits détails prennent parfois plus d'importance que de grandes idées. Ainsi, sur vingt-neuf informations consacrées pendant trois mois à l'affaire de Bruay par *l'Est Républicain* en première page, toutes ont touché entre 60 et 78 % de l'audience sauf une. Ce fut pourtant la plus intéressante — celle relatant la confrontation du jeune accusé avec les parents de la victime — qui toucha le moins de lecteurs (46 %). A ce médiocre score, une explication lourde de conséquences : dans le titre de l'information, le mot « Bruay » avait été omis (13).

Quitte à écrire une tautologie, il faut bien reconnaître que c'est d'abord le message qui fait lire le message. Son pouvoir d'émotion, son intérêt humain, son utilité pratique et sa proximité du lecteur ne viennent qu'en second.

Si l'on veut parfaire la lisibilité de la presse quotidienne régionale, il convient de résoudre les problèmes posés par l'existence des « communiqués ».

Emanant d'une multitude d'associations syndicales, politiques, culturelles, sportives, ces textes sont aussi envahissants que du chiendent. Ils inondent les pages locales et s'infiltrent même dans les rubriques générales. Leur volume pose aux journaux régionaux un problème que ne connaissent pas leurs confrères parisiens en dehors peut-être du *Monde* (14). Les quotidiens nationaux avec leur public si disséminé ne peuvent guère tenir ce rôle ingrat mais vivant de « panneau d'affichage ».

Parce qu'il est fréquent de dénombrer dans une bourgade de 1 200 habitants une bonne dizaine d'associations différentes, le journal régional est soumis à un feu nourri de communiqués. L'existence de chaque « société » (15) tient pour une grande part aux convocations, aux réunions, aux comptes rendus d'activités et aux résultats

---

(13 Source : Conférence donnée par Jacques Douel, Directeur de Régie-Est, le 8 novembre 1973, devant un groupe de publicitaires.

(14) *Le Monde* retrouve cette contrainte en raison de son caractère exceptionnel de journal à demi institutionnel qui attire à lui nombre de points de vue, de libres opinions, de manifestes et de pétitions, autrement dit de simples communiqués noblement baptisés.

(15) De « la gaule agile » à « la pédale fleurie », du « cercle poétique » aux « amicales d'anciens combattants », des « triplettes boulistes » aux « jeunes coqs »...

d'élections. C'est pourquoi les bureaux des quotidiens régionaux sont, en permanence, envahis par des porteurs de communiqués, aimables ou agressifs, timides ou arrogants, mais qui souhaitent tous que leur prose passe dans le journal « rapidement et intégralement ».

Parmi eux, on dénombre de nombreux syndicalistes dont le communiqué ne saurait être en aucun cas coupé parce qu'il est le fruit d'un travail collectif. Il est à peine exagéré de dire que chaque virgule a fait l'objet d'une discussion démocratique entre camarades. Quel ne fut pas, un jour, l'heureux étonnement du rédacteur de *La Charente Libre* en rencontrant un responsable du syndicat des P.T.T. qui accepta, d'emblée, sans protester de raccourcir des trois-quarts l'interminable texte qu'il venait de remettre ! Devant la surprise de son interlocuteur, le syndicaliste révéla qu'il avait pris conscience des contraintes techniques depuis qu'il assumait la responsabilité du bulletin de sa fédération.

Les hommes politiques recherchent aussi, fréquemment, par des communiqués un contact avec leurs électeurs. S'il arrive qu'ils donnent des précisions utiles, tel le résultat de démarches entreprises auprès des pouvoirs publics, la plupart du temps, leurs textes se contentent d'offrir un pâle reflet des positions prises par leur parti à l'échelon national. Par exemple, la fin tragique du président Allende (septembre 1973) au Chili a beaucoup inspiré les plumitifs. Or, qu'apprend-on de plus à la lecture des considérations d'un conseiller général, voire d'un député, se souvenant de son escale à Santiago en 1934 et tentant de coller des réminiscences aux réalités du moment ?

Le problème du communiqué demeure néanmoins complexe. Il se pose d'abord en termes de lisibilité. Habituellement, la longueur, le style, les mots de ces textes les rendent d'une lecture ardue. Tout naturellement, le secrétaire d'édition serait enclin à les abréger ou à les refuser. Ensuite, il convient de s'interroger sur leur crédibilité. A moins qu'il ne s'agisse d'une information aussi élémentaire qu'une heure de convocation ou qu'une liste d'élus, leur information n'est-elle pas sujette à caution puisqu'elle n'exprime qu'un point de vue ?

Une solution alsacienne

La situation du journal régional est inconfortable surtout s'il se trouve en position de monopole. Il se veut accueillant pour tous les courants d'idées et d'opinion. Même *La Dépêche du Midi,* qui ignora longtemps, au nom de son appartenance radicale, les thèses adverses, a été contrainte, lors de la campagne présidentielle de 1974, d'ouvrir désormais ses colonnes. Et si *Le Provençal* de Gaston Defferre se permet d'être encore réticent pour la publication de textes n'émanant pas des familles de la gauche, c'est parce qu'il maintient précieusement l'existence du *Méridional,* organe de la droite marseillaise dont il a pris le contrôle en 1971. L'attitude de la plupart des quotidiens de province est plus conciliante, même s'ils tentent de guider les auteurs de communiqués comme l'a fait *L'Alsace* : « *D'abord être bref, ce qui suppose que l'on sait faire la part de l'essentiel et de l'accessoire, de ce que l'on veut apprendre au lecteur et de ce que l'on ajoute pour faire bien ; on peut annoncer une assemblée générale sans préciser que le trésorier présentera le rapport financier, inviter le public à un meeting sans rappeler toute l'histoire politique de la France depuis quinze ans, indiquer l'heure d'ouverture de la bibliothèque sans l'assortir d'une apologie de la lecture et annoncer une séance de vaccination sans faire un cours d'hygiène. Mais alors que reste-t-il ? Le plus important : d'abord, de savoir faire comprendre de quoi on parle, d'une séance de vaccination, d'une exposition de peinture, d'une assemblée générale de telle société avec tel programme, avec, lorsque cela s'impose, des explications sur les raisons qui motivent l'événement ou lui donnent de l'importance : par exemple, on élira un nouveau président parce que l'autre a démissionné, telle chose n'a pas lieu le jeudi parce que les enfants ont dorénavant congé le mercredi...* » (16)

Quels que soient les efforts des journaux pour endiguer le flot des communiqués, ils en sont encore submergés.

---

(16) Texte publié à l'occasion de la venue à Mulhouse de Philippe Malaud, alors ministre de l'Information (*L'Alsace,* 5 juin 1973).

Mais on aboutit à la négation du but recherché puisque la sur-information engendre la sous-information. Cela place le journal régional devant un dilemme d'autant plus grave qu'il a moins de concurrents : en fermant ses colonnes aux auteurs de communiqués, il faillit à sa mission d'organe unique d'expression ; en publiant tous les textes transmis, il s'écarte alors de son rôle technique et non politique de sherpa du lecteur dans l'Himalaya des nouvelles. Quel parti prendre ? La réponse appartient sans doute aux journalistes. Ils devraient systématiquement utiliser les communiqués comme éléments de base pour reconstruire la vérité à partir d'une pluralité de sources. Tant que les quotidiens accepteront de reproduire des communiqués, ils légitimeront une certaine démission du rédacteur. Mais pour qu'une telle mutation se produise, il faudrait à la fois accroître considérablement les effectifs journalistiques et changer la mentalité de leurs interlocuteurs qui se dissimulent derrière l'écran plus ou moins opaque du communiqué pour échapper à une véritable information.

Lorsque le régional assumera pleinement l'information qui gît aujourd'hui dans les communiqués, un grand pas aura été franchi car de nombreux secteurs, jusqu'alors laissés dans l'ombre, pourront être pris en considération.

S'il ne saurait être question pour le journal de province de renoncer à relater les menus faits de la vie locale, il ne lui faudrait pas oublier de traiter d'affaires importantes pouvant mettre en cause des intérêts régionaux. Sinon, ses lecteurs les plus avertis éprouveront la désagréable impression que seuls *Le Canard Enchaîné* ou *Minute* savent ce qui se passe réellement derrière les façades des préfectures ou des mairies (17). La crédibilité des régionaux s'en trouve sérieusement affectée. Et certains journaux parisiens ont beau jeu de dénoncer « la presse du silence » (18), eux qui ne disent mot de la vie de la capitale !

---

(17) La plupart du temps, ces deux hebdomadaires doivent leurs indiscrétions à des journalistes provinciaux qui se sont plus ou moins autocensurés. Voir à ce sujet : Claude Boris, *Les Tigres de papier*, Le Seuil, 1975.

(18) Le phénomène n'est pas propre à la France. En Grande-Bretagne

Un certain silence

Dans une enquête assez retentissante (19), Josette Alia a glané, à travers les provinces, des exemples de mutisme volontaire : *La Montagne* de Clermont-Ferrand n'a jamais évoqué le film *Le chagrin et la pitié,* chronique explosive de la ville sous l'Occupation ; *Nice-Matin* n'indique pas les périodes de mauvais temps sur la Côte d'Azur ; *Le Dauphiné Libéré* ignore systématiquement le campus universitaire de Grenoble... Ainsi, pendant longtemps, *Ouest-France* n'a pas parlé des problèmes politiques ou culturels, soulevés par les autonomistes bretons.

Un silence a frappé particulièrement l'opinion publique, celui de Marc Giustiniani, directeur de *La Presse de la Manche,* qui a tu, pendant deux jours, la disparition de Cherbourg des fameuses vedettes israéliennes. Cette rétention d'information pratiquée par le journal local a privé le monde entier de nouvelles puisque les rédacteurs de *La Presse de la Manche* sont aussi les correspondants des agences de presse internationales *A.P., U.P.I., Reuter* et *A.F.P.,* des postes de radio périphériques *Europe* 1, *R.T.L., R.M.C.* et de journaux comme *Le Monde* ou *The Daily Telegraph.* Ainsi, l'appareillage, qui avait eu lieu le jeudi 25 décembre 1969, n'a été connu que le lundi 29. Pour se justifier, Marc Giustiniani explique (20) qu'il a obéi au respect de la parole donnée. Son unique souci fut de ne pas gêner l'activité de la plus importante industrie privée locale pour laquelle ce marché était primordial.

Est-ce un cas extrême ? Sans doute, puisqu'il s'agit d'une information de portée internationale. Mais il n'est pas isolé. Les régionaux taisent sciemment ou involontairement toute une série d'informations pour des raisons

---

aussi, la presse de province connaît des difficultés pour mentionner le dysfonctionnement de la vie locale. Voir à ce sujet l'ouvrage de David Murphy, *The silent watchdog : The press in local politics,* Constable, 1976.

(19) Josette Alia, « La Presse du silence », *Le Nouvel Observateur,* n° 410, 18 septembre 1972.

(20) *Le Nouvel Observateur,* n° 412, 2 octobre 1972.

souvent respectables. Ils craignent, en effet, de faire du tort, soit à des individus, soit à des groupes.

Le pouvoir de l'imprimé demeure considérable. Le journal de province, beaucoup plus lié aux hommes que le quotidien parisien, ressent une responsabilité aiguë pour ses dires. Il lui faut manipuler avec précaution certains sujets tabous comme l'emploi. Une anecdote apparaît significative. Une entreprise d'une petite commune avait fait une faillite frauduleuse, provoquant la mise en chômage de plusieurs dizaines de travailleurs. Quelques mois plus tard, une autre affaire reprend l'exploitation. La nouvelle parvient au rédacteur économique de *Sud-Ouest* à l'heure de la mise en pages du journal. Or quelle n'est pas sa stupéfaction de découvrir le nom du directeur failli comme responsable commercial de la nouvelle société ! Le rédacteur économique fut porté à mettre immédiatement en évidence l'illégalité de l'opération. Cependant, afin d'en savoir plus, il décida de différer la publication de l'information... Le lendemain, il interrogea le maire communiste du lieu qui le supplia de ne pas insister sur cette « audace juridique » tant il avait besoin d'emplois dans sa commune. Cette histoire se passe de commentaires, elle prouve seulement que les journalistes, comme les directeurs, sont fréquemment confrontés à des cas de conscience déchirants.

Trois cas de diarrhées...

Ainsi, un certain mois d'août, alors que la saison battait son plein sur le bassin d'Arcachon, trois cas de diarrhées furent signalés : on redouta le choléra qui sévissait justement en Espagne. L'évoquer eût déclenché un exode massif, drame économique pour la région ; le taire exposait des centaines de milliers d'estivants à un risque de contamination. Après mûres réflexions, on décida d'attendre les résultats des analyses. Heureusement, ils se révélèrent négatifs.

Faut-il en conclure qu'un journaliste doit aussi savoir se taire ? Le terrain est dangereux et la pente glissante. Sauf exceptions rarissimes, toute vérité est bonne à dire. Mais il convient de respecter les nuances. Tout se joue dans une parfaite maîtrise de l'écriture. Plus que tout autre, le journaliste de province, parce que bien souvent il écrit dans le seul organe d'expression existant, doit s'attacher à suivre la vérité comme d'autres gardent leur cap grâce à l'étoile du berger — au risque de se perdre. Si un nouveau journalisme surgit en province, il faut qu'il s'applique à faire mentir Oscar Wilde qui disait : « *La différence entre la littérature et le journalisme se situe dans le fait que le journalisme est illisible et que la littérature n'est pas lue.* » Naviguant sans cesse entre deux écueils tout aussi dangereux, la sur-information et la sous-information, le quotidien régional se révèle un constant compromis.

Chapitre III

A QUI LA PAROLE ?

Trente ans après la révolution contestée de la Libération, la presse traverse une crise aiguë. Si les journaux de province souffrent moins que leurs confrères parisiens, ils doivent, eux aussi, faire face à de sérieuses menaces. De l'extérieur comme de l'intérieur, un assaut contre le « monopole » si envié des régionaux se préparerait — leur salut dépend non seulement de la force d'inertie acquise par ces puissances au fil des ans, mais surtout de leur aptitude à se lancer dans une contre-offensive. En effet, grâce à leur professionnalisme, ils devraient être en mesure d'utiliser les autres média à leur profit plutôt que de subir leur loi. Mais, ceci supposerait que l'Etat accepte dans le secteur de l'information une concurrence totalement ouverte.

Si une autorisation préalable du gouvernement n'a plus été nécessaire, à partir du 28 février 1947, pour lancer des publications, l'Etat a conservé le monopole de l'audiovisuel. On se demande même parfois si l'attachement viscéral de l'administration centrale au contrôle des ondes ne trahit pas une nostalgie de cette époque de la

Libération où le général De Gaulle, irrité par un titre de *l'Humanité,* put demander brutalement à son secrétaire général à l'Information, nommé la veille : « *Alors, à quoi servez-vous ?* »

Sous la Ve République, l'esprit n'avait guère changé comme en témoignent plusieurs déclarations officielles. Devant le Sénat, Pierre Dumas, secrétaire d'Etat auprès du Premier Ministre, Georges Pompidou, chargé des relations avec le Parlement, dévoilait les intentions du pouvoir, en 1964 : « *Il faut briser le monopole des journaux régionaux en leur imposant la concurrence de vingt-cinq journaux télévisés régionaux.* » Ces propos de celui que *L'Express* qualifiait de « Saint Jean Bouche d'Or » (1), étaient légitimés par le ministre de l'Information, Alain Peyrefitte, qui reconnaissait que « *la presse de province étant dans l'opposition, il était nécessaire que soient mis en place des contrepoids ainsi que le réclame la démocratie selon la théorie de Montesquieu* ».

Entre deux monopoles, le conflit était ouvert. Il se développa sous la forme d'une guerre larvée sujette à escarmouches plutôt qu'à batailles rangées, avec plusieurs périodes d'armistice.

Indépendamment de toute politique, la guerre entre l'audiovisuel et l'écrit est inéluctable, instinctive, à l'image de l'éternelle querelle fratricide du chat et du chien. Mac Luhan, cet étonnant prophète canadien, a misé sur la victoire du « médium froid télévision » qui permettra à l'humanité d'être à l'écoute de la planète entière et de vivre à l'heure du « village global «. Ce raisonnement appartient heureusement, pour l'instant, au monde des concepts abstraits ou au domaine du rêve savant. Dans sa conception technique présente, la télévision ne peut refléter l'existence intimiste de la multitude des communes françaises et ne peut appréhender l'information locale qui demeure l'apanage de la presse écrite. Pourtant, celle-ci n'en éprouve pas moins quelques appréhensions devant tous les risques de développement de média susceptibles de détourner non seulement ses informations locales, mais surtout ses annonceurs régionaux.

---

(1) *L'Express,* 20 février 1964.

De même qu'en 1900, l'essor de la presse à grand tirage avait incité les bons esprits à annoncer la mort du livre, de même le développement de la radio dans les années trente les avait amenés à envisager celle du journal, de même l'apparition de la télévision dans les années cinquante les avait conduits à prédire celle de la radio. Or, tous ces acteurs sont encore en vie. Et certains même, comme la radio, prospèrent. On aimerait considérer ces Cassandre comme de mauvais plaisants si quelques événements passés n'avaient déclenché de chaudes alertes. Certes, en face de la télévision et de la radio, la presse de province a souffert d'avoir trop souvent, comme le petit berger de l'histoire, crié au loup hors de propos.

La difficulté d'être...

Le premier accrochage survint en 1964 à l'occasion de l'ouverture des Bureaux régionaux d'information de l'O.R.T.F. Pierre Archambault présenta à l'assemblée générale du S.N.P.Q.R. un rapport moral au titre évocateur : « La difficulté d'être ». En termes courtois et vifs, il apostrophait peu après le ministre de l'Information, Alain Peyrefitte : « *Nous ne nous présentons pas en défenseurs de notre monopole, mais uniquement en gardiens vigilants de notre patrimoine. Nous continuons à penser que la presse, qui apporte l'information au rythme que choisit le lecteur, gardera toujours sa raison d'être et même sa supériorité sur les moyens audiovisuels, qui apportent l'information à un rythme qui s'impose aux auditeurs et aux téléspectateurs.* »

Ainsi la presse de province se refusa à collaborer avec l'O.R.T.F. pour réaliser les journaux régionaux. Le directeur de *Paris-Normandie,* Pierre-René Wolf, justifia la position unanime de ses confrères en mettant en relief le montant du préjudice : « *La récolte des informations locales représente pour un journal comme le mien une dépense de plus de deux cents millions anciens par an. La Radio Télévision Française, pour cinq cent mille francs, et sans m'en prévenir, demande à mes rédacteurs leur collaboration. Elle veut acheter deux sous ce qui coûte mille francs. Comment accepter un tel marchandage ?* »

En fin de compte, les journaux télévisés nouveau-nés apparurent comme des enfants si malingres que personne n'en prit ombrage.

Un siège au conseil d'administration de l'O.R.T.F. fut concédé au président du S.N.P.Q.R., Pierre Archambault, qui était en position de surveiller toute amorce de débridement publicitaire.

Consacrant cet armistice, une enquête de la S.O.F.R.E.S., commandée par le Groupement des Grands Régionaux, conclut à la complémentarité de la radio-télévision et de la presse écrite : « *Les sept dixièmes des lecteurs, après avoir entendu les nouvelles sur les ondes ou sur le petit écran, éprouvent le besoin d'en lire les détails dans le journal.* »

Seul, le président de *Sud-Ouest*, Jacques Lemoîne, pressentant l'avenir, tenta de fédérer ses confrères tant parisiens que régionaux pour envisager les moyens de faire front à l'inéluctable introduction de la publicité sur le petit écran. On adhéra poliment, mais l'association fit long feu car beaucoup croyaient le danger passé (2).

Mais, comme toujours, le vieux proverbe « reculer pour mieux sauter » se vérifiait : la publicité de marque faisait son entrée à l'Office à l'automne 1968. Les mois précédents avaient été orageux. La presse de province jurait qu'une baisse de 5 % de ses recettes publicitaires suffirait pour tuer nombre de ses titres. Un débat houleux au Parlement ne régla pas l'affaire qui dut être portée devant le Conseil Constitutionnel. Les juges suprêmes reconnurent au gouvernement le droit de fixer par voie réglementaire le financement de l'O.R.T.F.

Les craintes des journaux s'étaient avérées fondées. La publicité télévisée connut un essor si rapide qu'en 1972, à l'occasion de la rediscussion du statut de l'O.R.T.F., un amendement plafonna son apport au quart des ressources de l'Office.

La troisième escarmouche se déroula lors de l'annonce d'une troisième chaîne vouée aux régions. « *Nous ne voudrions pas laisser piller impunément toute l'informa-*

---

(2) Le groupement d'étude des rapports entre presse écrite et presse parlée (G.E.R.E.P.E.P.) a fonctionné à partir de juillet 1964.

tion que nous publions sans indication d'origine », objecta Pierre Archambault qui se déclarait, en revanche, prêt à collaborer dans le cadre d' « *une coopération intelligente, raisonnable et harmonieuse qui permettrait de confronter l'audience des deux moyens d'information* ». Rue Cognacq-Jay, à Paris, certains producteurs militaient en faveur de ce rapprochement ; par exemple, François-Henri de Virieu, alors responsable de *Télé-Midi,* estimait que « *la presse écrite régionale pourrait se voir concéder la production et la distribution de programmes locaux qu'elle fabriquerait elle-même* ». Cette idée a fait son chemin puisque aujourd'hui le président de FR 3, Claude Contamine, a proposé aux régionaux de coproduire des émissions.

Avec le recul du temps, l'angoisse des directeurs de journaux devant l'impact de la télévision s'est estompée. Les responsables des régionaux n'en restent pas moins sur leurs gardes comme le révèle une enquête réalisée par la revue *Presse Actualité* (3). « Sud-Ouest *a perdu entre 10 et 11 % de publicité nationale depuis* 1958 », estime Henri Amouroux. De son côté, Louis Estrangin avance une thèse plus élaborée ; les régionaux enregistraient une baisse annuelle de leur taux de lecture de 1 % sous l'effet conjoint de la radio et de la télévision, car la ponction effectuée par ces média sur le marché publicitaire, aux dépens de la presse de province, a contraint celle-ci à majorer son prix de vente de 40 % en trois ans et quatre mois à coups de hausses trop fréquentes qui firent perdre à certains titres jusqu'à 7 % de lecteurs. Jules Clauwaert, quant à lui, n'hésite pas à accuser le gouvernement d'avoir failli à ses promesses. Il le rend même responsable de la disparition de plusieurs titres. Si l'on en croit les résultats d'un sondage rapide, les dirigeants sont unanimes pour considérer que l'audiovisuel ne saurait tuer la presse.

---

(3) Février 1973, n° 80.

Les trois parrains de Canal 10

Les grands régionaux avaient été tentés, en 1970, de s'associer à un projet de télévision privée conçu par Jean Frydmann (personnage aux mille facettes qui dirige notamment Télé-Monte-Carlo) : « Canal 10 ». Il avait pour prestigieux parrains Marcel Bleustein-Blanchet, Marcel Dassault, Sylvain Floirat. La présence de ce puissant trio permettait d'espérer qu'une dérogation au monopole serait octroyée. L'objectif était ambitieux, visait à pénétrer dans 70 % des foyers français grâce à 25 relais. Son financement nécessitait presque le doublement de la ponction de la télévision sur le marché publicitaire. Il impliquait donc une collecte d'annonces en province. Cela ne pouvait se faire qu'avec la bénédiction et la participation des grands régionaux. Jean Frydmann choisit d'en contacter une vingtaine (4) qui manifestèrent beaucoup d'intérêt pour l'opération. Mais ce procédé provoqua de vives réactions surtout chez les exclus. Les journaux écartés reçurent le renfort d'un allié intéressé, l'O.R.T.F. Son directeur général, Jean-Jacques de Bresson, affirmait sur un ton entendu qu'à terme, la survie des journaux non dominants était hypothétique. Ce fut aussi l'avis de Lucien Paye, dans son fameux rapport (1970), où il craignait « *la constitution dans chaque région d'un véritable monopole de l'information locale écrite et parlée* ». Ce projet demeura dans les cartons parce que les quotidiens parisiens n'y trouvaient pas leur compte, perdant leur aura de journal national.

Jean Frydmann cependant ne se découragea pas. Guettant la fin du monopole, que d'aucuns crurent voir poindre lors de l'éclatement de l'Office, il saisit cette occa-

---

(4) Les quotidiens pouvant être associés à l'opération étaient : *La Voix du Nord, Ouest-France, Presse Océan / L'Eclair, Le Télégramme, Le Courrier de l'Ouest, L'Union, Le Républicain Lorrain, Les Dernières Nouvelles d'Alsace, La Nouvelle République du Centre-Ouest, La République du Centre - Journal du Centre, La Montagne, Le Populaire du Centre, Le Dauphiné Libéré, Le Méridional - La France, Le Progrès - L'Espoir, Nice-Matin - Provence - L'Espoir, Le Provençal, Le Midi Libre, La Dépêche du Midi* et *Sud-Ouest*. Ils représentent les sept dixièmes du tirage des régionaux.

sion pour formuler sur un schéma voisin l'idée d'une chaîne de radios locales. Il n'était pas le seul, mais les nouvelles sociétés de radio-télévision n'entendaient pas passer la main. Ainsi, la présidente de Radio-France, Jacqueline Baudrier, provoqua-t-elle l'émotion des directeurs de régionaux en dévoilant un plan de stations locales émettant en modulation de fréquence, huit heures par jour, dans les principales agglomérations. Bizarrement, à la suite de la loi du 6 août 1974 qui organisa le découpage de l'O.R.T.F., Radio-France fut frustré de toute assise locale au bénéfice de FR 3 qui hérita des Bureaux Régionaux d'Information. Tombés dans le sabot de FR 3, en dépit d'efforts méritoires, tel cet accent chantant des trois speakerines de France Inter Marseille, les postes comme F.I.L. (Lyon), F.I.R. (Rennes), F.I.B. (Bordeaux), quelle que soit la qualité de leurs animateurs, ne sauraient constituer de dangereux concurrents pour la presse écrite locale. La composition du Bureau régional d'information de Bordeaux-Aquitaine, qui partage son activité entre la radio et la télévision, fournit une idée de la modicité des moyens mis en œuvre. Il comprend à Bordeaux, sous la direction d'un rédacteur en chef, quatre journalistes et cinq cameramen. A ceux-ci, il convient d'ajouter les animateurs des studios de radio de Bayonne et de Pau, ainsi que des correspondants dans une quinzaine de villes du Sud-Ouest, le plus souvent d'ailleurs des salariés de la presse écrite. Bien petite équipe, en vérité, pour faire face chaque jour à quatre émissions de nouvelles : principalement un bulletin d'information, un magazine d'actualité régionale, Aquitaine-Midi et un journal télévisé.

Si la radio officielle paraît inoffensive, les postes périphériques regorgeant de publicité s'affirment comme des concurrents non négligeables des quotidiens régionaux. La mise en service en 1974 d'un nouvel émetteur de R.M.C., à Roumoules, près de Digne, donc en territoire français, permit à cette station de couvrir la moitié sud de la France, englobant de la sorte des métropoles aussi importantes que Lyon et Bordeaux. R.M.C. a prévu de développer non seulement la quête de ses informations régionales, mais aussi la prospection de la publicité locale.

Sur le plan juridique, son installation en territoire français représente une atteinte au monopole. Cet exemple tente Sud-Radio dont la zone d'écoute n'atteint que les régions Midi-Pyrénées et Languedoc-Roussillon. Depuis sa création, ce poste ne pense qu'à établir un réémetteur en Aquitaine pour couvrir tout le Sud-Ouest. Toutes les solutions jusqu'alors envisagées, aussi bien dans les Landes qu'en Lot-et-Garonne, n'ont pas été retenues au plus haut niveau. Qu'en sera-t-il désormais ?

Introduite en France au sortir de la première guerre mondiale, la radiodiffusion était théoriquement, depuis 1923, un monopole d'Etat. En fait, de multiples concessions privées l'entamèrent, ce qui permit, avant 1940, le foisonnement de petites stations où la presse a détenu quelques intérêts. Les radio Vitus, radio L.L., radio 37, radio Toulouse et bien d'autres furent balayées par la deuxième guerre mondiale.

Les semblants de postes privés qui fonctionnent depuis la Libération sont indirectement contrôlés par l'Etat grâce à un héritage de Vichy : la SOFIRAD. Cette société financière de Radiodiffusion avait lancé, à parts égales, avec deux des puissances de l'Axe, l'Allemagne et l'Italie, Radio Monte-Carlo. Sa vocation statutaire à « *prendre des participations dans toutes les entreprises représentant un intérêt pour l'expansion de la radiodiffusion* » l'a conduite à créer la station andorrane Sud-Radio pour contrebalancer non seulement l'audience de Radio-Andorre mais aussi l'influence de *La Dépêche du Midi.*

L'aventure d'Atlantic 2000

Les régionaux ne restèrent pas sans réagir face à la progression des radios périphériques. Cependant les accords passés par *La Dépêche* et *Midi-Libre* avec une Radio-Andorre en déclin furent d'une faible portée. En revanche, l'expérience de *Sud-Ouest* commanditant une émission française intitulée « Atlantic 2000 », diffusée à partir de l'Espagne et créée à l'origine par un ancien des radios d'avant-guerre, M. Trémoulet, sous le nom de Radio Atlantique, mérite attention. L'amortissement de ces émissions est très aléatoire car la faible portée de l'émetteur de

Saint-Sébastien limite la zone d'écoute à une partie des Pyrénées-Atlantiques et des Landes. Le marché publicitaire demeure donc insuffisant, ce qui explique que l'expérience ait avorté.

Toutefois, les quotidiens de province ne peuvent pas rester indifférents devant les éventuels développements de la radio. L'exemple américain doit les faire réfléchir, surtout si l'on sait que le directeur de R.T.L., Jean Farran, songe déjà à s'en inspirer (5) : « *Il y a* 7 700 *stations de radio aux Etats-Unis. Elles achètent certains programmes aux trois grandes chaînes, N.b.c., A.b.c., C.b.s., mais elles n'émettent qu'à l'échelon local ou régional. C'est ça, l'avenir de la radio. Imaginez le jour où vous pourrez écouter Radio-Melun ou Radio-Castres en modulation de fréquence et être informé de ce qui se passe dans le périmètre même de votre vie quotidienne.*

« *C'est ce que nous faisons en exploitant, de novembre à avril, Radio-Avoriaz. C'est une station de musique et de service totalement locale, qui fonctionne pour* 2 000 *à* 3 000 *personnes. Les appartements de cette station sont tous câblés, sinon le monopole de l'O.R.T.F. nous aurait empêchés d'opérer. Et, bien sûr, le terrain est domaine privé. C'est une expérience très intéressante, car c'est une radio à mesure humaine, au niveau du village. Elle joue un peu le rôle d'un tambour de ville. En Europe, cette évolution ne commence vraiment à s'ébaucher qu'en Angleterre, où une vingtaine de radios locales viennent d'être lancées.* »

Si l'on en croit Maurice Siégel, la collaboration entre la radio et la presse a failli se réaliser dès 1954. En effet, quelques mois après le lancement d'Europe n° 1, la faillite de son promoteur, Charles Michelson, obligea les animateurs de la station périphérique à rechercher de nouveaux financiers. « *J'avais d'abord pensé,* raconte l'ancien directeur d'Europe n° 1 (6), *à demander à la presse de prendre le relais de nos bailleurs de fonds défaillants. Avec Georges Altschuler, nous avions rencontré Pierre-René Wolf, patron de* Paris-Normandie *et président du*

---

(5) *L'Express*, 18 novembre 1974.
(6) Maurice Siégel, *Vingt ans, ça suffit !*, Plon, 1975, pp. 63-64.

Syndicat des Quotidiens Régionaux. Je lui expliquai que le moment était venu pour ses mandants et lui-même de contrôler une station de radio, Europe n° 1 et la télévision privée. A mon avis, l'occasion était unique. Il y allait de l'intérêt de la presse : elle récupérait par le biais de la raddio et de la télévision les budgets publicitaires que ces deux nouveaux supports risquaient de lui faire perdre. Pierre-René Wolf fut convaincu, de même que Henri Massot, patron de Paris-Presse *et président du Syndicat des Quotidiens Parisiens. Mais ils n'étaient pas les seuls. Jean Baylet de* La Dépêche *de Toulouse et quelques-uns de ses amis firent échouer l'opération. Jean Baylet désirait la disparition d'Europe n°* 1. *Il était convaincu d'y parvenir car il tenait dans ses mains le sort des onze députés radicaux de la région du Sud-Ouest couverte par son journal. Baylet négociait directement les votes de « ses » députés avec les présidents du Conseil. En ces temps de crise ministérielle permanente, onze voix étaient indispensables pour rassembler une majorité parlementaire. On écoutait Jean Baylet.* »

Si les responsables de la presse française ne surent pas saisir une opportunité inespérée, à l'étranger, un homme comprit quel atout représentait l'audiovisuel pour la conquête de la presse : le Canadien Roy Thomson. C'est grâce à l'argent produit par la Scottish Television, « *cette machine à imprimer du papier-monnaie* » qu'il contrôlait, qu'il put acheter d'abord plusieurs quotidiens provinciaux britanniques, puis *The Sunday Times* et, enfin, *The Times* (7).

Malgré ses cris répétés, la presse de province n'a jamais vraiment cru au fond d'elle-même se voir déposséder, par la télévision ou la radio, de la « substantifique moelle » : la nouvelle locale. En effet, ces média nationaux n'étaient pas en mesure de s'adapter rapidement à une segmentation du territoire. En revanche, lorsque le spectre de la télédistribution se profila, l'anxiété gagna non seulement les régionaux menacés dans leur chair même, mais aussi le gouvernement inquiet pour son monopole. Avec cette technique nouvelle, « la cité câblée » rêvée par Jean

(7) Lord Thomson, *After the Age of Sixty*, Hamish Hamilton, 1975.

d'Arcy (l'un des meilleurs experts de télédistribution) devenait possible : quadrillées foyer par foyer, les villes allaient disposer d'un puissant moyen de communication interne devant lequel les quotidiens demeureraient désarmés.

Les espoirs du rapport Bujon

Pour canaliser ces expériences apparues le plus souvent de manière sauvage, en 1973, le conseil d'administration de l'O.R.T.F. chargea un de ses membres, Maurice Bujon, le président du Syndicat des Quotidiens Régionaux, d'élaborer un statut de la télédistribution. Il proposa la création de sociétés d'économie mixte regroupant les administrations, l'O.R.T.F., les associations culturelles, l'Université, les entreprises de spectacles et, bien sûr, la presse locale et régionale. Afin de sauvegarder les ressources des journaux, il devait être interdit à ces sociétés de recourir à la publicité dans leur financement. Ce projet n'eut pas à être mis en application car, en raison des coûts très élevés des équipements nécessités par le câble, la télédistribution ne fit pas la percée redoutée. Jusqu'à présent, la plupart des expériences se sont peu à peu étiolées. Ainsi le projet commun de l'O.R.T.F. et d'Hachette, Vidéogramme de France, présidé par Roland Dhordain, l'ancien haut responsable de l'O.R.T.F., demeure au point mort.

Néanmoins, la grande peur de la presse provinciale ne s'est que provisoirement estompée, car elle ne sait pas ce que lui réserve l'avenir. Afin de ne pas être dépassée par le progrès technique, dans certains cas, elle a préféré prendre les devants. Dans cette perspective, *La Dépêche du Midi* d'affirmer fièrement le 6 septembre 1974 : « *Pour la première fois en France, un journal régional a pu, grâce aux moyens audiovisuels, donner la parole aux lecteurs et aux citoyens. Cette expérience ouvre de larges horizons et aura, dans un proche avenir, de fort utiles développements ; le lien est ainsi créé entre ceux qui attendent ou sollicitent une meilleure connaissance de tous les problèmes qui peuvent les concerner et ceux qui ont pour mission de satisfaire à cette attente.* »

La Dépêche a, en effet, imaginé un procédé simple pour faire participer les habitants de Villefranche-de-Lauragais au monde de l'Information, ainsi qu'elle l'annonce à ses lecteurs dès le 31 août 1974 : « *Une équipe de techniciens (cameramen, preneur de son) et trois journalistes de* La Dépêche du Midi *se promèneront dans les rues de Villefranche, dès le matin. Et ils vous interrogeront, avec des questions simples et directes, attendant de vous des réponses simples et directes, en toute liberté. Nous vous filmerons, lorsque vous répondrez. Et, en fin d'après-midi, l'équipe technique préparera le film de toutes ces interviews. Le soir, à 21 heures, dans la salle de l'ancienne mairie à Villefranche, ce film sera projeté. Alors, vous pourrez venir vous voir sur des écrans spécialement aménagés pour vous. A la suite du film, un débat aura lieu, au cours duquel vous pourrez encore prendre la parole, interroger vos responsables (l'équipe municipale sera présente à ce débat autour du maire, M. Pierre Izard), critiquer, approuver, conseiller selon vos désirs. Le surlendemain, une page entière de* La Dépêche du Midi *sera consacrée à cet événement unique. Le point sera fait sur l'ensemble de cette journée (film, débat), et des photographies illustreront ce compte rendu. Ainsi donc, tous les habitants de Villefranche auront à leur disposition tous les moyens de l'information.* »

A vrai dire, *La Dépêche* n'était pas le seul journal à avoir utilisé l'électronique pour faciliter le dialogue entre la presse et son public. Le 26 juillet 1973, *Le Républicain Lorrain* avait créé une nouvelle rubrique : « L'actualité au bout du fil ». Les journalistes téléphonent aux habitants de Metz et de la région, enregistrent leurs réactions sur tel événement national ou international et publient leurs propos.

L'avenir de la presse est beaucoup moins compromis si l'on prend bien conscience, comme l'explique le directeur du *Kohomo Tribune,* que l'audiovisuel a besoin de l'écrit : « *L'information présentée par la télévision est dans l'ensemble d'une facture plutôt rudimentaire, excepté lorsque le réseau est la propriété d'une entreprise de presse ou lorsque, par contrat, les informations sont fournies par un journal local. Cela vient du fait que les entreprises de presse consacrent toutes leurs activités et leurs ressources à l'information et au service du public. Si, pour ce qui regarde le personnel de rédaction et la collecte des informations, le réseau de télédistribution voulait s'aligner sur le quotidien, il aurait à supporter des charges financières trop lourdes. Aussi le réseau de télédistribution noue-t-il tout naturellement des liens avec le journal local. Cette situation prévaut dans de nombreuses villes américaines, avec diverses formes d'accords conjointement profitables à l'exploitant de la télédistribution et de la presse. Le journal a la possibilité de toucher le public en dehors du temps de lecture normal : un quotidien du matin, qui a signé un tel accord, présente, par exemple, au titre de son « édition du soir », un programme d'information par la télédistribution* » (8).

Il faudrait éviter de ne prêter attention qu'à la guerre larvée que se livrent la presse et l'audiovisuel. Au sein même du monde de l'écrit se déroulent des combats non négligeables. La presse de province est trop variée pour qu'on la considère comme un médium unique. Si, sur 15 000 titres, subsistent moins de cent quotidiens, le pluralisme des opinions s'exprime abondamment dans des titres à la périodicité variée : du mensuel à l'hebdomadaire en passant par les « tri ou bi-hebdo » ; les revues de presse parisiennes font parfois état des éditoriaux de François Mitterrand dans *Le Courrier de la Nièvre* ou de ceux de René Pléven dans *Le Petit Bleu des Côtes-du-Nord.*

Les hebdomadaires d'informations générales de province remplissent parfois des fonctions proches de celles du quotidien. Noël Jacquemart évoque les plus traditionnels d'entre eux : « *Toute la famille lit l'hebdo du cru, le père pour la politique et les faits divers, la mère pour l'état civil et le médecin de service, le fils pour le programme des festivités et les sports, et la fille pour un peu de tout cela. Les petites annonces constituent un élément important du succès et plus un journal en a, plus il est recherché. Certains titres ont quelquefois deux pages par*

(8) Déclaration de Mr. Blackbridge au congrès de la F.I.E.J., en juillet 1973.

semaine de petites annonces : ils figurent dans le peloton de tête pour le tirage. La chronique locale doit s'adapter à la périodicité. Malheur à l'hebdo qui ne donnera pas sur un fait divers d'autres nouvelles que celles qu'a fournies le quotidien. Il dépérira. Malheur aussi à celui qui ne sait pas trouver la chronique matoise où chacun s'essaie à deviner le double sens des phrases, l'identité des personnages locaux en filigrane, clefs ou rébus. Quand j'étais, avant la guerre, directeur de L'Eclair de Rocroi, *je me faisais un point d'honneur professionnel à raconter le fait divers en un lignage au moins double de celui du* Petit Ardennais. *le quotidien de Charleville* » (9).

Tout ce que le lecteur n'attend pas

Si Noël Jacquemart se réfère à son expérience toujours valable de l'avant-guerre, il existe des exemples récents d'hebdomadaires dont les objectifs servis par l'utilisation de techniques de pointe sont encore plus ambitieux. Il n'est qu'à écouter Bernard Méaulle, le directeur de *L'Eveil de Bernay,* qui nous déclarait : « *Si nous cherchons à nous tourner vers l'avenir, il faut savoir que nous ne devons pas donner au lecteur seulement ce qu'il attend, mais également, et surtout peut-être, tout ce qu'il n'attend pas, parce que nous avons un rôle de création. Et si nous voulons informer, renseigner, distraire, il nous faut produire des articles, des enquêtes, des rubriques auxquels le lecteur n'aura pas toujours pensé et qui le surprendront agréablement en l'amenant à conclure que notre journal est riche d'informations personnelles et personnalisées. Nous sommes à l'heure des grands trusts, des grands ensembles, du grand public qui lit de grands journaux. Tout cela donne à penser qu'il est réconfortant d'être petit et nous tous petits, par nos différences, nos opinions qui tiennent compte des réalités locales, nous représentons une liberté de la presse unique et irremplaçable qui n'existerait pas sans nous...* »

Si on interrogeait le directeur de *La Marne* de Meaux,

---

(9) Jean-André Faucher - Noël Jacquemart, *Le Quatrième Pouvoir,* éditions Jacquemart, 1968.

Marc Rousseau, ou celui de *La Manche Libre* à Saint-Lô, Joseph Leclerc, on obtiendrait des propos voisins. Les régionaux suivent donc avec attention l'évolution de ces concurrents ; ils n'oublient pas la recette de Robert Hersant : « *Un tri-hebdomadaire plus un bi-hebdomadaire, cela donne un quotidien... à condition de savoir s'y prendre.* »

Dans un certain nombre de cas, les hebdomadaires jouent le rôle d'alliés objectifs de l'audiovisuel contre les régionaux : il arrive à la campagne qu'on se contente de l'hebdomadaire local pour les renseignements professionnels indispensables comme les cours des foires et marchés et de la radio ou de la télévision pour l'information générale. Si la collusion fortuite périodique-radio-télévision s'est révélée dommageable pour les régionaux, une entente concertée de quotidiens nationaux et de journaux départementaux montée contre eux n'est pas parvenue à ébranler leur puissance.

Un homme a esquissé cette théorie, Daniel Morgaine, ancien rédacteur en chef de trois quotidiens parisiens, *Paris-Presse, France-Soir* et *Paris-Jour*. Dans *Dix ans pour survivre* (10), il envisage le comportement d'un lecteur dans une petite ville de province, lisant son quotidien local, et plutôt rarement, le grand régional qui ne saurait constituer pour lui qu'un complément. Or, « *ce caractère de complémentarité est justement la faiblesse du régional alors qu'il est la force du grand national. Ce dernier pourra proposer sur un marché national un produit sans commune mesure avec ce qu'offre la presse régionale. Il s'agit de procurer à un public national un quotidien dont les qualités* « *parisiennes* », *dans le bon sens du terme, c'est-à-dire un rayonnement universel et national des caractéristiques de la capitale, seront alliées à un style rédactionnel et à des satisfactions supplémentaires uniques. C'est un problème d'image de marque, qui concerne plus précisément la politique rédactionnelle du quotidien grand public. Paris restera toujours le* « *phare* » *de la France...* ».

En 1976, la vision de Daniel Morgaine apparaît comme

---

(10) Hachette-Littérature, 1971.

dépassée bien qu'il ait prétendu viser l'horizon 80. Au moment où il émettait ses idées, des études se poursuivaient, à la fois à Paris et en province. Plusieurs nationaux caressaient l'espoir de faire éclater en province une partie de leur impression. N'oublions pas, en effet, que *Le Figaro*, pour être vendu dès sept heures dans un kiosque niçois, devait être tiré avant 17 heures la veille. Comment, dans de telles conditions, concurrencer valablement les régionaux dont la dernière édition est bouclée dix heures plus tard ? C'est pourquoi Robert Hersant concrétise ces projets en se lançant dans l'édition du *Figaro* par fac-similé depuis août 1976 dans six villes de province : Caen, Lyon, Marseille, Nancy, Nantes et Toulouse.

En novembre 1976, Robert Hersant tente un coup de poker : à ses troupes réunies dans la grande salle de l'Hôtel Méridien à Paris, il annonce son « opération *Figaro* tous azimuts ». Deux objectifs pour 1977 : la création d'un *Figaro* international, journal de prestige imprimé à Genève ; le lancement d'une flottille d'éditions régionales.

D'abord, le *Figaro* ceinturera Paris avec des éditions locales en Seine-et-Marne, dans les Yvelines, le Val-d'Oise et l'Eure-et-Loir. Deuxième étape, les dix quotidiens régionaux du groupe seront progressivement fondus dans une édition unique du *Figaro*, dotée dans chaque zone de pages spécifiques. Pour l'essentiel, l'agence de presse du groupe (A.G.P.I.) alimentera la province. Cobaye de l'opération : *Paris-Normandie* — branche malade du groupe et surtout rédaction rebelle qui a donné du fil à retordre à son nouveau patron. Dès mars 1977, le grand quotidien de Rouen sera transformé en *Figaro-Normandie*.

Devant le comité d'entreprise de *Paris-Normandie*, Robert Hersant précise, le 23 décembre 1976, que la société éditrice du journal allait devenir une filiale de la S.A. le Figaro. Comme le souligne, dans *le Nouvel Economiste* du 15 novembre 1976, Marie-Louise Antoni : « *Juridiquement, l'opération est habile. Si demain Robert Hersant est à la tête d'un seul grand quotidien, qui pourra l'accuser de violer l'ordonnance de 1944 interdisant la direction de plusieurs titres ?* »

Ainsi, depuis le 20 décembre 1976, les grandes signatures du *Figaro* — Jean d'Ormesson, Raymond Aron, Max Clos, Xavier Marchetti — ont fait leur apparition à la « une » de *Paris-Normandie*. Toutefois, cette transformation ne s'opère pas sans remous. Depuis le 25 octobre 1976, 27 journalistes de *Paris-Normandie* — dont le rédacteur en chef, Jean-Paul Déron — ont choisi de quitter le journal en invoquant la clause de conscience. Sur les 111 rédacteurs présents dans l'entreprise à l'arrivée de Robert Hersant en juin 1972, on compte 1 décès et 60 départs (dont 5 retraités, 6 mutations dans le groupe, 1 licenciement et 6 licenciements économiques). Sur les 25 embauches décidées après l'arrivée de Robert Hersant, il y a eu 14 départs. Restent donc, fin 1976, 61 rédacteurs salariés à la Société Normande de presse républicaine. Le 1er janvier 1977, Henri Barbier, 49 ans, ancien rédacteur en chef de *L'Eclair*, prend la rédaction en chef de *Paris-Normandie*. Cependant, la responsabilité de l'absorption du journal de Rouen par *le Figaro* est confiée à Jean Miot, ancien directeur de *France-Antilles*.

Mettant Paris à la campagne en quelques minutes, le fac-similé retient l'attention de tous les éditeurs de journaux nationaux. Jean-Marc Smadja, neveu de l'ancien propriétaire de *Combat*, le premier a conçu un système de diffusion utilisant en province la technique du fac-similé. Depuis le 2 octobre 1976, *L'Equipe* utilise ce procédé dans le Sud-Est de la France : les exemplaires destinés aux 11 départements de cette région sont désormais tirés sur les machines offset de la Nouvelle Impression Toulonnaise à la Farlède. Après un mois d'expérience, le général René Laure, PDG de la société éditrice, affirme : « *L'objectif est atteint. Déjà, nous discernons une augmentation sensible de la diffusion, aux alentours de 10 %, dans les grands centres. Nous avons eu beaucoup de chance avec la technique du fac-similé que nous avons choisie* (*Siemens*), *comme avec le procédé de transmission* (*les faisceaux hertziens de FR 3 ou d'Antenne 2 après la fin des émissions*). *Les deux combinés permettent la transmission d'une page en 150 secondes* » (*L'Echo de la Presse*, n° 1018, 22 novembre 1976). Sous la houlette de Jacques Sauvageot, directeur administratif du *Monde*, sept quotidiens parisiens — *Paris-Turf*, *Libération*, *L'Hu-*

manité, L'Aurore, le Monde, le Quotidien du Médecin et le *Herald Tribune* — se sont associés aux N.M.P.P. pour créer un réseau de transmission par fac-similé. Celui-ci a commencé à fonctionner au Muy — près de Draguignan — en novembre 1976. Il est utilisé par *L'Aurore, Libération* et le *Herald Tribune.* Depuis janvier 1977, *L'Equipe* utilise une deuxième imprimerie satellite, la S.O.M.I., à Toulouse, qui tire chaque jour 20 000 exemplaires.

A long terme, l'impression des journaux parisiens en province risque d'entraîner une modification de leur contenu. Le sociologue Jules Gritti note : « *Les quotidiens de province ont connu deux époques : pendant la première, leur contenu était pasteurisé, neutre pour plaire à tous. A suivi un mouvement de multiplication du nombre des rubriques locales qui cherchait à masquer la pauvreté du contenu. De même, le fac-similé pourrait entraîner dans un premier temps une accentuation de la neutralité et de la standardisation des journaux. Suivi d'un mouvement de modernisme, avec toujours une plus grande variété des rubriques et la pratique du rewriting à partir d'un centre. L'image locale serait améliorée, la région prise en compte* » (*Stratégies,* n° 125. 18 octobre 1976).

Parallèlement, dans les années soixante-dix, fleurissaient des projets de lancement de quotidiens locaux. Dans *Le Pouvoir d'Informer* (11), Jean-Louis Servan-Schreiber avait estimé « *qu'il est parfaitement concevable que des personnes disposant de moyens suffisants lancent des quotidiens régionaux qui s'attaqueraient aux journaux établis. Les expériences étrangères prouvent qu'il est possible de faire des profits avec un journal tirant à 30 000 exemplaires. La politique d'expansion territoriale des grands quotidiens provinciaux constitue une erreur de stratégie financière. Elle révèle moins un souci d'information et de rentabilité qu'une volonté de domination. Couvrir des régions entières, parfois désertiques, n'est pas rentable. La richesse du quotidien c'est la ville et non les campagnes* ».

---

(11) Laffont, 1972.

Ce jugement d'un homme qui avait contribué à deux lancements réussis dans la presse, *L'Express* et *L'Expansion,* ne manqua pas d'impressionner beaucoup de professionnels, à tel point que Jean Brémond pouvait confier à Josette Alia : « *Maintenant, nous ne craignons plus qu'une chose, les petits journaux indépendants* » (12).

La tentation des petits journaux

Au début de 1973, *La Correspondance de la Presse* révèle l'existence de sept projets, tous établis sur des agglomérations de plus de 100 000 habitants (13). Le plus sérieux d'entre eux vise à concurrencer *La Dépêche de Toulouse.* A l'initiative conjointe de gaullistes et de giscardiens, le groupe publiant l'hebdomadaire sportif *Midi Olympique* aurait été chargé de lancer un quotidien. Pourtant, Alexandre Sanguinetti, alors député U.D.R. de Toulouse, avait assisté au centenaire de *La Dépêche.* Il avait déclaré ensuite à des amis lui reprochant cette concession : « *Puisqu'on ne peut pas la remplacer, il faut compter avec !* » Effectivement, l'essai ne fut pas plus transformé qu'un précédent, en 1959.

L'Echo de la Presse du 10 juin 1974 faisait de même état d'un projet rouennais : « *Un certain nombre de personnalités de la ville ont reçu une lettre circulaire les invitant à souscrire des parts d'une société d'édition dont l'objectif est de lancer un quotidien sur Rouen et sa banlieue. Le signataire de la lettre a déjà monté, à Rouen, une imprimerie coopérative offset, et projette de lancer un journal format tabloïd de huit pages, vendu à un prix inférieur aux prix normal du quotidien, et dont le tirage serait limité au départ à* 15 000 *exemplaires.* » « *L'information locale est entre les mains d'un monopole de fait... un autre quotidien local est nécessaire* », conclut l'auteur du projet. *L'Echo de la Presse* commente ainsi : « *La vérité oblige à dire que les Rouennais ont plutôt tendance à sourire des ambitions de M. Trevilly. Le monopole de* Paris-Normandie : *il existe.* Normandie-Matin (*quotidien*)

(12) *Le Nouvel Observateur,* n° 410, 18 septembre 1972.
(13) *La Correspondance de la Presse,* 30 janvier 1973.

et La Liberté (*hebdomadaire*), *sans être des concurrents bien dangereux pour Robert Hersant, établissent cependant un contrepoids.* »

A Bordeaux aussi, on a prêté périodiquement, à certains, l'intention de tenter leur chance. Mais, comme le soulignait Pierre Sainderichin, alors éditorialiste de *Sud-Ouest* : « *Avant qu'une affaire ne débouche sur la mise en place d'une infrastructure comme la nôtre, avant que le nouveau journal ne dispose d'un réseau de correspondants comme le nôtre, d'un soutien populaire comme celui sur lequel nous nous appuyons, il coulera beaucoup d'eau sous le nouveau pont de la Gironde...* » (14).

Deux projets toutefois aboutissent : le 3 octobre 1973, parut dans le Var *La Dépêche Aire Toulonnaise,* avec deux éditions, l'une consacrée à Toulon ville, l'autre à sa banlieue ouest. Les premiers numéros ont été tirés aux environ de 22 000 exemplaires et diffusés à 8 700 exemplaires. Le P.-D.G. de la société éditrice était un ancien militaire, Jean Bernardini, reconverti dans les affaires : il possède quatre cliniques (15). Mais l'inventeur de l'idée est un ancien journaliste du *Méridional,* Raymond Casile. Equipé en offset, ce quotidien employait quatre-vingts personnes. La réaction du directeur de *République* à Toulon, Jacques Defferre, fut vive. Il obtint que les annonceurs ne soutiennent pas le nouveau support, afin de briser ce concurrent. Ainsi dépérit en quelques mois le dernier-né de la presse de province.

A Biarritz, d'autre part, un entrepreneur de travaux publics, Hubert Touya, proche de Jacques Chaban-Delmas, racheta en 1972 la petite imprimerie dans laquelle le baron Jean de l'Espée, l'un des rares journalistes membres du Jockey-Club, avait longtemps tiré deux minuscules quotidiens. Ayant de surcroît pris le contrôle des titres *Côte Basque Soir* de Bayonne et *La Nouvelle Gazette* de Biarritz, il lança, le 1er décembre 1972, un nouveau journal du soir : *L'Echo du Sud-Ouest.* Sa diffusion n'atteignit jamais 3 000 exemplaires en dépit des efforts

(14) *Presse-Actualité,* n° 75, juin 1972.

(15) Il a publié, en 1971, un récit historique, « *Sous la botte nippone* », aux éditions de la Pensée Universelle.

de son équipe pour s'implanter dans l'intérieur du Pays Basque. Sa transformation en quotidien du matin lui fut fatale. Ses pertes d'exploitation sans cesse croissantes l'obligèrent à rechercher un accord de fabrication avec *La République* de Pau. Le 15 mai 1975, il cessait néanmoins de paraître.

La presse de province ne voit pas sans inquiétude les multiples tentatives d'escalade des parois fortifiées de son prétendu monopole. Certains titres sont confusément anxieux sans bien analyser les causes de leur angoisse. Ils avaient fini par se considérer comme des fiefs réservés. Le sentiment de tous est pourtant d'être menacés dans leur patrimoine. Les vives tensions ne dégénèrent certes plus comme autrefois en coûteuses batailles de vendeurs, en assauts de concours et de promotion, mais les héritiers qui sont en possession de leurs biens sont peu disposés à accueillir ces nouveaux prétendants au partage, qui ne connaissent même pas la règle du jeu.

De petits Yalta

L'énorme puissance des régionaux est plus apparente que réelle : ce sont des colosses, sans doute, mais des colosses aux pieds d'argile, pour des raisons que Jean-Louis Servan-Schreiber aurait fort bien analysées s'il ne les avait interprétées d'une manière inexacte. Les régionaux, par suite de fusions et d'absorptions, ont étendu à l'excès leurs zones de diffusion. C'est en le constatant que certains, à regret, ont réalisé ce que Pierre Lepape appelle de « petits Yalta », mais ce que *La Dépêche* et *Sud-Ouest* qualifièrent simplement d'accords de zones. Ces traités signés sans aucun enthousiasme étaient dictés par le coût gigantesque d'éditions marginales. Les directeurs de régionaux en sont conscients et même en tirent fierté. Non pas, comme le laisserait entendre Jean-Louis Servan-Schreiber, par orgueil gratuit, mais plutôt parce qu'ils ont le sentiment profond d'assumer, sans excès de philanthropie mais avec une profonde conscience professionnelle, une mission d'intérêt public. Tout comme Jean-Louis Servan-Schreiber, ils savent que leur rentabilité globale serait supérieure s'ils élaguaient systématiquement quelques rameaux par trop malingres, qui alourdissent inutilement, aux yeux d'un gestionnaire, leur exploitation. Ils s'y refusent généralement en pensant d'abord à leurs lecteurs. C'est pourquoi, en dépit de leur croyance en un régime de libéralisme et de pluralité de l'information, les quotidiens de province ont vivement réagi devant les menaces incarnées par d'éventuels intrus.

Une politique de rénovation

L'ouverture de la presse quotidienne de province en direction d'autres moyens d'information ne doit pas lui faire oublier son propre devenir. Qu'elle s'intéresse au secteur audiovisuel ne doit pas lui faire oublier sa vocation première, qui demeure l'écrit. Léon Chadé, ancien P.-D.G. de *L'Est Républicain,* a noté à fort juste titre que « *la province a le respect de la chose écrite* ». Tel autre directeur aimait à répéter qu'une des plus belles phrases de la langue française était : « *Je l'ai lu dans le journal.* » Boutade sans doute, mais qui recouvre une réalité profonde. Le journal de province, connu, accessible, représente encore un label de garantie, de crédibilité, qui constitue son véritable patrimoine et qu'il doit défendre avec acharnement.

« *Face à l'essor de la télévision, ces quotidiens du Moyen Age* », tel fut le titre du mémoire d'un élève de l'Institut Français de Presse, Claude Béziau, qui concluait : « *Ce n'est pas en adoptant l'unique et élémentaire notion de « quotidien-complément » que l'on arrivera à satisfaire le lecteur de* 1985. » Beaucoup de journaux en sont conscients et guettent dans la technique des arguments de vente supplémentaires. Photocomposition, offset, usage de plus en plus fréquent de la couleur, peuvent être les armes d'une politique de rénovation. Il n'est certes pas inutile de supprimer un frein à l'achat, tel que le salissement ou d'accroître certaines motivations, telle que la couleur.

Par ailleurs, le grand régional envisagera peut-être de lutter contre les petits journaux locaux en démultipliant ses centres d'impression et en se rapprochant ainsi de ses lecteurs. *Le Courrier de l'Ouest* donne l'exemple : En janvier 1977, le quotidien d'Angers a mis en service une nouvelle imprimerie offset à Niort. Afin de s'affranchir d'un assez long transport routier et pour apporter des informations plus fraîches aux lecteurs de ses deux éditions des Deux-Sèvres, le journal a décidé de recourir au procédé de transmission par fac-similé. Les ordinateurs de composition ouvrent des performances étonnantes. A *L'Est Républicain,* ils servent de banque centrale d'informations entre Dijon, Chaumont et Nancy, et permettent de ne frapper qu'une seule fois des textes ressortant trois fois sur photocomposeuses dans chacun des trois centres d'impression.

La presse de province semble désormais avoir été touchée par la technique comme d'autres le sont par la grâce. Au Moyen Age a succédé la Renaissance, mais l'évolution ne saurait se limiter au conditionnement, elle doit aussi s'attaquer au contenu. Pour ce faire, comme le disait Pierre Archambault : « *Il ne faut quand même pas s'endormir sur la ligne Maginot.* »

Dialoguer avec le lecteur

On en revient toujours à une même conclusion : le dialogue essentiel s'opère avec le lecteur. Une expérience exceptionnelle vaut d'être méditée : l'opération lancée en 1973 sous le sigle « S.O.S. (Sud-Ouest Sécurité), par *Sud-Ouest*. Dans un éditorial (16), Henri Amouroux en dressait le bilan suivant :

« *Le* 20 *décembre* 1972, *annonçant le lancement de notre campagne Sécurité, j'intitulais mon éditorial :* « 128 ». *Tel était en effet le but fixé : diminuer de* 128 *le nombre des morts des huit départements de notre zone d'action. Nous n'avons pas entièrement réussi puisque, aujourd'hui, nous ne pouvons annoncer que* 107 *; mais au terme d'un long et difficile combat d'une année, il me paraît que notre action, qui a été relayée en juillet par les décisions du gouvernement et sur laquelle a pesé,*

(16) 18 janvier 1974.

bien sûr, la limitation de vitesse en décembre, s'est révélée finalement très efficace.

« Lorsque nous avons lancé notre campagne, dans l'incrédulité presque générale et alors que le ciel pétrolier était sans nuages (si j'ose écrire), l'augmentation des morts dans notre zone était de 75 *en* 1972 *par rapport à* 1971, *ce qui conduisait, suivant une progression classique de plus* 5 % *l'an, à* 1 447 *morts pour* 1973. *C'est contre cette fatalité que nous nous sommes immédiatement dressés en menant bataille sur trois fronts : celui des routes, celui de la ceinture de sécurité, celui de la limitation de vitesse.*

« Nous avons rendu visite à tous les préfet de la région qui, sensibilisés par M. Doustin, préfet d'Aquitaine, et entourés des responsables de la gendarmerie, de la police, des Ponts-et-Chaussées, ont dressé pour nous l'inventaire de leurs besoins immédiats.

« Ainsi pouvions-nous, dès le 29 *novembre* 1972, *remettre au Premier Ministre, Pierre Messmer, en lui exposant nos projets, un dossier réclamant l'élimination rapide de vingt-cinq points noirs et le doublement, avant les vacances* 1973, *de la nationale* 10 *sur le secteur Liposthey - Le Muret où, sur* 7 *kilomètres, il y avait eu, en deux ans,* 26 *morts et* 56 *blessés.*

« Les vingt-cinq points noirs étaient supprimés en février - mars 1973 *et, le* 28 *juin, Olivier Guichard, ministre de l'Equipement et du Tourisme, inaugurait les* 7 *kilomètres du secteur Liposthey - Le Muret sur lesquels, depuis cette date,* 2 *morts seulement et* 6 *blessés ont été enregistrés.*

« La ceinture de sécurité. Son port est obligatoire depuis juillet 1973 *sur route. C'est dès le* 20 *janvier* 1973 *que nous avons lancé, en sa faveur, une puissante campagne de tracts et c'est en mai que nous avons recueilli les signatures de* 157 *chirurgiens de la région (sur* 217), *chirurgiens à qui nous avions demandé de porter témoignage, d'affirmer, eux qui, chaque jour, ont à réparer les effroyables dégâts causés dans le corps humain par les tôles, les volants, les pare-brise, qu'il est vrai que, dans beaucoup de cas, la ceinture protège, préserve et sauve.*

« *On l'oublie trop : entre* 30 *et* 50 % *des morts de la route décèdent à l'hôpital ou en clinique. On l'oublie trop : beaucoup de blessés restent infirmes pour la vie, pour ce qui reste de vie, cloués sur une chaise roulante ou sur un lit.*

« *Et c'est parce que nous le savons, nous qui, par profession, avons tous vu des mutilés, des hôpitaux, d'atroces photos, d'impubliables photos, et c'est parce que nous le savons que, dès le début, nous avons défendu la cause de la limitation de vitesse. Elle était impopulaire. Notre mission peut être de défendre des causes impopulaires. Nous l'avons fait et avons retourné la tendance.*

« *Car notre action — dans la mesure où plus d'un million et demi de lecteurs nous font confiance, dans la mesure aussi où elle était relayée par nos amis de Bordeaux-Aquitaine qui lui ont consacré plus de quatre heures de radio, plus de cinq heures de télévision, répercutée par tous nos confrères régionaux, et d'abord par* La France, *par* La Charente Libre, *par* L'Eclair, *par de nombreux confrères de Paris, par les radios périphériques également — a montré au gouvernement que l'on pouvait, sur le plan national, adopter des mesures qui, sur le plan régional déjà, prouvaient leur efficacité.*

« *Nous avons joué un rôle de déclencheur, puis d'accélérateur. Assuré de ne pas avoir contre lui la presse qui fait l'opinion, le gouvernement a pris alors les mesures de bon sens qui s'imposaient depuis longtemps. Elles ont eu un résultat certain. Mais l'intensité, la constance de notre action, l'adhésion que nous trouvions chez nos lecteurs, tout a contribué, en vérité, à faire en sorte que les résultats de la zone* Sud-Ouest *soient très supérieurs aux résultats nationaux. Cela malgré le mauvais bilan du département du Gers, où notre journal est moins profondément implanté qu'ailleurs.*

« 107 *morts de moins, oui. Mais aussi* 3 107 *blessés de moins. Chiffre considérable. Sur le plan national, on annonce* 13 406 *blessés de moins. Nos huit départements représentent* 23 % *de ce total !*

« *Un ami me demandait, en février* 1973, *pour quelles raisons nous nous lancions dans cette bagarre d'apparence désespérée, pour quelles raisons nous engagions des frais sans « retombées », comme on dit, pour quelles raisons nous voulions faire ce qu'il appartenait à l'Etat d'accomplir. J'ai répondu aisément qu'à nos yeux, qu'à mes yeux, le rôle d'un grand quotidien n'était pas limité au rôle de pâle miroir des informations, que nous devions parler, agir, entreprendre, animer, qu'il nous appartenait, sans démagogie et après avoir déterminé le possible, de pousser les pouvoirs publics dans la voie qui nous semblait la meilleure pour l'intérêt public et qu'après notre campagne Sécurité, une autre prendrait la suite »* (17).

L'engagement des journaux de province dans les grandes causes régionales, n'est-ce pas le moyen le plus naturel de contrebalancer un certain affadissement provoqué par leur progressive dépolitisation ?

---

(17) Depuis le 1er février 1977, Henri Amouroux assure avec Jean Gallois la direction d'une nouvelle publication lyonnaise : *Le Journal, Quotidien Rhône Alpes.* Ce titre, qui a pris la succession de *L'Écho-La Liberté,* vise non pas le grand public mais les cadres et les membres des professions libérales. A la « une » du numéro zéro, Henri Amouroux a ainsi défini son triple objectif : « *Défendre la région, défendre les lecteurs, défendre les libertés.* »

Cas 1

Les provinciaux du soir

Alors que, dans les pays anglo-saxons, la presse provinciale du soir supplante largement celle du matin, dans les régions françaises, les journaux du soir occupent une place modeste. En Grande-Bretagne, hors de Londres, on compte 79 quotidiens vespéraux diffusant 6,5 millions d'exemplaires, contre 22 journaux du matin vendant 800 000 exemplaires. En France, au contraire, on ne dénombre que quatorze titres paraissant le soir hors de Paris. L'ensemble de leur tirage n'atteint pas les 200 000 exemplaires.

Leur statut est fixé par l'arrêté du 21 août 1947 qui autorise la parution, l'exposition et la mise en vente des quotidiens du soir à partir de 11 heures 30 dans le département d'édition et dans les zones limitrophes (1). On peut classer la presse de province du soir en deux catégories : les éditions du soir de grands régionaux (2) dont

---

(1) Bien que cette règle s'applique aussi pour Paris, *France-Soir* est souvent en vente dans la capitale dès 9 heures et même à 7 heures à Antony.

(2) *La Dépêche*, « édition bleue », à Toulouse, *Le Soir* à Marseille, *Le Soir Midi Libre* à Nîmes et *Le Progrès Lyon Soir*.

le contenu diffère sensiblement de celui du journal du matin et les locaux du soir (3), qui ne sont guère différents dans leur conception de leurs confrères matinaux d'importance similaire.

Des éditions intégrées

Quatre grandes villes françaises — Marseille et Lyon, Toulouse et Nîmes — possèdent un quotidien du soir. Mais celui-ci est désormais une édition, plus ou moins intégrée, du journal du matin. L'origine de ces éditions tient souvent à l'absorption d'un quotidien du soir, existant auparavant dans la cité, par le journal régional.

Ainsi, jusqu'au 1er janvier 1973, *Nice-Matin* fait paraître *L'Espoir*, successeur de *L'Espoir de Nice et du Sud-Est* (4) racheté en 1949.

A Lyon, en 1948, la fusion de *Lyon Libre* et de *L'Echo du Soir* engendre *Le Soir du Sud-Est* qui devient, en 1950, *Le Journal du Soir*, puis, en 1959, *Le Progrès Soir*, avant de s'intituler, en 1961, *Le Progrès Lyon Soir*.

Enfin, à Nîmes, l'édition commune du *Provençal* et de *Midi Libre* succède en 1967 à *Nîmes Soir* sous l'appellation *Le Soir - Midi Libre*.

Depuis 1944, *Le Provençal* publie une édition vespérale diffusée principalement à Marseille. De même, à Toulouse, *La Dépêche* maintient son « édition bleue ».

Bien que reprenant des éléments déjà parus, ces éditions diffèrent sensiblement des quotidiens du matin dont elles dépendent. Elles tiennent compte de l'évolution de l'actualité et exploitent plus complètement, par exemple, les informations concernant le tiercé.

---

(3) *Le Courrier de Bourg-en-Bresse, La Dordogne Libre* à Périgueux, *L'Echo de la Haute-Loire* au Puy. *La Gazette provençale* à Avignon, *Le Journal de la Corse* à Ajaccio, *La Liberté du Morbihan* à Lorient, *La Montagne Noire* à Mazamet, *La République des Pyrénées* à Tarbes, *Le Petit Bastiais, Le Petit Bleu du Lot-et-Garonne* à Agen.

(4) Ce quotidien socialiste a sorti son premier numéro le 28 août 1944, sur les presses du *Petit Niçois*.

Des titres indépendants

Dix villes de moyenne importance bénéficient d'un journal du soir indépendant de tout autre titre. Parmi ces publications, on rencontre aussi bien le plus petit quotidien de France, *La Montagne Noire,* que le plus ancien, *Le Journal de la Corse.* Ces journaux, au tirage modique — moins de 20 000 exemplaires, dans tous les cas —, sont néanmoins très solidement implantés sur leur zone d'édition. A Agen, *Le Petit Bleu* vend près de 10 000 numéros, alors que la diffusion de *La Dépêche du Midi* et de *Sud-Ouest* réunis n'atteint pas la moitié.

La faible pagination de ces quotidiens justifie leur prix de vente inférieur à celui de leurs confrères du matin. Ainsi, lorsque tous les journaux valaient 1 franc, *La Gazette Provençale* coûtait 0,50 franc, et *Le Petit Bleu* 0,70 franc.

Même vendus à prix réduits, les quotidiens du soir peuvent être prospères. Par exemple, *Le Petit Bleu* a dégagé, au fil des ans, assez de bénéfices pour être le premier quotidien de France à adopter, en 1967, un équipement offset.

La force de la presse du soir, dont les quatre cinquièmes de ses titres se situent au sud d'une ligne Nantes-Genève, réside dans son caractère de publication d'appoint. Mais son marché n'apparaît guère extensible car une enquête révèle qu'en province, plus de la moitié des lecteurs lisent le soir leur journal du matin.

Cas 2

Les paysans aussi ont droit de savoir...

Dans son numéro du 26 février 1974, *La Correspondance de la Presse* publiait le texte suivant : « *Fernand Clavaud, directeur de l'hebdomadaire communiste* La Terre, *a rendu public le texte d'une lettre adressée à Marceau Long, président-directeur général de l'O.R.T.F., dans laquelle « il se déclare fort surpris » de voir que ce journal « a été une fois de plus écarté » de l'émission télévisée « Actuel 2 » au cours de laquelle le ministre de l'Agriculture, Jacques Chirac, a répondu, le 25 février au soir, aux questions de journalistes. « En conséquence », écrit-il, « j'ai l'honneur de vous demander de bien vouloir réexaminer la situation et de réserver dans ce débat une place à un représentant du premier journal agricole de France. »*

On peut souhaiter que les responsables de la télévision sauront à l'avenir que *La Terre* est un hebdomadaire qui, tirant à plus de 200 000 exemplaires, diffusait en 1975 d'après l'O.J.D. 191 400 exemplaires. Fondée en 1933, *La Terre* appartient au Parti Communiste et est le seul journal politique agricole français. Si l'on rapporte cette diffusion de *La Terre* aux millions de lecteurs de publications agricoles, deux questions viennent alors à l'esprit : qu'est-ce qui intéresse ces lecteurs, si ce n'est pas la politique ? Quels sont donc tous ces périodiques au tirage individuel inférieur à 200 000 exemplaires, mais à l'audience totale de 5 millions de personnes ?

***

La Fédération Nationale de la Presse Agricole et Rurale, que préside René Poupry, directeur de *L'Elevage*, ne regroupe que 136 titres, dont une majorité de journaux départementaux. Mais il faut observer d'abord que ces titres représentent une diffusion totale annuelle de 100 millions d'exemplaires et touchent le public de 5 millions évoqué ci-dessus. On observe ensuite que le nombre de titres destinés à l'agriculture et au monde rural est évalué par la revue *Connaissance de l'Agriculture* à plus de 400, dont 140 à l'échelon national, 200 aux échelons régional et départemental, le reste concernant les questions alimentaires, l'industrie agricole et le commerce des produits de la terre. Si l'on y ajoute les publications horticoles, maraîchères ou scientifiques proches de l'agriculture (chimie, mécanique, hygiène...), ce nombre tourne donc autour de 500, ce qui est très respectable, comparé par exemple aux quotidiens qui n'atteignent plus la centaine ou aux « news-magazines » politiques que l'on compte sur les doigts d'une main.

Mais son importance numérique n'est pas le moindre paradoxe de cette presse agricole si diversifiée. On peut en citer trois autres : elle n'est ni exclusivement provinciale, ni spécifiquement journalistique, ni même détentrice du monopole de l'information agricole.

Des noms prestigieux

Pas exclusivement provinciale, la presse agricole est en partie nationale grâce à des titres prestigieux et du fait de publications syndicales. Parmi ceux-là, on peut citer deux hebdomadaires : *La France Agricole* (137 600 exemplaires) et *Agri Sept* (78 700 exemplaires). (Le titre le plus prestigieux a disparu au début 1975, c'était *Le Figaro Agricole.*) *Agri Sept* est publiée par la Société de Publications et d'Éditions Réunies, contrôlée par le

Mouvement des Chrétiens dans le Monde Rural. Le directeur général de la S.P.E.R. est Gilbert Fraudeau.

La France Agricole, qui a compté parmi ses actionnaires Émilien Amaury et Robert Buron hier, André Bettencourt et François Mitterrand aujourd'hui, a perdu en 1974 son directeur, France-Pierre Couvreur. Celui-ci, frappé par une grave maladie à 57 ans, était une grande figure de la presse paysanne, car outre ses responsabilités à *La France Agricole,* il était président de l'Union Internationale des Journalistes Agricoles (U.I.J.A.). Son directeur général est Pierre Flandin et son directeur de la publication, rédacteur en chef, Raymond Larthe.

Parmi les 140 titres nationaux, nombreux sont ceux édités sous l'égide d'organisations professionnelles, tels que *L'Opinion Agricole* (A.P.C.A.), *Jeunes Agriculteurs* (C.N.J.A.), *Le Producteur Agricole Français* (Producteurs de céréales et de lait) et *L'Information Agricole* (F.N.S.E A.). Ces publications éditées à Paris nous font dire que la presse agricole n'est pas toujours spécifiquement « journalistique ». En effet, elle n'est pas toujours éditée par des « entreprises de presse », au sens strict du mot, mais surtout par des syndicats, des Chambres d'agriculture, des organismes de crédit, de coopération, de mutualité.

La Chèvre, *revue nationale éditée à Tours...*

Ainsi, il existe au moins un journal agricole par département. En Indre-et-Loire, déjà en 1964, on en dénombrait cinq parmi lesquels on note *L'Action Agricole de Touraine,* hebdomadaire des Associations agricoles et viticoles du département (8 000 exemplaires), et... *La Chèvre,* revue des éleveurs de chèvres, fondée en 1958 et paraissant cinq fois par an.

La diversité des périodiques agricoles ne réside pas seulement dans leurs éditeurs et leur périodicité, mais aussi dans leur aspect extérieur « *qui va du luxueux magazine tiré en offset aux simples feuilles ronéotypées* », selon la formule du chercheur Jean-Pierre Lorriaux (1).

---

(1) *Presse Actualité,* n° 85, septembre 1973.

Le *B.I.M.A.* (Bulletin d'Information du Ministère de l'Agriculture) se situe d'ailleurs au milieu de cette diversité de styles : dossier à la fois informatif et documentaire, constitué de fiches volantes, sobrement, mais élégamment imprimées.

Enfin, dernier paradoxe, cette presse très diverse n'a pas le « monopole » de l'information agricole. En effet, les quotidiens régionaux lui consacrent une part importante, en principe une page ou deux chaque semaine, parfois une ou deux rubriques chaque jour. D'ailleurs, le président de l'Association Française des Journalistes Agricoles (A.F.J.A.) appartenait jusqu'en 1974 à la P.Q.R. ; il s'agissait de Jacques Faine, alors chef des services agricoles de *Sud-Ouest*. Les rubriques agricoles des régionaux sont elles-mêmes variées, mais à dominante économique, politique, sociale ou juridique. De décembre 1974 à mai 1976, la présidence de l'A.F.J.A. a été occupée par Eliane Meteye du *Figaro Agricole*. Depuis juin 1976, le bureau de l'A.F.J.A., qui rassemble 400 membres, est ainsi composé : Président, Jean-François Garnier, secrétaire général d'*Agra Presse ;* un de ses vice-présidents est Jacques Dhaussy (*L'Économie Agricole d'Arras*) ; son Secrétaire général, Alain Rollat, appartient au bureau parisien de *Midi-Libre*.

Un agriculteur des Vosges, interrogé par J.-P. Lorriaux, déclarait : « *Ce que je reproche à la page agricole, c'est de souvent parler des mêmes dirigeants agricoles. A croire que dans les Vosges, il n'y a que deux ou trois bons agriculteurs...* »

Un autre agriculteur, de la région lilloise, celui-là, 50 ans, à la tête d'une exploitation moderne de 50 ha, déclarait à *Presse-Actualité* en février 1974 : « *Je lis un quotidien,* Nord-Eclair, *puis des journaux spécialisés en agriculture :* Agri 7, Le Syndicat Agricole, *qui me tiennent au courant des cours du marché,* Le Producteur Agricole, Marchés Agricoles, *des revues techniques sur le matériel agricole, les engrais, les semences, etc.* »

Le mot est jeté : l'information de base pour un paysan, c'est le journal régional ; mais pour travailler, pour produire, il lui faut lire plusieurs publications techniques.

Technicité de préférence

La presse agricole a donc assez peu de points communs : les éditeurs sont pour un tiers parisiens, deux tiers provinciaux ; les aspects varient ; les lecteurs eux-mêmes vont du petit exploitant au « gentleman-farmer », de l'autodidacte à l'ingénieur. Toutefois la technicité est sans doute le mobile essentiel de lecture. J.-P. Lorriaux cite les paroles d'un agriculteur des Vosges : « *Tout le monde cherche à améliorer sa technique ; même le plus petit agriculteur progresse... Dans le matériel, les progrès sont spectaculaires. L'agriculteur est sensible à cette amélioration.* »

Cela fait que, malgré une réduction progressive de la population agricole, les agriculteurs lisent davantage qu'auparavant. D'après *Connaissance de l'Agriculture*, 63 % des paysans reçoivent au moins un journal agricole national. Il faut d'ailleurs préciser qu'il est parfois... gratuit (donc financé par la publicité) ou inclus dans une cotisation syndicale. Mais les agriculteurs en lisent réellement plusieurs chacun, surtout s'ils veulent progresser professionnellement.

Parmi ces publications spécialisées, citons encore *La Revue de l'Elevage, Le Betteravier Français, Nouvelles de l'Agriculture, France Horticole, Marchés européens des fruits et légumes*. Une liste exhaustive serait trop longue et fastidieuse pour le non-spécialiste.

Pour conclure, on peut citer cette enquête de J.-P. Lorriaux : « *Par quels moyens les agriculteurs désirent-ils être informés ? Leurs préférences s'expriment comme suit : par le journal* 52 % ; *par les réunions entre agriculteurs* 49 % ; *par les techniciens agricoles* 40 % ; *par les conférences d'un responsable* 21,6 % ; *par la radio et la télévision* 21,3 %. »

Chaque personne a donné plusieurs réponses. Mais le point essentiel, c'est la crédibilité « du journal », qu'il soit agricole ou régional. La presse apparaît toujours chez les agriculteurs comme un instrument de progrès. Ils ont le « droit de savoir ». Et c'est par la presse qu'ils veulent savoir comment vivre mieux.

Cas 3

Monographie d'un hebdo : « L'Éveil Normand »

A 150 km de Paris, la qualité de vie existe presque à l'état pur. Les éditeurs, les journalistes, les employés de *L'Eveil Normand,* à Bernay, à l'ouest de l'Eure, l'ont découverte depuis longtemps et se battent pour la défendre. Ils y sont si bien parvenus que leur hebdomadaire est à la fois un des plus anciens et des plus modernes de France. Cette base bien installée au fond de la Haute-Normandie leur a permis d'aller séduire plus que conquérir deux départements voisins, en Basse-Normandie. Quel grand quotidien régional ne rêverait-il pas de telles audaces et de telles victoires... ? Ainsi, à Lisieux, dans le Calvados, paraît depuis le 4 septembre 1969 *L'Eveil de Lisieux,* par imitation de celui de Bernay. L'année 1974 a été particulièrement fructueuse en « associations » : en effet, à la fin de l'hiver, *L'Eveil* a pris en charge la rénovation du *Journal de l'Orne* d'Argentan, « *avec la participation effective des époux Aubin qui en sont restés les directeurs* », selon le souhait de Bernard Meaulle, principal actionnaire de ce petit « *groupe* », qui s'appelle « Centre-Normandie » depuis le rachat du *Réveil Normand* à L'Aigle, également dans l'Orne. Cette entité nouvelle, à cheval sur deux régions (Haute et Basse-Normandie), trois départements (Eure, Orne et Calvados) et quatre « chefs-lieux », trois d'arrondissements (Bernay, Lisieux, Argentan) et un de canton (L'Aigle), représente maintenant quelque 250 000 lecteurs. Ce simple chiffre mériterait considération, s'il n'y avait d'autres motifs, plus anciens notamment, de s'attarder sur ce phénomène.

Le titre, *L'Eveil de Bernay* devenu *L'Eveil Normand* en septembre 1974, ne date que de la Libération. Il avait succédé à *L'Avenir de Bernay,* fondé en 1872, avec pour sous-titre « *journal commercial, industriel, littéraire, scientifique, agricole et d'annonces* ». Lui-même avait pris la suite d'une feuille créée en 1839 : *Le Journal Judiciaire de l'Arrondissement de Bernay*. Quant à l'entreprise, elle remonte à juin 1833, date à laquelle « *un sieur Claude, Adolphe Duval, imprimeur breveté, originaire de la ville de Caen, ouvrit un nouvel atelier de typographie auquel il adjoignit un petit commerce de papeterie* ». Ce schéma historique est rare par sa durée, mais classique par la filiation imprimerie-journal d'annonces légales - hebdo d'arrondissement. On le retrouve souvent dans de grosses bourgades françaises, à la fois agricoles, commerciales, artisanales et industrielles, bref à l'économie diversifiée.

Mais la filiation des hommes apparaît encore plus intéressante dans notre ère de bouleversements. Trois générations de journalistes-éditeurs-imprimeurs, cela ne peut laisser indifférent. Le fondateur de cette lignée était Henri Méaulle, qui donna à *L'Avenir de Bernay* sa prééminence incontestée sur l'arrondissement. Son fils Maurice lui succéda en 1932, changea le titre à la Libération. Il continue à présider la « S.A. Méaulle » dont il surveille personnellement l'imprimerie de labeur. Ses fils animent le secteur presse. L'un d'eux, Bernard, la trentaine, l'œil vif, l'aspect sportif et le ton volontaire, dirige *L'Eveil Normand*. Il incita sa société à acquérir le *Journal de l'Orne,* créé à Argentan en 1808. Dès 1966, *L'Eveil de Bernay* fut le premier hebdomadaire de province à s'équiper en offset. Cela lui permit d'imprimer, voire de conquérir ou de créer d'autres hebdomadaires. Une dizaine de confrères font aussi confiance à la Société Méaulle, notamment *Le Démocrate Vernonais* et *Le Journal d'Elbeuf*.

Le deuxième fils, Philippe, a délaissé le barreau parisien pour animer *L'Eveil de Lisieux*. Une bonne équipe entoure la famille Méaulle. Un chef de fabrication et un chef rotativiste sont les personnages clefs du secteur technique. Chaque titre comprend trois journalistes-photographes et un conseil en publicité. Au total, soixante-dix personnes travaillent pour le groupe, mais ce chiffre n'inclut pas les employés du *Réveil Normand* qui a conservé une certaine autonomie.

Avec le groupe Hersant, les relations semblent délicates. En effet, ce groupe possède *Paris-Normandie* à Rouen tandis que la diffusion de *l'Eveil Normand* serait supérieure à celle du quotidien rouennais sur ledit arrondissement. Par ailleurs, *Le Pays d'Auge*, nouveau bi-hebdo, a rassemblé, selon la méthode bien connue du groupe Hersant, six petits hebdomadaires : *L'Echo d'Orbec*, *Le Lexovien*, *Le Trait d'Union* (Saint-Pierre-sur-Dives), *Le Progrès du Littoral* (Dives-sur-Mer, *L'Indépendant* (Honfleur) et *Le Pays d'Auge-Tribune* (Pont-l'Evêque). Ce nouvel ensemble, dirigé par Henri Husson, tire à plus de 30 000 exemplaires sur vingt pages grand format, abondamment illustrées, y compris quatre feuilles jaunes consacrées aux sports. En fait, ces pages étant réparties en trois éditions, il faut en composer trente. Cette composition est répartie entre les imprimeries de Lisieux et de Dives, le tirage lui-même étant effectué sur les rotatives offset du quotidien *Havre-Presse*.

La concurrence du groupe Hersant oblige les frères Méaulle à beaucoup de vigilance, comme nous le précisait Philippe Méaulle : « *Notre hebdomadaire local n'est pas et ne sera pas cédé. Pas plus au groupe Hersant qu'à notre confrère* Ouest-France. *Point final.* »

Ce volontarisme des jeunes éditeurs normands, on le retrouve dans la philosophie exprimée par Bernard Méaulle à diverses reprises, tant sur le plan journalistique que sur le plan promotionnel. Dès 1974, il affirmait avec clairvoyance : « *Les hommes de presse qui considèrent leurs entreprises comme des machines à sous* (*espèce rare heureusement*), *seront certainement déçus. Les autres, ceux que leur mission d'informer fait vivre, aimeront les prochaines années, même si elles sont difficiles. Parce que le sens de leur combat n'est pas celui de l'argent, mais celui de la liberté, d'un monde meilleur, d'une presse écrite indépendante qui a le devoir de continuer à faire valoir ses irremplaçables vertus* » (1).

A l'occasion d'une réunion du Syndicat des Hebdomadaires d'Information de Province, aujourd'hui fondu dans le S.N.P.H.R.I., Bernard Méaulle développa encore plus sa philosophie, faisant notamment référence à la formule du juge américain Blake : « *Le rôle d'un journal n'est pas d'être au service des gouvernements, mais des gouvernés.* » Ainsi, le sénateur-maire de Bernay (2), président du Conseil général de l'Eure, ne bénéficie pas de faveurs particulières. Dans son discours, Bernard Méaulle ajoutait : « *Nos journaux ont été jadis des bulletins municipaux, véhicules de petites nouvelles, de petits communiqués, de petits comptes rendus et, si nous avons évolué, nous l'avons fait sous la pression de la technique, de la concurrence et plus que jamais sous celle d'une évidence écrasante : les temps ne sont plus les mêmes* (...) *Réfléchir, méditer, ce doit être notre rôle pour trouver notre place, une place qui dans dix ans ne sera pas étriquée, mais bien au contraire continuera de compter dans la vie de chaque région* (...) *Mais si nous cherchons à nous tourner vers l'avenir, il faut savoir que nous ne devons pas donner au lecteur seulement ce qu'il attend, mais également, et* ***surtout peut-être, tout ce qu'il n'attend pas,*** *parce que nous avons un rôle de création. Et si nous voulons informer, renseigner, distraire, il nous faut produire des articles, des enquêtes, des rubriques auxquels le lecteur n'aura pas toujours pensé et qui le surprendront agréablement en l'amenant à conclure que notre journal est riche d'informations personnelles et personnalisées* (...) *Nous sommes à l'heure des grands trusts, des grands ensembles, du grand public qui lit de grands journaux. Tout cela donne à penser qu'il est réconfortant d'être petit et nous tous, petits, par nos différences, nos opinions*

(1) *L'Echo de la Presse et de la Publicité*, 21 janvier 1974, n° 891.
(2) M. Gustave Héon.

qui tiennent compte des réalités locales, nous représentons une liberté de la presse unique et irremplaçable qui n'existerait pas sans nous. »

Ce texte est aussi passionnant que passionné. Il définit clairement et courageusement une philosophie journalistique fondée sur l'indépendance et le service. Dans *L'Eveil de Lisieux,* des principes ont été bien énoncés : « *Nous serons prudents et courtois. Silencieux, peut-être pas toujours...* » (3).

Deux initiatives promotionnelles doivent être soulignées parallèlement aux réalisations techniques et à la philosophie journalistique. Elles montrent que ce type d'hebdomadaires locaux sait ne pas se faire oublier sur le marché parisien. L'association « Haute-Normandie Hebdos » (H.N.H.) regroupe *L'Eveil Normand* et sept confrères de l'Eure et de la Seine-Maritime. Cet ensemble, régi à Paris par l'agence Octo, filiale de l'Agence Havas, se flatte d'être le premier groupe d'hebdomadaires à s'être couplés. Grâce à ce regroupement, H.N.H. dépasse la diffusion du quotidien *Paris-Normandie* dans la région.

Le C.H.E.R.P.A. a été créé en 1973 à Château-Gontier sur la proposition de Bernard Méaulle qui déclarait alors : « *Mi-sérieux, je vais vous proposer le Club d'Hebdomadaires pour l'Etude, la Recherche, la Prospective et l'Animation, C.H.E.R.P.A., un sigle qui devrait traduire dans notre esprit et dans celui de gens qui nous regardent, une volonté de monter, de tendre vers la cime, c'est-à-dire vers le meilleur.* » Jusqu'à présent, le jeune C.H.E.R.P.A. n'a pas encore produit de réalisations spectaculaires, mais on l'imagine fort bien comme « émule » d'Inter-France-Quotidiens, émanation d'Havas-Régies pour promouvoir les grands régionaux.

3 000 *exemplaires de plus pour* 5 *morts...*

Quant aux résultats de *L'Eveil,* que peut-on dire de

(3) 15 octobre 1971. Allusion au texte d'un panneau routier : « *Lisieux est heureux de vous accueillir et vous recommande prudence, silence, courtoisie.* »

significatif ? Par exemple, qu'il vend 15 000 exemplaires dans le seul arrondissement de Bernay, alors qu'il ne couvre que les deux tiers de sa surface. Trois faits méritent d'être évoqués : *L'Eveil* possède 40 % d'abonnés, donc de fidèles très accrochés, les 60 % restant étant des ventes en « sous-dépôts » ; ensuite un événement local important, comme cinq morts dans un accident d'auto, majore sa vente de 3 000 exemplaires ; enfin, ses ventes ne lui fournissent qu'un tiers de ses ressources, les deux autres tiers provenant de la publicité, celle-ci étant ventilée entre 80 % de « commerciale » et de petites annonces et 20 % d'annonces des officiers ministériels. Ces quelques chiffres justifient les réflexions générales sur la presse provinciale émises par deux hommes politiques normands. Louis Terrenoire, maire de Ceaucé dans l'Orne, ancien ministre de l'Information du général De Gaulle, nous confiait : « *La province profonde n'est pas très riche sur le plan de la presse : le lecteur ne cherche pas à s'enrichir. C'est lui le vrai coupable...* » Moins pessimiste, Jean Lecanuet, député-maire de Rouen, qui n'était pas encore Garde des Sceaux du président Giscard d'Estaing, nous affirmait : « *Si la T.V. régionale était bien faite, elle serait un danger pour la presse de province. Mais la presse de province est un moyen de lutter contre l'uniformité, contre l'étatisme...* »

Le petit groupe de l'*Eveil Normand*, c'est tout cela, un peu, beaucoup, passionnément...

TROIS QUESTIONS SIMPLES EN GUISE DE POST-FACE

Il n'est pas dans nos intentions de tirer en quelques « petites phrases » les conclusions d'un ouvrage qui a la vocation d'être un témoignage plutôt qu'une thèse, un document plutôt qu'un manifeste. Si le lecteur a retenu de notre analyse le sentiment que les régionaux constituent des puissances solidement établies, il ne faudrait pas qu'il perde de vue les facteurs qui rendent cette presse si vulnérable. Au terme de cette enquête, nous nous contenterons d'attirer l'attention sur trois questions qui conditionnent l'avenir de la presse de province.

1) *Les managers peuvent-ils se passer des journalistes ?*

Il serait dangereux que les directeurs-managers se trouvent coupés des rédactions. La taille des entreprises de presse les a, malgré eux, enfermés dans des tâches d'administration. Les journalistes en ont parfois hâtivement tiré l'argument qu'il leur revenait d'assumer pleinement l'information. Un bon journal ne peut procéder que d'une intime et confiante collaboration direction-rédaction. En effet, l'entreprise de presse est à même de sous-traiter son impression, sa publicité, sa diffusion, en aucun cas sa rédaction. Un journal est une affaire d'hommes, de professionnels. C'est un jeu d'équipe. On ne répétera jamais assez que, de même qu'une hirondelle ne fait pas le printemps, de même une étude marketing ne suffit pas à faire un bon journal.

2) *Quand les travailleurs du Livre accepteront-ils de tourner la page ?*

La révolution actuelle des techniques de l'imprimerie est aussi importante que celle déclenchée jadis par Gutenberg. Elle doit entraîner un abaissement considérable des prix de revient. Intervenant dans un secteur aussi profondément contrôlé par le syndicalisme, les innovations ont d'abord suscité une hostilité manifeste de la part des ouvriers. Après de nombreux heurts très influencés par la longue querelle du *Parisien Libéré,* il semble que les dirigeants syndicaux de l'imprimerie, sur le plan national, aient pris conscience des dangers d'une attitude trop obstinément négative. Les mutations sont évidemment difficiles, souvent humainement pénibles. Elles demeurent néanmoins inéluctables. On peut espérer qu'au terme de ces processus le droit de lire entre effectivement dans les faits. Un moindre coût technique facilitera l'existence de nombreuses publications quotidiennes ou périodiques, qu'elles soient petites ou grandes.

3) *Quand mettra-t-on fin au seul vrai-faux monopole ?*

Les quotidiens de province constituent les uniques et authentiques agences d'information locales. Même largement pillé, leur vaste et coûteux réseau reste néanmoins sous-employé. De plusieurs côtés, des projets de stations de radios régionales ont été élaborés Pourquoi maintenir un monopole à sens unique ? La libre concurrence n'est-elle pas un facteur de qualité ? La presse de province ne peut pas ne pas se préparer à relever le défi de l'audiovisuel.

En d'autres termes, et plus généralement, pourquoi les

professionnels responsables et les pouvoirs publics ne définiraient-ils pas enfin une vraie politique globale de l'information, comme on parle de politique étrangère et de politique de défense ou de sécurité ? Le redéploiement de l'information en France ne passe que par la province. Encore ne faut-il plus jouer à cache-cache.

ANNEXES

(établies par Yves Guillauma)

LES QUOTIDIENS POLITIQUES ET D'INFORMATION GENERALE DE 1944 A 1976

(Liste arrêtée en novembre 1976)

La presse quotidienne en France de la Libération à nos jours a déjà fait l'objet de plusieurs monographies, parfois remarquables, ou d'études sur une période bien déterminée. Néanmoins, le chercheur ne dispose pas d'inventaire de tous les titres qui ont paru depuis 1944 et, comme le note Pierre Albert, « *la présentation de la presse française est une entreprise malaisée : les difficultés rencontrées tiennent à la nature même de la presse, à la multiplicité de ses organes et à la complexité de ses structures mais aussi au caractère hétérogène et incomplet de la documentation disponible...* » (1).

Il serait sans doute prétentieux de notre part d'affirmer que notre inventaire est complet même si nous avons cherché à fournir la totalité des titres. En effet, si les grands titres sont toujours cités, d'autres sont plus difficiles à repérer. Ainsi, au lendemain de la Libération, on voit apparaître des quotidiens dont le seul but est de remplacer la presse de la Collaboration et de fournir aux habitants

(1) ALBERT (Pierre), « La Presse française ». *Notes et Études documentaires,* N° 3521, 27 septembre 1968, p. 3.

des renseignements pratiques concernant la vie de tous les jours comme, par exemple, les informations sur le ravitaillement ou le couvre-feu. Créés par les organes de Résistance, souvent dans des conditions très précaires, ils cesseront de paraître lorsque le pays sera définitivement libéré ou lorsque les formations politiques créeront leur propre organe d'expression. Ils se nomment *l'Écho de la Somme* et *Picardie Nouvelle* à Amiens, *l'Aube Libre* à Troyes, *Liberté du Pas-de-Calais* à Arras, *la Lorraine Libérée* à Metz, *la République de l'Est Libéré* à Nancy, *Lyon Libéré* à Lyon, *l'Information du Languedoc* à Montpellier, *la République* à Saint-Étienne, *le Patriote Berrichon* à Bourges... Il est possible que certains de ces titres, souvent très éphémères, aient échappé à notre investigation car, parfois, ils n'ont fait l'objet d'aucun dépôt légal à la Bibliothèque Nationale, dans les Bibliothèques municipales ou les archives départementales.

La liste que nous donnons ne concerne que les quotidiens politiques et d'information générale qui ont paru en France depuis la Libération. Le terme « quotidien » est ici employé au sens le plus strict, c'est-à-dire au sens de publication périodique paraissant six fois par semaine. On ne trouvera donc pas mention des bi-hebdomadaires, des tri-hebdomadaires, des publications paraissant quatre ou cinq fois par semaine ni des « quotidiens du septième jour ». Nous avons également exclu les quotidiens financiers ou professionnels, les quotidiens d'annonces légales, les quotidiens confidentiels, les quotidiens sportifs... Enfin, nous n'avons retenu que les quotidiens de langue française publiés en France Métropolitaine (Corse comprise) à l'exclusion des quotidiens français publiés en langue étrangère (ex. : *Narodowiec* écrit en polonais), des quotidiens des Départements d'Outre-Mer et des anciennes colonies françaises.

Pour chaque quotidien cité dans cet inventaire, il est mentionné le titre, la ville d'édition, la date du premier et, éventuellement, du dernier numéro. S'il continue de paraître, nous fournissons également en note son adresse et le numéro de téléphone.

Le classement adopté est le classement alphabétique des titres. Cependant, lorsqu'un titre subit une modification, nous avons procédé de deux manières. Si le quotidien paraît encore (2), nous l'avons classé au titre sous lequel

---

(2) Dans ce cas, la date de son premier numéro est suivie d'une flèche.

il existe aujourd'hui. Cela permettra au lecteur de le retrouver plus facilement dans la liste. Nous indiquons alors en note les différentes transformations qu'il a subies depuis 1944. Si, au contraire, il s'agit d'un titre qui n'existe plus, nous le classons au titre sous lequel il a initialement paru et nous donnons en note ses différentes transformations jusqu'à sa disparition ou un changement de périodicité.

Si cet inventaire permet de se faire une opinion de l'évolution de la presse quotidienne en France depuis la Libération, il ne rend pas toujours compte des liens qui existent entre certains titres. Ainsi, pour ne citer qu'un exemple, il existait à Marseille, en 1944, deux quotidiens qui avaient respectivement pour titre *le Méridional* et *la France de Marseille et du Sud-Est.* Ce dernier a été absorbé par son concurrent et le résultat de l'absorption a donné à partir du 2 février 1953 un nouveau titre, *le Méridional. La France,* qui a été à son tour absorbé par *le Progrès* (Lyon) le 20 avril 1966 sans que cela transparaisse dans le titre, avant d'être revendu à nouveau au *Provençal,* en avril 1976, semble-t-il. En établissant cet inventaire, notre but n'était pas d'abord d'ordre historique mais seulement d'ordre documentaire.

LES ALLOBROGES. — Grenoble
Février 1942 - 25 avril 1958
(A paru au grand jour le 23 août 1944, 3e année, n° 30, a porté en sous-titre *Le Dauphiné Libéré* du 15 janvier 1945 au 31 août 1945)

L'ALSACE. — Mulhouse
24 novembre 1944 ➔
(2 avenue Aristide Briand - 68053 Mulhouse Cedex. Tél. 42.20.75)

L'ALSACE LIBÉRÉE. — Strasbourg
29 novembre 1944 - 31 août 1946

L'APPEL DE LA HAUTE-LOIRE. — Le Puy
20 août 1944 - 17 décembre 1944

L'ARDENNAIS. — Charleville
11 septembre 1944 ➔
(36 cours Aristide Briand - 08100 Charleville-Mézières. Tél. 32.23.06 et 32.23.24)

L'ARDENNE NOUVELLE. — Charleville
1er avril 1947 - 30 novembre 1947
(Fait suite au journal clandestin *Ardenne tient ferme*

et a été fondé comme hebdomadaire le 2 décembre 1944)

L'AUBE LIBRE. — Troyes
5 septembre 1944 - 1er septembre 1945

AURORE DU SUD-EST. — Nice
17 septembre 1944 - 28 novembre 1946

L'AVENIR DE CANNES ET DU SUD-EST. — Cannes
28 décembre 1944 - 31 décembre 1949
(Transforme le titre en *l'Avenir* du 1er janvier 1950 au 10 janvier 1950 ; en *l'Avenir de Cannes* du 11 janvier 1950 au 13 novembre 1950 ; en *l'Avenir de Cannes et de la Côte d'Azur* du 14 novembre 1950 au 6 décembre 1950 ; en *l'Avenir* du 7 décembre 1950 au 27 juillet 1951 puis devient quadri-hebdomadaire)

L'AVENIR DE L'OUEST. — Nantes
15 mars 1945 - 10 août 1948

L'AVENIR NORMAND. — Rouen
9 avril 1945 - 8 mars 1948
(Hebdomadaire à sa fondation le 4 juin 1937, date à laquelle il succède au *Prolétaire Normand,* fondé le 3 septembre 1926, il paraît comme hebdomadaire à la Libération, le 8 octobre 1944, et redevient hebdomadaire à partir du 13 mars 1948)

AVIGNON SOIR. — Avignon
13 août 1952 - 1er novembre 1958
(Édition régionale du soir du *Provençal*)

BASQUE-ÉCLAIR. — Bayonne *puis* Pau
13 janvier 1953 - 30 juin 1970
(Édition d'*Éclair-Pyrénées* pour le Pays Basque, devient *Éclair Pyrénées* (édition Pays Basque) du 1er juillet 1970 au 23 octobre 1974 puis fusionne avec *Éclair-Pyrénées* (édition Bigorre et Béarn) pour former *Éclair-Pyrénées. 3 B*)

BEAUCE-MATIN. — Chartres
12 décembre 1972 ➔
(Édition régionale du *Parisien Libéré,* n'a pas paru du 4 mars 1974 au 23 décembre 1975)

LE BERRY RÉPUBLICAIN. — Bourges
12 septembre 1944 - 31 août 1962
(Formé par la fusion du *Patriote Berrichon,* de *la Voix de la Résistance* et de *En Avant,* est absorbé par *Centre-Presse* et devient *Centre-Presse. Le Berry Républicain* à partir du 1-2 septembre 1962)

BIARRITZ-SOIR. — Biarritz
2 juillet 1951 - 30 novembre 1972

(Édition biarrote de *Côte Basque-Soir,* fusionne avec *la Gazette Luzienne, la Nouvelle Gazette de Biarritz* et *le Soir de Bayonne* pour former *l'Echo du Sud-Ouest*)

LE BIEN PUBLIC. — Dijon
31 août 1868 ➛
((Formé par la fusion de *l'Impartial Bourguignon* fondé le 28 décembre 1854 sous le titre *le Moniteur de la Côte-d'Or* et de *l'Union Bourguignonne* fondée le 19 mars 1851. — 7, boulevard Chanoine-Kir - B.P. 550. 21015 Dijon. Tél. 30.60.00)

BORDEAUX-GIRONDE. — Anglet
4 mars 1972 - 15 mars 1972
(Quotidien lancé par *Sud-Ouest,* lors de la grève de ses imprimeurs)

BORDEAUX MIDI. Le POPULAIRE DU SUD-OUEST. — Bordeaux
25 mars 1945 - 8 avril 1945
(Devient *Bordeaux-Matin. Le Populaire du Sud-Ouest* (9 avril 1945 - 31 juillet 1946), puis *Bordeaux-Presse* (1er août 1946 - 1er avril 1947)

LA BOURGOGNE RÉPUBLICAINE. — Dijon
1er janvier 1937 - 1er mai 1958
(Devient *la Bourgogne Républicaine. Les Dépêches* le 2 mai 1958 ; *les Dépêches. La Bourgogne Républicaine* le 19 juin 1958 et *les Dépêches* le 2 janvier 1960)

BRIVE-INFORMATIONS. — Brive
21 août 1944 - 31 octobre 1957
(Devient *Brive-Information* le 1er novembre 1957 puis est absorbé par *Centre-Presse* à partir du 22 mars 1960)

BRIVE-SOIR. — Brive
19 avril 1961 - 10 mai 1961

LE CANTAL INDÉPENDANT. — Aurillac
20 octobre 1947 - 2 novembre 1957
(Absorbé par *Centre-Presse*)

LE CANTAL LIBRE. — Aurillac
26 septembre 1944 - 15 octobre 1947
(Bi-hebdomadaire à sa fondation le 10 août 1944)

CAVAILLON LIBRE. — Cavaillon
1er septembre 1944 - 8 novembre 1944
(Devient *l'Écho du Midi* le 9 novembre 1944 et cesse de paraître le 31 décembre 1946)

CENTRE-ÉCLAIR. — Châteauroux
10 juillet 1945 - 28 mars 1951
(Devient *la Dépêche du Département. Centre-Éclair* le

29 mars 1951 ; redevient *Centre-Éclair* le 2 mai 1952 et cesse de paraître le 7 mars 1956)

CENTRE-ÉCLAIR SOIR. — Tours
1er juillet 1945 - 10 mars 1947
(Devient *Centre-Éclair* le 15 mars 1947 ; redevient *Centre-Éclair Soir* le 14 octobre 1947 et *Centre-Éclair* le 31 octobre 1948, puis, à partir du 6 mars 1949, hebdomadaire sous le titre *l'Espoir. Centre-Éclair*)

CENTRE LIBRE. — Limoges
24 août 1944 - 24 octobre 1944
(Devient hebdomadaire)

CENTRE-PRESSE. — Nevers
18 octobre 1948 - 19 avril 1950
(Devient *Centre-Presse. La Dépêche* le 20 avril 1950 après absorption par *la Dépêche Démocratique* (Saint-Étienne) puis *la Dépêche. Centre-Presse* le 22 octobre 1951 et cesse de paraître le 31 octobre 1952)

CENTRE-PRESSE (Édition Aveyron). — Rodez
16 mai 1959 ➔
(Fait suite à *Centre-Presse. Le Rouergue Républicain* après absorption du *Rouergue Républicain.* — 4, boulevard d'Estournel - 12000 Rodez. Tél. 68.03.44)

CENTRE-PRESSE (Édition Cantal). — Aurillac
30 juin 1959 ➔
(Fait suite à *Centre-Presse. Le Cantal Indépendant* après absorption du *Cantal Indépendant.* — 28, avenue de la République - 15000 Aurillac. Tél. 48.11.74)

CENTRE-PRESSE (Édition Charente). — Poitiers
2 mars 1959 ➔
(Fait suite à *la Vie Rurale. Centre-Presse* paraissant cinq fois par semaine. — 5, rue Victor-Hugo - 86000 Poitiers. Tél. 41.17.80)

CENTRE-PRESSE (Édition Charente-Maritime). — Poitiers
2 mars 1959 — 26 novembre 1971
(Fait suite à *la Vie Rurale. Centre-Presse* paraissant cinq fois par semaine)

CENTRE-PRESSE (Édition Corrèze). — Brive
23 février 1961 ➔
(Fait suite à *Brive-Information. Le Gaillard. Centre-Presse* après absorption de *Brive-Information* et du *Gaillard.* — 4, rue Majour - 19000 Brive. Tél. 24.16.51)

CENTRE-PRESSE (Édition Creuse). — Limoges
2 mars 1959 ➔
(Fait suite à *la Vie Rurale. Centre Presse* paraissant

cinq fois par semaine. — 18, place de la République - 87000 Limoges. Tél. 77.19.55)

CENTRE-PRESSE (Édition Dordogne). — Poitiers
2 mars 1959 ➛
(Fait suite à *la Vie Rurale. Centre-Presse* paraissant cinq fois par semaine. — 5, rue Victor-Hugo - 86000 Poitiers. Tél. 41.17.80)

CENTRE-PRESSE (Édition Indre). — Châteauroux
23 octobre 1958 - 28 janvier 1971
(Fait suite à *l'Éclair du Berry* après absorption par *Centre-Presse* puis fusionne avec *le Berry Républicain. Centre-Presse*)

CENTRE-PRESSE (Édition Lot). — Poitiers
2 mars 1959 ➛
(Fait suite à *la Vie Rurale. Centre-Presse* paraissant cinq fois par semaine. — 5, rue Victor-Hugo - 86000 Poitiers. Tél. 41.17.80)

CENTRE-PRESSE (Édition Vienne). — Poitiers
9 février 1959 ➛
(Fait suite au *Libre Poitou* après absorption par *Centre-Presse.* — 5, rue Victor-Hugo - 86000 Poitiers. Tél. 41.17.80)

CENTRE-PRESSE (Édition Haute-Vienne). — Limoges
23 octobre 1958 ➛
(Fait suite au *Courrier du Centre et du Centre-Ouest* après absorption par *Centre-Presse.* — 18, place de la République - 87000 Limoges. Tél. 77.19.55)

CENTRE-PRESSE. LE BERRY RÉPUBLICAIN. — Bourges
1-2 septembre 1962 ➛
(Fait suite au *Berry Républicain* après absorption par *Centre-Presse.* — 1 et 3, place Berry - 18000 Bourges. Tél. 24.08.43)

CENTRE RÉPUBLICAIN. — Montluçon
24 août 1944 - 9 octobre 1954
(A fait paraître deux numéros semi-clandestins datés du 21 et du 23 août 1944 et devient *Centre-Matin* (11 octobre 1954 - 31 décembre 1968), puis *la Montagne. Centre-Matin* après absorption par *la Montagne*)

CENTRE-SOIR. — Saint-Étienne
4 juillet 1951 - 31 juillet 1951
(Devient *Soir Express. Centre Soir* après fusion avec *Soir Express*)

CHALON-MATIN. — Chalon-sur-Saône
13 mai 1946 - 14 décembre 1947
(Absorbé par *l'Espoir* (Saint-Étienne)

LA CHARENTE LIBRE. — Angoulême
2 septembre 1944 ➛
(Zone Industrielle N° 3 - 16001 Angoulême. Tél. 95.13.75)
LES CHARENTES POPULAIRES. — Bordeaux
23 novembre 1944 - 30 avril 1946
(Édition de *la Gironde Populaire* pour la Charente)
COMBAT. — Nice
28 août 1944 - 10 juillet 1945
LE COMBAT DU SUD-OUEST. — Bordeaux
6 septembre 1944 (N° 64) - 13/14 septembre 1944
(Fusionne avec *la République de Bordeaux et du Sud-Ouest* et *la Marseillaise* pour former *la Nouvelle République*)
LE COMTOIS. — Besançon
9 octobre 1944 ➛
(Absorbé par *les Dépêches* (Dijon). Ne se distingue de *l'Est Républicain* que par le titre. — 58, Grande Rue - 25000 Besançon. Tél. 83.50.27)
CONCORDE. — Reims
24 août 1945 (N° 42) - 7 février 1946
(Hebdomadaire à sa fondation le 2 décembre 1944, devient *la Concorde Républicaine* le 8 février 1946, fusionne avec *l'Époque* (Paris) et *le Journal de la Marne* (Châlons-sur-Marne) pour former, à partir du 1er avril 1949, *la Concorde Républicaine. L'Époque* ; devient tri-hebdomadaire le 11 avril 1950 puis hebdomadaire à partir du 23 mai 1950)
CORSE NOUVELLE. — Bastia
7 septembre 1948 - 27 décembre 1969
LE COURRIER. — Troyes
1er décembre 1960 (37e année, nouvelle série) - 31 mars 1962
(Fait suite à *l'Indépendant de l'Aube*)
COURRIER CORRÉZIEN. — Limoges
1944 - 31 décembre 1950
(Édition pour la Corrèze de *la Liberté du Centre*, fusionne avec *la Marseillaise du Centre* pour former *le Courrier Corrézien. La Marseillaise du Centre*)
LE COURRIER DE BAYONNE. — Bayonne
2 janvier 1887 - 16 novembre 1947
(Hebdomadaire à sa fondation le 4 avril 1852, absorbe *l'Éclaireur du Sud-Ouest* et devient *le Courrier. L'Éclaireur* le 17 novembre 1947 puis *le Courrier* le 1er décembre 1951. Il fusionne avec *le Journal de Biarritz et de la Côte Basque* pour former *le Courrier. Journal de Biarritz* le 22 mars 1965, *le Courrier de Bayonne. Journal*

de Biarritz le 6 avril 1968. Il publie son dernier numéro le 29 juin 1968 puis devient hebdomadaire)

LE COURRIER DE BOURG-EN-BRESSE ET DES PAYS DE L'AIN. — Bourg-en-Bresse
25 octobre 1955 ➛
(37-39, avenue d'Alsace-Lorraine - 01002 Bourg-en-Bresse. Tél. 21.15.51)

LE COURRIER DE LA CORSE. — Bastia
2 août 1952 - 1er octobre 1966

LE COURRIER DE LA SARRE. — Sarreguemines
3 février 1919 - 30 septembre 1962
(Trihebdomadire au lendemain de la Libération, redevient quotidien à partir du 28 février 1950, devient *Est-Courrier* le 1er octobre 1962, qui publie son dernier numéro quotidien le 30 septembre 1964 avant de se transformer en hebdomadaire)

LE COURRIER DE L'OUEST. — Angers
21 septembre 1944 ➛
(Boulevard Albert-Blanchoin - 49000 Angers. Tél. 88.76.64)

LE COURRIER DE METZ. — Metz
2 octobre 1944 - 31 mars 1962
(Absorbé par *France-Journal,* devient *le Courrier de Metz. France-Journal* le 1er février 1962 et cesse de paraître le 28 février 1963)

COURRIER FRANÇAIS DU SUD-OUEST. — Bordeaux
2 septembre 1944 (N° 14) - 2 janvier 1949
(Fondé dans la clandestinité en juin 1943 sous le titre de *Courrier Français du Témoignage chrétien,* devient hebdomadaire)

LE COURRIER. LE JOURNAL DE SAONE-ET-LOIRE. — Chalon-sur-Saône
31 octobre 1947 ➛
(Fait suite au *Courrier de Saône-et-Loire,* fondé le 5 septembre 1840 et devenu quotidien le 13 septembre 1870. Il absorbe le *Journal de Saône-et-Loire* le 16 janvier 1921. — 9, rue des Tonneliers - Chalon-sur-Saône. Tél. 48.17.48)

LE COURRIER. LA MARSEILLAISE DU CENTRE. — Limoges
1er mars 1950 (1re année, N° 1) - 10 avril 1950
(Formé par la fusion du *Courrier Corrézien* et de *la Marseillaise du Centre,* devient le *Courrier. Liberté. Marseillaise* le 11 avril 1950, puis *le Courrier. La Liberté* le 2 octobre 1950, *le Courrier du Centre et du Centre-Ouest* le 1er octobre 1955, *le Courrier du Centre et du*

Centre-Ouest. Limoges-Matin le 16 septembre 1957, puis est absorbé par *Centre-Presse*)

LE COURRIER PICARD. — Amiens
16 octobre 1944 ➛
(14, rue Alphonse-Paillat - 80010 Amiens Cedex. Tél. 91.71.81)

LE CRI DU SOIR. — Perpignan
1er avril 1946 - 29 mai 1948
(Devient hebdomadaire)

LA CROIX DU NORD. — Lille
9 décembre 1890 - 13 juin 1953
(Bi-hebdomadaire à sa fondation le 21 novembre 1889, devient *la Croix du Nord et du Pas-de-Calais* le 14 juin 1953, fusionne avec *la Croix* (Paris), le 2 octobre 1959, publie son dernier numéro quotidien le 29-30 septembre 1968 puis devient hedbomadaire)

LE DAUPHINÉ LIBÉRÉ. — Grenoble
7 septembre 1945 ➛
(A été porté en sous-titre des *Allobroges* du 15 janvier 1945 au 31 août 1945. — 40, avenue d'Alsace-Lorraine - 38000 Grenoble. Tél. 44.68.20)

DÉFENSE DE LA FRANCE. — Rennes
9 août 1944 (nouvelle série, N° 1) - 15 septembre 1944
(Fusionne avec *Défense de la France* (Paris)

LE DÉMOCRATE DE L'EST. — Épinal
5 octobre 1944 - 10 mars 1945

LA DÉMOCRATIE. — Toulouse
8 octobre 1945 - 21 novembre 1947
(Remplacé par *la Dépêche du Midi*)

LA DÉPÊCHE. AIRE TOULONNAISE. — Toulon
4 octobre 1973 (N° 2) - 14 mars 1974
(A fait paraître un numéro spécial gratuit et non daté)

LA DEPÊCHE DE L'AUBE. — Troyes
7 décembre 1920 - 14 décembre 1946
(Devient hebdomadaire le 3 février 1934 sous le titre *la Dépêche de l'Aube et de la Haute-Marne,* reprend son titre initial le 11 novembre 1944, redevient quotidien le 4 septembre 1945 puis hebdomadaire le 21 décembre 1946)

LA DÉPÊCHE DE LYON. — Lyon
1er décembre 1948 - 30 juin 1949
(Édition lyonnaise de *la Dépêche Démocratique,* est absorbée par *l'Echo du Sud-Est. La Liberté*)

LA DÉPÊCHE DE SAONE-ET-LOIRE. — Montceau-les-Mines

15 février 1960 (17e année, N° 5 280) - 30 septembre 1963
(Édition pour la Saône-et-Loire de *la Dépêche. La Liberté*)

LA DÉPÊCHE DU MIDI. — Toulouse
22 novembre 1947 ➢
(Remplace *la Démocratie* et s'appelait avant la guerre *la Dépêche de Toulouse*. — 57, rue Bayard - 31000 Toulouse. Tél. 62.59.51)

LA DÉPÊCHE DÉMOCRATIQUE. — Saint-Étienne
4 septembre 1944 - 30 juin 1948
(Devient *la Dépêche. La Liberté* par fusion avec *la Liberté*)

LA DÉPÊCHE. LA LIBERTÉ. — Saint-Étienne
1er juillet 1948 ➢
(Formé par la fusion de *la Dépêche Démocratique* et de *la Liberté*. — 16, place Jean-Jaurès - 42000 Saint-Étienne. Tél. 33.13.61)

LA DÉPÊCHE. L'ÉCLAIR. — Clermont-Ferrand
16 septembre 1947 - 30 septembre 1963
(Fait suite à *l'Éclair* après absorption par *la Dépêche Démocratique*)

LES DÉPÊCHES. — Dijon
2 janvier 1960 ➢
(Fait suite aux *Dépêches. La Bourgogne Républicaine*. — 12, avenue du Maréchal-Foch - 21000 Dijon. Tél. 32.76.14)

DERNIÈRE HEURE. — Marseille
2 septembre 1944 - 5 juin 1950

DERNIÈRE HEURE LYONNAISE. — Lyon
1er février 1955 ➢
(Édition lyonnaise du *Dauphiné Libéré*. — 14, rue de la Charité - 69000 Lyon. Tél. 42.56.91)

LES DERNIÈRES DÉPÊCHES. — Dijon
1er septembre 1945 - 7 octobre 1946
(*France* dans la clandestinité, devient *les Dernières Dépêches de Dijon* (8 octobre 1946 - 11 octobre 1946), *les Dernières Dépêches de Bourgogne* (12 octobre 1946 - 14 juin 1950), puis elles sont absorbées par *la Franche-Comté Républicaine* en même temps que *les Dernières Dépêches du Jura*)

LES DERNIÈRES DÉPÊCHES DU JURA. — Dijon
1er février 1947 - 14 juin 1950
(Édition des *Dépêches de Dijon* pour le Jura, sont absorbées par *la Franche-Comté Républicaine*)

LES DERNIÈRES NOUVELLES D'ALSACE. — Strasbourg
21 décembre 1944 ➢

(Fondées le 1er décembre 1877 sous le titre *Strassburger neueste Nachrichten,* publient une édition bilingue et une édition en français. — 17-21, rue de la Nuée-Bleue - 67001 Strasbourg Cedex. Tél. 32.48.77)

LES DERNIÈRES NOUVELLES DU HAUT-RHIN. — Colmar

20 février 1945 (25e année, N° 1) - 28 août 1969

(Édition des *Dernières Nouvelles d'Alsace,* ont été fondées en 1921 sous le titre *Colmarer neueste Nachrichten* (3 décembre 1921, 1re année, N° 98), ont publié une édition bilingue et une édition en français puis sont absorbées par *les Dernières Nouvelles d'Alsace*)

LA DORDOGNE LIBRE. L'AVENIR DE LA DORDOGNE. — Périgueux

1er septembre 1957 ➔

(Fondée le 7 septembre 1944 sous le titre *la Dordogne Libre,* prend dans son titre un quotidien, *l'Avenir de la Dordogne,* qui a paru du 18 octobre 1876 au 30 septembre 1942. — 19-21, rue Lafayette - 24000 Périgueux. Tél. 08.20.15)

LA DORDOGNE POPULAIRE. — Bordeaux

28 novembre 1944 - 17 août 1945

(Édition de *la Gironde Populaire,* devient *la Gironde Populaire. La Dordogne* du 18 août 1945 au 7 décembre 1945)

L'ÉCHO DE CALAIS ET DU PAS-DE-CALAIS. — Calais

5 juillet 1950 - 10 mars 1952

L'ÉCHO DE L'EST. — Strasbourg

21 décembre 1944 - 28 septembre 1946

(Se réclame du *Courrier d'Alsace-Lorraine,* organe clandestin du groupe « Erckmann-Chatrian » qui a paru en juillet 1944)

L'ÉCHO DE LA CORRÈZE. — Tulle

7 septembre 1944 - 15 avril 1961

(Devient *l'Écho de la Corrèze Soir* qui publie son dernier numéro le 31 août 1971)

L'ÉCHO DE LA SOMME. — Amiens

18 septembre 1944 - 14 octobre 1944

L'ÉCHO DE NORMANDIE. — Rouen

27 décembre 1946 - 28 février 1948

(Devient bihebdomadaire le 6 mars 1948 et cesse de paraître le 10 juillet 1948)

L'ÉCHO DU CENTRE. — Limoges

1er janvier 1950 ➔

(Fait suite à *Valmy,* organe du Front National (septembre 1943 - 19 octobre 1944) et devient *l'Écho du Centre. Valmy* (25 octobre 1944 - 12 juillet 1946) puis fusionne avec *la Marseillaise du Centre* et devient *l'Écho du Centre. La Marseillaise* (16 juillet 1946 - 6 août 1946), *Écho. Marseillaise du Centre* (7 août 1946 - 16 décembre 1947) et, de nouveau, *l'Écho du Centre. La Marseillaise* (17 décembre 1947 - 31 décembre 1949). — 46,48, rue Turgot - 87011 Limoges. Tél. 32.13.75)

L'ÉCHO DU MIDI. — Montpellier
30 juin 1947 - 6 mars 1948

L'ÉCHO DU SOIR. — Lyon
10 octobre 1945 - 19 juin 1948
(Devient *le Soir Sud-Est. Lyon Libre. L'Écho du Soir* par fusion avec *Lyon Libre*)

L'ÉCHO DU SUD-EST. — Lyon
10 avril 1947 - 8 octobre 1948
(Devient *l'Écho du Sud-Est. La Liberté* par fusion avec *la Liberté*)

L'ÉCHO DU SUD-OUEST. — Bayonne
1er décembre 1972 - 15 mai 1975
(Formé par la fusion de *Biarritz-Soir, Côte Basque Soir, la Gazette Luzienne, la Nouvelle Gazette de Biarritz* et *le Soir de Bayonne*)

L'ÉCHO. LA LIBERTÉ. — Lyon
4 mars 1961 ➔
(Fait suite, après fusion de *l'Écho du Sud-Est* et de *la Liberté*, à *l'Echo du Sud-Est. Liberté* (9 octobre 1948 - 31 octobre 1949) et *l'Echo. Liberté* (1er novembre 1949 - 3 mars 1961). — 14 rue de la Charité - 69000 Lyon. Tél. 42.56.91)

ÉCHO. MARSEILLAISE SOIR. — Limoges
25 novembre 1946 - 25 janvier 1947
(Édition du soir de l'*Écho. Marseillaise du Centre*, devient *Limoges Soir* (27 janvier 1947 - 5 mai 1947).

L'ÉCHO RÉPUBLICAIN DE LA BEAUCE ET DU PERCHE. — Chartres
26 octobre 1944 ➔
(Hebdomadaire à sa fondation le 30 mars 1929, devient quotidien à la Libération. — 19, rue du Bois-Merrain - 28000 Chartres. Tél. 21.18.02)

L'ÉCLAIR. — Clermont-Ferrand
12 septembre 1944 - 15 septembre 1947
(Absorbé par *la Dépêche Démocratique*, devient *la Dépêche. L'Éclair*)

L'ÉCLAIR. — Nantes
21 janvier 1956 ➛
(Fait suite au *Populaire de l'Ouest* (24 mars 1945 - 6 janvier 1956) qui devient *le Populaire. L'Éclair* (7 janvier 1956 - 20 janvier 1956). — 5, rue Santeuil - 44000 Nantes. Tél. 73.44.45)

ÉCLAIR DE L'EST. — Nancy
11 novembre 1905 - 7 mars 1949
(Devient hebdomadaire)

L'ÉCLAIR DES CHARENTES. — Angoulême
9 octobre 1945 — 31 juillet 1946

L'ÉCLAIR DU BERRY. — Châteauroux
8 mars 1956 - 15 septembre 1957
(Devient *l'Éclair. Berry-Matin* (16 septembre 1957 - 27 janvier 1958). Absorbé par *Centre-Presse,* il devient *Centre-Presse. L'Éclair. Berry-Matin* (28 janvier 1958 - 28 janvier 1971) puis il est absorbé par *le Berry Républicain. Centre Presse*)

L'ÉCLAIREUR DU SUD-OUEST. — Bayonne
6 septembre 1945 — 16 novembre 1947
(Devient *le Courrier. L'Éclaireur* après absorption par *le Courrier de Bayonne*)

L'ÉCLAIREUR MÉRIDIONAL. — Montpellier
11 novembre 1953 - 13 mars 1955

L'ÉCLAIR. LA VOIX DU CENTRE. — Clermont-Ferrand
10 février 1947 - 30 août 1947
(Fait suite à *la Voix du Centre* après absorption par *l'Éclair* et devient *la Dépêche. L'Éclair. La Voix du Centre* pour les éditions de l'Allier à partir du 16 septembre 1947 après absorption de *l'Éclair* par *la Dépêche Démocratique*)

ÉCLAIR-PYRÉNÉES. — Pau
1er juillet 1970 — 23 octobre 1974
(Édition du Pays Basque, fait suite à *Basque-Éclair* (13 janvier 1953 - 30 juin 1970) et fusionne avec *Éclair-Pyrénées,* édition de la Bigorre et du Béarn, pour former *Éclair-Pyrénées,* 3 B)

ÉCLAIR-PYRÉNÉES. — Pau
5 décembre 1951 - 23 octobre 1974
(Édition pour le Béarn, fait suite à *l'Éclair des Pyrénées* (18 octobre 1944 - 4 décembre 1951) et fusionne avec l'édition du Bigorre et du Pays Basque pour former *Eclair-Pyrénées,* 3 B)

ÉCLAIR-PYRÉNÉES. — Pau
5 décembre 1951 - 23 octobre 1974

(Édition pour le Bigorre, fait suite à *Pyrénées* (7 juin 1945 - 5 novembre 1949), devient *l'Éclair des Pyrénées* (7 novembre 1949), *Pyrénées-Eclair* (8 novembre 1949 - 4 décembre 1951), puis fusionne avec l'édition du Béarn et du Pays Basque pour former *Éclair-Pyrénées*, 3 B).

ÉCLAIR-PYRÉNÉES. — Pau
24 octobre 1974 ➛
(Formé par la fusion des éditions pour le Pays Basque, le Béarn et le Bigorre d'*Éclair-Pyrénées*. — 11, rue du Maréchal-Joffre - 64000 Pau. Tél. 27.04.50).

L'ESPOIR. — Saint-Etienne
4 septembre 1944 ➛
(10, place Jean-Jaurès - 42000 Saint-Étienne. Tél. 32.74.11)

L'ESPOIR. — Toulouse
23 août 1944 - 28 avril 1948
(Devient hebdomadaire)

L'ESPOIR DE NICE. — Nice
11 septembre 1944 - 10 septembre 1949
(Devient *l'Espoir de Nice et du Sud-Est* (12 septembre 1949 - 2 avril 1962), puis *l'Espoir de Nice et de la Côte d'Azur* (3 avril 1962 - 31 décembre 1972), puis hebdomadaire)

ESSONNE-MATIN. — Évry
3 septembre 1976 ➛
(Édition régionale du *Parisien Libéré*)

L'ESSOR DU CENTRE-OUEST. — Angoulême
1er février 1947 - 30 juin 1949
(Absorbé par *Sud-Ouest*)

L'EST-ÉCLAIR. — Troyes
4 septembre 1945 ➛
(34, rue de la Monnaie - 10000 Troyes. Tél. 43.82.35)

EST-FRANCE. — Reims
28 septembre 1945 - 3 juillet 1946

EST-MATIN. — Mulhouse
15 mars 1947 - 7 septembre 1949
(Devient hebdomadaire)

L'EST RÉPUBLICAIN. — Nancy
5 mai 1889 ➛
(5 bis, avenue Foch - 54042 Nancy Cedex. Tél. 53.40.01)

L'ÉTINCELLE. — Mont-de-Marsan
23 septembre 1944 (nouvelle série, No 2) - 7 décembre 1948
(Bimensuel à sa fondation le 27 janvier 1933 sous le titre *l'Étincelle des Pyrénées et des Landes*, devient hebdomadaire)

L'ÉVEIL DE LA HAUTE-LOIRE. — Le Puy
20 octobre 1944 ➛
(Boîte Postale 24 - 43000 Le Puy. Tél. 09.32.14)

LA FRANCE DE MARSEILLE ET DU SUD-EST. — Marseille
10 octobre 1944 - 1er février 1953
(Absorbé par *le Méridional,* devient *le Méridional. La France*)

FRANCE-JOURNAL. — Metz
1er février 1945 ➛
(Édition bilingue du *Républicain Lorrain,* a été fondé le 19 juin 1919 sous le titre *Metzer freies Journal. Le Républicain Lorrain.* — 17, rue Serpenoise - 57000 Metz. Tél. 75.22.00)

LA FRANCE. LA NOUVELLE RÉPUBLIQUE. — Bordeaux
15 septembre 1958 ➛
(Formé par la fusion de *Combat du Sud-Ouest, la République de Bordeaux et du Sud-Ouest* et de *la Marseillaise,* a d'abord paru sous le titre *la Nouvelle République* (14 septembre 1944 - 4 novembre 1945), est devenu *la Nouvelle République de Bordeaux et du Sud-Ouest* (5 novembre 1945 - 29 mars 1957), puis *la Nouvelle République. La France* (30 mars 1957 — 13 septembre 1958). — 10, rue Porte-Dijeaux - 33002 Bordeaux Cedex. Tél. 52.48.80)

LA FRANCE DU CENTRE. — Orléans
15 mars 1927 - 11 décembre 1946
(Fait suite au *Progrès du Loiret* fondé le 4 août 1898 et reparaît à la Libération le 16 octobre 1945)

FRANCE LIBRE. — Bordeaux
15 septembre 1944 (1re année, N° 17) - 13 mars 1945
(Imprimé au verso de *Sud-Ouest*)

FRANCE-PICARDIE. — Amiens
1er mars 1976 ➛
(Édition régionale du *Parisien Libéré.* — 46, rue de la République - 80002 Amiens. - Tél. 91.41.36)

LA FRANCHE-COMTÉ RÉPUBLICAINE. — Dijon
2 janvier 1946 (4e année, N° 1) - 14 juin 1950
(Édition de *la Bourgogne Républicaine,* absorbe *les Dernières Dépêches de Bourgogne* et *les Dernières Dépêches du Jura* et devient *les Dernières Dépêches. La Franche-Comté Républicaine* (15 juin 1950 - 25 juin 1957), puis *les Dépêches de Franche-Comté* (26 juin 1957 - 2 février 1958), puis *les Dépêches. La République. Le Comtois* (3 février 1958 - 2 avril 1958) et *les Dépêches* (édition Jura) à partir du 3 avril 1958)

LE GAILLARD. — Brive
29 novembre 1957 - 21 mars 1960
(Absorbé par *Centre-Presse*)

LA GAZETTE DU PÉRIGORD. — Périgueux
22 avril 1948 - 14 juillet 1957
(Devient *la Gazette* (15 juillet 1957 - 19 septembre 1957), puis *la Gazette. Dordogne-Soir* (20 septembre 1957 - 12 octobre 1957), puis *la Gazette du Périgord. Dordogne-Soir* (13-14 octobre 1957), puis *Dordogne-Soir* (15 octobre 1957 - 13 décembre 1957), puis *Centre-Presse. Dordogne-Soir* (14 décembre 1957 - 30 juin 1958) après absorption par *Centre-Presse*)

LA GAZETTE LUZIENNE. — Saint-Jean-de-Luz
3 décembre 1952 - 30 décembre 1972
(Édition de *la Nouvelle Gazette de Biarritz* pour Saint-Jean-de-Luz, fusionne avec *Biarritz-Soir, la Nouvelle Gazette de Biarritz* et *le Soir de Bayonne* pour former *l'Écho du Sud-Ouest*)

LA GAZETTE PROVENÇALE. — Avignon
27 août 1944 ➤
(4, rue Louis-Pasteur - 84000 Avignon. Tél. 81.11.68)

LA GIRONDE POPULAIRE. — Bordeaux
11 septembre 1944 - 12 novembre 1948
(Hebdomadaire à sa fondation le 5 mars 1937 et quotidien à la Libération, devient *la Gironde Populaire. Les Nouvelles* (23 octobre 1948 - 12 novembre 1948)

LE HAUT-MARNAIS RÉPUBLICAIN. — Chaumont
1er avril 1945 - 31 juillet 1958
(Absorbé par *les Dépêches,* devient *le Haut-Marnais Républicain. Les Dépêches* (1er août 1958 - 1er novembre 1962), puis *la Haute-Marne Libérée. Le Haut-Marnais Républicain. Les Dépêches* à partir du 2 novembre 1962 par fusion avec *la Haute-Marne Libérée*)

LA HAUTE-MARNE LIBÉRÉE. — Chaumont
14 septembre 1944 - 1er novembre 1962
(Devient *la Haute-Marne Libérée. Le Haut-Marnais Républicain. Les Dépêches* par fusion avec *le Haut-Marnais Républicain. Les Dépêches*)

LA HAUTE-MARNE LIBÉRÉE. LE HAUT-MARNAIS RÉPUBLICAIN. LES DÉPÊCHES. — Chaumont
2 novembre 1962 ➤
(Formé par la fusion de *la Haute-Marne Libérée* avec *le Haut-Marnais Républicain. Les Dépêches.* — 14, rue du Patronage-Laïque - 52000 Chaumont. Tél. 03.05.63)

HAVRE-ÉCLAIR. — Le Havre
26 mai 1904 - 10 mai 1949
(Devient *Havre-Éclair. Ce Matin* par fusion avec *Ce Matin. Le Pays. Résistance* (11 mai 1949 - 28 février 1950) puis est absorbé par *le Havre*)

LE HAVRE LIBRE. LA NOUVELLE NORMANDIE. — Le Havre
31 juillet 1959 ➤
(Fondé le 13 octobre 1944 sous le titre *le Havre libre.* — 25, avenue René-Coty, B.P. 1384 - 76066 Le Havre Cedex. Tél. 42.59.52)

LE HAVRE-PRESSE. — Le Havre
1er février 1968 ➤
(Fondé le 11-12 juin 1949 sous le titre *le Havre.* — 112, boulevard de Strasbourg - 76600 Le Havre. Tél. 42.57.94)

L'HUMANITÉ D'ALSACE ET DE LORRAINE. — Strasbourg
23 décembre 1944 - 31 décembre 1958
(Fondée sous le titre *l'Humanité* le 1er mai 1926, devient hebdomadaire)

L'INDÉPENDANT DE L'AUBE. — Troyes
11 septembre 1945 - 30 novembre 1960
(Devient *le Courrier* (1er décembre 1960 - 31 mars 1962)

L'INDÉPENDANT D'EURE-ET-LOIR. — Chartres
21 octobre 1944 - 31 octobre 1948
(Tri-hebdomadaire à sa fondation le 13 novembre 1920, devient quotidien à la Libération puis est absorbé par *la République du Centre*)

L'INFORMATEUR CORSE. — Bastia
1er décembre 1966 - 31 décembre 1969
(Hebdomadaire de sa fondation le 8 janvier 1951 au 28 novembre 1966, paraît cinq fois par semaine à partir du 1er janvier 1970, publie son dernier numéro le 16 novembre 1972 et fusionne avec *le Petit Bastiais* à partir du 21-22 novembre 1972 sous le nom *le Petit Bastiais. L'Informateur Corse*)

L'INFORMATION DU LANGUEDOC. — Montpellier
23 août 1944 - 26 août 1944

JOURNAL D'ALSACE ET DE LORRAINE. — Strasbourg
1er janvier 1905 - 30 avril 1950
(Formé par la fusion du *Journal d'Alsace* fondé en 1873 et du *Courrier du Bas-Rhin* fondé en 1787, devient hebdomadaire)

JOURNAL DE BIARRITZ ET DE LA COTE BASQUE. — Biarritz
7 juin 1945 - 21 mars 1965
(Devient *le Courrier. Journal de Biarritz* par fusion avec *le Courrier de Bayonne*)

LE JOURNAL DE LA CORSE. — Ajaccio
2 mars 1932 ➛
(Hebdomadaire à sa fondation le 19 février 1878. — 1, rue du Général-Campi - 20000 Ajaccio. Tél. 21.01.84)

JOURNAL DE LA MARNE. — Châlons-sur-Marne
17 août 1891 — 1er avril 1949
(Devient *la Concorde Républicaine. L'Epoque* par fusion avec *l'Époque* et *la Concorde Républicaine*)

JOURNAL DE VICHY. — Vichy
1953 - 1956
(Quotidien saisonnier ayant paru seulement aux mois de juillet et août)

LE JOURNAL DU CENTRE. — Nevers
13 juillet 1945 ➛
(Fait suite à *la Nièvre Libre* fondée dans la clandestinité, ayant paru au grand jour le 12 septembre 1944 et devenue *le Journal du Centre. La Nièvre Libre* (27 septembre 1944 - 12 juillet 1945). — 3, rue du Chemin-de-Fer - 58000 Nevers. Tél. 61.02.17)

JOURNAL DU PAS-DE-CALAIS ET DE LA SOMME. — Boulogne-sur-Mer
1er mars 1946 - 9 septembre 1965
(Remplacé par *le Télégramme du Nord*)

LE JOURNAL DU RHIN. — Strasbourg
2 octobre 1945 - 7 avril 1946

LE JOURNAL L'INDÉPENDANT. — Perpignan
1er août 1950 ➛
(Fait suite au *Républicain des Pyrénées-Orientales* (21 août 1944 - 5 septembre 1945), devenu *le Républicain du Midi* (7 septembre 1945 - 17 avril 1950), puis *l'Indépendant du Matin* (18 avril 1950 - 31 juillet 1950). — 4, rue Emmanuel-Brousse - 66000 Perpignan. Tél. 61.66.06)

LE JOURNAL L'INDÉPENDANT. ÉDITION COSTA BRAVA. — Perpignan
1967 ➛
(Quotidien saisonnier, ne paraît que durant l'été. — 4, rue Emmanuel-Brousse — 66000 Perpignan. Tél. 61.66.06)

LANDES POPULAIRES. — Bordeaux
21 novembre 1944 - 30 avril 1946
(Édition départementale de *la Gironde Populaire*)

LA LIBÉRATION. — Annecy
24 août 1944 - 13 novembre 1944
(Devient hebdomadaire en fusionnant avec *le Renouveau*)

LIBÉRATION-CHAMPAGNE. — Troyes
4 septembre 1945 ➢
(Hebdomadaire de sa fondation le 13 octobre 1944 au 4 août 1945. — 126-128, rue du Général-de-Gaulle, B.P. 213 - 10006 Troyes Cedex. Tél. 43.36.45)

LIBÉRATION NORD SOIR. — Lille
17 octobre 1944 - 23 juillet 1949

LIBERTÉ. — Brive
19 juin 1940 - 18/19 août 1944
(Remplacé par *Brive-Informations*. Journal clandestin ayant eu des parutions épisodiques sous l'Occupation)

LA LIBERTÉ. — Clermont-Ferrand
10 septembre 1944 - 7 avril 1965

LIBERTÉ. — Lille
5 septembre 1944 ➢
Succède à la feuille clandestine *l'Enchaîné*, fondée en 1940. — 113, rue de Lannoy - 59023 Lille Cedex. Tél. 53.98.10)

LA LIBERTÉ. — Lyon
8 septembre 1944 - 8 octobre 1948
(Devient *l'Écho du Sud-Est. Liberté* par fusion avec *l'Écho du Sud-Est*)

LA LIBERTÉ. — Toulouse.
3 septembre 1944 (N° 11) - 5 novembre 1944
(Clandestin pendant l'Occupation sous le titre *Libérer et Fédérer*, devient *Liberté-Soir* (6 novembre 1944 - 30 avril 1948)

LA LIBERTÉ DE L'EST. — Épinal
11-12 mars 1945 ➢
(40, quai des Bons-Enfants - 88001 Épinal. Tél. 82.01.23)

LA LIBERTÉ DE L'OUEST. — Le Mans
6 septembre 1946 - 1er juin 1947

LA LIBERTÉ DE NICE ET DU SUD-EST. — Nice
6 avril 1945 - 30 juin 1947

LIBERTÉ DE NORMANDIE. — Caen
9 juillet 1944 - 19 juillet 1948
(Devient *Liberté de Normandie. La Presse du Calvados*

(20 juillet 1948 - 1er juillet 1968) par fusion avec *la Presse du Calvados,* puis hebdomadaire)

LA LIBERTÉ DU CENTRE. — Limoges
24 octobre 1944 - 28 février 1950
(Devient *le Courrier. Liberté. Marseillaise* (11 avril 1950 - 30 septembre 1950) par fusion avec *le Courrier. La Marseillaise du Centre* (1er mars 1950 - 8 avril 1950), puis *le Courrier. La Liberté* (2 octobre 1950 - 30 septembre 1955), puis *le Courrier du Centre et du Centre-Ouest* (1er octobre 1955 - 15 septembre 1957), puis *le Courrier du Centre et du Centre-Ouest. Limoges-Matin* (16 septembre 1957), puis il comprend *Centre-Presse* dans son titre à partir du 17 janvier 1957)

LA LIBERTÉ DU MORBIHAN. — Lorient
22 août 1944 ➛
(8, rue Clairambault - 56100 Lorient. Tél. 21.10.18)

LIBERTÉ DU PAS-DE-CALAIS. — Arras
3 septembre 1944 - 2 mars 1945

LA LIBERTÉ DU VAR. — Toulon
1er novembre 1944 (N° 8) - 20 mai 1946

LIBERTÉ EN ARMES. — Angoulême
14 septembre 1944 (N° 3) - 28 juillet 1945
(Devient *la Liberté des Charentes* (30 juillet 1945 - 15 juillet 1947) puis *Liberté. La Gironde Populaire* (17 juillet 1947 - 30 novembre 1947) après absorption par *la Gironde Populaire*)

LIBRE ARTOIS. — Arras
2 mars 1945 - 30 juin 1966

LE LIBRE POITOU. — Poitiers
7 septembre 1944 - 13 juin 1948
(Devient *le Libre Poitou Matin* (14 juin 1948 - 14 janvier 1958), puis est absorbé par *Centre-Presse*)

LIMOGES MATIN. LA MONTAGNE. CENTRE-FRANCE. — Clermont-Ferrand
1er mars 1971 ➛
(Édition de *la Montagne. Centre-France* pour la Haute-Vienne. — 18, boulevard Carnot - 87000 Limoges. Tél. 77.55.80)

LE LORRAIN. — Metz
1er juillet 1883 - 31 juillet 1969
(Devient *le Lorrain. L'Est Républicain* (1er août 1969 - 18 octobre 1969) après absorption par *l'Est Républicain,* puis *l'Est Républicain. Le Lorrain* (20 octobre 1969 - 30 décembre 1969), puis *l'Est Républicain. Moselle* (31 décembre 1969 - 11 décembre 1971)

LA LORRAINE LIBÉRÉE. — Metz
23 novembre 1944 - 10/11 décembre 1944
LOURDES ÉCLAIR. — Lourdes
1953 (3e année) - 1968
(Édition locale d'*Éclair-Pyrénées*, paraît de mai à octobre à l'occasion des pèlerinages)
LYON LIBRE. — Lyon
9 septembre 1944 - 19 juin 1948
(Devient *le Soir Sud-Est. Lyon Libre. L'Écho du Soir* par fusion avec *l'Écho du Soir*)
LYON MATIN. — Lyon
4 février 1946 - 28 mars 1946
LE MAINE LIBRE. — Le Mans
9 août 1944 ➔
(28-30, place de l'Esperon - 72000 Le Mans. Tél. 28.34.83)
MARMANDAIS INFO. — Agen
7 mars 1972 - numéro unique
(Quotidien lancé pendant la grève de *Sud-Ouest*)
LA MARSEILLAISE. — Bordeaux
? - 13/14 septembre 1944
(Fusionne avec *le Combat du Sud-Ouest* et *la République de Bordeaux et du Sud-Ouest* pour former *la Nouvelle République*)
LA MARSEILLAISE. — Marseille
24 août 1944 (No 13) ➔
(A publié 12 numéros dans la clandestinité à partir du 1er décembre 1943. — 17, cours Honoré-d'Estienne-d'Orves - 13000 Marseille. Tél. 33.13.75)
LA MARSEILLAISE D'AIX. — Aix-en-Provence
5/6 septembre 1951 - ?
LA MARSEILLAISE DE LYON ET DU SUD-EST. — Lyon
8 septembre 1945 - 18 novembre 1945
(Devient *la Marseillaise* (20 novembre 1945 - 7 août 1946)
LA MARSEILLAISE DU BERRY. — Châteauroux
26 août 1944 - 18 novembre 1944
(Devient *la Marseillaise. Berry. Touraine. Marche* (20 novembre 1944 - 20 septembre 1950) puis *la Marseillaise. L'Écho du Centre*, après absorption par *l'Écho du Centre*)
LA MARSEILLAISE DU CENTRE. — Limoges
2 janvier 1945 (2e année, No 88) - 13 juillet 1946
(Hebdomadaire à sa fondation le 2 septembre 1944, devient *l'Écho du Centre. La Marseillaise* (16 juillet 1946 - 6 août 1946) par fusion avec *l'Écho du Centre. Valmy*, puis *Écho. Marseillaise du Centre* (7 août 1946

- 16 décembre 1947), puis *l'Écho du Centre. La Marseillaise* (17 décembre 1947 - 31 décembre 1949), puis, après scission avec *l'Écho du Centre* et fusion avec *Courrier Corrézien, Courrier Corrézien. La Marseillaise,* qui est ensuite remplacé par *le Courrier. La Marseillaise du Centre*)

LA MARSEILLAISE DU LANGUEDOC. — Marseille
19 juin 1956 (14e année, N° 3681) - mars 1959
(Édition de *la Marseillaise* (Marseille)

LE MÉRIDIONAL. — Marseille
11 septembre 1944 - 31 janvier 1953
(Absorbe *la France de Marseille et du Sud-Est* et devient *le Méridional. La France*)

LE MÉRIDIONAL. LA FRANCE. — Marseille
2 février 1953 ➤
(Fait suite au *Méridional* après absorption de *la France de Marseille et du Sud-Est.* — 15, cours d'Estienne-d'Orves - 13000 Marseille. Tél. 33.93.11)

LE MESSIN. — Metz
24 juin 1884 - 31 mars 1947
(Fait suite au *Petit Messin* qui a été fondé le 15 avril 1883 et qui a publié son dernier numéro le 22 juin 1884)

MIDI LIBRE. — Montpellier
27 août 1944 ➤
(12, rue d'Alger - 34063 Montpellier Cedex. Tél. 92.48.15)

MIDI-PROVENCE. — Marseille
1er décembre 1966 - 3 mars 1967

MIDI-SOIR. — Marseille
7 septembre 1944 - 12 juillet 1950
(Édition du soir de *la Marseillaise*)

LA MONTAGNE. CENTRE-FRANCE. — Clermont-Ferrand
12 octobre 1963 ➤
(Fait suite à *la Montagne* (4 octobre 1919 - 11 octobre 1963). — 28, rue Morel-Ladeuil - 63003 Clermont-Ferrand Cedex. Tél. 93.22.91)

LA MONTAGNE. CENTRE-MATIN. — Clermont-Ferrand
2 janvier 1969 ➤
(Édition de *la Montagne. Centre-France,* fait suite à *Centre-Matin* (11 octobre 1954 - 31 décembre 1968) après absorption par *la Montagne.* — 28, rue Morel-Ladeuil - 63003 Clermont-Ferrand Cedex. Tél. 93.22.91)

LA MONTAGNE NOIRE. — Mazamet
29 août 1944 ➤
(Rue Galibert-Ferret - 81200 Mazamet. Tél. 61.00.82)

LA NATION. — Clermont-Ferrand
29 août 1944 - 22 novembre 1946
NICE-MATIN. — Nice
15 septembre 1945 ➔
(27, avenue Jean-Médecin - 06007 Nice Cedex. Tél. 88.79.41)
NORD-ÉCLAIR. — Lille
5 septembre 1944 ➔
(71, Grande-Rue - 59052 Roubaix Cedex 1. Tél. 70.18.18)
NORD LIBRE. — Lille
5 septembre 1944 - 23 septembre 1945
(Fondé dans la clandestinité en août 1943)
NORD-LITTORAL. — Calais
23 décembre 1944 ➔
(39, boulevard Jacquard - 62100 Calais. Tél. 34.41.00)
NORD-MATIN. — Lille
5 septembre 1944 ➔
(19, rue E.-Delesalle - 59023 Lille Cedex. Tél. 57.23.60)
NORMANDIE-MATIN. — Paris
1er octobre 1968 ➔
(Édition régionale du *Parisien Libéré*. — 37, rue du Bac - 76000 Rouen. Tél. 70.93.90)
NORMANDIE-NOUVELLES. — Rouen
4 novembre 1976 ➔
(Édition rouennaise du *Havre Libre*. — 52, quai Gaston Boulet - 76000 Rouen. Tél. 88.23.88)
LE NOUVEAU JOURNAL DE STRASBOURG. — Strasbourg
24 avril 1945 - 30 juin 1947
(S'intitulait avant la guerre *Strassburger neue Zeitung*. *Le Nouveau Journal de Strasbourg* (18 septembre 1909 - 1er septembre 1939) et devient *le Journal de Strasbourg* (1er juillet 1947 - 31 mars 1948)
LE NOUVEAU MÉMORIAL. — Saint-Étienne
27 mai 1964 - 29 octobre 1964
LE NOUVEAU NORD MARITIME. — Dunkerque
3 juin 1947 - 1er janvier 1960
(Hebdomadaire de sa fondation le 10 février 1945 au 1er juin 1946, bi-hebdomadaire du 4 juin 1946 au 31 mai 1947)
LE NOUVEAU PHARE DE NANTES ET DE L'ATLANTIQUE. — Nantes
6-7 novembre 1948 - 26 novembre 1948
(Devient *le Journal de l'Ouest* (27 novembre 1948 - 10 décembre 1948) puis *le Journal de la Loire* (11-12 décembre 1948 - 28 avril 1949)

LE NOUVEAU RHIN FRANÇAIS. — Colmar
20 février 1945 - 31 décembre 1965
(Est absorbé par *l'Alsace*)

LE NOUVEL ALSACIEN. DER ELSASSER. — Strasbourg
1er avril 1956 ➤
(Fondé le 2 avril 1885 sous le titre *Der Elsässer. L'Alsacien,* est devenu *le Nouvel Alsacien* le 21 décembre 1944. — 6, rue Finkmatt - 67000 Strasbourg. Tél. 32.37.14)

LA NOUVELLE GAZETTE DE BIARRITZ. — Biarritz
27 novembre 1952 - 30 novembre 1972
(Fusionne avec *Biarritz-Soir, Côte Basque Soir, la Gazette Luzienne* et *le Soir de Bayonne* pour former *l'Écho du Sud-Ouest*)

LA NOUVELLE RÉPUBLIQUE DES PYRÉNÉES. — Tarbes
24 août 1944 ➤
(48-50, avenue Bertrand-Barère - 65000 Tarbes. Tél. 93.32.17)

LA NOUVELLE RÉPUBLIQUE DU CENTRE-OUEST. — Tours
1-2 septembre 1944 ➤
(4, rue de la Préfecture - 37018 Tours Cedex. Tél. 01.46.00)

LES NOUVELLES. — Lyon
8 septembre 1944 - 31 décembre 1945/1er janvier 1946

LES NOUVELLES DE BORDEAUX ET DU SUD-OUEST. — Bordeaux
13 novembre 1948 - 31 décembre 1963
(Fait suite à *la Gironde Populaire. Les Nouvelles* (23 octobre 1948 - 12 novembre 1948) et devient hebdomadaire)

LES NOUVELLES DE BRETAGNE ET DU MAINE. — Rennes
31 mai 1947 - 18 juillet 1955
(Remplace *la Voix de l'Ouest*)

LES NOUVELLES DE FRANCHE-COMTÉ ET DU TERRITOIRE. — Besançon
1er octobre 1958 - 12 mai 1959
(Devient *les Nouvelles de Franche-Comté et du Territoire de Belfort* (13 mai 1959 - 8 mai 1960), puis est absorbé par *les Dépêches* en même temps que *la République* et forme *les Dépêches. La République. Les Nouvelles* (9 mai 1960), puis *les Dépêches du Doubs, de la Haute-Saône et du Territoire de Belfort. La République. Les Nouvelles* (10 mai 1960 - 6 mars 1961), puis *les Dépêches du Doubs, de la Haute-Saône et du Territoire*

de Belfort (7 mars 1961 - 31 mars 1973), qui sont absorbées par *l'Est Républicain*)

L'OISE LIBÉRÉE. — Beauvais
28 janvier 1957 - 23 janvier 1960
(Bihebdomadaire à sa fondation le 30 août 1944, devient hebdomadaire)

L'OISE-MATIN. — Beauvais
2 novembre 1954 ➔
(Trihebdomadaire à sa fondation le 19 octobre 1953, constitue l'édition régionale du *Parisien Libéré.* — 7, rue Saint-Pierre - 60000 Beauvais. Tél. 448.11.01)

OUEST-FRANCE. — Rennes
7 août 1944 ➔
(Zone Industrielle de Rennes-Chantepie, B.P. 586 - 35012 Rennes Cedex. — Tél. 50.56.71)

OUEST INFORMATIONS. — Brest
28 mars 1968
(Numéro unique lancé à l'occasion de l'ouverture d'un grand magasin, tiré à Paris par Bayard Presse)

OUEST-MATIN. — Rennes
31 octobre-1er novembre 1948 - 8 mai 1963

OUEST-NORMANDIE. — Caen
8 octobre 1953 - 1er décembre 1953

L'OUEST RÉPUBLICAIN. — Rennes
1er avril 1947 - 15 juin 1947
(Devient *l'Ouest Républicain de Bretagne et de Normandie* (16 juin 1947 - 16 novembre 1947)

PARIS-NORMANDIE. — Rouen
25 juillet 1947 ➔
(Fait suite à *Normandie* (1er septembre 1944 - 24 juillet 1947). — 19, place du Général-de-Gaulle - 76000 Rouen. Tél. 71.11.00)

LA PATRIE DE L'ALLIER. — Vichy
23 septembre 1944 - 15 janvier 1945
(Remplace *Vichy Libre* puis est remplacé par l'édition de Vichy de *la Nation* (Clermont-Ferrand)

LE PATRIOTE. — Ajaccio
1er octobre 1943 - 15 septembre 1950

LE PATRIOTE. — Lyon
8 septembre 1944 - 19 décembre 1945

LE PATRIOTE. — Nevers
2 octobre 1944 - 18 septembre 1945
(Trihebdomadaire à sa fondation le 9 septembre 1944, devient *le Patriote du Nivernais* (19 septembre 1945 -

6 novembre 1945), puis *le Patriote Nivernais* (7 novembre 1945 - 5 juin 1946)

LE PATRIOTE. — Saint-Étienne puis Lyon
4 septembre 1944 - 25 avril 1958
(Devient *le Patriote. La République* (26 avril 1958 - 10 décembre 1958) par fusion avec *la République*)

LE PATRIOTE BERRICHON. — Bourges
7 septembre 1944 (N° 10) - 15 septembre 1944
(Mensuel à sa fondation en février 1944, devient bimensuel en août 1944, puis fusionne avec *la Voix de la Résistance* et *En Avant* pour former *le Berry Républicain*)

LE PATRIOTE DU PAS-DE-CALAIS. — Lille
5 octobre 1944 (N° 25) - 13 février 1945
(Hebdomadaire à sa fondation le 9 septembre 1944, devient *le Patriote du Pas-de-Calais. Nord Libre* (14 février 1945 - 19 septembre 1945), puis hebdomadaire sous le titre *le Patriote de Flandre et d'Artois*)

LE PATRIOTE DU SUD-OUEST. — Toulouse
20 août 1944 - 15 juin 1956

LE PATRIOTE. LA RÉPUBLIQUE. — Lyon
26 avril 1958 - 10 décembre 1958
(Formé par la fusion du *Patriote* et de *la République*)

LE PATRIOTE NIÇOIS. — Nice
Août 1944 - 14 octobre 1944
(Devient *le Patriote de Nice et du Sud-Est* (15 octobre 1944 - 31 juillet 1967)

LE PAYS. — Rodez
28 janvier 1945 - 3 janvier 1948
(Absorbé par *la Victoire* (Toulouse)

LE PAYS CHATELLERAUDAIS. — Poitiers
1er janvier 1953 (9e année, N° 301) - 26 novembre 1957
(Édition locale du *Libre Poitou*)

LE PETIT BLEU DE LOT-ET-GARONNE. — Agen
3 octobre 1971 →
(Fondé sous le titre *Quarante-Quatre* [21 août 1944 (N° 2) - 14 février 1953] et devenu *le Petit Bleu de l'Agenais* (16 février 1953 - 2 octobre 1971). — 43, rue Voltaire - 47000 Agen. Tél. 66.20.70)

LE PETIT MACONNAIS. — Mâcon
4 septembre 1944 - 30 septembre 1963
(A été absorbé par *la Tribune du Centre et du Sud-Est* le 18 décembre 1947 et cesse de paraître après l'absorption de *la Tribune* par *le Progrès*)

LE PETIT MONTCELLIEN. — Mâcon
30 septembre 1944 - ?
(Édition du *Petit Mâconnais* pour Montceau-les-Mines)
LE PETIT VAROIS. — Toulon
25 mai 1946 - 14 avril 1953
(Devient *le Petit Varois. La Marseillaise* par fusion avec *la Marseillaise*)
LE PETIT VAROIS. LA MARSEILLAISE. — Toulon
15 avril 1953 ➛
(Formé par la fusion du *Petit Varois* et de *la Marseillaise.* — 11, rue Truguet - 83000 Toulon. Tél. 92.29.97)
PICARDIE NOUVELLE. — Amiens
1er septembre 1944 - 14 octobre 1944
LE POPULAIRE DU CENTRE. — Limoges
29 octobre 1905 ➛
(A paru sous forme hebdomadaire du 7 août 1944 au 19 octobre 1944. — 9, place Fontaine-des-Barres - 87000 Limoges. Tél. 32.16.31)
LA PRESSE DE LA MANCHE. — Cherbourg
5 octobre 1953 ➛
(Fondé sous le titre la *Presse Cherbourgeoise* (3 juillet 1944 - 3 octobre 1953). — 14, rue Gambetta - 50100 Cherbourg. Tél. 53.00.08)
LA PRESSE DU CALVADOS. — Caen
15 avril 1946 - 17 juillet 1948
(Devient *Liberté de Normandie. La Presse du Calvados* après fusion avec *Liberté de Normandie*)
LA PRESSE LIBRE. — Strasbourg
22 décembre 1944 - 30 juin 1958
(Fondé en 1897 sous le titre *Freie Presse. La Presse Libre,* devient hebdomadaire)
PRESSE-OCÉAN. LA RÉSISTANCE DE L'OUEST. — Nantes
24 décembre 1960 ➛
(Fondé sous le titre *la Résistance de l'Ouest* (17 août 1944 - 17 juin 1960) et devenu *la Résistance de l'Ouest. Presse-Océan* (18 juin 1960 - 23 décembre 1960). — 7-8, allée Duguay-Trouin - 44024 Nantes Cedex. Tél. 71.96.25)
LE PROGRÈS. — Lyon
12 décembre 1859 ➛
(85, rue de la République - 69293 Lyon Cedex 1. Tél. 37.53.11)
LE PROGRÈS. ÉDITION LYON-SOIR. — Lyon
25 avril 1961 ➛
(Fait suite au *Soir Sud-Est. Lyon Libre. L'Écho du Soir*

(20 juin 1948 - 4 mars 1950) après fusion de *Lyon Libre* et de *l'Écho du Soir* et devenu *le Journal du Soir* (6 mars 1950 - 30 septembre 1959) puis *le Progrès-Soir* (1er octobre 1959 - 24 avril 1961). — 85, rue de la République - 69293 Lyon Cedex 1. Tél. 37.53.11)

LE PROGRÈS DE FÉCAMP ET DES CANTONS LIMITROPHES. — Fécamp
13 septembre 1944 - 15 octobre 1961
(Absorbé par *le Havre,* devient *le Progrès de Fécamp et des Cantons limitrophes. Le Havre* (16 octobre 1961 - 31 octobre 1961), puis *le Progrès. Le Havre* (1er novembre 1961 - 31 janvier 1968), puis *le Progrès. Le Havre-Presse*)

LE PROGRÈS. LE HAVRE-PRESSE. — Fécamp
1er février 1968 ➤
(Fait suite au *Progrès de Fécamp et des Cantons limitrophes* après absorption par *le Havre-Presse.* — 4, rue de l'Inondation - 76400 Fécamp)

LE PROGRÈS. LA TRIBUNE. — Lyon
1er octobre 1963 ➤
(Edition du *Progrès* pour la Saône-et-Loire après absorption de *la Tribune de Saône-et-Loire* par *la Tribune du Centre et du Sud-Est,* puis absorption de *la Tribune du Centre et du Sud-Est* par *le Progrès*)

LE PROVENÇAL. — Marseille
23 août 1944 ➤
(75, rue Francis-Davso - 13000 Marseille. Tél. 33.88.60)

PROVENCE-SOIR. — Avignon
15 septembre 1945 - 10 novembre 1946

IVe RÉPUBLIQUE. — Ajaccio ,
2 novembre 1943 (N° 2) - 31 juillet 1947

LE QUOTIDIEN DE LA HAUTE-LOIRE. — Le Puy
2-3 mai 1951 - 31 décembre 1956
(Remplace *la Voix républicaine de la Haute-Loire*)

LA RENAISSANCE RÉPUBLICAINE DU GARD. — Nîmes
28 août 1944 - 31 décembre 1947
(Absorbé par *la Voix de la Patrie*)

LE RÉPUBLICAIN DU HAUT-RHIN. — Mulhouse
30 décembre 1944 - 30 avril 1954
(S'appelait avant la guerre *Der Republikaner. Le Républicain du Haut-Rhin*)

LE RÉPUBLICAIN DU SUD-OUEST. — Bayonne
30 décembre 1944 - 29 juin 1968
(Devient hebdomadaire)

LE RÉPUBLICAIN LORRAIN. EST-JOURNAL. — Metz
13 juillet 1948 ➤

(Fait suite au *Républicain Lorrain* (13 septembre 1936 - 12 juillet 1948). — 17, rue Serpenoise - 57000 Metz. Tél. 75.22.00)

LA RÉPUBLIQUE. — Niort
10 septembre 1944 - 15 décembre 1945

LA RÉPUBLIQUE. — Saint-Étienne
21 août 1944 - 3 septembre 1944

RÉPUBLIQUE. — Toulon
25 mai 1946 - 30 juin 1947

(Devient *République de Toulon et du Var* (1er juillet 1947 - 25 novembre 1955), puis *République* (26 novembre 1955 - 1er octobre 1961), puis *République. Le Provençal* après fusion avec *le Provençal*)

LA RÉPUBLIQUE. — Toulouse
21 août 1944 - 28 août 1944

(Devient *la République du Sud-Ouest* (29 août 1944 - 10 novembre 1950)

LA RÉPUBLIQUE DE BORDEAUX ET DU SUD-OUEST. — Bordeaux
16 avril 1945 (3e année, nouvelle série, N° 1) - 24 octobre 1945

(Absorbé par *la Nouvelle République*)

LA RÉPUBLIQUE DE FRANCHE-COMTÉ ET DU TERRITOIRE DE BELFORT. — Belfort
9 octobre 1944 - 15 novembre 1945

(Devient *la République* (16 novembre 1945 - 8 mai 1960), puis est absorbé par *les Dépêches* en même temps que *les Nouvelles de Franche-Comté et du Territoire de Belfort* et devient *les Dépêches. La République. Les Nouvelles*)

LA RÉPUBLIQUE DE L'EST LIBÉRÉ. — Nancy
18 septembre 1944 - 7 octobre 1944

LA RÉPUBLIQUE DE LYON. LES ALLOBROGES. — Lyon
1er janvier 1949 (N° 183) - 4 mai 1951

(Édition lyonnaise des *Allobroges*, devient la *République. Le Patriote* (5 mai 1951 - 30 avril 1955) par fusion avec *le Patriote* (Saint-Étienne), puis *la République* (2 mai 1955 - 10 décembre 1958)

LA RÉPUBLIQUE DES PYRÉNÉES. — Pau
6 octobre 1958 ➔

(Fait suite à *la IVe République des Pyrénées* (13 septembre 1944 - 5 octobre 1958). — 40, rue Émile-Guichenné - 64000 Pau. Tél. 27.97.31)

LA RÉPUBLIQUE DU CENTRE. — Orléans
27 septembre 1944 ➔

(Rue de la Halte, B.P. 35, Saran - 45400 Fleury-les-Aubrais. Tél. 87.66.21)

LA RÉPUBLIQUE DU SUD-OUEST. — Bordeaux
29 août 1944 - 13 septembre 1944
(Fusionne avec *le Combat du Sud-Ouest* et *la Marseillaise* pour former *la Nouvelle République*)

RÉPUBLIQUE. LE PROVENÇAL. — Toulon
2 octobre 1961 ➔
(Formé par la fusion de *République* et du *Provençal.* — 10, rue Truguet - 83000 Toulon. Tél. 92.76.23)

LA RÉPUBLIQUE NOUVELLE. — Bourg-en-Bresse
6 septembre 1944 - 21 juillet 1962

LA RÉPUBLIQUE SOCIALE. — Rennes
21 avril 1945 - 31 mars 1947

RÉPUBLIQUE-SOIR. — Nîmes
27 décembre 1945 - 12 novembre 1946

LA RÉSISTANCE RÉPUBLICAINE. — Bayonne
23 août 1944 - 30 juillet 1948
(Devient *Côte Basque-Soir* (31 juillet 1948 - 30 novembre 1972), puis fusionne avec *Biarritz-Soir, la Gazette Luzienne, la Nouvelle Gazette de Biarritz* et *le Soir de Bayonne* pour former *l'Écho du Sud-Ouest*)

LE RÉVEIL. — Grenoble
1er septembre 1944 - 29 février 1952

LE RÉVEIL DE LA MARNE. — Epernay
4 janvier 1898 - 10 juin 1946
(Devient hebdomadaire)

LE RHIN. — Strasbourg
8 octobre 1946 - 11 février 1947

LE ROUERGUE RÉPUBLICAIN. — Rodez
23 août 1944 - 17 février 1958
(Devient *Centre-Presse. Le Rouergue Républicain* après absorption par *Centre-Presse*)

ROUGE-MIDI. — Marseille
27 août 1944 - 31 mars 1948
(Hebdomadaire à sa fondation le 18 février 1933)

SEINE-ET-MARNE MATIN. — Fontainebleau
31 mars 1964 ➔
(Quadri-hebdomadaire à sa fondation le 2 mars 1964, édition régionale du *Parisien Libéré.* — 202, rue Grande - 77300 Fontainebleau. Tél. 422.31.70)

LE SOIR. — Marseille
2 janvier 1945 (N° 89) ➔
(Édition du *Provençal* fondée le 7 septembre 1944 (N° 6)

sous le titre *le Soir de Marseille.* — 75, rue Francis-Davso - 13000 Marseille. Tél. 33.88.60)

LE SOIR. — Le Puy
18 décembre 1944 - ?

LE SOIR DE BAYONNE. — Bayonne
3 décembre 1952 - 30 novembre 1972
(Édition de *la Nouvelle Gazette de Biarritz,* fusionne avec *Biarritz-Soir, la Gazette Luzienne, la Nouvelle Gazette de Biarritz* et *Côte Basque Soir* pour former *l'Écho du Sud-Ouest*)

LE SOIR DE BORDEAUX. — Bordeaux
6 janvier 1946 - 24 juillet 1949
(Devient hebdomadaire)

LE SOIR DE BRIVE. LE LIMOUSIN. — Brive
24 avril 1961 - 15 juillet 1961

SOIR EXPRESS. — Saint-Étienne
29 mai 1949 (N° 190) - 31 juillet 1951
(Devient *Soir-Express. Centre-Soir* (1er août 1951 - 5 octobre 1951) par fusion avec *Centre-Soir*)

SOIR EXPRESS. — Saint-Étienne
19 novembre 1957 - 26 juillet 1959
(Édition du *Journal du Soir*)

LE SOIR. MIDI LIBRE. — Marseille.
3 janvier 1967 ➔
(Édition commune pour le Gard du *Provençal* et de *Midi Libre,* fait suite à *Nîmes-Soir* (26 novembre 1956 - 31 décembre 1966). — 75, rue Francis-Davso - 13000 Marseille. Tél. 33.88.60)

LE SOIR SUD-EST. LYON LIBRE. L'ÉCHO DU SOIR. — Lyon
20 juin 1948 - 4 mars 1950
(Formé par la fusion de *Lyon Libre* et de *l'Écho du soir,* devient *le Journal du Soir* (6 mars 1950 - 30 septembre 1959), puis *le Progrès-Soir* (1er octobre 1959 - 24 avril 1961), puis *le Progrès. Édition Lyon-Soir*)

SUD-OUEST. — Bordeaux
29 août 1944 ➔
(8, rue de Cheverus - 33000 Bordeaux. Tél. 90.92.72)

LE TÉLÉGRAMME DE BREST ET DE L'OUEST. — Morlaix
18 septembre 1944 ➔
(B.P. 243 - 29205 Morlaix. Tél. 88.23.38)

LE TÉLÉGRAMME DU NORD. — Boulogne-sur-Mer
29 septembre 1965 - 2 novembre 1965
(Remplace le *Journal du Pas-de-Calais et de la Somme*)

TOULON-SOIR. — Toulon
13 août 1952 - 31 janvier 1961
(Édition du soir du *Provençal*)

LE TRAVAILLEUR ALPIN. — Grenoble
23 août 1944 - 28 février 1947
(Hebdomadaire à sa fondation le 6 octobre 1928, redevient hebdomadaire)

LA TRIBUNE DE MULHOUSE. — Mulhouse
20 mars 1945 - 31 janvier 1948
(Fusionne avec *le Nouveau Rhin Français*)

LA TRIBUNE DE SAONE-ET-LOIRE. — Chalon-sur-Saône
18 septembre 1944 - 12 janvier 1947
(Devient *la Tribune de Saône-et-Loire. Les Dernières Dépêches* (13 janvier 1947 - 9 mai 1947) après fusion avec *les Dernières Dépêches,* puis *la Tribune de Chalon. Les Dernières Dépêches* (10-11 mai 1947 - 11 octobre 1948). Redevient *la Tribune de Saône-et-Loire. Les Dernières Dépêches* (12 octobre 1948 - 6-7 novembre 1948), puis *la Tribune de Saône-et-Loire* (8 novembre 1948 - 2 juillet 1951), puis *la Tribune* (3 juillet 1951 - 2 novembre 1951) après absorption par *la Tribune du Centre et du Sud-Est.* Redevient *la Tribune de Saône-et-Loire* (3 novembre 1951 - 1er septembre 1963), puis *le Progrès. La Tribune* après absorption de *la Tribune du Centre et du Sud-Est* par *le Progrès*)

LA TRIBUNE DU CENTRE ET DU SUD-EST. — Saint-Étienne
31 août 1950 - 30 septembre 1963
(Absorbé par *le Progrès,* devient *la Tribune. Le Progrès*)

LA TRIBUNE. LE PROGRÈS. — Saint-Étienne
1er octobre 1963 ➔
(Fait suite à *la Tribune du Centre et du Sud-Est* après absorption par *le Progrès.* — 10, place Jean-Jaurès - 42000 Saint-Étienne. Tél. 32.74.11)

L'UNION. — Reims
4 octobre 1944 ➔
(Fondé sous le titre *l'Union Champenoise* (30 août 1944 - 3 octobre 1944). — 87-91, place Drouet-d'Erlon - 51052 Reims Cedex. Tél. 40.24.48)

L'UNION RÉPUBLICAINE DE LA MARNE. — Châlons-sur-Marne
2 juin 1891 - 30 avril 1966
(Bihebdomadaire à sa fondation le 1er janvier 1889)

VAL D'OISE MATIN. — Pontoise
20 novembre 1972 ➔

(Édition régionale du *Parisien Libéré.* — 9, place de la Piscine - 95000 Pontoise. Tél. 464.20.86)

VALMY. — Moulins
11 septembre 1944 - 31 mai 1951
(Devient *le Patriote. Valmy* (1er juin 1951 - 17 août 1952), puis *le Patriote* (18 août 1952 - 27 août 1952) et est alors édité à Saint-Étienne)

VAR MATIN. LA REPUBLIQUE. — Ollioules
? →
(Route de la Seyne - 83190 Ollioules. Tél. 98.20.09)

VICHY LIBRE. — Vichy
27 août 1944 - 27 septembre 1944
(Remplacé par *la Patrie de l'Allier*)

LA VICTOIRE. — Toulouse
25 août 1944 - 16 avril 1949

LA VICTOIRE DU SUD-OUEST. — Bordeaux
11 septembre 1944 - 23 septembre 1945
(Devient *la Victoire* (24 septembre 1945 - 17 juin 1946)

VOIES NOUVELLES. — Périgueux
25 août 1944 - 29 février 1948
(Devient *les Voies Nouvelles. Le Populaire du Centre* (1er mars 1948 - 31 décembre 1951) après absorption par *le Populaire du Centre,* puis, à partir du 2 janvier 1952, *le Populaire du Centre* (édition de Périgueux)

LA VOIX CHALONNAISE. — Chalon-sur-Saône
? - 22 mars 1948
(Édition chalonnaise de *la Voix du Peuple*)

LA VOIX DE LA MOSELLE. — Metz
2 octobre 1945 - 1er juillet 1946

LA VOIX DE LA PATRIE. — Montpellier
27 août 1944 (nouvelle série, 3e année, N° 1) - 13 février 1953
(Fait suite à *Patriote du Midi* issu de *Patriotisme et Insurrection,* fondé le 11 septembre 1942)

LA VOIX DE LA RÉSISTANCE BERRICHONNE. — Bourges
9 septembre 1944 (N° 11) - 15 septembre 1944

LA VOIX DE L'OUEST. — Rennes
19 septembre 1944 - 30 mai 1947
(Devient *les Nouvelles de Bretagne et du Maine* (31 mai 1947 - 18 juillet 1955) puis hebdomadaire)

LA VOIX DU CENTRE. — Moulins
12 mai 1946 - 9 février 1947
(Devient *l'Éclair. La Voix du Centre* après absorption par *l'Éclair* (Clermont-Ferrand) dont il constitue l'édition pour l'Allier, le Cher, la Nièvre et la Saône-et-Loire)

LA VOIX DU MIDI. — Toulouse
23 août 1944 - 10 août 1946
(Devient hebdomadaire)
LA VOIX DU NORD. — Lille
1er avril 1941 ➛
(A paru au grand jour avec le numéro 66 daté du 5 septembre 1944. — 8, place du Général-de-Gaulle - 59023 Lille Cedex. Tél. 57.01.51)
LA VOIX DU PEUPLE. — Lyon
3 septembre 1944 - 22 mars 1948
(Bimensuel à sa fondation le 12 novembre 1932, devient quotidien à la Libération, puis hebdomadaire)
LA VOIX RÉPUBLICAINE DE LA HAUTE-LOIRE. — Le Puy
18 décembre 1944 - 30 avril 1951
(Remplacé par *le Quotidien de la Haute-Loire*)
L'YONNE RÉPUBLICAINE. — Auxerre
26 août 1944 ➛
(8-12, avenue Jean-Moulin - 89000 Auxerre. Tél. 52.14.18)
YVELINES-MATIN. — Versailles
29 septembre 1975 ➛
(Édition régionale du *Parisien Libéré*)

BIBLIOGRAPHIE

I. — *ANNUAIRES, ENCYCLOPÉDIES, DICTIONNAIRES, RÉPERTOIRES, ÉPHÉMÉRIDES, INDEX*

ALBERT (Pierre). — La Presse in *La Grande Encyclopédie.* Paris, Larousse, 1975, vol. 16, pp. 9829-9835.

L'Année de la presse, sous la direction de A.-J. Tudesq. — Talence, Centre d'études de presse, U.P.T.E.C., Université de Bordeaux III.
Tome 1, 1974, 48 p.
Tome 2, 1975, 72 p.

Annuaire de la presse et de la publicité. — Paris, 24, place Malesherbes, 1976, 89e édit.

Annuaire de la presse française et étrangère et du monde politique. — Paris, 1959.

Annuaire de la presse parallèle. — Paris, l'Hespéride, 1972, 3e édit., 1974, 4e édit., 1975, 5e édit.

BALLE (Francis). — La Presse in *La Sociologie et les sciences de la société.* Paris, Retz, 1975, pp. 145-152. (Les Encyclopédies du savoir moderne).

Bibliothèque Nationale. Département des Périodiques. — Bibliographie de la presse française politique et d'information générale, 1855-1944. Paris, Bibliothèque Nationale.

1 — Ain, 1974
6 — Alpes-Maritimes et Principauté de Monaco, 1972
9 — Ariège, 1966
12 — Aveyron, 1966
13 — Bouches-du-Rhône, 1974
14 — Calvados, 1969
17 — Charente-Maritime, 1964
20 — Corse, 1971
25 — Doubs et Territoire de Belfort, 1965
29 — Finistère, 1973
31 — Haute-Garonne, 1967
33 — Gironde, 1975
34 — Hérault, 1970
35 — Ille-et-Vilaine, 1969
37 — Indre-et-Loire, 1970
39 — Jura, 1965
45 — Loiret, 1964
48 — Lozère, 1974
50 — Manche, 1970
61 — Orne, 1971
62 — Pas-de-Calais, 1968
69 — Rhône, 1966
70 — Haute-Saône, 1965
71 — Saône-et-Loire, 1966
73 — Savoie, 1973
85 — Vendée, 1964
86 — Vienne, 1964
87 — Haute-Vienne, 1967

Bibliothèque Nationale. Département des Périodiques. — Catalogue collectif des journaux quotidiens d'information générale publiés en France métropolitaine de 1957 à 1961. Paris, Bibliothèque Nationale, 1962, 134 p.

Bibliothèque Nationale. Département des Périodiques. — Répertoire collectif des quotidiens et hebdomadaires publiés dans les départements de la France métropolitaine de 1944 à 1956 et conservés dans les archives et bibliothèques de France. Paris, Bibliothèque Nationale, Institut Français de Presse, 1958, 155 p. multigr.

Biographies de la presse française. — Société générale de presse. Paris, 1976.

BURDEAUX (Georges). — Presse in *Encyclopédie Juridique. Répertoire de droit public et administratif.* Paris, Dalloz, 1959, pp. 616-631. Mise à jour, 1971, pp. 605-608.

CAYROL (Roland). — Le rôle des mass média in *La Science*

politique. Paris, Hachette, 1971, pp. 304-332. (Les Sciences de l'action).

Les Communications de masse : l'univers des média, sous la direction de Jacques Mousseau. — Paris, Hachette, 1972, 512 p. (Les Sciences de l'action).

COSTON (Henry). — Dictionnaire de la politique française. Paris, la Librairie française.
Tome 1, 1967, 1088 p.
Tome 2, 1972, 783 p.

COSTON (Henry). — Dictionnaire des dynasties bourgeoises et du monde des affaires. Paris, Éd. Alain Moreau, 1975, 601 p.

ESCARPIT (Denise). — Press, Radio and Television ; presse écrite et audiovisuelle, prensa escrita y audiovisual, Presse in Schrift, Bild und Ton. Lorrez-le-Bocage, Elp Éditions, 1975, 351 p.

FAGES (Jean-Baptiste), PAGANO (Christian). — Dictionnaire des média : technique, linguistique, sémiologie. Tours, Mame, 1971, 351 p.

FAUVET (Jacques). — La Presse française depuis la fin de la guerre in *Encyclopédie française. Cahiers d'actualité et de synthèse,* tome XVIII. Paris, Société nouvelle de l'Encyclopédie française, 1967, pp. 5-17.

HATIN (Eugène). — Bibliographie historique et critique de la presse périodique française ou catalogue systématique et raisonné de tous les écrits périodiques de quelque valeur publiés ou ayant circulé en France depuis l'origine du journal jusqu'à nos jours, avec extraits, notes historiques, critiques et morales, indication des prix que les principaux journaux ont atteints dans les ventes publiques, précédé d'un essai historique et statistique sur la naissance et les progrès de la presse périodique dans les deux mondes. Paris, Anthropos, 1965, 660 p.

L'Information à travers le monde : presse, radio, télévision, film. — Paris, U.N.E.S.C.O., 1966, 424 p.

Le Journal in *Encyclopédie française,* tome XVIII. — Paris, Société nouvelle de l'Encyclopédie française, 1939, p. mult.

Le Monde, index analytique. Paris.
1944-1945, 1969, 280 p.
1946, 1970, 370 p.
1947, 1970, 409 p.
1965, 1967, 760 p.
1966, 1969, 907 p.

1968, 1970, 1173 p.
Presse in *Encyclopaedia Universalis.* — Paris, 1972, vol. 13, pp. 518-532.
Presse in *Nouveau répertoire de droit.* — 2e édit., Paris, Dalloz, 1964, tome III, pp. 723-754.
La Presse française : guide général méthodique et alphabétique. — Paris, Hachette, 1966, 1624 p. (Guides bibliographiques Hachette).
La Presse quotidienne régionale en cartes et tableaux. — Neuilly-sur-Seine, Inter France quotidiens, 1975, 48 p.
Proscop Média. 4e édit. — Paris, Institut Proscop, 1976, 258 p.
RAUX (H.-F.). — Répertoire de la presse française et des publications périodiques françaises. Paris, Bibliothèque Nationale, 1958, 1re édit. ; 1961, 2e édit. ; 1964, 3e édit. ; 1968, 4e édit. ; 1973, 5e édit., 2 vol., 2823 p.
ROUX-FOUILLET (R. et P.). — Catalogue des périodiques clandestins diffusés en France de 1939 à 1945 suivi d'un catalogue des périodiques clandestins diffusés à l'étranger. Paris, Bibliothèque Nationale, 1954, 283 p.
SOLAL (Lucien). — Dictionnaire du droit de la presse. Paris, Syndicat National de la Presse Quotidienne Régionale, 1959, 280 p.
Tarif-Média. — Paris, 6, av. Matignon. (Paraît cinq fois par an).
TEXIER (Jean-Clément). — Société et publicité : influence sur l'économie, influence sur les médias, influence sur la culture, un anticorps : le consumérisme in *La Publicité de A à Z.* Paris, C.E.P.L., 1975, pp. 405-439. (Les Encyclopédies du savoir moderne).
VOYENNE (Bernard). — Glossaire des termes de presse. Paris, C.F.J., 1967, 99 p.
World communications : a 200 country survey of press, radio, television, film. — Paris, U.N.E.S.C.O., 1975, 533 p.

II. — *DROIT*

AMAURY (Philippe). — De l'Information et de la propriété de l'État : les deux premières expériences d'un ministère de l'Information en France. Paris, Librairie Générale de Droit et de Jurisprudence, 1969, 876 p. (Bibliothèque de Droit public. N° 89).
AUBY (Jean-Marie), DUCOS-ADER (Robert). — Droit de l'information. Paris, Dalloz, 1976, 640 p. (Précis Dalloz).

BLIN (Henri), CHAVANNE (Albert), DRAGO (Roland). — Traité du droit de la presse. Paris, Librairies Techniques, 1969, 672 p.

Code de la presse. — Paris, la Documentation Française, 1954 (avec des mises à jour périodiques).

Le Droit des citoyens à l'information. Pour un statut de la presse : ce que veulent les journalistes, les expériences françaises et étrangères, l'inadaptation de l'aide de l'État, les textes fondamentaux. — Paris, Caen, Fédération française des sociétés de journalistes et Centre d'études et de documentation sur l'information de l'Université de Caen, 1976, 175 p.

GABRIEL-ROBINET (Louis). — La Censure. Paris, Hachette, 1965, 223 p.

GARÇON (Maurice). — Plaidoyer contre la censure. Paris, J.-J. Pauvert, 1963, 43 p.

LÉAUTÉ (Jacques). — Secret militaire et liberté de la presse : étude de droit pénal comparé. Paris, Presses Universitaires de France, 1957, 134 p.

LELOUP (Jean-Marie). — Le Journal, les journalistes et le droit d'auteur. Paris, Librairies Techniques, 1962, 247 p.

Rapport sur les problèmes posés par les sociétés de rédacteurs. — Paris, la Documentation Française, 1970, 95 p.

SANTINI (André). — L'aide de l'État à la presse. Paris, Presses Universitaires de France, 1966, 96 p. (Travaux et recherches de la Faculté de Droit et des Sciences Économiques de Paris. Série « Droit Public ». N° 3).

SÉRISÉ (Jean). — Rapport sur les aides publiques aux entreprises de presse. Paris, les Cahiers de la Presse Française, septembre 1972, 55 p.

SOLAL (Philippe). — Le Marché commun et le statut juridique de la presse en France. Paris, Institut Français de Presse, 1964.

TERROU (Fernand). — Droit et sociologie juridique de l'information. Paris, Institut Français de Presse, 1962, 138 p.

TERROU (Fernand), SOLAL (Lucien). — Le Droit de l'information : étude comparée des principaux systèmes de réglementation de la presse, de la radio, du film. Paris, U.N.E.S.C.O., 1951, 440 p.

TOULEMON (André), GRELARD (Marc-Louis), PATIN (Jacques). — Code de la presse : liberté de la presse, diffamation, droit de réponse, injure, outrage, procédure. Paris, Sirey, 1964, 382 p.

VALENCOGNE (François). — Le Titre de roman, de journal, de film : sa protection. Paris, Sirey, 1963, 406 p. (Bibliothèque de droit commercial. N° 6).

VOYENNE (Bernard). — Le Droit à l'information. Paris, Aubier-Montaigne, 1970, 224 p.

III. — *TRAVAUX UNIVERSITAIRES*

ALVERGNE (Patrick). — Les Prises de position de *la Dépêche du Midi* en 1967. Toulouse, mémoire I. E. P., 1970.

ARCHAMBAULT (François). — Le Coût de diffusion de quelques quotidiens français en 1961. Paris, Institut Français de Presse, 1963.

ARCHAMBAULT (François). — Le Coût de diffusion de la presse quotidienne française. Paris, Thèse Sc. Éco., 1963, 264 p.

BALAGUE (Nicole). — *La Dépêche du Midi* et les élections présidentielles de 1965. Toulouse, mémoire I. E. P., 1970.

BALIE (Jacques). — Étude des zones d'influence et de la diffusion de la presse bordelaise dans le Sud-Ouest. Bordeaux, I. E. P., 54 p. dactyl.

BALLE (Francis). — La Dépolitisation de la presse quotidienne depuis 1946. Paris, Institut Français de Presse, 1963.

BERCIS (Gérard). — L'Élection partielle de Bordeaux, 20 septembre 1970. Étude de presse comparée : presse régionale, presse parisienne. Bordeaux, I. E. P., 1970, 68 p. dactyl.

BERTHON (Emile). — Etude quantitative de la diffusion des quotidiens régionaux de l'Ouest. Paris, D.E.S., Sciences Économiques, Paris II, 1976.

BEZIAU (Claude). — Les Quotidiens face à la télévision (1949-1965). Paris, Institut Français de Presse, 1965.

BOUTON (Xavier). — Adaptation de la presse régionale à son marché. Bordeaux, I. E. P., 1973, 44 p. dactyl.

BOUZIAT (Xavier). — Étude du quotidien régional *Le Journal du Centre.* Dijon, mémoire D. E. S., I. E. P., 1971, 141 p.

BROUSSE (Philippe). — *Paris-Normandie* ou les difficultés de survie d'un quotidien de province. Paris, mémoire D. E. S., I. E. P., 1971.

CAUCHY (Marcel). — Le Rayonnement des journaux de Toulouse. Toulouse, mémoire D. E. S., 1954.

CENTRE D'ÉTUDES ET DE RECHERCHES SUR LA

PRESSE ET LE PERSONNEL POLITIQUE DE LA FRANCE CONTEMPORAINE (C.E.R.E.P.). — Presse et politique.
Tome 1 : Actes du colloque de Nanterre (mars 1973), pag. mult.
Tome 2 : Actes du colloque de Nanterre (25-26 avril 1975), 146 p.
Tome 3 : Actes du colloque de Nanterre (14-16 octobre 1976). (A paraître).

CHASSERIAUD (Jean-Paul). — Le Civisme dans la presse au moment du 13 mai [1958]. Bordeaux, mémoire I. E. P., 1960, 58 p. dactyl.

COURVOISIER (Claude). — Étude d'un quotidien régional : *La Bourgogne Républicaine.* Dijon, D.E.S., Sc. Pol., 1957, 77 p.

COURVOISIER (Claude). — Un quotidien de province, *le Bien Public,* Dijon, de 1868 à nos jours. Dijon, Thèse Sc. Pol., 1964, 493 p. dactyl.

DENIS (Philippe). — Les Presses Nouvelles de l'Est. Étude économique d'une entreprise de presse quotidienne régionale. Dijon, Thèse Sc. éco., 1971, 404 p.

Données quantitatives sur les quotidiens de province. — Paris, Institut Français de Presse, 1973, 73 p. multigr.

DUBOIS (Gérard). — Une Expérience de participation dans l'entreprise de presse : *la Nouvelle République de Centre-Ouest,* société anonyme à participation ouvrière, à directoire et conseil de surveillance. Paris, Thèse Sc. Éco., 1974, 288 p.

ESCORSAC (Pierre). — La Vie régionale à travers *la Dépêche du Midi.* Toulouse, mémoire I. E. P., 1970.

FITO (André). — *La Dépêche* en 1964. Toulouse, mémoire I. E. P., 1970.

GARCIA (René). — Le Journal *le Provençal* et le parti communiste de 1945 à 1950. Aix-en-Provence, 1968.

GAUTRON (Dominique). — La Grande information dans le journal régional. Rapport de stage. Bordeaux, I. E. P., 1973, 55 p. dactyl.

GIGNIOUX-PRETET (Martine). — Les problèmes financiers de la presse de province. Paris I, mémoire D.E.S., 1975, 80 p.

GIRARD (Alain). — La Presse et l'opinion publique. Paris, Cours de droit, 1965.

GUÉREND (Jean-Pierre). — Le Troisième âge et la presse. Paris, Institut Français de Presse, 1969.

GUILLAUMA (Yves). — La Presse quotidienne politique et d'information générale en France de 1944 au 1er janvier

1972 : naissance, vie et mort des quotidiens. Paris, Institut National des Techniques de la Documentation, 1973, 195 p.

GUILLO LOHAN (Georges). — Les Concentrations dans la presse quotidienne et leurs incidences sur les marchés de l'information et de la publicité. Paris, Thèse Sc. Éco., 1971, 354 p.

HIRTZ (Colette). — *L'Est Républicain*, 1889-1914 : naissance et développement d'un grand quotidien régional. Grenoble, Presses Universitaires de Grenoble, 1973, 176 p.

INSTITUT FRANÇAIS DE PRESSE ET DES SCIENCES DE L'INFORMATION. — La Méthodologie de l'histoire de l'information : compte rendu du colloque tenu les 1er et 2 mars 1974. Paris, Institut Français de Presse, 1974, 85 p. multigr.

JAULIN (M.). — Le Contrôle de l'État sur l'information. Bordeaux, Thèse droit, 1959, 233 p.

LE MOAL (Gérard). — Rapport de stage au journal *la République du Centre*. Bordeaux, I. E. P., 1973, 66 p. dactyl.

LIMINANA (J.-P.). — L'État et l'information. Paris, Thèse droit, 1967, 269 p.

MAURIN (J.-Cl.). — La Presse quotidienne de Marseille implantée dans le canton de Tarascon. Montpellier, mémoire de Sc. Pol., 1966, 103 p.

MÉDIONI (Charles). — *La Dépêche du Midi* face au communisme et au gaullisme au début de la troisième force. Toulouse, mémoire I. E. P., 1968.

MERCILLON (Henri). — L'Économie de l'information. Paris, Cours de droit, 1967.

MEUNIER (Charles). — De la liberté de la presse à la liberté d'information. Montpellier, Thèse droit, 1965, 237 p.

MONTERGNOLE (Bernard). — La Presse grenobloise de la Libération, 1944-1952. Grenoble, Presses Universitaires de Grenoble, 1974, 256 p.

PAYSANT (André). — Contribution à l'étude du statut et de l'économie des entreprises de presse de 1945 à 1962. Caen, Thèse droit, 1963.

PRETET (Dominique). — Essai sur l'économie de la presse de province. Dijon, mémoire D. E. S., 1966, 150 p.

PRUNIÈRES (Bernard). — La Presse sans politique. Étude systématique de la presse lue dans le Calvados (1963). Paris, Librairie Générale de Droit et de Jurisprudence,

1966, 421 p. (Bibliothèque constitutionnelle et de science politique. N° XV).

PUBELLIER (Philippe). — Le Lancement d'un quotidien départemental. Paris, mémoire de licence, Institut Français de Presse, 1976.

RIVET (Jacques). — Le Canada en 1967 dans la presse quotidienne française. Paris, Institut Français de Presse, 1968.

RODET (Alain-Pierre). — Étude d'une concentration dans la presse quotidienne régionale, *le Progrès - le Dauphiné Libéré*. Grenoble, mémoire I. E. P., 1969, 122 p.

ROHMER (Élisabeth). — La Mutation de la presse quotidienne en France : de la presse nationale à la presse régionale. Neuilly, mémoire D. E. A. Celsa, 1976.

SADOUX (Christian). — La Presse quotidienne de Grenoble sous la Ve République. Grenoble, mémoire I. E. P., 1970, 120 p.

SALMON (Robert). — La Presse dans le monde moderne. Paris, Institut Français de Presse, 1967-1968, 562 p.

SERVANT (Jacques). — La Vie d'un journal, *la Voix du Nord*. Bordeaux, I. E. P., 1973, 76 p. dactyl.

SPORTES (Marie-France). — Les Grandes consultations nationales d'octobre 1962 à avril 1973 et *le Midi Libre*. Étude d'analyse de presse. Montpellier, Thèse droit, 415 p.

TILQUIN (Joël). — Rapport de stage à *la Charente Libre*. Bordeaux, I. E. P., 1975, 41 p. dactyl.

TOUSSAINT (Nadine). — La Consommation de presse, de radio et de télévision en France (1950-1965). Paris, Thèse Sc. Éco., 1970.

UNIVERSITÉ DE TOULOUSE-LE MIRAIL. — La Presse et les sciences de l'information. Colloque organisé à Toulouse le 18 mars 1972 par l'Université de Toulouse-Le Mirail sous la présidence de Jacques Godechot. Toulouse, Université de Toulouse-Le Mirail, Service des publications, 1973, 178 p.

VETTU (Christiane). — La Presse en Alsace sous la Ve République. Strasbourg, mémoire I. E. P., 1967.

VUILLERMOZ (André). — La Concentration économique de la presse quotidienne française. Paris, Thèse droit, 1959, 330 p.

IV. — *ÉTUDES*

1. — *Études générales*

ALBERT (Pierre). — La Presse. 3e éd. mise à jour. Paris, Presses Universitaires de France, 1973, 128 p. (Que sais-je ? N° 414).

ALBERT (Pierre). — La Presse française. *Notes et Études documentaires,* N° 3521, 27 septembre 1968, 64 p.

ALBERT (Pierre), TERROU (Fernand). — Histoire de la presse. 2e éd. mise à jour. Paris, Presses Universitaires de France, 1974. 128 p. (Que sais-je ? N° 368).

BALLE (Francis). — Institutions et publics des moyens d'information : presse, radiodiffusion, télévision. Paris, Éd. Montchrestien, 1973, 696 p. (Université nouvelle).

BALLE (Francis), PADIOLEAU (Jean-G.). — Sociologie de l'information : textes fondamentaux. Paris, Librairie Larousse, 1973, 372 p.

BARSALOU (Joseph). — Questions au journalisme. Paris, Stock, 1973, 189 p.

BLONDEL (Michèle). — Les Journaux français. Paris, Hachette, 1975, 80 p.

BOEGNER (Philippe). — Cette presse malade d'elle-même. Paris, Plon, 1973, 219 p.

BOEGNER (Philippe). — Presse, argent et liberté. Paris, Fayard, 1969, 192 p.

CALVET (Henri). — La Presse contemporaine. Paris, Fernand Nathan, 1958, 367 p.

CAYROL (Roland). — La Presse écrite et audiovisuelle. Paris, Presses Universitaires de France, 1973, 628 p. (Thémis).

CLAUSSE (Roger). — Le Journal et l'actualité. Comment sommes-nous informés, du quotidien au journal télévisé. Verviers, Éd. Gérard et Cie, 1967, 299 p.

CLAUSSE (Roger). — Les Nouvelles : synthèse critique. Bruxelles, Éd. de l'Institut de sociologie de l'Université libre de Bruxelles, 1963, 496 p.

[Mélanges Clausse (Roger)]. — Publics et techniques de la diffusion collective. Études offertes à Roger Clausse pour le 25e anniversaire de la licence en journalisme et communication sociale de l'Université libre de Bruxelles. Bruxelles, Éd. de l'Institut de sociologie de l'Université libre de Bruxelles, 1971, 495 p.

COSTON (Henry). — Partis, journaux et hommes politiques

d'hier et d'aujourd'hui. Paris, *Lectures Françaises,* n° spécial, décembre 1960, 623 p.

COSTON (Gilberte et Henry). — Le Journalisme en trente leçons. Paris, *Lectures Françaises,* n° spécial ; 1re édition : 1951 ; 2e édition : 1952 ; 3e édition : 1960 ; 4e édition : novembre 1962, 240 p.

DENOYER (Pierre). — La Presse moderne. Paris, Presses Universitaires de France, 1965, 128 p. (Que sais-je ? N° 414).

DERIEUX (Emmanuel), TEXIER (Jean-C.). — La presse quotidienne française. Paris, Colin, 1974, 314 p. (U 2).

FAUCHER (Jean-André), JACQUEMART (Noël). — Le Quatrième pouvoir : la presse française de 1830 à 1960. Paris, Éd. Jacquemart, 1969, 336 p.

FAUCIER (N.). — La Presse quotidienne, ceux qui la font, ceux qui l'inspirent. Paris, les Éditions syndicalistes, 1963, 357 p.

GRANDMAISON (Henri de). — La province trahie. Les Sables d'Olonne, Le Cercle d'Or, 1975, 152 p.

Histoire générale de la presse française publiée sous la direction de Claude Bellanger, Jacques Godechot, Pierre Guiral et Fernand Terrou. Paris, Presses Universitaires de France.

Tome 1 : des origines à 1814, par Louis Charlet, Jacques Godechot, Robert Ranc, Louis Trenard, 1969, 635 p.

Tome 2 : de 1815 à 1871, par Louis Charlet, Pierre Guiral, Charles Ledré, Robert Ranc, André-Jean Tudesq, 1969, 467 p.

Tome 3 : de 1871 à 1940, par Pierre Albert, Louis Charlet, Robert Ranc, Fernand Terrou, 1972, 688 p.

Tome 4 : de 1940 à 1958, par Claude Bellanger, Claude Lévy, Henri Michel, Fernand Terrou, 1975, 487 p.

Tome 5 : de 1958 à nos jours, par Claude Bellanger, Louis Charlet, Robert Ranc, Fernand Terrou, 1976, 551 p.

JACQUEMART (Noël). — La Presse quotidienne française de province. *L'Écho de la Presse et de la publicité,* 10 mai 1954, 68 p.

JACQUEMART (Noël). — Quatre ans d'histoire de la presse française (1944-1947). *L'Écho de la presse et de la publicité,* n° hors série, 1948, 42 p.

KAYSER (Jacques). — Mort d'une liberté. Techniques et politique de l'information. Paris, Plon, 1955, 339 p.

KAYSER (Jacques). — La Presse de province sous la troisième République. Paris, A. Colin, 1958, 244 p. (Cahiers de la Fondation Nationale des Sciences politiques. N° 92).

KAYSER (Jacques). — Le Quotidien français. Paris, A. Colin, 1963, 171 p. (Cahiers de la Fondation Nationale des Sciences politiques. N° 122).

LEPAPE (Pierre). — La Presse. Paris, Denoël, 1972, 279 p. (Le point de la question. N° 13).

LIVOIS (René de). — Histoire de la presse française. Tome 1 : Des origines à 1881. Tome 2 : De 1881 à nos jours. Paris, Société française du livre, 1965, 672 p.

MANEVY (Raymond). — Histoire de la presse (1914-1939). Paris, Corréa, 1945, 360 p.

MANEVY (Raymond). — La Presse de la IIIe République. Paris, J. Foret, 255 p.

MORGAINE (Daniel). — Dix ans pour survivre : un quotidien grand public en 1980. Paris, Hachette, 1971, 213 p.

MOTTIN (Jean). — Histoire politique de la presse (1944-1949). Paris, Éd. Bilans Hebdomadaires, 1949, 188 p.

PAILLET (Marc). — Le Journalisme. Fonctions et langages du quatrième pouvoir. Paris, Denoël, 1974, 226 p.

PHILIP (Anne). — La Presse quotidienne régionale française. Paris, I.P.E.C., 1975, 270 p.

SERVAN-SCHREIBER (Jean-Louis). — Le Pouvoir d'informer. Paris, R. Laffont, 1972, 512 p.

TERROU (Fernand). — L'Information. 4e éd. entièrement refondue. Paris, Presses Universitaires de France, 1974, 128 p. (Que sais-je ? N° 1000).

TIBI (Jean). — Un Journalisme provincial. Saint-Étienne, Centre interdisciplinaire d'Études et de Recherche sur l'expression contemporaine, 1975, 199 p.

TRUCK (Betty), ALLAINMAT (Henry). — La Presse et l'information. Paris, Filipacchi, 1973, 160 p. (Tout savoir sur).

VOYENNE (Bernard). — L'Information en France. Paris, Ediscience, 1972, 191 p.

VOYENNE (Bernard). — La Presse dans la société contemporaine. 4e éd. entièrement refondue et mise à jour. Paris, A. Colin, 1971, 368 p.

WEIL (Georges). — Le Journal. Origines, évolution et rôle de la presse périodique. Paris, la Renaissance du livre, 1934, 451 p. (L'Évolution de l'Humanité).

2. — *Études particulières*

ALBERT (Pierre). — La Presse quotidienne in *Le Référendum d'octobre et les élections de novembre 1962*. Paris, A. Colin, 1965, pp. 103-142. (Cahiers de la Fondation Nationale des Sciences politiques. N° 142).

AMBAULT (Michel), ARCHAMBAULT (François). — Un Journal pour 30 centimes ! Mythes et réalités de la presse moderne. Paris, Julliard, 1966, 191 p.

ARCHAMBAULT (François). — *La Nouvelle République du Centre-Ouest* : un journal vu par ses lecteurs. Etude Sema-Sofres. Tours, Havas Régie, 1971, 28 p.

ARON (Robert). — Histoire de l'épuration. Tome 3, vol. 2 : le monde de la presse, des arts, des lettres... (1944-1953). Paris, Fayard, 1975, 421 p. (Les grandes études contemporaines).

ASSOCIATION PRESSE INFORMATION JEUNESSE. — La Presse à l'école ? Les 10 % à Rueil. Paris, Éd. du Cerf, 1974, 111 p.

AUCLAIR (Georges). — Le Mana quotidien : structures et fonctions de la chronique des faits divers. Paris, Éd. Anthropos, 1970, 277 p.

BAUDOT (Marcel). — L'Opinion publique sous l'Occupation : l'exemple d'un département français (1939-1945). Presses Universitaires de France, 1960, 268 p.

BAZIN (Jean-François). — La Revue de presse. Paris, Éd. Chotard, 1971, 135 p.

BELLANGER (Claude). — Presse clandestine (1940-1944). Paris, A. Colin, 1961, 264 p. (Kiosque. N° 13).

BERCOFF (André). — L'Autre France : l'Underpresse. Paris, Stock, 1975, 335 p.

BERTAUX (Pierre). — Libération de Toulouse et de sa région. Paris, Hachette, 1973, 271 p. (La Libération de la France).

BOURDET (Claude). — L'Aventure incertaine. De la résistance à la restauration. Paris, Stock, 1975, 480 p. (Les grands sujets).

BRUNEAU (Charles). — La Langue du journal. Texte des cinq conférences prononcées à l'école Estienne les 20, 27 novembre et les 4, 11 et 18 décembre 1957. Paris, Estienne, 1958, 48 p.

CALMETTE (A.). — L'O.C.M., organisation civile et militaire. Paris, Presses Universitaires de France, 1961, 228 p.

CESBRON (Gilbert). — Voici le temps des imposteurs. Paris, R. Laffont, 1972, 373 p.
CHARLOT (Jean). — La Presse, les catholiques et les élections in *Les Élections du 2 janvier 1956*. Paris, A. Colin, 1957, pp. 131-141. (Cahiers de la Fondation Nationale des Sciences politiques. N° 82).
CHARLOT (Monica). — Les Moyens d'information (Presse, radio, télévision) in *Les Élections législatives de mars 1967*. Paris, A. Colin, 1971, pp. 253-275. (Cahiers de la Fondation Nationale des Sciences politiques. N° 170).
CHAUVET (Paul). — Les Ouvriers du livre et du journal, la Fédération française des travailleurs du Livre. Paris, Éd. Ouvrières, 1971, 351 p.
CONSEIL DE L'EUROPE. — I : Résolution (74) 43 sur les concentrations de presse adoptée par le comité des ministres le 16 décembre 1974. — II : Rapport du comité d'experts sur les concentrations de presse. Strasbourg, Conseil de l'Europe, 1974, 55 p.
COX (Harvey), MORGAN (David). — City Politics and the Press. Cambridge, The University Press, 1973, 160 p.
COZIAN (Maurice). — Une étude de cas : la presse et la T.V.A. in *Les Dessous de la T.V.A.* Paris, A. Colin, 1971, pp. 131-145.
CROISSANDEAU (Jean-Michel). — La Presse à l'école. Paris, C. P. J., s. d., pag. mult. multigr. (Les dossiers du C. P. J.).
Le Dauphiné Libéré (1945-1965). — 20 ans d'expression du *Dauphiné Libéré*. Grenoble, Imprimerie générale, 1965.
DEANJEAN (J.), NEDELLEC (F.). — La Télécopie (facsimilé). Paris, Cimab, 1976, 27 p.
DEBATTY (André). — Le 13 mai et la presse. Paris, A. Colin, 1960, 328 p. (Kiosque. N° 8).
DILIGENT (André). — Un Cheminot sans importance. Paris, Éd. France-Empire, 1975, 255 p.
DRANCOURT (Michel). — L'équilibre économique des entreprises de Presse. *Journal Officiel. Avis et rapports du Conseil économique et social,* sessions des 12 et 13 février 1974, n° 11, 21 mars 1974, 39 p.
DUBOIS-DUMÉE (Jean-Pierre). — Vérité et objectivité de l'information in *Chercher la Vérité*. Paris, Desclée de Brouwer, 1969, pp. 83-107. (Semaine des Intellectuels Catholiques. Recherches et Débats. N° 66).
DUMAS (Évelyne). — La Crise de la presse en France. Ottawa, Éd. Léméac, 1972, 116 p.
DUTTER (Joseph). — La Presse de province et le réfé-

rendum in *L'Établissement de la cinquième République : le référendum de septembre et les élections de novembre 1958*. Paris, A. Colin, 1960, pp. 61-67. (Cahiers de la Fondation Nationale des Sciences politiques. N° 109).

L'Entreprise de presse : entreprise industrielle. Compte rendu de la session organisée à Strasbourg les 15, 16 et 17 novembre 1973 avec le concours de la Fédération française des sociétés de cadres des entreprises de presse. — Paris, C. P. J., 1973, pag. mult. multigr. (Les dossiers du C. P. J.).

Le Fait divers. — Paris, C. P. J., 1973, 44 p. multigr. (Les dossiers du C. P. J.).

FOLLIET (Joseph). — L'Information moderne et le droit à l'information. Lyon, Chronique sociale de France, 1969, 328 p.

FOULON (Charles-Louis). — Le Pouvoir en province à la Libération : les commissaires de la République (1943-1946). Paris, A. Colin, 1975, 303 p. (Travaux et recherches de science politique. N° 32).

GABEL (Émile). — L'Enjeu des médias. Tours, Mame, 1971, 472 p.

GABRIEL-ROBINET (Louis). — Journaux et journalistes, hier et aujourd'hui. Paris, Hachette, 1962, 254 p.

GAILLARD (Philippe). — Technique du journalisme. Paris, Presses Universitaires de France, 1971, 128 p. (Que sais-je ? N° 1429).

GAUTHIER (Guy). — L'Actualité, le journal et l'éducation. Comment le journal nous enseigne l'histoire. Paris, Tema-Éditions, 1974, 168 p. (Tema communication).

GIRARD (Alain). — L'opinion publique et la presse. Paris, les Cours de droit, 1959, 123 p.

GIROD (Maurice). — La Presse en 1985 in *Les Langages de notre temps*. Paris, C.E.P.L., 1971, pp. 57-65.

Le Gouvernement Pompidou et la presse française. — Paris, Éd. Galic, 1962, 159 p. (L'histoire au jour le jour. N° 10).

GRANDMAISON (Henri de). — Le Papivore. Paris, J.-C. Lattès, 1976, 270 p.

GRITTI (Jules). — La Pilule dans la presse : sociologie de la diffusion d'une encyclique. Tours, Mame, 1969, 158 p. (Médium).

GRITTI (Jules). — La Presse d'aujourd'hui. Paris, Bloud et Gay, 1966, 116 p.

GROSSER (Alfred). — Journaux, opinions et idéologie

in *La IVe République et sa politique extérieure.* 3e édition revue. Paris, A. Colin, 1972, pp. 161-189.

GUÉRY (Louis). — Pratique du secrétariat de rédaction : de la copie à la maquette de mise en page dans la presse quotidienne et périodique. Paris, C. P. J., 1973, 347 p.

HISARD (Claude). — Histoire de la spoliation de la presse française : 1944-1955. Paris, la Librairie Française, 1955, 500 p.

HOSTACHE (René). — Le Conseil National de la Résistance. Les institutions de la clandestinité. Paris, Presses Universitaires de France, 1958, 512 p.

HUGUES (M.). — Les Effets de la publicité dans la presse et à la télévision. Paris, R. Laffont, 1972, 183 p.

INGRAND (Henry). — Libération de l'Auvergne. Paris, Hachette, 1974, 207 p. (La libération de la France).

JACKSON (Ian). — The provincial press and the community. Manchester, University Press, 1972, 310 p.

JANOWITZ (Morris). — The Community press in an urban setting. Chicago, The University Press, 1967.

JEANNE (R.), FORD (C.). — Le Cinéma et la presse (1895-1960). Paris, A. Colin, 1961, 296 p.

KAYSER (Jacques). — La Presse in *Le Référendum du 8 janvier 1961.* Paris, A. Colin, 1962, pp. 61-110. (Cahiers de la Fondation Nationale des Sciences politiques. N° 119).

KAYSER (Jacques). — Presse et opinion in *L'Opinion publique.* Paris, Presses Universitaires de France, 1957, pp. 229-241.

KAYSER (Jacques). — La Presse parisienne et provinciale in *Les Élections du 2 janvier 1956.* Paris, A. Colin, 1957, pp. 69-112. (Cahiers de la Fondation Nationale des Sciences politiques. N° 82).

KAYSER (Jacques). — La Presse parisienne et provinciale devant les élections législatives in *L'Établissement de la cinquième République : le Référendum de septembre et les élections de novembre 1958.* Paris, A. Colin, 1960, pp. 69-97. (Cahiers de la Fondation Nationale des Sciences politiques. N° 109).

KAYSER (Jacques). — La Presse quotidienne in *Le Référendum du 8 avril 1962.* Paris, A. Colin, 1963, pp. 51-66. (Cahiers de la Fondation Nationale des Sciences politiques. N° 124).

KAYSER (Jacques). — Une semaine dans le monde. Étude

comparée de dix-sept grands quotidiens pendant sept jours. Paris, U.N.E.S.C.O., 1953, 131 p.

KIENTZ (Albert). — Analyse de contenu et rewriting journalistique in *Les Langages de notre temps*. Paris, C. E. P. L., 1971, pp. 155-171.

KIENTZ (Albert). — Pour analyser les média : l'analyse de contenu. Tours, Mame, 1971, 176 p.

LACROIX (J.-P.). — La Presse indiscrète. Paris, Julliard, 1967, 288 p.

LAPIERRE (Jean-William). — L'Information sur l'État d'Israël dans les grands quotidiens français. Paris, C. N. R. S., 1969, 332 p.

LAVOINNE (Yves). — La Presse. Paris, Librairie Larousse, 1976, 192 p. (Idéologies et sociétés).

LETHÈVE (J.). — La Caricature et la presse sous la IIIe République. Paris, A. Colin, 1961, 272 p. (Kiosque. N° 16).

LÉVY (Jacques). — La page locale. Toulouse, Arepro 2000, 1975, 90 p.

LUSSAN (Claude). — Le Titre, enseigne du journal. Paris, Triquet-Robert, 1950, 152 p.

MANEVY (Raymond). — L'Évolution des formules de présentation de la presse quotidienne. Conférences prononcées à l'école Estienne les 5, 22, 29 février et 7 mars 1956. Paris, Estienne, 1957, 106 p.

MORIN (Violette). — L'Écriture de presse. Paris, La Haye, Mouton, 1969, 160 p.

Les Moyens d'information dans la société : nécessité de développer la recherche. — *Études et documents d'information*, U.N.E.S.C.O., N° 59, 1970, 37 p.

Les Moyens d'information dans un monde de violence. — *Études et documents d'information,* U.N.E.S.C.O., N° 63, 1971, 49 p.

MURPHY (David). — The silent watchdog : the press in local politics. Londres, Constable, 1976, 192 p.

L'O.A.S. et la presse française. — Paris, Éd. Galic, 1962, 159 p. (L'histoire au jour le jour).

POURPRIX (Bernard). — La Presse gratuite. Paris, Éd. Ouvrières, 1971, 173 p. (Initiation sociologique).

La Presse et l'événement. Recueil de travaux publiés sous la direction de André-Jean Tudesq. — Paris, La Haye, Mouton, 1973, 183 p. (Travaux et recherches du Centre d'Études de presse).

La Presse, l'information à Lyon. — *Lyon-Forum*, N°s 52-53, janvier-février 1975, 73 p.

La Presse quotidienne et la Communauté européenne. Étude de presse réalisée sous la direction de Jacques Kayser pour le Service de presse et d'information des communautés européennes. — Strasbourg, 1962.

PUCHEU (René). — Le Journal, les mythes et les hommes. Paris, Éd. Ouvrières, 1962, 184 p. (Vivre son temps).

RAMBAUD (Placide). — Une Expression de la société urbaine : le journal in *Société rurale et Urbanisation.* 2e éd. augmentée. Paris, Éd. du Seuil, 1974, pp. 135-167.

ROSSI LANDI (Guy). — Les Journalistes politiques. Paris, Flammarion, 1969, 236 p. (Juges).

ROYER (J.-M.). — Quelques groupes de pression vus à travers leur presse in *Les Élections du 2 janvier 1956.* Paris, A. Colin, 1957, pp. 142-164. (Cahiers de la Fondation Nationale des Sciences politiques. N° 82).

RUDE (Fernand). — Libération de Lyon et de sa région. Paris, Hachette, 1974, 288 p. (La libération de la France).

SALES (Hubert). — Les Relations industrielles dans l'imprimerie française. Paris, Éd. Cujas, 1967, 211 p.

SCHNEIDER (Camille). — *L'Alsace,* journal libre : reproduction du journal clandestin écrit et diffusé à Strasbourg du 11 novembre 1940 au 19 novembre 1944. Strasbourg, 1946.

SCHWOEBEL (Jean). — La Presse, le pouvoir et l'argent. Paris, Éd. du Seuil, 1968, 297 p.

SENDERS (J.-G.)., FREDJ (P.). — Les Journalistes : étude statistique et sociologique de la profession. Paris, la Documentation Française, 1974, 104 p. (Dossier du centre d'études et de recherches sur les qualifications. N° 9).

SOCIÉTÉ FRANÇAISE D'ENQUÊTE PAR SONDAGE. — Le Lecteur et son quotidien régional. Étude psychosociologique et statistique réalisée par la SOFRES pour l'association des seize grandes entreprises de la presse de province. s. l., 1969, 106 p.

THIBAUT (Danièle). — Explorer le journal. Paris, Hatier, 1976, 80 p.

La Transmission des messages de presse. — Paris, U.N.E.S.C.O., 1956, 96 p.

Trois ans de la gestion Hersant : le livre noir des journalistes de *Paris-Normandie.* Juin 1975, 37 p.

VARIN D'AINVELLE (Madeleine). — La Presse en France : genèse et évolution de ses fonctions psychosociales. Paris, Presses Universitaires de France, 1965, 256 p.

V. — *ARTICLES*

1. — *Droit*

BERNARD (Philippe). — De la censure à l'autocensure. *Après-Demain,* N° 159, décembre 1973, pp. 5-6.

BROCHIER (Jean-Jacques). — Les Arguments contre la censure. *Communications,* N° 9, 1967, pp. 64-74.

BURGELIN (Olivier). — Censure et société. *Communications,* N° 9, 1967, pp. 122-148.

COLIN (Paul). — Le Contrôle de la presse enfantine en France (loi du 16 juillet 1949). *Études de presse,* nouvelle série, Vol. III, N° 3, 15 janvier 1952, pp. 24-32.

COLIN (Paul). — Le Régime de l'autorisation préalable. *Études de presse,* N° 6, décembre 1946, pp. 693-697.

DARRAS (Gilberte). — La Liberté de la presse et les droits de la critique. *Études de presse,* N° 7, mars 1947, pp. 52-60.

DERIEUX (Emmanuel). — La Clause de conscience : conditions et circonstances. *EPP. L'Écho de la presse et de la publicité,* 24 novembre 1975, pp. 7-8.

DERIEUX (Emmanuel). — La Diffamation. *Presse-Actualité,* N° 101, mai 1975, pp. 17-19.

DERIEUX (Emmanuel). — Le Droit de réponse. *Presse-Actualité,* N° 99, mars 1975, pp. 39-41.

DERIEUX (Emmanuel). — Les Droits du public : que manque-t-il juridiquement ? *Presse-Actualité,* N° 89, février 1974, pp. 74-78.

DERIEUX (Emmanuel). — L'Injure. *Presse-Actualité,* N° 110, mai 1976, pp. 28-30.

DESCAVES (Pierre). — Le « Secret professionnel » littéraire. *Études de presse,* nouvelle série, Vol. III, N° 1, 15 juillet 1951, pp. 57-62 ; Vol. III, N° 3, 15 janvier 1952, pp. 46-57.

DUHAMEL (Jacques). — Propagande organisée et démocratie libérale. *La Nef,* N°s 67-68, août-septembre 1950, pp. 83-90.

ELLUL (Jacques). — Information et propagande. *Diogène,* N° 18, avril 1957, pp. 69-90.

FAUJAS (Alain). — Les Difficultés d'application de la « loi Cressard ». *Presse-Actualité,* N° 103, septembre-octobre 1975, pp. 19-21.

FLORANT (Marc). — Pour les pigistes, ça va changer : une loi, dite « loi Cressard », vient, le 4 juillet, de modi-

fier leur statut. *Presse-Actualité,* N° 94, septembre-octobre 1974, pp. 2-5.
GATINOT (Gérard). — Liberté de la presse ou liberté des entreprises de presse ? *Humanisme et Entreprise,* nouvelle série, N° 87, octobre 1974, 6 p.
GLUCKSMANN (André). — La Métacensure. *Communications,* N° 9, 1967, pp. 74-83.
GRUNEBAUM-BALLIN (P.). — Le Statut social des journalistes français. *Études de presse,* N° 5, octobre 1946, pp. 494-503.
GUISSARD (Lucien). — Le Droit à l'information et ses exigences économiques. *Économie et Humanisme,* N° 192, mars-avril 1970, pp. 25-28.
HÉBARRE (Jean-Louis). — Le Droit d'auteur et la reproduction photographique en matière de presse. *Études de presse,* Vol. XI, N°s 20-21, 1959, pp. 65-87.
HERCET (Gilbert). — Pour ou contre les sociétés de rédacteurs. *Politique aujourd'hui,* février 1970, pp. 22-28.
HERMANN (Jean-Maurice). — Sociétés de rédacteurs : l'envers de la médaille. *Politique aujourd'hui,* mars 1970, pp. 102-110.
JEANTET (Fernand-Charles). — Le Régime juridique de la presse étrangère en France. *Études de presse,* N° 6, décembre 1946, pp. 702-715.
LÉAUTÉ (Jacques). — L'Ordonnance du 1er septembre 1945 relative aux indemnités à verser au personnel des entreprises de presse dont l'activité a été suspendue. *Études de presse,* N° 1, février 1946, pp. 40-51.
LEMASURIER (J.). — Le Statut du journaliste en France. *Droit Social,* 1956, pp. 401-411.
LEVASSEUR (Georges). — L'Ordonnance du 26 août 1944. *EPP. L'Écho de la presse et de la publicité,* 4 octobre 1976, pp. 15-19.
MARCELLIN (A.). — La Responsabilité de la presse en matière de publicité et le contrôle des annonces. *Études de presse,* Nos 3-4, avril-mai 1946, pp. 320-332.
PARISOT (Paul). — Pour le droit à l'information. *Après-Demain,* N° 159, décembre 1973, pp. 3-4.
PATIN (Maurice). — La Répression des délits de presse. *Revue de science criminelle et de droit pénal comparé,* nouvelle série, N° 3, juillet-septembre 1954, pp. 445-456.
PAYSANT (André). — La Forme juridique des entreprises de presse et la protection des apporteurs d'idées. *Droit Social,* N° 4, avril 1967, pp. 213-223.
PAYSANT (André). — Le Statut de l'entreprise de presse

de 1881 à 1973. *Après-Demain,* N° 159, décembre 1973, pp. 17-20.

PÉRIER-DAVILLE (Denis). — Le Statut du journaliste. *Après-Demain,* N° 159, décembre 1973, pp. 23-25.

Pour un statut de la presse. — Interview de Joël Le Theule, ancien ministre. *Dirigeant,* N° 32, mai 1972, pp. 17-19.

RAVANAS (Jacques). — Quelques remarques juridiques sur la protection de l'image des personnes. *Presse-Actualité,* N° 102, juin-août 1975, pp. 13-17.

SCHWOEBEL (Jean). — Les Sociétés de rédacteurs. *Revue des sciences politiques.* Toulouse, N° 20, pp. 9-16.

SOLAL (Lucien). — La Diffamation par imprudence. *Études de presse,* nouvelle série, Vol. III, N° 2, 15 octobre 1951, pp. 219-228.

SOLAL (Lucien). — Les Entreprises de presse sont exonérées du prélèvement et de l'impôt sur les bénéfices. *Études de presse,* N° 1, février 1946, pp. 55-58.

SOLAL (Lucien). — Injure et diffamation. *La Nef,* N°s 67-68, août-septembre 1950, pp. 62-71.

SOLAL (Lucien). — Le Transfert et la dévolution des biens des anciennes entreprises de presse. Commentaires de la loi du 11 mai 1946. *Études de presse,* N°s 3-4, avril-mai 1946, pp. 292-315.

TERROU (Fernand). — La loi du 2 août 1954. *Études de presse,* nouvelle série, Vol. VI, N° 10, automne 1954, pp. 186-207 ; N° 11, hiver 1954, pp. 332-339 ; Vol. VIII, N° 13, 1955, pp. 200-220.

TERROU (Fernand). — La loi du 29 juillet 1881. *Études de presse,* nouvelle série, Vol. XII, N°s 22-23, 1960, pp. 3-12.

TERROU (Fernand). — Le Nouveau statut de la presse en France. *Études de presse,* N° 1, février 1946, pp. 3-25 ; N°s 3-4, avril-mai 1946, pp. 277-284.

TERROU (Fernand). — Les Principes fondamentaux du droit de la presse. *Études de presse,* N° 6, décembre 1946, pp. 673-692.

TERROU (Fernand). — Réforme des Institutions et statut de la presse. *Études de presse,* Vol. XI, N°s 20-21, 1959, pp. 3-5.

TERROU (Fernand). — Le Statut juridique de l'entreprise de presse en France. *Études de presse,* nouvelle série, Vol. IV, N° 5, 15 octobre 1952, pp. 333-347 ; Vol. V, N° 7, été 1953, pp. 154-173 ; N° 8, hiver 1959, pp. 341-357.

VALABREGA (J.-P.). — Fondement psycho-politique de la censure. *Communications,* N° 9, 1967, pp. 114-121.
VOYENNE (Bernard). — Vers un nouveau statut de la presse ? *Projet,* N° 57, juillet-août 1971, pp. 847-855.

2. — *Études générales*

ALBERT (Pierre). — Crises et prospérité des quotidiens occidentaux. *Dirigeant,* N° 32, mai 1972, pp. 30-33.
ALBERT (Pierre). — De quelques originalités de la presse française. *EPP. L'Écho de la presse et de la publicité,* 26 janvier 1976, pp. 18-20.
ALBERT (Pierre). — Quotidiens et périodiques : concurrents ou complémentaires. *EPP. L'Écho de la presse et de la Publicité,* 31 mai 1976, pp. 13-16.
ALBERT (Pierre). — Réflexions d'un historien sur la crise actuelle de la presse. *EPP. L'Écho de la presse et de la publicité,* 3 novembre 1975, pp. 5-9.
ALBERT (Pierre). — Remarques sur l'histoire de la presse sous la IIIe République. *Le Mouvement social,* N° 53, octobre-décembre 1965, pp. 23-38.
ALBERT (Pierre). — Remarques sur les recherches en histoire de la presse. *Bulletin d'histoire moderne et contemporaine,* fasc. 9, 1975, pp. 39-72.
ANTOINE (Pierre). — Le Pouvoir des mots : la parole, le livre, les média. *Projet,* N° 81, janvier 1974, pp. 41-54.
ARCHAMBAULT (Pierre). — La Régionalisation de la presse quotidienne. *Revue des sciences politiques* (Toulouse), s. d., N° 20, pp. 31-37.
AUBERJONOIS (F.). — Que sera la presse française de demain ? *Études de presse,* N° 5, octobre 1946, pp. 470-474.
AUCLAIR (Georges). — Conditions d'existence d'une presse quotidienne départementale : le cas de la Rochelle. *Revue française de sociologie,* Vol. III, N° 4, octobre-décembre 1962, pp. 415-431.
BALLE (Francis). — Des Journaux, des publics. *Presse-Actualité,* N° 89, février 1974, pp. 48-51.
BALLE (Francis). — La psychose de crise. *Les Cahiers Français,* N° 178, décembre 1976, pp. 61-62.
BAUCHARD (Philippe). — La Presse de province. *Esprit,* N° 4, avril 1954, pp. 593-605.
BEAUNEZ (Roger). — L'Information, condition de participation à la vie locale. *Économie et Humanisme,* N° 192, mars-avril 1970, pp. 38-42.
BEUVE-MÉRY (Hubert). — « Objectivité » et relativité de

l'information. *Économie et Humanisme,* N° 192, mars-avril 1970, pp. 15-17.

BEUVE-MÉRY (Hubert). — Presse d'argent ou presse partisane. *Esprit,* mai 1947, pp. 721-731.

BOISSONNAT (Jean). — Un Journal, pourquoi ? *Le Journal La Croix,* N° 27092, 6-7 février 1972, p. 20.

BORZEIX (Jean-Marie). — Dire sa vérité ? *Esprit,* N° 2, février 1971, pp. 274-281.

BOULLIER (Jacqueline). — Chaque jour, le journal recrée le monde. *Presse-Actualité,* N° 27, juin-août 1966, pp. 8-33.

BOURDET (Claude). — Les Variations des moyens d'information. *La Nef,* N°s 67-68, août-septembre 1950, pp. 20-28.

BOUVERET (G.). — Les Problèmes de presse. *Revue des travaux de l'Académie des sciences morales et politiques,* 1er semestre 1968, pp. 111-122.

BREISDORFF (Charles). — Droits et devoirs du journalisme. *Études de presse,* N° 7, mars 1947, pp. 5-10.

CHADÉ (Léon). — Argent, presse et liberté. *Presse-Actualité,* N° 3, juin-août 1962, pp. 32-55.

CHATELAIN (Abel). — Le Journal, facteur géographique de régionalisme. *Revue de Géographie de Lyon,* 1948, pp. 55-59.

COPIN (Noël). — La Presse, lieu du débat politique. *Presse-Actualité,* N° 27, juin-août 1966, pp. 46-52.

COUVREUR (Jean). — L'Information, la presse et leur avenir. *Le Monde.*
I : Industrie et service public, N° 7381, 6-7 octobre 1968, p. 1 et 8.
II : Rendement et concentration, N° 7382, 8 octobre 1968, p. 12.
III : Les sociétés de rédacteurs ouvrent une voie, N° 7383, 9 octobre 1968, p. 11.

COUVREUR (Jean). — Le Nouveau visage de la presse de province. *Le Monde.*
I : Un mouvement de concentration qui s'opère aux dépens d'organes d'opinion, N° 6273, 16 mars 1965, p. 1 et 17.
II : Le développement considérable de la chronique locale a nécessité la modification des méthodes de diffusion, N° 6274, 17 mars 1965, p. 10.
III : Une dépolitisation qui entraîne une perte d'influence malgré l'accroissement de la diffusion, N° 6275, 18 mars 1965, p. 11.

IV : Dans certaines régions, les rivalités conduisent à des batailles âpres et ruineuses, N° 6276, 19 mars 1965, p. 9.

V : Un épouvantail : l'ORTF avec ses actualités régionales et l'éventualité d'un recours à la publicité sur les chaînes de télévision, N° 6277, 20 mars 1965, p. 10.

La Crise de la presse en France et à l'étranger. *Problèmes politiques et sociaux*, N°s 205-206, 7-14 décembre 1973, pp. 5-57.

DANIEL (Fernand). — Une seule révolution économique, politique et morale : la presse (1944-1950). *La Nef*, N°s 67-68, août-septembre 1950, pp. 7-19.

DESBRUYÈRES (P.). — Rajeunir la presse de province. *Économie et Humanisme*, N° 192, mars-avril 1970, pp. 19-21.

DUPONT (Jean-Marie). — L'Information en France. *Presse-Actualité*, N° 57, mars 1970, pp. 3-8.

DUPONT (Jean-Marie). — Le Monde clos de l'information. *Pour*, N° 50, septembre-octobre 1976, pp. 12-14.

DUTHEIL (Roger). — Le Journal unanimiste. *Esprit*, N° 2, février 1971, pp. 262-271.

ELLUL (Jacques). — L'Information aliénante. *Économie et Humanisme*, N° 192, mars-avril 1970, pp. 43-52.

FLAMANT (Maurice). — Information et stratification sociale. *Analyse et prévision*, Vol. XII, janvier 1972, pp. 1-18.

GABRIEL-ROBINET (Louis). — L'Avenir de la presse écrite. *Annales du Centre Universitaire méditerranéen*, Vol. XXV, 1972, pp. 131-145.

Le Grand quotidien régional devant des tâches inédites. — *EPP. L'Écho de la presse et de la publicité*, 8 avril 1974, pp. 18-19.

GRUBER (David). — La Presse de la liberté. *Les Temps Modernes*, N° 78, avril 1952, pp. 1749-1767.

GUIRAL (Pierre). — Problèmes d'histoire de la presse. *Revue d'histoire moderne et contemporaine*, Vol. XVIII, octobre-décembre 1971, pp. 481-488.

La Presse quotidienne de province en 1974. — *EPP. L'Écho de la presse et de la publicité*, 8 avril 1974, pp. 17-31.

La Presse quotidienne : entretien avec Daniel Toscan du Plantier. — *Communication et langages*, N° 14, juin 1972, pp. 80-87.

PUCHEU (René). — Les Quotidiens à réimaginer. *Presse-Actualité*, N° 73, mars 1972, pp. 13-16.

Que sera la presse française de demain ? par Claude Bellanger, Maxime Blocq-Mascart, François Crucy, Jean-Pierre

Dubois-Dumée... — *Études de presse,* N° 7, mars 1947, pp. 30-44.

Que sera la presse française de demain ? par Albert Bayet, Claude Bellanger, J. Pierre-Bloch, Georges Bourgin, Vital Glayman. — *Études de presse,* N° 8, juin 1947, pp. 249-255.

SALES (Claude). — Les Paradoxes de la presse. *Pour,* N° 50, septembre 1976, pp. 36-40.

SAUVAGEOT (Jacques). — Journaux en péril. *Le Monde.* I : Anatomie de la presse quotidienne, N° 9274, 8 novembre 1974, p. 1 et 13.
II : Maîtriser la crise, N° 9275, 9 novembre 1974, p. 22.

SAUVAGEOT (Jacques). — La Presse quotidienne et ses paradoxes. *Le Monde.*
I : Une liberté théorique, N° 7990, 22 septembre 1970, p. 1 et 24.
II : Le coût de la production, N° 7991, 23 septembre 1970, p. 28.
III : Vendre... à tout prix, N° 7992, p. 21.
IV : Comme la langue d'Esope, la publicité..., N° 7993, p. 21.

SAUVY (Alfred). — Les Aventures de la contre-information. *Économie et Humanisme,* N° 192, mars-avril 1970, pp. 70-75.

SCHWOEBEL (Jean). — Qu'est-ce qu'un journal ? Produit industriel ou service d'intérêt général ? *Après-Demain,* N° 159, décembre 1973, pp. 7-9.

SERVAN-SCHREIBER (Jean-Louis). — Les Journaux, vingt ans après la télévision. *Le Monde,* N° 9241, 1er octobre 1974, p. 19.

TEXIER (Jean-Clément). — Presse : La redistribution des cartes. *L'Éducation,* N° 294, 28 octobre 1976, pp. 8-9.

THIBAUD (Paul). — De l'information à l'action culturelle. *Esprit,* N° 2, février 1971, pp. 383-399.

VIRIEU (François-Henri de). — Peut-on vraiment informer sans déformer ? *Pour,* N° 50, septembre 1976, pp. 21-29.

VOYENNE (Bernard). — Deux siècles de quotidiens français. *Presse-Actualité,* N° 24, février 1966, pp. 4-23.

VOYENNE (Bernard). — Objectifs et méthodes de recherche dans les sciences de l'information. *Études de presse,* Vol. XII, Nos 22-23, pp. 44-56.

VOYENNE (Bernard). — La Presse française : trois siècles d'histoire. *Presse-Actualité,* N° 20, octobre 1965, pp. 2-16.

3. — *Études particulières*

AGNÈS (Yves). — Lire le journal à l'école. *Dirigeant,* N° 32, mai 1972, pp. 34-36.

AGNÈS (Yves). — *Sud-Ouest* montre les dents. *Le Monde,* N° 9894, 16 novembre 1976, pp. 19-24.

ALBERT (Pierre). — La Presse et la télévision ou la concurrence sans la complémentarité. *EPP. L'Écho de la presse et de la publicité,* 18 octobre 1976, pp. 22-23.

ALBERT (Pierre). — Remarques sur la stagnation des tirages de la presse française de l'entre-deux-guerres. *Revue d'histoire moderne et contemporaine,* Vol. XVIII, octobre-décembre 1971, pp. 539-550.

ALBERT (Pierre). — Théophraste Renaudot ou les origines de la presse en France. *Presse-Actualité,* N° 93, juin-août 1974, pp. 34-39.

ALIA (Josette). — Les Journaux meurent aussi. *Le Nouvel Observateur,* 30 juin 1975, pp. 17-19.

ALLANÇON (Michèle), DEMAY (Joël). — Le Journal à l'école : les expériences dans le monde. *Presse-Actualité,* N° 105, décembre 1975, pp. 12-20.

ALLAN MICHAUD (Dominique). — A Limoges, les 6 paris d'un quotidien communiste régional : *L'Écho du Centre. Presse-Actualité,* N° 112, septembre-octobre 1976, pp. 36-53.

AMBAULT (Michel). — Publicité et équilibre financier des entreprises de presse. *Cahiers d'Études de presse,* N° 1, 1961-1964, pp. 94-108.

AMBAULT (Michel). — Le Quotidien, support de publicité. *Cahiers d'Études de presse,* N° 2, 1968, pp. 96-101.

AMOUROUX (Henri). — Mémoire d'un métier. *Le Monde,* N° 9894, 16 novembre 1976, p. 25.

ANTONI (Marie-Louise). — La Crise de l'imprimerie : un baril de poudre pour les journaux. *Le Nouvel Économiste,* N° 12, 5 janvier 1976, pp. 63-65.

ANTONI (Marie-Louise). — Le Fac-similé met Paris à la campagne. *Le Nouvel Economiste,* N° 44, 30 août 1976, p. 33.

ANTONI (Marie-Louise). — Hersant à la « une ». *Le Nouvel Économiste,* n° 55, 15 novembre 1976, pp. 46-52.

ARCHAMBAULT (François). — Le Coût de la diffusion des quotidiens français en 1961. *Cahiers d'Études de presse,* N° 1, 1961-1964, pp. 31-39.

ARCHAMBAULT (François). — Le Marketing et ses applications aux journaux. Conférence à la F.I.E.J., 8 novembre 1973.

ARCHAMBAULT (François). — La Presse française et le Tiers Monde. *Humanisme et Entreprise,* nouvelle série, N° 87, octobre 1974, 8 p.

ARCHAMBAULT (François). — Les Problèmes financiers de la presse régionale. *Cahiers d'Études de presse,* N° 2, 1968, pp. 83-95.

ARMOZ (Claude). — *L'Est Républicain dimanche. Presse-Actualité,* N° 111, juin-août 1976, pp. 14-21.

AUCLAIR (Georges). — Meurtre, inceste et énigme. Étude comparée de presse. *Revue française de Sociologie,* Vol. VII, 1966, N° 2, pp. 215-228.

AUTIN (Didier). — *Paris-Normandie. Presse-Actualité,* N° 63, janvier 1971, pp. 12-19.

BAGUET (Robert). — L'Analyse comparative. *Presse-Actualité,* N° 62, décembre 1970, pp. 15-19.

BALLE (Francis). — Les grands quotidiens français sont-ils dépolitisés ? *Annales,* N° 2, mars-avril 1968, pp. 296-334.

BALLE (Francis). — La Grande presse et les comportements socio-économiques. *Économies et Sociétés. Cahiers de l'I.S.E.A*,, Vol. VI, N° 4, avril 1972, pp. 847-860.

BAYLET (Évelyne). — La Concentration de presse. *Revue des Sciences politiques* (Toulouse), N° 20, pp. 25-29.

BAZIN (Jean-François). — *Le Courrier de Saône-et-Loire. Presse-Actualité,* N° 106, janvier 1976, pp. 30-35.

BAZIN (Jean-François). — En passant par la Lorraine : le choc *Est Républicain - Républicain Lorrain. Presse-Actualité,* N° 94, septembre-octobre 1974, pp. 20-23.

BAZIN (Jean-François). — *L'Est Républicain,* une ère de transition. *Presse-Actualité,* N° 96, décembre 1974, pp. 20-22.

BAZIN (Jean-François). — Les Quotidiens de Dijon après deux siècles de fier isolement. *Presse-Actualité,* N° 91, avril 1974, pp. 16-25.

BEAUFORT (Claude). — Où en est *Nord-Éclair* ? Les raisons et les caractéristiques des accords conclus avec le groupe Hersant. *Presse-Actualité,* N° 102, juin-août 1975, pp. 18-23.

BELLANGER (Claude). — L'Événement et la vente. *Études de presse,* nouvelle série, Vol. III, N° 4, 15 avril 1952, pp. 186-192.

BELLANGER (Claude). — L'Évolution de la publicité dans la presse. *Études de presse,* nouvelle série, Vol. VII, N° 12, 1955, pp. 18-21.

BELLANGER (Claude). — L'Information et le phénomène de concentration. *Humanisme et Entreprise,* nouvelle série, N° 55, juin 1969, 14 p.

BELLANGER (Claude). — La Publicité dans la presse en 1938 et en 1951. *Études de presse,* nouvelle série, Vol. V, N° 6, printemps 1953, pp. 37-45.

BELLANGER (Claude). — Rôle... et vicissitudes des organisations professionnelles. *La Nef,* N°s 67-68, août-septembre 1950, pp. 142-149.

BIARD (Marcel). — Les Fins de mois difficiles : comment gérer un produit (le journal) vendu à perte. *Presse-Actualité,* N° 100, avril 1975, pp. 62-71.

BIZOT (Jean-François), BURNIER (Michel-Antoine). — La Presse « underground ». *Preuves,* N° 6, avril-juin 1971, pp. 115-127.

BLOCH (Pierre). — Imprimeries de presse. *La Nef,* N°s 67-68, août-septembre 1950, pp. 117-125.

BOULLIER (Jacqueline). — La Presse féminine : succès et déboires face à la télévision, la presse des jeunes et la presse familiale. *Presse-Actualité,* N° 42, pp. 28-37.

BOURSY (Xavier). — L'Affaire *Sud-Ouest :* une grève pour améliorer le dialogue. *Presse-Actualité,* N° 74, avril-mai 1972, pp. 8-13.

BOUVERET (G.). — La Distribution de la presse en France. *Revue politique et parlementaire,* N° 789, mai 1968, pp. 57-65.

C... (N.). — L'Informatique au *Provençal :* une révolution technique irréversible. *Presse-Actualité,* N° 109, avril 1976, pp. 32-39.

Le Capitalisme de presse en question. Table ronde avec Daniel Gentot, Denis Périer-Daville, Jean Schwoebel, Georges Suffert, Paul Thibaud, Bernard Voyenne. — *Esprit,* N° 2, février 1971, pp. 354-361.

CASSETTE (Christian). — Les Quotidiens du Nord. *Presse-Actualité,* N° 72, février 1972, pp. 25-30.

Cent ans de *la Dépêche du Midi.* — *La Correspondance de la presse,* 9 octobre 1970, pp. 1-4.

CHARLET (Louis). — Les Possibilités offertes à la presse quotidienne par les perfectionnements techniques les plus marquants dans le domaine de l'imprimerie. *Études de presse,* nouvelle série, Vol. VI, N° 10, automne 1954, pp. 163-178.

CHARLET (Louis). — Vue d'ensemble sur l'évolution de la technique d'impression dans le domaine de la presse.

I : Le chemin parcouru au cours des trente dernières années : les perspectives d'avenir immédiat. *Études de presse,* nouvelle série, Vol. III, nº 1, 15 juillet 1951, pp. 43-56.

II : Les nouveautés les plus marquantes en cours d'essais industriels ou en essais au laboratoire. *Études de presse,* nouvelle série, Vol. III, Nº 2, 15 octobre 1951, pp. 189-199.

CHATELAIN (Abel). — Les Données actuelles de la géographie des journaux lyonnais. *Revue de Géographie de Lyon,* 1949, pp. 189-200.

CHATELAIN (Abel). — La Géographie du journal. *Annales, Économies, Sociétés, Civilisations,* 1955, pp. 554-558.

CHATELAIN (Abel). — Géographie sociologique de la presse et régions françaises. *Revue de Géographie de Lyon,* 1957, pp. 127-134.

CHEVALIER (Pierre). — Une technique employée surtout dans les hebdomadaires et les magazines : le « rewriting ». *Presse-Actualité,* Nº 49, mars 1969, pp. 32-37.

COLIN (Paul). — Le Coût de la diffusion de la presse en France. *Cahiers d'Études de presse,* Nº 1, 1961-1964, pp. 26-31.

Les Conditions de fabrication des quotidiens en typographie. — *EPP. L'Écho de la presse et de la publicité,* 23 juin 1975, pp. 21-28.

COPIN (Noël). — Interview de M. Louis Estrangin, directeur général d'*Ouest-France. Presse-Actualité,* Nº 39, janvier 1968, pp. 22-27.

COSTON (Henry). — Qui êtes-vous M. Hersant ? *Lectures Françaises,* Nº 221, septembre 1975, pp. 7-29.

COURON (Jean-Luc). — « L'Underground » en France. *Presse-Actualité,* Nº 68, septembre-octobre 1971, pp. 16-20.

DELAUNES (Philippe). — *Le Progrès* de Lyon. *Tendances,* Nº 74, décembre 1971, 16 p.

DENOEL (François). — La Concentration dans la presse quotidienne (1951-1973). *Les Cahiers Français,* Nº 153, décembre 1976, pp. 46-49.

DENOYER (Pierre). — La Formation du journaliste. *La Nef,* Nºs 67-68, août-septembre 1950, pp. 91-97.

DENOYER (Pierre), MORIENVAL (Jean). — La Condition sociale du journaliste français. *Études de presse,* nouvelle série, Vol. III, Nº 3, 15 janvier 1952, pp. 10-20.

DERIEUX (Emmanuel). — La Libération et la presse. *Le Journal la Croix,* N° 27895, 3 octobre 1974, p. 2.

DERIEUX (Emmanuel), TEXIER (Jean-Clément). — Les Quotidiens de province diffusés à moins de 100 000 exemplaires. *Presse-Actualité,* N° 79, janvier 1973, pp. 7-16.

DESORMAUX (Pierre). — *Ouest-France,* le plus fort tirage des quotidiens de province. *Presse-Actualité,* N° 25, mars 1966, pp. 38-53.

DIETSCH (Jean-Claude). — Où en est l'underground ? *Presse-Actualité,* N° 89, février 1974, pp. 94-97.

DOUEL (Jacques). — Message et communication de masse. Analyse angologique d'un journal quotidien. *Humanisme et Entreprise,* nouvelle série, N° 87, octobre 1974, 15 p.

Le Drame de la drogue d'après l'analyse de 12 quotidiens du 22 février au 6 mars 1975. — *Presse-Actualité,* N° 108, mars 1976, pp. 20-29.

DREYFUS (Angela). — La Presse déchaînée. *Communication et langages,* N° 13, mars 1972, pp. 75-85.

DREYFUS (Paul). — Du Léman à la Provence, de la frontière italienne à l'Auvergne et la Bourgogne : *le Dauphiné Libéré. Presse-Actualité,* N° 15, janvier 1965, pp. 8-20.

DUBOIS (Pierre). — La Nouvelle, son origine, son contrôle, sa rédaction. *Presse-Actualité,* N° 24, février 1966, pp. 46-52.

DUBOIS (René). — Existe-t-il sur la presse française des statistiques valables ? *Études de presse,* nouvelle série, Vol. III, N° 1, 15 juillet 1951, pp. 27-32.

DUBREUIL (Dominique). — Journaliste en province. *Esprit,* N° 1, janvier 1973, pp. 133-149.

DUMAS (Pierre). — Le Quotidien de Montpellier : *Midi Libre. Presse-Actualité,* N° 19, juin-août 1965, pp. 36-43.

DUMORTIER (P.). — Le Personnel des entreprises de presse et la concentration. *Journalisme,* N° 34, 1971.

DUQUESNE (Jacques). — Le Lecteur, ce maître de la presse qui détient le pouvoir et l'ignore. *Presse-Actualité,* N° 27, juin-août 1966, pp. 58-64.

DUQUESNE (Jacques). — Où va la presse ? La télévision la condamne-t-elle ? *Presse-Actualité,* N° 20, octobre 1965, pp. 58-64.

DUTTER (Joseph). — Journalisme et civisme : la presse et le référendum [de septembre 1958] en province. *Études de presse,* Vol. XI, N°s 20-21, 1959, pp. 21-42.

ERWAN (Georges). — *Le Progrès. Presse-Actualité,* N° 39, janvier 1968, pp. 34-42.

L'Évolution du tirage et de la diffusion des quotidiens français. *Presse-Actualité :*
de 1960 à 1968, N° 50, avril-mai 1969, pp. 38-44.
de 1960 à 1969, N° 58, avril-mai 1970, pp. 42-48.
de 1960 à 1970, N° 65, mars 1971, pp. 39-46.
de 1960 à 1971, N° 73, mars 1972, pp. 17-27.
de 1960 à 1972, N° 83, mai 1973, pp. 9-17.
de 1960 à 1973, N° 91, avril 1974, pp. 31-41.
de 1960 à 1974, N° 100, avril 1975, pp. 48-53.
de 1960 à 1975, N° 109, avril 1976, pp. 20-29.

FAUVET (Jacques). — Direction et rédaction. *La Nef,* N°s 67-68, août-septembre 1950, pp. 31-37.

FLORANT (Marc). — Les Fantassins de Gutenberg. *Presse-Actualité,* N° 98, février 1975, pp. 22-28.

FONTAINE (Jacques). — Crise dans le quotidien. *L'Expansion,* avril 1975, pp. 51-52.

GAMBIEZ (Claude). — L'Information et l'éducation. *Humanisme et Entreprise,* nouvelle série, N° 87, octobre 1974, 4 p.

GAU (Étienne). — Comment naît une information. *Presse-Actualité,* N° 57, mars 1970, pp. 10-17.

GAUCHY (M.). — Le Rayonnement des journaux toulousains. *Revue géographique des Pyrénées et du Sud-Ouest,* Vol. XXVI, N° 2, 1955, pp. 100-112.

GAUTHIER (Guy). — L'Analyse de presse à travers l'événement. *Presse-Actualité,* N° 62, décembre 1970, pp. 21-29.

GENICOT (Christian). — L'Objectivité. *Presse-Actualité,* N° 57, mars 1970, pp. 22-27.

GLAYMAN (Claude). — De quelques aliénations du journaliste d'aujourd'hui. *Économie et Humanisme,* N° 192, mars-avril 1970, pp. 64-69.

GODECHOT (Jacques). — La Presse périodique à Toulouse des origines à nos jours. *Revue des Sciences politiques,* N° 20, s. d., pp. 71-79.

GODON (J.). — Les Accords publicitaires dans la presse. *Cahiers d'Études de presse,* N° 2, 1968, pp. 102-110.

GOUZ (Sylvain). — Publicité et liberté du journaliste. *Après-Demain,* N° 159, décembre 1973, pp. 29-32.

GRANGER (Jean-Pierre). — Presse et formation : interview de Francis Jeanson. *Pour,* N° 50, septembre 1976, pp. 44-48.

GRITTI (Jules). — Un récit de presse : les derniers jours

d'un « grand homme ». *Communications,* N° 8, 1966, pp. 94-101.

GRONOFF (Jean-Daniel). — Cartes et graphiques dans la presse. *Communication et langages,* N° 17, janvier-mars 1973, pp. 84-103.

GUÉRY (Louis). — Comment apprendre à lire un journal ou par quelles méthodes initier les lecteurs à la pratique de l'information. *Presse-Actualité,* N° 48, février 1969, pp. 6-12.

GUÉRY (Louis). — De Gutenberg aux ordinateurs. *Esprit,* N° 2, février 1971, pp. 331-353.

GUÉRY (Louis). — Le Journal de demain. *Après-Demain,* N° 159, décembre 1973, pp. 26-28.

GUÉRY (Louis). — Le Journal de l'an 2000 se fera avant 10 ans : les techniques modernes et leurs répercussions. *Presse-Actualité,* N° 24, février 1966, pp. 54-64.

GUÉRY (Louis). — Les Robots débarquent à Rouen. *Presse-Actualité,* N° 32, février 1967, pp. 41-48.

GUÉRY (Louis). — Le Secrétaire de rédaction. *Presse-Actualité,* N° 43, juin-août 1968, pp. 14-22.

GUILLAUMA (Yves). — Les Quotidiens de province de 1944 à nos jours. *Presse-Actualité.*
1 : En Bretagne et en Normandie, N° 98, février 1975, pp. 29-43.
2 : Dans le Nord et le Nord-Est, N° 99, mars 1975, pp. 23-38.
3 : Dans les pays de la Loire, le Poitou et le Centre, N° 106, janvier 1976, pp. 17-29.
4 : En Alsace, N° 110, mai 1976, pp. 31-39.
5 : En Lorraine, N° 113, novembre 1976, pp. 13-23.

GUISSARD (Lucien). — L'Influence de la presse. *Presse-Actualité,* N° 27, juin-août 1966, pp. 2-7.

GUITTON (Henri). — Recherches actuelles sur la vie économique de la presse. *Revue politique et parlementaire,* N° 770, septembre 1966, pp. 20-31.

HERMANT (M.). — L'Évolution de la presse française. *Cahiers Français,* N° 123, décembre 1967.
1 : Les métamorphoses de la presse, pp. 2-7.
2 : L'éclairage des chiffres, pp. 8-11.
3 : La publicité dans la presse, pp. 12-15.
4 : Concentrations et groupes de presse, pp. 16-21.
5 : Une innovation en cours : les sociétés de rédacteurs, pp. 22-27.

Histoire de la presse : entretien avec Pierre Guiral. — *Anthinéa,* N° 6, mars-mai 1974, pp. 7-9.

HORNY (Gérard). — Comment naît une information, comment elle devient crédible (enquête à partir d'un exemple). *Pour*, N° 50, septembre 1976, pp. 15-20.

HUCLIEZ (M.). — Le Choix des supports par les agences de publicité. *Cahiers d'Études de presse*, N° 2, 1968, pp. 111-117.

HUTIN (François-Régis). — Au service du lecteur. *Économie et Humanisme*, N° 192, mars-avril 1970, pp. 21-24.

HUTIN (François-Xavier). — Pour une information objective. *Études*, août-septembre 1968, pp. 194-206.

Inter-France quotidiens au service de la presse quotidienne régionale. *EPP. L'Écho de la presse et de la publicité*, 2 février 1976, pp. 18-19.

JANNIC (Hervé). — La vérité sur Havas. *L'Expansion*, N° 94, mars 1976, pp. 110-119.

JANOWITZ (Morris), SCHULZE (Robert). — Tendances de la recherche dans le domaine des communications de masse. *Communications*, N° 1, 1961, pp. 16-37.

JETREX (Hubert). — Les Feuilles gratuites. *Presse-Actualité*, N° 101, mai 1975, pp. 29-31.

JETREX (Hubert). — Interview de Bernard Voyenne, professeur au Centre de formation des journalistes. *Presse-Actualité*, N° 72, février 1972, pp. 8-14.

JETREX (Hubert). — Interview de Henri Mercillon, professeur à l'Université de Paris I. *Presse-Actualité*, N° 67, juin-août 1971, pp. 8-12.

JETREX (Hubert). — Interview de Pierre Albert, professeur à l'Institut Français de Presse. *Presse-Actualité*, N° 75, juin-août 1972, pp. 28-33.

JETREX (Hubert). — Les Petites annonces : elles sont les premières formes de la publicité. *Presse-Actualité*, N° 99, mars 1975, p. 10-15.

JOOSTENS (Alain). — Un grand quotidien régional, libéral et commercial, *la Voix du Nord*. *Presse-Actualité*, N° 14, octobre-novembre 1964, pp. 44-52.

Un Journal socialiste clandestin pendant l'Occupation : *Libération-Nord*. *La Revue Socialiste*, N° 192, pp. 362-379 ; N° 193, pp. 428-448.

JOUVE (Géraud). — A la source des informations, le correspondant d'agence à l'étranger. *La Nef*, N°s 67-68, août-septembre 1950, pp. 47-54.

KAYSER (Jacques). — L'Étude du contenu d'un journal : analyse et mise en valeur. *Études de presse*, Vol. XI, N°s 20-21, 1959, pp. 6-20.

KAYSER (Jacques). — Le Français moyen devant son journal du matin.
I : Deux jours comme d'autres, *Études de presse*, nouvelle série, Vol. VI, N° 9, printemps-été 1954, pp. 36-47.
II : Comment fut présentée la conférence de Genève [sur l'Indochine (juillet 1954)], N° 10, automne 1954, pp. 179-185.

KAYSER (Jacques). — L'Historien et la presse. *Revue Historique*, Vol. CCXVIII, octobre-décembre 1957, pp. 284-309.

KAYSER (Jacques). — Les Informations internationales. *La Nef*, N°s 67-68, août-septembre 1950, pp. 55-61.

KAYSER (Jacques). — Lire le journal. *Textes et documents*, N° 14, avril 1963.

KAYSER (Jacques). — La Presse de province en France et l'évolution de la situation internationale. *Politique Étrangère*, janvier-février 1955, pp. 40-50.

KAYSER (Jacques). — La Presse et l'information. *Annales, Économies, Sociétés, Civilisations*, N° 4, 1955, pp. 547-555.

LABORDE (Katerine). — La Presse et la publicité en Aquitaine. *EPP. L'Écho de la presse et de la publicité*, 19 avril 1976, pp. 25-33.

LA HAYE (Yves de). — Le Fait divers. *Presse-Actualité*, N° 54, décembre 1969, pp. 28-33.

LA HAYE (Yves de). — La Rubrique locale. *Presse-Actualité*, N° 56, février 1970, pp. 10-17.

LANGLOIS (Nicolas). — *Nice-Matin. Presse-Actualité* N° 84, juin-août 1973, pp. 34-40.

LAS FARGUES (Noël). — *L'Indépendant* de Perpignan, avec un peu plus de 60 000 lecteurs, a survécu à l'assaut de ses deux puissants voisins : le *Midi Libre* et *La Dépêche. Presse-Actualité*, N° 18, avril-mai 1965, pp. 58-64.

LAS FARGUES (Noël). — *La Montagne*, le quotidien de Clermont-Ferrand et de l'Auvergne. *Presse-Actualité*, N° 13, juin-août 1964, pp. 22-31.

LAVALLARD (Jean-Louis), ROUY (Jean-Claude). — L'Électronique dans la rédaction des journaux : la fin du manuscrit ? *Le Monde*, N° 9694, 24 mars 1976, p. 15 et 16.

LAVIALLE (Roger). — Opinion publique et liberté. *Presse-Actualité*, N° 57, avril-mai 1970, pp. 11-26.

LAZAREFF (Pierre). — Le Déclin du 4e pouvoir devant la

IVe République. *La Nef,* N°s 67-68, août-septembre 1950, pp. 176-181.

LÉAUTÉ (Jacques). — L'opinion publique d'après le tirage des journaux. *La Nef,* N°s 67-68, août-septembre 1950, pp. 72-82.

LEBAR (Jacques). — Messageries et transports. *La Nef,* N°s 67-68, août-septembre 1950, pp. 126-135.

LECLERC (Joseph). — Pour un conseil national de l'information. *Dirigeant,* N° 32, mai 1972, pp. 28-29.

LÈGRES (Jean), SALES (Claude). — L'Information : fin des monopoles ? *Études,* février 1976, pp. 163-180.

LEMOINE (Jean-François). — Des Journaux « sur le coup ». *Le Monde,* N° 9894, 16 novembre 1976, p. 25.

LÉVY (Claude). — Eugène Hatin, historien de la presse. *Études de presse,* nouvelle série, Vol. XII, N°s 22-23, 1960, pp. 32-43.

L'HER (Yves). — A qui appartiennent les journaux : les groupes de presse. *Presse-Actualité,* N° 89, février 1974, pp. 21-35.

L'HER (Yves). — L'Évolution des quotidiens : leur nombre, leur tirage, leur diffusion. *Presse-Actualité,* N° 24, février 1966, pp. 24-45.

L'HER (Yves). — Les Groupes de presse. *Presse-Actualité,* N° 50, avril-mai 1969, pp. 16-26.

L'HER (Yves). — Les Groupes de presse : à qui appartiennent les journaux que vous lisez. *Presse-Actualité,* N° 20, octobre 1965, pp. 32-37.

L'HER (Yves). — Interview de François Archambault, secrétaire général de *La Nouvelle République de Centre-Ouest* (Tours). *Presse-Actualité,* N° 60, septembre-octobre 1970, pp. 26-33.

L'HER (Yves). — Interview de Jules Clauwaert, directeur de la rédaction de *Nord-Éclair* et président de l'Ecole supérieure de journalisme de Lille. *Presse-Actualité,* N° 56, février 1970, pp. 18-26.

L'HER (Yves). — Interview de Maurice Catelas, président du *Courrier Picard. Presse-Actualité,* N° 68, septembre-octobre 1971, pp. 24-28.

L'HER (Yves). — La Liberté de l'information. *Presse-Actualité,* N° 57, mars 1970, pp. 32-41.

L'HER (Yves). — Presse et publicité : l'une mène-t-elle l'autre à sa perte ? *Presse-Actualité,* N° 20, octobre 1965, pp. 38-56.

L'HER (Yves). — Quand la presse parle... de la presse. *Presse-Actualité,* N° 71, janvier 1972, pp. 1-16.

L'HER (Yves). — Situation de la presse française. *Après-Demain,* N° 159, décembre 1973, pp. 13-16.

LOGIÉ (Michel). — Les Techniques de l'information et l'évolution des conditions de réalisation de la presse quotidienne. *Études de presse,* Vol. XI, N°s 20-21, 1959, pp. 51-64.

LONGUEVILLE (Pierre). — L'Affaire *Paris-Normandie. Presse-Actualité,* N° 68, septembre-octobre 1971, pp. 3-9.

LOZAC'HMEUR (Marie-Hélène). — Le Courrier des lecteurs. *Presse-Actualité,* N° 89, février 1974, pp. 60-72.

MAISTRE (Gilbert). — Pour une géographie des communications de masse. *Revue de géographie alpine,* Vol. LIX, N° 2, avril-juin 1971, pp. 215-228.

MARCELLIN (P.). — La Justification des tirages. *Études de presse,* N° 8, juin 1947, pp. 267-281.

MARION (Jacques). — La Presse en Normandie : rachats et fusions. *Presse Actualité,* N° 93, juin-août 1974, pp. 20-25.

MARTINEAU (Francis). — *La Nouvelle République de Centre-Ouest. Presse-Actualité,* N° 47, janvier 1969, pp. 28-33.

MASSUS (M.). — Le Marché du papier de presse en France et ses perspectives. *Cahiers d'Études de presse,* N° 2, 1968, pp. 62-75.

MAUDUIT (Jean). — Presse : le temps des pilotes. *Humanisme et Entreprise,* nouvelle série, N° 87, octobre 1974, 6 p.

MAURIÈS (René). — Le Journaliste de campagne. *Revue des Sciences politiques* (Toulouse), N° 20, pp. 3-7.

MERCILLON (Henri). — La Difficile survie des quotidiens. *Esprit,* N° 2, février 1971, pp. 354-361.

MERCILLON (Henri). — Pour une économie de l'information. *Cahiers d'Études de presse,* N° 2, 1968, pp. 8-18.

MESNIL-GRENTE (Simone). — Faut-il tuer la presse féminine ? *Humanisme et Entreprise,* nouvelle série, N° 87, octobre 1974, 5 p.

METZGER (André). — L'Information en Alsace : la télévision, la radio, les périodiques, les quotidiens. *Presse-Actualité,* N° 61, novembre 1970, pp. 7-25.

MEUNIER (Paul). — Interview de François-Régis Hutin, directeur général d'*Ouest-France. Presse-Actualité,* N° 111, juin-août 1976, pp. 22-29.

MEUNIER (Paul). — Interview de Jean-Pierre Coudurier, P.-D.G. du *Télégramme de Brest et de l'Ouest. Presse-Actualité,* N° 112, septembre-octobre 1976, pp. 12-15.

MIERMONT (Philippe). — La Réception des messages de

resse : une inconnue. *Communication et langages,* [N]o 17, janvier-mars 1973, pp. 58-65.

MOENAT (Jacques). — *L'Indépendant* à cœur ouvert. *[S]ud* (Montpellier), N° 24, 28 juin 1976, p. 3.

MOSCH (Charles). — Le Groupe Hersant. *Presse-Actua[li]té,* N° 7, avril-mai 1963, pp. 8-27.

MOSCH (Charles). — Vie et mort des journaux entre 1956 [e]t 1962. *Presse-Actualité,* N° 4, octobre-novembre 1962, [p]p. 44-54.

MON (Violette). — Le Voyage de Khrouchtchev en [F]rance : essai d'une méthode d'analyse de la presse. *[C]ommunications,* N° 1, 1961, pp. 81-107.

MLLAUD (Maurice). — Le Système des journaux : [t]héorie et méthode pour l'analyse de presse. *Langages,* [N]° 11, septembre 1968, pp. 61-83.

MLINIER (Jacques). — La Presse, l'information à Lyon. *[L]yon-Forum,* N°s 52-53, janvier-février 1975, pp. 9-72.

MLINIER (Jacques). — Comment va la presse, Mossieu ! [L]es hebdomadaires départementaux dans la région Rhô[n]e-Alpes. *Lyon-Forum,* N° 65, novembre-décembre 1976, pp. 18-37.

[M]SSEAU (Jacques). — Mass média : dix ans de statistiques. *Communication et langages,* N° 20, octobre-décembre 1973, pp. 90-100.

[N]D (François). — Le Grand reporter, Albert Londres. *Presse-Actualité,* N° 110, mai 1976, pp. 40-47.

[...]-Matin. *EPP. L'Écho de la presse et de la publicité,* 1er novembre 1976, pp. 37-40.

[...]d-Matin change de mains. *Lectures Françaises,* 12e année, N° 130, février 1968, pp. 1-5.

[N]ous ne sommes pas responsables des difficultés de la presse ». — Interview de Jacques Piot, secrétaire général de la Fédération française des Travailleurs du Livre. *Dirigeant,* N° 32, mai 1972, pp. 37-40.

LIVE (François). — Faut-il croire au C.E.S.P. ? *EPP. L'Écho de la presse et de la publicité,* 8 décembre 1975, pp. 13-15.

MI (J.-C.). — La Presse sauvage. *Esprit,* N° 3, mars 1972, pp. 477-499.

OUF (Jacques). — Études de presse et analyse de contenu. *Le Mouvement Social,* N° 53, octobre-décembre 1965, pp. 39-49.

RANQUE (Régis). — Les Conditions économiques de la liberté de la presse : un jeu pipé. *Après-Demain,* N° 159, décembre 1973, pp. 10-12.

PARISOT (Paul). — « Les Journalistes veulent partiiper au dialogue ». *Dirigeant*, N° 32, mai 1972, pp. 41-4.

PÉJU (Marcel). — Comment vit, pourquoi meurt la presse libre. *Les Temps modernes*, N° 78, avril 1952, pp. 734-1746.

Petite histoire d'un grand journal : *la Dépêche du Midi*. *Lectures Françaises*, 3e année, N° 31, octobre 59, pp. 5-32.

PFISTER (Thierry). — La Presse parallèle. *Le Monde*

I : La Révolution par le plaisir, N° 9415, 24 avril 15, pp. 1 et 16.

II : La Subversion culturelle, N° 9416, 25 avril 15, p. 17.

III : Une expérience poétique : « mai hors saison, N° 9417, 26 avril 1975, p. 10.

PLANEL (Alomée). — Concentrations dans la presse écri quelques données. *Projet*, mars 1967, pp. 365-368.

PLAS (Bertrand de). — Presse et publicité. *La Nef*, Nos 68, août-septembre 1950, pp. 136-141.

La Plus belle réussite de la Résistance. Une révoluti capitale : la rénovation de la presse française « de clandestinité à la légalité ». — *Le Courrier graphiq* Vol. V, N° 27, septembre-octobre 1946.

La Presse à l'école (vue par des enseignants et des jou nalistes). — *Pour*, N° 50, septembre 1976, pp. 54-63.

La Presse d'extrême gauche en France. — *Presse-Actualit* N° 61, novembre 1970, pp. 28-36.

Presse de l'Est : une région dominée par *L'Est Républicai* et *Le Républicain Lorrain*. *EPP. L'Écho de la press et de la publicité*, 1er mars 1976, pp. 23-33.

La Presse écrite en France. *Le Monde. Dossiers et docu ments*, N° 15, novembre 1974, 4 p.

La Presse en danger. Les arguments échangés le 3 févrie au cours de l'émission « l'Actualité en question » *Presse-Actualité*, N° 73, mars 1972, pp. 28-43.

Presse et publicité à Marseille, Toulouse, Montpellier, Perpignan. — *EPP. L'Écho de la presse et de la publicité*, 11 octobre 1976, pp. 15-36.

La Presse et la publicité dans la région marseillaise. — *EPP. L'Écho de la presse et de la publicité*, 24 mars 1975, pp. 21-43.

La Presse et la publicité dans la région Rhône-Alpes. — *EPP. L'Écho de la presse et de la publicité*, 15 septembre 1975, pp. 17-55.

La Presse face à la crise. — *Le Journal la Croix,* N° 28114, 1er juillet 1975, p. 16.
La Presse, moyen d'expression des usagers. — *Pour,* N° 50, septembre 1976, pp. 69-76.
PRÉTET (Dominique). — Le Phénomène de concentration dans la presse régionale. *Cahiers d'Études de presse,* N° 2, 1968, pp. 76-82.
PUCHEU (René). — Autour du kiosque. *Esprit,* N° 2, février 1971, pp. 195-206.
PUCHEU (René). — L'Information locale. *Presse-Actualité,* N° 79, janvier 1973, pp. 17-27.
PUCHEU (René). — Noël dans les journaux. *Presse-Actualité,* N° 72, février 1972, pp. 15-24.
PUCHEU (René). — Que disent, que font les mass média ? *Presse-Actualité,* N° 89, février 1974, pp. 38-47.
RAUFER (Xavier). — Panorama de la presse gauchiste au début de 1975. *Est et Ouest,* 27e année, nouvelle série, N° 549, 1-15 avril 1975, pp. 145-164.
RAYMOND (Pierre). — Le Papier de presse. *La Nef,* Nos 67-68, août-septembre 1950, pp. 98-116.
Le Républicain Lorrain. Est-Journal, numéro spécial du cinquantenaire, 19 juin 1969.
RICHARD (Louis). — Les Organisations professionnelles de journalistes et l'avenir de la presse. *Après-Demain,* N° 159, décembre 1973, pp. 21-23.
ROLLIN (Léon). — Sommes-nous bien informés ? *La Nef,* Nos 67-68, août-septembre 1950, pp. 38-46.
ROUGÉ (François). — Un Quotidien qui utilise l'offset pour sa « jaquette » et publie souvent des photos en couleurs : *le Télégramme. Presse-Actualité,* N° 51, juin-août 1969, pp. 26-33.
Routage et messageries d'abonnements : la presse et ses routeurs. *EPP. L'Écho de la presse et de la publicité,* 15 mars 1976, pp. 15-42.
ROUY (Jean-Claude). — Une semaine avec le Nord-Pas-de-Calais. Les recettes et les sources d'une presse bien portante : à chaque public, son journal. *Le Monde,* N° 9728, 4 mai 1976, pp. 40-41.
RUDEL (Christian). — *Sud-Ouest,* un quotidien qui s'adresse à une région peuplée de plus de 4 millions d'habitants. *Presse-Actualité,* N° 11, février-mars 1964, pp. 38-49.
SAIDJ (L.). — Le Régime fiscal d'aide à la presse périodique. *Revue de science financière,* N° 2, avril-juin 1975, pp. 343-430.
SAINT-MICHEL (Serge). — La Bande dessinée dans les

quotidiens : est-ce l'impasse ? *Presse-Actualité,* N° 93, juin-août 1974, pp. 26-33.

SALES (Claude). — Le Journalisme en question, pris au piège de la société moderne. *Presse-Actualité,* N° 101, mai 1975, pp. 4-16.

SALES (Claude). — Presse : le chambardement. *Le Point,* N° 217, 15 novembre 1976, pp. 68-75.

SALES (Hubert). — Les Négociations collectives dans la presse quotidienne française depuis 1950. *Cahiers d'Études de presse,* N° 1, 1961-1964, pp. 19-25.

SALMON (Robert). — Ce qu'est une entreprise de presse. *Entreprise,* N° 594, 26 janvier 1967, pp. 75-97.

SALMON (Robert). — La Distribution du papier journal en France. *Études de presse,* nouvelle série, Vol. IV, N° 5, 15 octobre 1952, pp. 364-367 ; Vol. V, N° 6, printemps 1953, pp. 7-15.

SALMON (Robert). — L'Entreprise de presse. *Cahiers d'Études de presse,* N° 2, 1968, pp. 19-46.

SARAGOUSSI (Pierre). — L'analyse morphologique : comment disséquer un journal ? *Presse-Actualité,* N° 62, décembre 1970, pp. 5-9.

SAUVAGEOT (Jacques). — L'État, la presse et le citoyen. *Le Monde.*
I : Ces aides dont on ne parle plus, N° 8533, 22 juin 1972, p. 1 et 8.
II : Quelques critiques, quelques solutions, N° 8534, 23 juin 1972, p. 8.

SAUVAGEOT (Jacques). — Quelques centimes quotidiens. *Revue des Sciences politiques,* s. d., N° 20, pp. 17-23.

SCHULMANN (Fernande). — Regard sur le fait divers. *Esprit,* N° 2, février 1971, pp. 244-252.

SCHWOEBEL (Jean). — Pour un statut de cogestion dans la presse. *Économie et Humanisme,* N° 192, mars-avril 1970, pp. 29-37.

SEGER (Charles). — *L'Alsace* en Franche-Comté : le projet de lancement d'éditions à Belfort, Montbéliard et Besançon est prêt. *Presse-Actualité,* N° 94, septembre-octobre 1974, pp. 24-28.

SEGER (Charles). — Le chef de file de l'un des groupes les plus puissants de la presse française : *l'Est Républicain. Presse-Actualité,* N° 64, février 1971, pp. 14-24.

SEGER (Charles). — *Les Dernières Nouvelles d'Alsace :* le quotidien le plus lu dans la province. *Presse-Actualité,* N° 107, février 1976, pp. 24-31.

SEGER (Charles). — Interview de Léon Chadé, président-directeur général de *L'Est Républicain. Presse-Actualité*, N° 61, novembre 1970, pp. 2-6.

SEGER (Charles). — Interview de Théo Braun, président du conseil de surveillance du quotidien de Mulhouse, *L'Alsace. Presse-Actualité*, N° 83, mai 1973, pp. 18-22.

SERVAN-SCHREIBER (Jean-Louis). — Entretien avec Robert Hersant. *L'Expansion*, N° 101-101 bis, novembre 1976, pp. 268-285.

SERVAN-SCHREIBER (Jean-Louis). — Le monopole de la presse de province, communication faite à l'I.N.A. le 19 novembre 1976. *La Correspondance de la Presse*, N° 6953, 26 novembre 1976, pp. 23-24.

SOUCHON (Michel). — Diffusion de l'information et rapports d'autorité. *Études*, mars 1970, pp. 386-401.

STOETZEL (Jean). — Fonctions de la presse : à côté de l'information. *Études de presse*, nouvelle série, Vol. III, n° 1, 15 juillet 1951, pp. 37-42.

TALPAERT (Jules). — Le Coût de fabrication d'un quotidien régional. *Cahiers d'Études de presse*, N° 1, 1961-1964, pp. 13-18.

TEXIER (Jean-C.). — Interview de Fernand Terrou, directeur de l'Institut Français de Presse. *Presse-Actualité*, N° 65, mars 1971, pp. 20-26.

TEXIER (Jean-C.). — Interview de Henri Amouroux, nouveau directeur de *France-Soir*, ancien directeur général de *Sud-Ouest. Presse-Actualité*, N° 89, février 1974, pp. 34-39.

TEXIER (Jean-C.). — Interview de Jean-Louis Servan-Schreiber, fondateur de *L'Expansion* et auteur du livre *le Pouvoir d'informer. Presse-Actualité*, N° 78, décembre 1972, pp. 18-25.

TEXIER (Jean-C.). — *La Nouvelle République*. A Tours, une expérience de participation dans la presse. *Presse-Actualité*, N° 108, mars 1976, pp. 16-19.

THIBAUD (Paul). — Crise dans la presse. *Esprit*, N° 3, mars 1972, pp. 470-476.

TINCQ (Henri). — Les Syndicats de journalistes. *Presse-Actualité*, N° 87, décembre 1973, pp. 22-29.

TOSCAN DU PLANTIER (Daniel). — La Presse et la publicité. *Humanisme et Entreprise*, nouvelle série, N° 87, octobre 1974, 7 p.

TOUSSAINT (Nadine). — L'Audience des média : par quels moyens et pour quelles raisons cette audience est étudiée. *Presse-Actualité*, N° 89, février 1974, pp. 52-57.

TRIPIER (M.). — Analyse économétrique du marché du

papier journal. *Cahiers d'Études de presse,* N° 1, 1961-1964, pp. 76-93.

URBAIN (Daniel). — Les Quotidiens de Troyes : trois titres pour un département de moins de 300 000 habitants. *Presse-Actualité,* N° 97, janvier 1975, pp. 4-11.

VASSEUR (Philippe). — La Presse d'extrême droite. *Presse-Actualité,* N° 68, septembre-octobre 1971, pp. 40-46.

VIANSSON-PONTÉ (Pierre). — La Presse et le profit. *Le Monde,* 30 octobre 1974, pp. 1 et 15.

VIANSSON-PONTÉ (Pierre). — Le Journaliste de campagne. *Le Monde,* N° 9492, 27 juillet 1975.

Vingt-cinq ans de journalisme dans la presse stéphanoise. — *Les Amis du vieux Saint-Étienne,* N° 61, 1966, pp. 14-23 ; N° 62, pp. 40-47.

VOYENNE (Bernard). — Les Journalistes. *Revue Française de Science politique,* Vol. IX, N° 4, décembre 1959, pp. 901-933.

VOYENNE (Bernard). — L'Objectivité est-elle possible ? *Presse-Actualité,* N° 27, juin-août 1966, pp. 38-45.

INDEX

B

D

F

J

N

O

P

T

W

Y

Z

TABLE DES MATIÈRES

PRÉFACE

PREMIÈRE PARTIE

DEUXIÈME PARTIE

TROISIÈME PARTIE

QUATRIÈME PARTIE

ANNEXES

N° éd. : 37

ACHEVÉ D'IMPRIMER
SUR LES PRESSES DE
DOMINIQUE GUÉNIOT
IMPRIMEUR
4, RUE CLAUDE-GILLOT
LANGRES